한성부의
'작은 일본',
진고개 혹은
本町

한성부의 '작은 일본', 진고개 혹은 本町

한성부의
'작은 일본',
진고개 혹은
本町

한성부의 '작은 일본', 진고개 혹은 本町

제6회 심원건축학술상 수상작

심원문화사업회가 주최하는 〈심원건축학술상〉은 건축역사와 이론, 건축미학과 비평 분야의 신진학자 및 연구자의 완성된 연구 성과물 또는 저작물 중 학술적이며 논쟁적 가치가 높은 응모작을 선정하여 출판을 지원하는 프로그램으로서 2008년에 제정되었다. 이 책은 그 네 번째 결실이다.

심원건축학술상 1기(2008~2013) 위원회

배형민, 서울시립대학교 건축학과 교수

안창모, 경기대학교 건축대학원 교수

전봉희, 서울대학교 건축학과 교수

전진삼, 격월간 건축리포트《와이드》 발행인

심원건축학술상 2기(2014~현재) 위원회

김종헌, 배재대학교 건축학과 교수

박진호, 인하대학교 건축학과 교수

우동선, 한국예술종합학교 건축학과 교수

함성호, 스튜디어 EON 대표

한성부의 '작은 일본', 진고개 혹은 本町

한성부의 '작은 일본', 진고개 혹은 本町

이 연 경

일러두기

1. 이 글은 필자의 박사학위 논문인 『한성부 일본인 거류지의 공간과 사회: 1885년~1910년까지 도시환경변화의 성격과 의미』의 내용을 바탕으로 수정·보완한 것이다.
2. 본문은 한국어 표기를 원칙으로 하였고, 필요한 경우 한자나 영어를 병기하였다.
3. 인명은 일본인의 경우 일본어 표기법으로, 중국인의 경우 한자음으로, 서양인의 경우 영어식으로 표기하였으며 원어를 병기하였다.
4. 일본인 인명의 경우 이름과 성이 명확하게 알려진 인물의 경우는 한국어로 표기시 성과 이름을 다 표기하되, 그렇지 않은 인물의 경우 성만 표기하였으며, 일본어로는 성과 이름 모두를 병기하였다.
5. 지명은 1901년 이후 일본인 거류지 내에서는 일본식 지명과 한국식 지명이 병용되었으므로 처음 등장할 때에는 일본식 지명과 한국식 지명을 병기하여 사용하되 반복적으로 사용될 때에는 거류지 내의 정확한 위치 파악을 위하여 일본식 지명만 한자음으로 표기하여 사용한 것이 대부분이나 필요에 따라 두 개를 병용하였다.
6. 연대 표기는 모두 서기로 하였다.
7. 국호의 경우 이 글이 다루고 있는 시기인 1882년부터 1910년까지의 한국의 국호는 1897년까지는 조선, 1897년 이후에는 한국이었음을 고려하여, 시대를 지칭하거나 공식문서 등에 사용된 단어를 인용할 경우에는 조선 및 대한제국을 사용하기로 하되, 전체적으로는 '한국'으로 통일하여 사용하기로 한다. 외국의 경우 역시 당시의 국호를 사용하는 것을 원칙으로 한다.
8. 각주, 그림, 표 번호는 각 장 별로 구분·부여하였다.
9. 그림, 표의 출처 정보는 그림, 표 목차에 표시하였으나 필요에 따라 본문 내에 표시하였다.
10. 참고문헌은 단행본의 경우 '지은이, 출판년, 『책제목』, 발행처'의 순으로 표기, 학술논문이나 기사의 경우 '지은이, 출판년, "논문제목", 『논문집제목』, 발행처, 권호 정보'의 순으로 표기하였다.

한성부의 '작은 일본', 진고개 혹은 本町

글 순서

그림 순서

서문

한성부의 '작은 일본', 일본인 거류지

1장

한성부의 '작은 일본', 일본인 거류지의 형성과 변화

2장

일본인 거류지 사회와 상업

부록

서문

한성부의 '작은 일본',
일본인 거류지

1장

한성부의 '작은 일본',
일본인 거류지의
형성과 변화

2장

일본인 거류지 사회와 상업

서문

한성부의 '작은 일본' 일본인 거류지

시작하며
19세기 말, 한성부의 근대도시화와 일본인 거류지
서울에서 사라져 버린 '작은 일본', 왜 지금 다시 이야기하는가?
연구시기와 연구자료

한성부의 '작은 일본' 일본인 거류지

한성부의 '작은 일본', 진고개 혹은 本町

시작하며

1880년대 초, 외부세계로부터 새로운 문물이 유입되기 시작하던 한성부漢城府[1]에 일본에서 한 무리의 사람들이 들어왔다. 그 중 대다수는 일본 제국의 대리자들로 온 공사관 관리와 군인들이었지만, 그 외의 사람들은 경제적 성공을 위해 위험을 무릅쓰고 이국땅에 혈혈단신 온 자들이었다. 한성부에 들어온 일본인들은 한성부의 남쪽 끝, 남산 언덕 위의 진고개[2] 일대에 자신들만의 거처를 마련하고 살기 시작하였다. 한성부 속 '작은 일본'은 이렇게 생겨났다.

한반도 내에서 일본의 세력이 점점 커짐에 따라, 일본인들의 거류지居留地는 더 이상 '작은 일본'이 아니게 되었다. 거류지 영역은 서울의 청계천 이남 지역인 남촌南村[3] 일대를 전체적으로 아우를 정도로 확대되었으며, 기존에 이 지역에 살던 한국인들을 쫓아내고 일본식 유곽을 설치하기도 하였다. 진고개는 더 이상 진고개로 불리지 않았으며, 대신 '本町'라는 일본인 마을의 중심지를 뜻하는 명칭으로 바뀌어 불리기 시작

[1] 조선시대 서울의 공식 명칭

[2] 진고개(泥峴)은 남산 북쪽 언덕, 지금의 충무로 지역의 조선시대 지명이다. 이 지역은 비가 오면 늘 질척거리는 땅이라 하여 진고개라는 이름이 붙여졌다.

[3] 한성부에서 청계천 이남 지역을 일컫는 말이다. 일본인 거류지는 초기에는 남산 북쪽 언덕 진고개 일대에서 시작하였으나, 점차 그 규모가 확장되어 러일전쟁 이후에는 한성부의 남촌 일대로 확대되게 되었다.

하였다. 일본인들은 이 지역에서 일본식 집을 짓고 일본식 상점을 열고, 자치적 경찰제도와 소방제도도 운영해 나가며 일본식 마을을 구축하였다.

1910년, 한반도는 일본제국주의에 점령당하였다. 일제는 조선왕조의 수도 '한성부漢城府'를 '경성부京城府'[4]로 개칭하고 본격적인 식민도시화를 시작하였다. 그들은 한성부가 가지고 있었던 오랜 시간의 흔적을 지워나가며 대신 이 곳에 '일본식 근대', '식민지 근대'를 이식하기 시작하였다. 일본인 거류지의 중심이었던 '本町'는 1920~30년대에 이르면 경성의 유행을 선도하는 '내지內地'[5]보다 더 '내지'같은 일본식 근대 도시의 모습을 갖추게 되었다.

[4] 한성부의 1910년 이후 명칭

[5] 내지(內地)는 일제 시기 일본이 자국의 본토를 부르는 명칭이다.

1945년 8·15 해방과 1950년 6·25 전쟁, 그리고 전후의 빠른 복구를 통해 식민도시 경성의 기억은 빠르게 사라져갔다. 더 이상 本町는 존재하지 않는다. 이 곳의 공식적인 명칭은 충무로가 되었다. 1970년대에는 패션과 유행의 중심지였으며, 2000년대 이후에는 외국인들의 관광 필수 코스가 된 이 지역이 약 130여년 전에 일본인들이 처음 한성부에 들어와 자리잡았던 지역이라는 사실은 이제는 거의 잊혀져 버렸다. 분명 이 지역이 일본인들의 중심지였다는 것은 '네거티브 메모리' 즉, 부정적 기억일 테다. 한 때 그 곳에서 일본인들이 일본식 집을 짓고, 일본식 상점을 열고, 자신들의 마을을 만들어 살았다는 것은 어쩌면 우리에겐 잊고 싶은 기억 그 자체일지도 모른다. 그러나 이 지역 길들과 필지들의 형태는 19세기 말~20세기 초 이 지역에 일본인 거류지가 설치되며 생긴 변화의 흔적들을 여전히 가지고 있으며, 이 곳에서 일어난 도시 환경 및 도시 생활의 변화는 이후 서울의 변화에도 지속적으로 영향을 주었다. 따라서 이 곳에 있었던 일본인 거류지의 시간은 그저 잊고 싶은 기억으로 지워져서는 안 될 것이며 오히려 면밀하게 이 곳에 쌓인 시간의 흔적들을 살펴볼 필요가 있다.

한성부의 '작은 일본', 진고개 혹은 本町

19세기 말, 한성부의 근대도시화와 일본인 거류지

1876년 개항과 함께 외부세계에 문호를 개방하게 된 한국[6]은 이후 빠른 속도로 근대화의 과정을 겪게 되었다. 그런데 이 시기 한국이 겪은 근대화는 서구사회에서 일어난 근대화와는 다른 성격을 가지는 것이었다. 서구 사회에서의 근대화란, 18세기 중반 이후 산업화와 도시화가 동시에 진행되면서 농경 기반의 전통 사회에서 산업 기반의 근대 사회로 전환하는 변화였다. 서구 근대화의 과정은 축적된 자본과 기술을 바탕으로 아시아 및 아프리카 등 비非서구지역으로의 진출, 즉 비서구지역의 식민화 과정을 동반하였는데, 이에 따라 비서구국가들은 타자에 의한 근대화 과정을 겪게 되었다. 즉 비서구국가들은 19세기 말~20세기 초 주체적 근대화를 이룰 수 있는 충분한 기반을 갖추지 못한 상황에서 식민화와 근대화를 동시에 겪을 수밖에 없었는데, 일본에 의해 강제적으로 개항을 하면서 근대화의 과정을 겪게 된 한국의 경우도 마찬가지였다.

[6]
본서가 다루고 있는 시기인 1882년부터 1910년까지의 한국의 국호는 1897년까지는 조선, 1897년 이후에는 한국이었다. 본서에서는 시대를 지칭하거나 공식문서 등에 사용된 단어를 인용할 경우에는 조선 및 대한제국을 사용하기로 하되, 전체적으로는 '한국'으로 통일하여 사용하기로 한다. 외국의 경우 당시의 국호를 사용하는 것을 원칙으로 한다.

1876년 이후 한국의 근대화 과정에서는 서양 열강들 뿐 아니라 일본의 적극적인 개입이 있었다. 일본은 청일전쟁과 러일전쟁의 승리를 통해 한반도 내에서 다른 제국 열강들, 즉 한국에서 이전부터 가장 큰 힘을 가지고 있었던 청국과 미국, 러시아를 비롯한 서구열강들과의 경쟁에서 우위를 점하면서 정치, 외교적인 주도권을 획득해나갔다. 동시에 부산, 원산,

인천을 비롯한 개항장들과 수도 한성부에 다수의 일본 상인들이 진출하여 한국의 상계商界에 침투함으로 정치, 사회, 경제 전반에 걸쳐 영향을 주었다. 이와 같은 일본의 개입과 영향은 한국이 본격적으로 일본의 식민지가 된 1910년 이후부터가 아니라 그 이전부터 진행되어 온 것이었다. 따라서 한국의 근대화 과정을 살펴보기 위해서는 개항 이후 한국의 주체적인 근대화 시도에 대해 살펴보는 것과 동시에 외부와의 영향관계, 특히 일본과의 관계를 면밀하게 살펴보아야 할 필요성이 있다.

개항으로부터 1910년까지의 시기는 주체적인 근대화의 시도와 제국 열강들의 개입이 동시에 나타나면서 새로운 변화들이 많이 나타난 시기이다. 이 시기는 여전히 전통적인 질서가 지배하는 상황에서 근대 사회로의 변화를 꾀하는 시도들이 좌절과 실패를 반복하며 나름대로의 변화를 시도하던 시기였으며, 일본의 식민지화가 본격적으로 진행되기 이전 서양으로부터 직접적으로 서구 근대문명과 문화가 전해지는 한편, 일본으로부터 일본식으로 변형된 서구 근대문명과 문화도 전해지던 시기였다. 즉, 이 시기의 변화는 한국 사회가 전통사회에서 근대사회로 변화하는 과도기적 단계로서, 근대화의 초기 단계로 볼 수 있다. 이 과도기적 변화가 가장 잘 나타나는 곳은 바로 부산, 원산, 인천 등의 개항장과 한국의 수도였던 한성부였다. 특히 한성부는 내부적 변화의 시도와 외부의 영향이 복합적으로 나타나면서 전통 도시에서 근대 도시로 변화하는 과도기적 양상을 잘 보여주는 곳이었다.

17,18세기부터 도시인구가 증가하고 상업이 발달하는 등 도시화 현상이 나타나고 있던 한성부의 도시화 속도가 급속도로 빨라진 것은 개항 이후였다. 한국정부에서는 일련의

근대적 개혁을 통하여 전반적으로 사회를 재편하고 근대문물을 적극적으로 도입하고자 하였으며, 개화파 지식인들은 민간 차원에서 개화운동을 활발하게 진행하였다. 특히 한성부에서는 1890년대 중반 이후 도시개조사업을 시행하여 경운궁을 중심으로 한 도로체계를 재편하고 도시환경을 개선하고자 하였으며, 전차를 도입하고 전등을 설치하는 등의 전기사업도 활발하게 시행하였다. 이 시기 한성부에서 가장 많은 변화가 일어난 곳은 대한제국의 황궁인 경운궁과 그 주변 서양인들이 주로 거주하던 정동 일대, 그리고 일본인들이 주로 거주하던 진고개 일대였다.[7] 이 지역에는 새로운 도시 시설들이 등장하기 시작하였으며, 중층 이상의 서양식 혹은 일본식 건축물들이 세워지면서 새로운 도시 경관을 만들어 냈다. 일본인 거류지의 경우 처음에는 한성부 내 외국인 거류지 중 가장 변두리에 위치하였으며 규모도 작아 두드러지는 변화를 만들어내지 못하였으나, 한반도 내에서 일본의 세력이 점차 증대함에 따라 일본인 거류지 영역이 팽창하고 한성부에 영향력을 미치게 되는 등 그 중요성이 점차 커져 갔다.

일본은 한국보다 약 22년 앞선 개항 이후[8] 서구의 근대문명을 적극적으로 수용함으로써 독자적인 근대화를 이루어가고 있었다. 일본의 근대는 서구의 근대와는 또 다른 성격을 가지는, 일본이라는 틀을 통해 변형된 근대로서, 특히 메이지明治 시기 일본의 근대는 서구의 근대기술문명을 적극적으로 받아들이는 동시에 이전 시대의 문화를 그대로 간직하고 있음으로서 혼종적인 성격을 가졌다. 한국의 도시 안에 형성된 작은 일본이라 할 수 있는 일본인 거류지에서는 이러한 혼종적인 성격을 가진 메이지 일본의 성격이 그대로 드러났다. 일본인 거류지는 한성부 내에서 독특한 성격을 가진 지역, 즉

[7] 1882년 이후 한성부에서는 외국인들의 거주가 본격적으로 시작되었는데, 서양인들은 정동 일대에, 중국인들은 수표교와 남대문로 일대에 거주했다. 이와 같이 외국인들은 대부분 남촌 일대에 그 터전을 마련하게 되었는데, 이는 서대문과 남대문과의 인접함으로 인하여 이들이 주로 입경하는 경로였던 인천과의 연계성이 좋았던 데다가 상대적으로 하급계층의 주거지였던 남촌 일대에 외국인들이 터를 잡을 수 있는 여건이 형성되었기 때문으로 예상된다.

[8] 일본은 1853년 7월 8일 페리의 입항 이후 결국 1854년 3월 불평등조약인 미국과 미일화친조약을 맺음으로서 개항을 하였다.

그림 1 각국 공관의 위치 및 거류지 영역

그림 2 1903년 정동 풍경

한성부 속 작은 일본식 마을이었으며, 이 곳의 도시환경과 생활문화는 주변 한국인들에게 영향을 주었을 것이다. 특히 한성부의 일본인 거류지는 기타 개항도시에서처럼 일본인들만의 지역으로 분리된 것이 아니라 한국인들과 뒤섞여 있는 잡거지雜居地였기 때문에 보다 직접적으로 한국인들에게 큰 영향을 주었을 것이라 예상할 수 있다.

일본인 거류지는 일본인들의 집단 거주지 이상의 의미를 가지는 곳이었다. 1895년 청일 전쟁 이후 점차 팽창하기 시작한 일본인 거류지는 1910년까지 한성부의 남촌 대부분을 차지할 정도로 팽창하였고, 따라서 거류지에서 일어나는 도시적 변화들은 한성부 내에서도 중요한 의미를 가지게 되었다. 일본인 거류지가 있던 진고개 지역을 비롯한 남촌 일대는 일본인들의 거류 이전과는 완전히 다른 지역이 되었으며, 1910년 이후에는 이 지역을 중심으로 도시 계획이 만들어지면서 도시의 중심이 기존의 북촌에서 남촌으로 이동하는 모습을 보이기도 하였다. 이처럼 1910년 이전까지 한성부 내 일본인 거류지의 변화는 이후의 도시 변화에도 영향을 주면서, 한성부의 근대화 과정에 있어 중요한 역할을 하였다.

서울에서 사라져 버린 '작은 일본', 왜 지금 다시 이야기하는가?

최근 근대사에 대한 연구는 정치사나 민족운동사 등을 넘어서 도시사, 문화사, 생활사 등 다양한 관점에서 이루어지고 있으며 이는 20세기 초중반 근대 도시와 문화에 대한 향수로 이어지기도 하였다. 이와 같은 상황은 일제에 의한 식민 시대를 지나치게 낭만적으로 평가한다는 측면에서 비판을 불러오기도 하였지만, 이전까지는 별로 관심을 가지지 않았던, 도시민들의 일상이라는 측면에서 근대 역사에 대한 새로운 해석을 시도한다는 점에서 이 시대의 도시사, 문화사, 생활사를 다루는 새로운 시도들은 의미가 있다. 특히 이 분야를 아우르는 다학제적 접근은 20세기 한국의 도시 변화에 대해 좀 더 폭넓은 이해를 할 수 있는 가능성을 열어준다.

한성부에서 경성부, 그리고 경성부에서 서울로 전환되는 서울의 근대화 과정은 한반도 역사상 가장 빠른 속도로, 그리고 가장 역동적으로 만들어진 변화였다. 그 동안 개항기와 식민지 시기의 서울의 변화를 다루는 연구들은 도시사적 측면에서는 주로 도시계획적 측면, 특히 고종과 대한제국의 한성부 도시 개조안과 일제에 의한 식민지 도시 계획에 주로 초점이 맞추어져 있었으며 건축사적 측면에서는 새롭게 등장한 건축 양식 및 개개의 건물, 건축가에 주로 초점이 맞추어져 있었다. 그러나 최근 다양한 사진 자료들과 신문 자료들, 한국을 다녀간 외국인들의 기록들이 다수 공개되며 서울의 도시사 및 건축사 연구에 있어서도 변화가 일어나기 시작하였다. 개항기와 일제시기 서울에 대한 외국인들의 사진과 기록들은 출판 및 전시회 등을 통해 다양하게 소개되고 있으며 이들에 대한 연구 역시도 활발하게 진행되고 있는 상황이다. 특히 정동 지역에 살았던 외국인, 주로 서양인들에 대한 연구는 매우 활발히 진행되고 있는 상황이다. 그러나 상대적으로 일본인들의 삶이나 그들이 머물렀던 장소에 대한 연구는 많지 않은 편이다.[9] 이는 아마도 일본의 식민지를 겪었던 한국적 상황상 '부정적'이고도 '지우고 싶은' 역사의 한 단편이기 때문일 것이다. 또한 자칫하면 식민지근대화론으로 흘러가버릴 위험성을 내포하고 있기 때문이기도 하다.

[9]
외국인 거류지를 다룬 연구들로는 이현종의 "구한말 외국인 거류지내 상황" (사총 12·13 합집, 고대사학회, 1968)과 손정목의 『한국 개항기 도시변화과정 연구: 개항장·개시장(開市場)·조계(租界)·거류지』(일지사, 1982) 등이 있으며, 본격적으로 일본인 거류지를 다룬 연구로는 김종근의 "서울 중심지의 일본인 시가지 확산 : 개화기에서 일제 강점 전반기까지 (1885~1929)" (『서울학연구』, 2003)와 박찬승의 "서울의 일본인 거류지 형성과정-1880년대~1903년을 중심으로" (『사회와 역사』 62), "러일전쟁 이후 서울의 일본인 거류지 확장 과정" (『지방사와 지방문화』, 5-2, 2002)가 있다.

그럼에도 불구하고 '일본인 거류민의 생활'을 통해 20세기를 전후한 한성부의 변화를 살펴볼 필요가 있는 것은 한성부의 일본인 거류지의 변화는 그들의 역사인 동시에 우리 도시 서울의 역사이기 때문이다. 특히 서울이 전통도시에서 근대도시로 전이하는 과정에 있어서는 주체적 변화 의지 뿐 아니라 서양 및 일본이라는 외부의 개입 역시 큰 영향을 주었다. 따라서 이 시기 일본인 거류지의 변화를 이해하는 것은 근대화 초기, 서울의 도시 변화를 이해하는 데 중요한 역할을 한다. 일본의 식민지화가 본격화 되기 이전인 1910년 이전 서울에 살던 일본인들이 만들어낸 도시 환경의 변화 및 생활의 변화는 당시에는 거류지 내부에만 국한되는 문제였지만, 식민지화가 본격화됨에 따라 전체적인 서울의 도시환경과 도시민의 생활에도 영향을 주었다는 측면에서 의미가 있다.

또한 일본의 식민지화가 본격화되기 이전, 특히 통감부 설치 이전인 1905년 이전의 일본인 거류지의 도시 변화는 지배 권력에 의한 위로부터의 변화라기보다는 도시민들의 생활이 만들어 낸 아래로부터의 도시 변화라는 점에서도 의미가 있다. 특히 그 동안 이 시기 일본에 대한 연구는 일본이라는 국가 권력에 집중되어 있었던 반면, 이 연구는 일본제국주의 권력官이 아닌 일본인 거류민民이 한성부 내에서 자리 잡고 지내면서 일으킨 변화와 그 변화의 의미를 당시 한성부의 상황에서 읽어보고자 함으로써 한성부의 근대도시화, 특히 1910년 이후의 경성부로의 변화에 있어 큰 영향을 미친 일본이라는 주체를 관뿐 아니라 민 차원에서 해석해보고자 하는 것이다.

일본인 거류지의 변화를 통해 한성부의 도시 변화를 살펴보고자 하는 것은, 개화기 한성부의 도시 변화를 내부적 힘에 의한 변화와 더불어 외부로부터 유입된 변화에 주목하기 위함이다. 개항기로부터 대한제국기에 이르기까지 한성부에서 한국인들이 만들어낸 변화가 아닌 한성부에 들어온 일본인들이 만들어낸 변화에 주목함으로써, 새로운 변화가 들어오는 창구로서의 외국인 거류지에 주목하고자 하는 것이다. 즉, 한성부라는 도시 안에서 가장 이질적인 이방인의 장소와 그 변화에 주목함으로써 이 도시 내에서 일본이라는 외부가 유입됨으로 인해 일어난 변화들에 대해 이해해보고자 한다. 이는 도시와 건축을 물리적 환경으로서만 바라보는 것이 아니라 도시와 건축이 가지고 있는 사회공간적 의미를 찾아보고자 함이다. 이를 위해 건축학, 도시학을 비롯하여 사회학, 역사학 등 다양한 학문 분야를 통합적으로 다루는 다학제적 접근이 요구된다. 결국 이를 통해 120~30여 년 전 이 땅에 살았던 그들, 즉 일본인 거류민들의 기억을 통해 한성부의 남촌 일대의 옛 모습을 물리적으로 그리고 사회공간적으로 다시 생각해보고자 하는 것이다.

연구시기와 연구자료

연구범위

본서가 다루고자 하는 것은 개항 이후 한성부에서 일본인들이 거주하던 지역, 즉 일본인 거류지의 도시 변화이다. 한성부 성내에 외국인들이 거주하기 시작한 것은 1882년 이후의 일이며, 거류지라는 개념이 사라지는 것은 거류민단이 해체되는 1914년의 일이다. 그러나 이 연구에서는 일본 공사관이 남산 북쪽 언덕 진고개 일대에 자리 잡으면서 일본인들의 거류가 본격적으로 시작된 1885년부터 1910년 일제에 의해 한일병합이 일어나는 시기까지를 시간적 범위로 하고자 한다. 이는 1885년 이전까지는 정치·사회적 불안정으로 인하여 일본인들이 한성부에 정착하지 못하였고 공사관도 여러 번 이전하는 등 거류지가 제대로 형성되지 못하였고, 1910년 이후에는 일본의 식민 지배가 시작됨으로써 한성부가 식민도시화됨으로 이방인들의 거주지로서 일본인 거류지의 의미가 사라지기 때문이다.

1876년 개항 이후 한국은 개화파와 보수파의 갈등으로 1882년의 임오군란과 1884년의 갑신정변 등의 사회적 혼란을 겪었으며, 1894년 갑오개혁을 비롯한 일련의 근대적 개혁들과 1897년 대한제국의[10] 수립을 통해 근대적 자주국가로의 변화를 본격적으로 시도하였다. 그러나 한국에의 영향력 행사를 놓고 경쟁하던 청, 일, 러시아 및 서양 각국의 세력 경쟁이 심화되며 1894~95년의 청일전쟁, 1904년의 러일전쟁과 같은 두 번의 전쟁을 겪기도 하였다. 이처럼 내부적으로는 개화파와 보수파의 갈등, 외부적으로는 청, 일, 러시아 등의 열강 간의 경쟁으로 혼란스러운 국정이 계속되던 가운데, 한성부 내에서는 외국인들을 통하여 새로운 근대문물이 소개되고, 독립협회를 비롯한 지식인 계층을 중심으로 개화운동이 활발하게 일어나는 등의 변화가 일어나고 있었다. 이러한 상황에서 두 번의 전쟁의 승리로 한반도 내에서의 패권을 잡은 일본은 1905년 한국을 보호국화 하였고, 결국 1910년에는 한국을 식민지화 하였다. 이와 같이 1876년부터 1910년까지 이르는 시기는 내부의 주체적 변화와 외부의 영향이 복합적으로 나타나면서 전통사회에서 근대사회로 전이하는 과도기적 변화가 나타났다. 이 글에서는 일본인 거류지라는 특수한 지역의 변화를 통하여 전통도시가 근대도시로 변화하는 과도기적 양상을 살펴보고자 한다.

[10] 1897년 수립한 대한제국의 정식 국호는 '한국'이었으며, 대한제국은 황제 국가로서의 위상을 강조하는 표현이었다.

거류지居留地는 원래 외국인들이 스스로 행정권과 경찰권을 행사하도록 조약에 의하여 외국인들에게 정해진 토지에서 거주하거나 영업을 하도록 토지를 빌려주고, 거기에 치외법권治外法權을 부여한 지역[11]을 일컫는 것이다. 그러나 한성부의 경우에는 거류지의 지역적 경계가 명확하게 정해지지 않은 채 서양인들은 정동 일대에, 청국인들은 수표교 및 남대문 일대에, 그리고 일본인들은 진고개 일대에 거주하는 '잡거雜居'의 양상을 보였다. 이는 한성부는 이미 많은 인구가 집중한, 과밀화된 도시였기에, 한성부 성내에는 외국인들에게 별도의 구역을 줄 수 있는 공간적 여유가 없었기 때문이었다. 그러나 점차 외국인들의 인구가 늘어나면서 외국 상인들의 상권 침탈 및 한성부의 토지, 가옥 침탈을 우려하여 1885년에는 한성부 성외 용산지역을 외국인 거류지로 설정하고자 하기도 하였지만[12] 이는 실현되지 못하였다.

한성부는 성내 지역뿐 아니라 성외 지역인 성저십리城底十里지역까지를 포괄하는 행정구역이다. 일본인 거류지의 경우에는 성내에서는 남산 북쪽 언덕의 진고개 일대에서 시작하여 점차 그 범위를 넓혀갔으며, 성외에서는 용산 지역에서 일본인들이 집단적으로 거주하기 시작하였다. 한성부 내 일본인 거류지는 진고개 일대(일본식 정명은 本町, 지금의 충무로)[13]에서 시작하여 점차 서쪽 방향으로는 남대문로 일대, 동쪽으로는 광희문 서측 일대(일본식 정명은 東四軒町, 현재의 장충동), 그리고 북쪽으로는 구리개 일대(일본식 정명은 黃金町, 지금의 을지로 일대)까지 팽창해 나갔으며, 일본 상인들의 경우 이보다도 더 멀리, 광화문 일대와 경운궁 일대까지도 진출하였다. 1910년경에는 일본인 거류지라고 할 수 있는 지역이 청계천 이남의 남촌 일대 전역에 이를 정도로 한성부에서 큰 영역을 차지하였다. 용산 지역의 경

[11] 한국학중앙연구원, 2009, 『한국민족문화대백과』, 한국학중앙연구원

[12] 1885년 한국정부에서는 외국인의 한성부 성내 거주를 허가한 한성개잔(漢城開棧)을 철회하고 용산을 외국인 거류지로 지정하여 이설할 것을 추진하였으나, 외국 상인과 각국 상인들의 반대와 정부 예산의 부족으로 인하여 실행되지 못하였다.-왕현종. 1998. "대한제국기 한성부의 토지·가옥조사와 외국인 토지침탈 대책". 『서울학연구』, (10): 1~44, p.5

[13] 지명의 경우 1901년 이후 일본인 거류지 내에서는 한국식 동명과 일본식 정명을 병용하였으므로 처음 등장할 때는 일본식 지명과 한국식 지명을 병기하여 사용하되(예.본정(本町,진고개)) 반복적으로 사용될 때에는 거류지에서 주로 사용되었던 명칭인 일본식 지명을 주로 사용하였다.

우에는 1890년경부터 일본인들이 이 일대에 거주하기 시작하여 1904년 이후로 급속도로 인구가 늘어 한성부 성내 거류지에 필적할 정도로 성장하였다. 그러나 이 지역의 경우에는 한성부 성내의 일본인 거류지와는 별도의 자치기관(용산거류민단)을 가지고 있었으며, 그 성격상 한성부 성내 거류지와는 독립적인 별도의 지역이었다. 따라서 본서에서는 한성부 성내 일본인 거류지를 연구의 공간적 범위로 한정하되 1904년 이후 용산의 성장이 가지는 의미를 생각하여 부분적으로 다루었다.

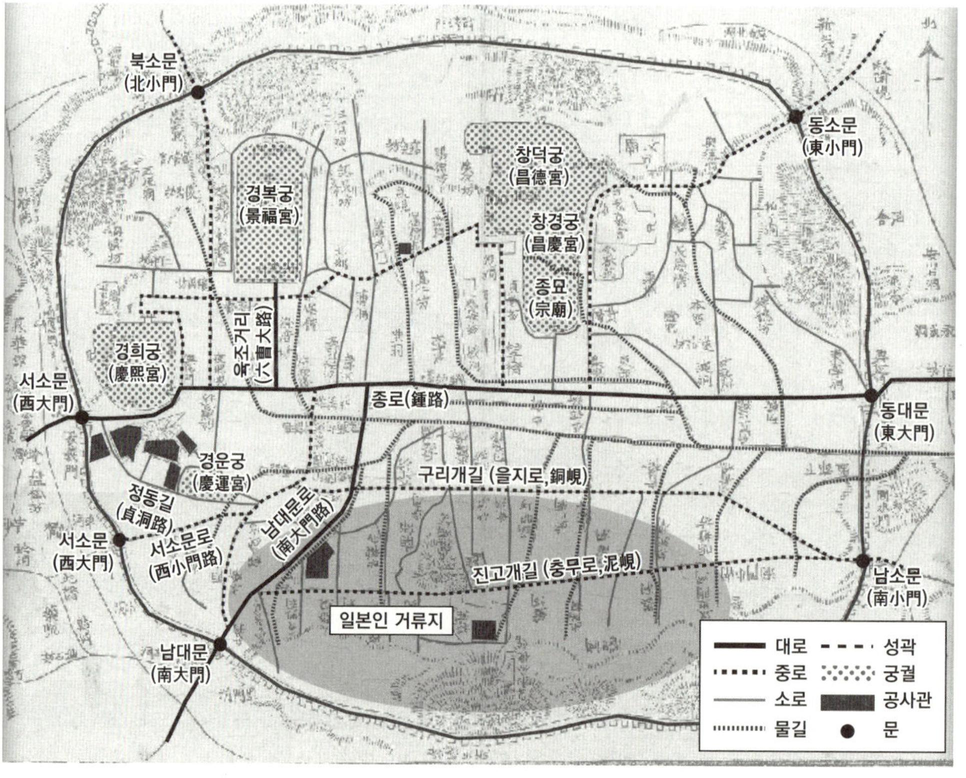

그림 3 1900년경 한성부와 일본인 거류지

주요 연구자료

한성부 내 일본인 거류지역에 대한 기록들 중 대표적인 것은 1912년 경성거류민단에서 발간한 『경성발달사京城發達史』와 1934년 경성부에서 발간한 『경성부사京城府史』이다. 거류민단의 활동을 중심으로 일본인 거류지의 역사를 기록한 책이다. 『경성발달사』는 1885년부터 1910년까지의 경성 내 거류민단의 활동과 거류지의 현황에 대하여 상세하게 기록한 책으로서, 거류 초기의 모습들을 담고 있는 1차 자료로서 의미가 크다. 『경성부사』 역시 일본인 거류지의 변화를 살펴볼 수 있는 주요 기록으로서, 고대부터의 1919년까지의 한성부의 연혁을 기록한 책으로 총 3권으로 이루어져 있으며, 일본인 거류지에 대하여서는 제2권에서 거류 시작 초기부터 매해 상세한 기록을 남기고 있다. 이 두 책은 한성부 내 일본인 거류지의 역사를 상세하게 기록하고 있으나 일본의 식민지 침략을 정당화하는 문제점을 가지고 있다. 그러나 일본인 거류지에 대해 다루고 있는 역사적 기록들이며, 그 내용 역시 매우 풍부하여 일본인 거류지 연구에 있어서는 필수적인 사료라 할 수 있다. 또한 1910년 발행된, 당시 한성부의 일본인들에 대해 기록한 『경성과 내지인京城と內地人』이라는 단행본을 통해 일본인 거류민들 및 회사, 상점 등에 대한 정보를 얻을 수 있다. 이 외에는 각종 공문서들이 있는데 대표적인 것은 일본 공사관 및 영사관 기록들 및 1883년부터 1913년까지의 일본과 외국 간의 통상관련 내용들을 기록한 『통상휘찬通商彙纂』 이 있다.

일본측 기록 외의 기록으로는 한성부 관련 공문서철인 『한성부래거문漢城府來去文』에서 한성부에서 외국인들에게 발급해준 가계家契관련 정보 및 일본과의 관계에 대한 정보를 얻을 수 있으며, 황현의 『매천야록梅泉野錄』 및 이사벨라 비숍을 비롯한 외국인들의 당시 한성부에서의 생활 기록을 통해서도 한성부 뿐 아니라 일본인 거류지의 모습에 대해 알 수 있다. 또한 1896년부터 1899년까지 발행된『독립신문』및 1898년부터 1910년까지 발행된『황성신문』등 한국인들이 발행한 신문들을 통하여서는 생활사적 측면에서의 일본인 거류지에 대해 알 수 있다.

한편 한성부 및 일본인 거류지의 도시적 상황에 대해서는 지도와 사진자료들을 통해 분석해볼 수 있다. 먼저 지도 자료는 근대적 측량에 의해 만들어진 최초의 지도인 1903년 제작된 〈한성전도漢城全圖〉와 이후의 지도들인 1907년의 〈최신경성전도最新京城全圖〉, 1910년의 〈경성시가전도京城市街全圖〉 등을 기본 자료로 하되, 그 이전에 작성된 고지도 중에서 비교적 한성부에 대한 자세한 정보를 담고 있는 18세기 후반의 〈도성대지도都城大地圖〉와 한성부의 전반적인 상황을 잘 보여주는 19세기 후반의 〈수선전도首善全圖〉, 외국 공관들의 위치 등 19세기 후반의 상황을 담고 있는 1900년에 작성된 〈한양경성도漢陽京城圖〉를 추가적으로 사용하였다. 또한 1910년 이후의 정보를 담고 있는 지도들 가운데, 이 지역의 지적을 기록하고 있는 최초의 지도인 1914년의 〈경기도 경성부 지적원도京畿道 京城府地籍原圖〉를 사용하였으며 이후의 지도들인 1929년과 1936년의 지적도를 추가적으로 사용하였다. 특히 1936년에 제작된 〈대경성정도大京城精圖〉의 경우에는 비슷한 시기 출판된 경성부사에서 기록하고 있는 위치들을 확인해볼 수 있는 지도이다. 일본인 거류지에 대한 지도로는 영사관 문서에 첨부되어 있는 1891년 제작된 二十四年機密信第十三號의 부속 지도[14]와 1895년 제작된 在京城日本人居住家屋番號附之圖, 1896년 제작된 泥峴地方道路修理之圖[15]가 있어 거류지 내부의 상황에 대해 좀 더 자세하게 알 수 있다.

[14]
JACAR(アジア歴史資料センター) Ref.B12083364100、韓国地所家屋関係雑件(B-3-12-1-97)(外務省外交史料館)

[15]
JACAR(アジア歴史資料センター) Ref.B12083364500、韓国地所家屋関係雑件(B-3-12-1-97)(外務省外交史料館)

사진자료들의 경우에는 일본측 기록인 『경성부사京城府史』, 『통상휘찬通商彙纂』, 『경성과 내지인京城と內地人』 및 『경성부지권京城府之券』과 같은 자료에 함께 실려 있는 자료들과 1890년대부터 1910년 이전까지 한성부를 방문하였던 외국인들이 남긴 여행기에 있는 자료들을 주자료로 활용하였다. 특히 1903년 한성부를 방문한 까를로 로제티의 『꼬레아 꼬레아니』와 호주 사진가인 조지 로스가 1904년 찍은 사진집인 『호주 사진가의 눈을 통해 본 한국 1904』 등을 통해서 일본인 거류지의 모습 뿐 아니라 한성부의 전체적인 모습에 대해 알 수 있다.

이처럼 기본적으로는 일본인 거류지의 통사를 다룬 기록들을 바탕으로 일본인 거류지의 도시 변화를 추적하되, 한국인 및 서양인의 기록들을 통해 그 내용을 보완하고자 하였으며, 신문 및 사진 자료 등을 통해 생활사적 차원에서의 도시 변화를 살펴보고자 하였다.

표 1. 주요 문헌 자료

	종류	제목	기록시기	저자 / 발행처	주요 특징
일본측 기록	통사	京城發達史	1882~1910	경성거류민단	경성거류민단에서 1912년 발간한 사료로서 일본인 거류지의 역사를 상세히 다루고 있다.
		京城府史 2	1905~1914	경성부	1936년 경성부에서 편찬한 사료로서 통감부 시기부터 1914년 이전까지의 경성부의 역사를 다루고 있다. 특히 2권에는 일본인 거류의 역사에 대한 내용이 포함되어 있다.
	문서	通商彙纂	1894~1913	일본 외무성 통상국	1894년에서 1913년까지 각 지 영사관에서 보고한 통상관련사료들을 일본 외무성 통상국에서 편찬한 것
		駐韓日本領事館報告	1883~1895	주한일본 영사관	영사관이 설치된 1883년부터 1895년까지의 영사관 보고 문서, 통상휘찬에도 이 내용이 실려 있다.
		駐韓日本公使館記錄	1894~1910	주한일본 공사관	주한일본공사관의 비밀문서, 1906년 이후 기록은 통감부 기록이라 불린다.
	단행본	京城府之券	1906~1910	불명	1906년에서 1910년 사이에 발간된 책으로, 한반도 내 일본인 거류지의 주요 인물과 건축이 소개되어 있다.
		京城と內地人	1910	川端源太郎	일본인의 경성이주사를 정리한 책으로, 거류지 내 주요 회사 및 상점현황에 대한 상세한 기록 및 사진자료를 포함하고 있다.
	개인기록	漢城之殘夢	1887	井上角五郎	井上角五郎가 기록한 책으로서, 갑신정변을 전후로 한 내용을 담고 있다.
		朝鮮時事	1894	柵瀨軍之佐	청일전쟁을 취재하기 위해 한국에 온 柵瀨軍之佐가 기록한 책으로서, 한국의 문화와 생활관습 등에 대해 기록하고 있다.
	신문	경성일보	1906.09~1945.10	경성일보사	통감부 설치 이후부터 일제강점기동안 발행된 신문으로 총독부기관지로서의 성격을 가진다.
		조선신문	1890.01~1942		〈인천경성격주상보(仁川京城隔週商報)〉로 창간된 일본어 전용 경제지로 〈조선순보〉, 〈조선순보〉를 거쳐 〈조선신문〉이 되었으며 그 발행처도 인천에서 경성으로 옮겨졌다.
한국측 기록	문서	漢城府來去文	1896~1907	한성부	한성부와 외부 기관 혹은 개인 간에 왕래한 공문들로 각국가계가 실려 있어 외국인들의 토지 및 가옥 소유현황에 대해 알 수 있다.
		韓末 近代 法令資料集	1894.6~1910.8		1894년~1910년까지의 근대법령들을 편찬한 자료집이다.
	통사	서울육백년사 3	1864~1910	서울특별시 사편찬위원회	1864년~1910년까지 서울의 역사를 기록한 사료로서 1979년 발간된 책이다.
	개인기록	매천야록	1864~1910	황현	구한말 유생학자인 황현이 1864년부터 1910년까지의 역사를 편년체로 쓴 기록물이다.
	신문	한성순보	1883.10.31.~1884.12.04		한국인이 발간한 최초의 근대적 신문으로 관보의 성격을 가지고 있었다.
		한성주보	1886 1.25~1888.7		한성순보에 이어 발행된 신문으로 일주일에 한번 발간되었으며 역시 관보의 성격을 가지고 있었다.

한국측 기록	신문	독립신문	1896.4.1.~ 1899.12.4	독립협회	독립협회의 서재필이 창간한 최초의 민간 순한글 신문이다.
		황성신문	1898.9.5.~ 1910.9.14		남궁억, 장지연 등이 창간한 국한문체 일간신문이다.
		대한매일신보	1904.07.18~ 1910.08.28		창간 때는 한글 2면, 영문 4면의 타블로이드 6면이었으나, 1905년 8월 11일 이후에는 국한문판과 영문판으로 나누었다
서양측 기록	개인 기록	고요한 아침의 나라	1883~1884	퍼시발 로우웰	1883년 12월에 한국에 온 로우웰이 1884년 2월까지 3개월 동안의 체류기간 동안 조선의 문화, 정치, 사회제도 및 풍물 등을 관찰한 내용으로 하버드대학 출판부에서 1885년에 출간했다
		조선종단기	1888~1889	샤를 바라	프랑스의 민속학자이자 탐험가인 샤를 바라가 인천에서 한성, 부산으로 한국을 종단하며 풍속과 풍물을 기록한 내용이다.
		코리아 혹은 조선	1887~1889	샤이에 롱	한성주재 미국총영사로 온 샤이에 롱이 한성 및 제주여행 등에 기록한 내용이다.
		언더우드 부인의 조선견문록	1888~1905	언더우드 부인	왕실의사로 온 미국인 의사가 1888년부터 1906년까지 한성부 및 한국의 풍물과 역사적 사건들에 대해 기록한 내용이다.
		한국과 그 이웃 나라들	1894~1897	이사벨라 비숍	1897년 영국 지리학자 이사벨라 버드 비숍의 대표적인 기행문으로 1894~1897년 간 4번 한국을 방문하고 1898년 이 책을 출간하였다.
		1900, 조선에 살다	1890~1910	제이콥 로버트 무스	미국 선교사인 제이콥 로버스 무스가 20여년 동안 조선 곳곳을 자전거로 탐방하면서 쓴 책이다.
		내가 본 조선, 조선인	1885~96	카르네프, 미하일로프 등	카르네프 등의 러시아장교 4명이 1885년~1896년 사이에 한국을 방문하고 남긴 기록이다.
		1901년 서울을 걷다	1901	버튼 홈즈	미국인 여행가 버튼 홈즈가 1901년 한국을 여행하고 남긴 여행기로서 사진자료가 다수 실려있다.
		코레야 1903년 가을	1903	바츨라프 세로셰프스키	러일전쟁 발발 직전인 1903년 민속학자이자 작가인 바츨라프 세로셰프스키가 한국을 방문하고 남긴 여행기로 일본인 거류지에 대한 소상한 묘사가 실려 있다.
		코레아 코레아니	1903	까를로 로제티	이탈리아 외교관 까를로 로제티가 기록한 한성부 및 한국의 풍광으로 사진자료가 다수 실려 있다.
		스웨덴 기자 아손, 100년전 한국을 걷다	1904~1905	아손 그렙스트	1904년 말~1905년 초 러일전쟁을 취재하기 위해 일본에서 한국으로 온 스웨덴 기자 아손이 한국인들의 생활상을 기록한 책이다.
		호주 사진가의 눈을 통해 본 한국 1904	1904	조지로스	1904년 한국을 방문한 호주 사진가 조지로스의 사진집으로 당시 도시 풍광을 다양하게 살펴볼 수 있다.
		조선 견문기	1908	H.N.알렌	1884년 한국에 와서 의사, 외교관, 선교사 등으로 활동한 미국인 알렌이 1905년 이후 한국에서의 생활을 기록한 책이다.
	신문	The Korean Repository	1892~1900	Trilingual Press	1892년, 1895~1898년간 한국에서 매달 발간된 영어잡지이다.
		The Korea Review	1901~1906	Methodist Publishing House	1901년~1906년의 6년간 한국에서 매달 발간된 영어잡지이다.

표 2. 주요 지도 자료

종류	명칭	제작시기	출처	주요 특징
고지도	도성대지도	18세기 후반	서울역사박물관 『서울지도』부록 CD	현존하는 도성도 중 가장 큰 것으로 많은 양의 정보와 자세한 위치를 담고 있다.
	수선전도	1861		목판본 지도로서 주요 도로 및 지형, 주요 건물들의 정보를 알 수 있다.
	한양경성도	1900		도성 내 주요 도로 및 물길, 지형, 건물 등이 간략하게 표현되어 있으며, 각 국 공사관의 위치가 기록되어 있다.
근대적 측량지도	한국경성전도	1903	영남대학교 박물관	한국경부철도주식회사에서 간행한 1:10,000 축척의 근대적 측량에 의한 지도이다.
	최신경성전도	1907	서울역사박물관 『서울지도』부록 CD	일한서방에서 간행한 1:10,000 지도로서 남촌 지역에는 일본식 지명과 일본인 상점명 등이 기록되어 있다.
	경성시가전도	1910		용산이 합병된 경성지도로서 변경된 동명이 기록되어 있으며, 일본인 상점명이 역시나 기록되어 있다.
지적도	경기도 경성부 지적원도	1912~14	나라기록포탈: 지적아카이브	일제가 1912년 측량하여 제작된 지적원도로서 1908년 대한제국에서 제작한 지적원도가 거의 남아 있지 않은 상황에서 남촌 일대의 지적을 기록한 최초의 지적원도이다.
			경기대학교 이상구	1912~14년 제작된 지적도를 합쳐서 제작한 지도이다.
	경성부 지형명세도	1929	大林圖書出版社(1982)	朝鮮都市地形圖刊行會에서 발간한 지형명세도로서 1912년과 비교하여 지적의 변화를 확인해볼 수 있다.
	대경성지도	1936	서울역사박물관 『서울지도』부록 CD	경성의 구획이 확장된 이후 제작된 지도로서 1:25,000의 축척으로 구획 및 지번을 넣어 제작된 지도이다.
주제도	二十四年機密信 第十三號附屬지도	1891	外務省外交史料館	1891년 작성된 문서에 첨부된 지도로서 거류지 영역 및 지적현황에 대해 알수 있다.
	在京城日本人 居住家屋番號附之圖	1895		1895년 도로개수사업 당시 작성된 지도로서, 도로개수의 영역 및 시행 내역과 도로개수 이후 신축된 일본식 가옥들의 위치 등에 대해 알 수 있다.
	泥峴地方道路 修理之圖	1896		1896년 거류지 내 지적현황에 대해 알 수 있다.

1장

한성부의 '작은 일본'
일본인 거류지의 형성과 변화

1885년 이전 진고개 일대
1885~1894. 진고개 일대의 불안한 임시거주지
1895~1904. 남산 북쪽 언덕 일본식 마을 만들기
1904~1910. 정주지定住地화 되어가는 일본인 거류지

한성부의 '작은 일본'
일본인 거류지의 형성과 변화

한성부의 '작은 일본', 진고개 혹은 本町

1885년 이전 진고개 일대

거류지 설치 이전 진고개 일대

일본인들의 거류가 처음 시작된 진고개(한자로는 泥峴) 일대 지역은 현재의 명동, 남산동, 예장동, 저동 일대에 걸친 지역으로 조선시대에는 남산골이라 불리던 지역이다. 이 지역은 남서南署 명례방明禮防, 훈도방薰陶坊에 속하는 지역으로, 북으로는 청계천, 남으로는 남산에 둘러싸여 있다. 이 지역은 청계천 이남 지역인 남촌南村 지역의 일부로, 관직에 진출하지 못한 양반이나 하급 관리들이 주로 거주하였다. 남촌 지역은 주로 주거지로서 훈도방(을지로 2가, 저동부근)에 도성 남부의 주민을 위한 미곡 및 잡물전이 위치하였으며, 구리개(동현, 銅峴)에는 약국 상가가 발달하였다고 하나, 남촌 내부에는 상업기능은 그다지 발달하지 않았다. 이는 한성부의 주요 상점가는 북촌 종로지역에 몰려 있었던 데다가, 이 지역은 교통상 남산으로 가로막혀 있어 상업이 발달하기 어려웠기 때문이었다.[1]

[1] 하양희, 1984, 『서울 중심 상점가의 구조-명동 일대를 중심으로』, 고려대학교 대학원, pp.7~8

조선 시대 남촌南村 지역에는 남대문로와 광희문光熙門 두 개의 동서로 뻗은 도로가 존재하였다. 이 중 하나는 구리개길, 즉 현재의 을지로로 을지로 입구에서 광희문에 이르는 길이고, 나머지 하나는 진고개길, 즉 현재의 충무로, 중앙우체국에서 광희문에 이르는 길이었다. 이 두 길은 16척(약 5m)의 중로中路로서 경사진 지형을 가진 고갯길이었다. 진고개길은 서쪽으로는 남대문로, 동쪽으로는 광희문과 연결되었으며 그 남쪽엔 남산이, 북쪽엔 청계천이 위치한 입지 조건을 가지고 있었다. 즉, 남쪽이 높고 북쪽이 낮은 지형을 가지고 있었는데 이러한 지형적 특징으로 인하여 비가 올 때마다 남산에서 다량의 빗물이 흘러내려 매번 범람하였다고 한다. 진고개길은 늘 질척거리는 상태의 도로라는 데에서 유래한 이름이며, 비가 올 때면 장화가 없이는 통행이 불가능한 정도의 길이었다.[2]

[2] 京城府, 1936,『京城府史, 第2卷』, 京城府, p.633

진고개길 남측에 위치한 남산은 조선시대 한성부의 남쪽 경계를 형성하는 산으로, 성곽이 축조되어 있었다. 현재 남산 팔각정 위치인 남산의 정상에는 초제醮祭를 지내던 목멱신사木覓神社, 즉 국사당國祀堂이 있었는데, 이 목멱신사는 일제가 1925년 조선신궁을 세움에 따라 인왕산으로 이전되었다. 또한 남산 위에는 5개의 봉수대가 있어 국방상 중요한 역할을 하였다.[3] 예장동 일대는 임진왜란 때 왜장 마시타 나가모리增田長盛가 남산 중턱에 진지를 구축한 곳으로 왜성의 터가 남아 있어 왜성대라 일컬어지는 곳이었으며,[4] 민영준의 별장인 노인정老人亭이 남산에 위치해 회합장소로 사용되었다.

[3] 서울특별시 중구, 1994,『중구지』, 서울특별시, p.948

[4] 왜성대는 한성에서 일본인 거류가 시작된 이후 공사관이 설치되는 등 일본인 거류지의 중심지로 역할을 하게 되는 장소이다.-서울특별시 중구, 1994, 앞의 책, p.1043

진고개길 북측편에는 영희전永禧殿이 위치하였다. 영희전은 조선시대 역대 왕의 영전을 모셨던 곳으로, 17,18세기에 제작된 한성부 지도에는 대부분 그 위치가 표시되어 있을 정도로 중요한 시설이었다.[5] 진고개길 남측으로는 조선시대 공립교육기관인 사학四學중의 하나인 남학南學[6]과 남별영南別營[7], 그리고 도성 수비 부대의 군량과 무기를 보관하던 창고인 금영창禁營倉[8]이 있었다. 지금의 저동 1가 1번지에는 양향청糧餉廳이 있어 훈련도감에 조달되는 군량, 군복, 무기, 깃발, 금고金鼓 등의 일체의 물자를 공급하였으며 이 곳에는 신당神堂을 부설하여 관우關羽의 신상을 모셔다 놓았다. 그 외에도 1883년 최초로 설치된 인쇄국인 박문국사도 위치하였으나 이는 갑신정변의 실패로 금새 사라지고 말았다.

[5]
영희전은 1907년 일본인 거류민단이 시행한 도로 개수사업시 동측 담장이 훼철되었으며, 1909년 철거되었다.

[6]
남학(南學)은 1894년 갑오개혁시 교육제도의 개편과 함께 폐지되었다.

[7]
남별영은 현재의 묵정동에 위치한 금위영(禁衛營)의 분영인데, 금위영은 조선후기 오군영(五軍營) 가운데 하나로서 훈련도감, 어영청과 함께 국왕 호위와 수도 방어의 핵심 군영이다

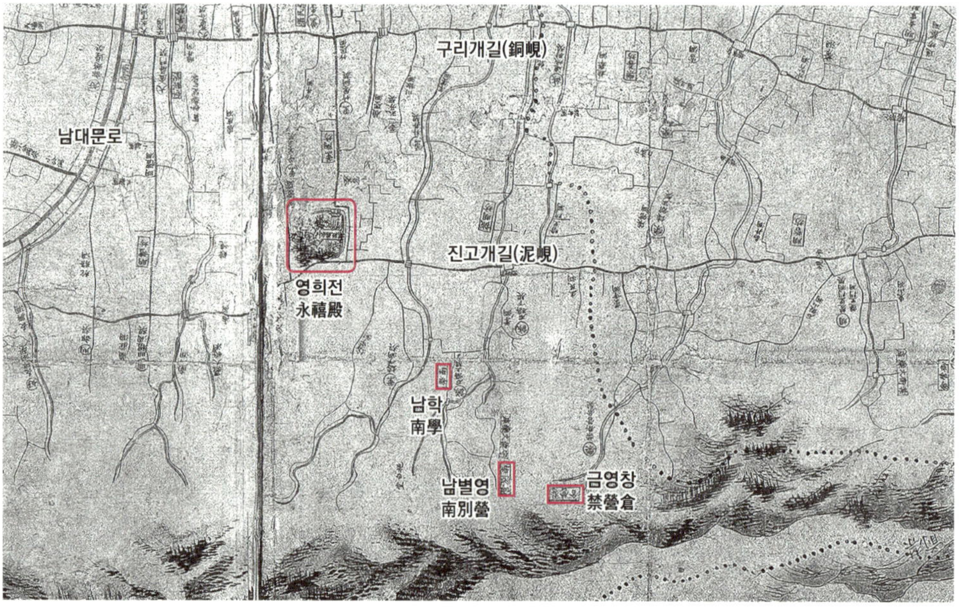

그림 1 진고개 일대 주요 도로와 주요 시설 (도성대지도 위에 표시)

이 일대에 변화가 생기기 시작한 것은 1883년 임오군란 이후 청국상무총판 천수탕陣樹棠이 현재의 명동 2가 83번지 일대를 점유하고부터였다. 당시 청국 상인들은 주로 수표교일대와 경운궁의 남측에 거주하며, 수표교~남대문로로 이어지

[8]
도성대지도에는 금영창이라고 되어 있으나, 그 위치와 명칭상 금위영의 군량미를 저장하던 남창(南倉)을 일컫는 것으로 보인다.

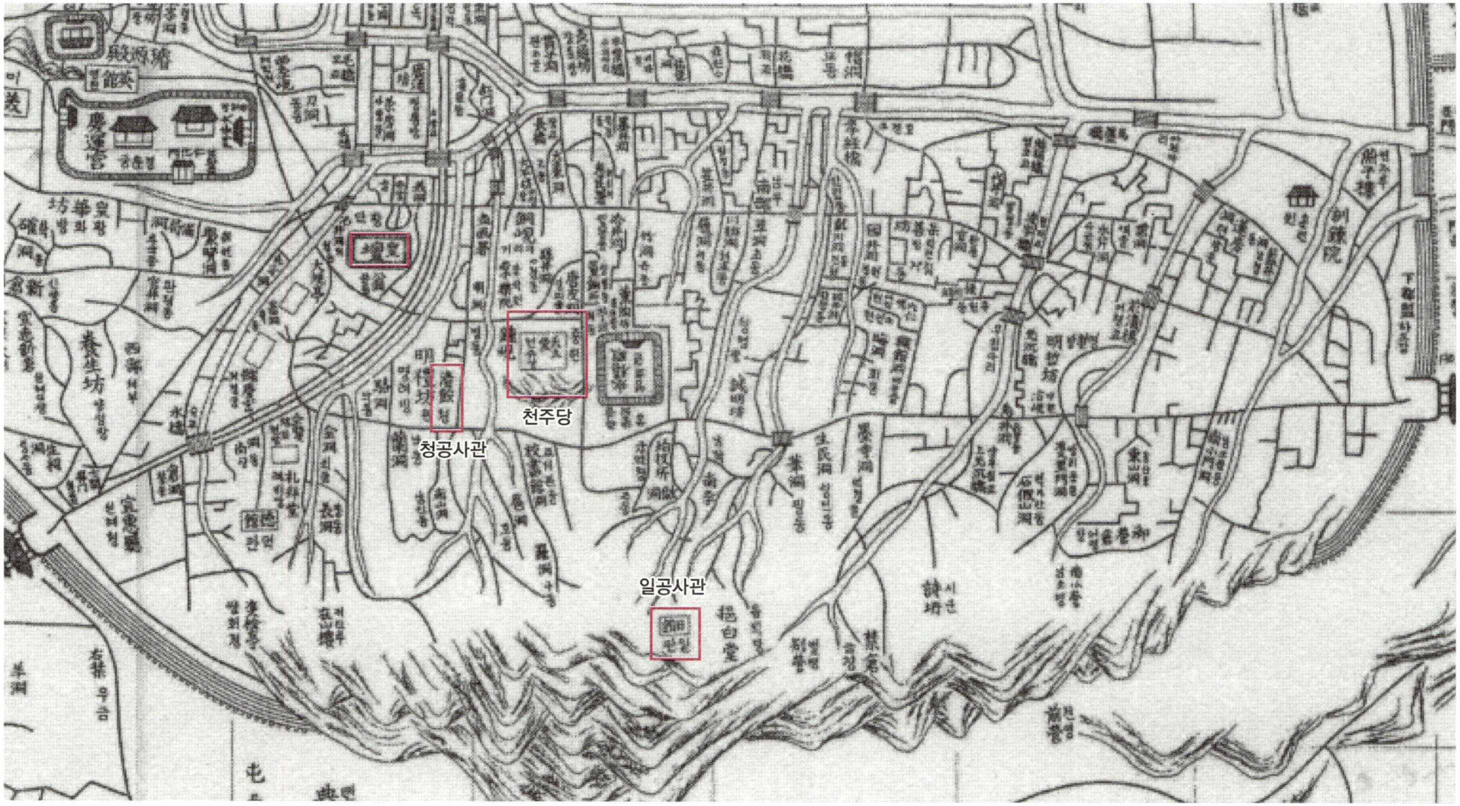

그림 2 1900년경 진고개 일대: 청국공사관과 일본공사관, 천주당(명동성당)의 위치를 확인해 볼 수 있다. (1900년 게일의 지도 위에 표시)

는 한성부의 상권을 장악하고 있었는데, 천수당陳樹棠이 현재의 명동 2가 83번지 일대를 점유함으로써 이 상권을 연결하는 지점에 청공사관이 들어서게 되었다. 또한 1883년 삐랑Jean M. Blanc 주교가 현재의 명동성당터를 구입하고 교회를 건축하고자 하였다. 명동성당은 1884년부터 공사를 시작하여 1887년에 완성한 것이지만, 1883년부터 실제로 이 곳에 성당을 짓기 위한 준비작업들이 이루어져 왔다.[9] 한편 1882년부터 진고개 일대에 일본인들이 들어와서 살기 시작함으로써 일본인 거류지의 시초가 마련되는 등 1880년대 초반 진고개길 주변을 중심으로 변화가 시작되었다.

[9]
서울특별시 중구, 1994, 앞의 책, p.1017

일본인 거류지의 설치와 초기의 혼란

1880년 서대문 밖 청수관清水館에 일본공사관을 임시로 설치하고, 하나부사 요시모토花房義質 공사와 관리들, 통역관, 그리고 순사를 포함한 약 40명의 인원이 상주함으로 한성부에서의 일본인의 거류가 시작되었다.[10] 그러나 1882년 임오군란 때 조선 정부의 구식 군인들이 일본 공사관을 습격하고 불태움으로써, 하나부사 공사와 일본인들은 모두 일본으로 돌아갔다. 일본으로 돌아간 일본 군대는 임오군란이 실패로 끝나고 사건 수습을 위해 청국 군인들이 입경하자 이를 핑계로 다시 한성부로 들어왔다. 이 때 하나부사 공사 일행은 한성부 성내로 들어와 진고개 일대에 있었던 이종승[11]의 집과 그 일대의 민가들에 머무르면서[12], 조선에 제물포조약을 강요하였다. 제물포 조약은 임오군란으로 인한 일본에의 피해보상 내용을 다루고 있는 것으로, 이 조약을 체결함으로 일본은 한성부 내의 일본공사관에 일본 군대를 주둔시키게 될 수 있게 되었다. 우선적으로 임시 거처였던 이종승의 집을 새 공사관이 마련될

[10]
경성부, 1936, 『京城府史, 第2卷』, 京城府, p.543~544

[11]
이종승(李鍾承)은 조선 후기 무신으로서, 임오군란 당시에는 좌포도대장이었다. 임오군란 당시 난민들이 그의 집을 습격하자 시골로 피신하였는데, 이후 하나부사 공사와 함께 입경한 일본 군대의 주둔처가 되었다.

[12]
경성부사와 경성발달사의 기록에 따르면, 하나부사 공사는 경기감사 홍우창이 복파정(伏波亭)에 머무를 것을 요청하자, 이를 거절하고 곤도 서기관과 1개 소개의 병사들을 선발대로 경성에 보냈다. 경성에 들어간 선발대는 경기감사와 상의하여 왜장대 아래 이종승의 집을 공사 일행의 관사로 정하고 그 일대 민가 십여 채를 징발해 병사들의 숙소로 정했다고 한다.-경성거류민단역소, 박진우, 오일환, 2010, 『(국역) 경성발달사』, 서울특별시사편찬위원회, pp.48~49

때까지 임시 공사관으로 사용하였으며,[13] 그 주변에 일본 군대와 어용상인들이 자리 잡았다. 이로써 1882년부터 남산 기슭에서 일본 공사관 관계자들과 관리들 약 30여명과 교도구미協同組, 오쿠라구미大倉組 점원 10여명을 합친 약 40여명(10여호)의 거류가 시작되었다. 이 당시 일반인 거류자는 없었으며 단지 육군과 공사관 납품업자였던 교도구미와 오쿠라구미의 점원들만 인근에 거주하였다.[14]

1884년 일본공사관은 종로구 교동으로 신축·이전하였다. 경성부사의 기록에 따르면 일본인들은 1884년 4월 18일 교동(현재의 경운동) 박영효의 집을 구입하여 공사관을 이전하고 새로운 서양식 건축물을 신축하여 11월 3일 낙성식을 거행하였다.[15] 남산 일대에 자리를 잡았던 일본인들이 공사관을 남산에서 멀리 떨어진 북촌의 교동으로 이전하였던 이유는 명확히 알려져 있지 않으나 당시 한성부 내에서 상대적으로 변두리였던 남산지역을 벗어나, 거주환경이 양호한 한성부의 중심지인 북촌의 교동으로 이전하고자 한 의도가 있었을 것이라 추정된다. 또한 임오군란 이후 일본이 청국의 세력을 견제하면서 본격적으로 조선에 진출하고자 하였다는 정황을 생각해보면, 친일 급진 개화파였던 박영효의 집을 구매하여 공사관으로 삼음으로써 한성부의 중심으로 진출하여 조선에의 영향력을 더 키우고자 하는 정치적 의도 역시 있었을 것이다. 그러나 경성발달사에서는 거류민들이 주로 거주하던 남산 일대가 아닌 한국인 지역인 교동에 공사관을 설치한 것에 대해 의문을 표시하고 있어, 일본정부와 거류민들 사이에 의견 차이가 있었음을 알 수 있다. 경성발달사에서는 교동지역이 한인 가옥들이 밀집한 지역인데다가 앞으로도 일본인 거류지가 되기는 어려운 지역임을 언급하며 당국자의 의도를 이해할 수 없

[13]
1880년부터 일본이 공사관으로 사용하던 청수관은 1882년 임오군란 시 화재로 인하여 소실되어 더 이상 사용할 수 없었다.

[14]
경성발달사의 기록에 따르면 교도구미는 공사관 정문쪽에, 오쿠라구미는 파수정 위쪽에 거주하였다고 한다.-경성거류민단역소, 2010, 앞의 책, p.55

[15]
경성부, 1936, 앞의 책, p.573

었다고 기술함으로써 일반 거류민들이 가진 불만을 언급하고 있다.[16] 공사관은 15만원의 예산을 들여 오쿠라구미大倉組가 폭 10칸, 안길이 12,3칸 규모의 2층 서양식 건축물로 건축하였으며 공사관 부지의 남쪽에는 영사관 건설을 계획하였다. 이로써 일본 공사관, 영사관은 북촌의 교동에, 일반 거류민들은 상점과 주택은 남산 아래 일대에 위치하게 되었다.

[16] 경성거류민단역소, 2010, 앞의 책, p.58

그러나 1884년 12월 일어난 갑신정변으로 인하여 교동에 신축한 공사관은 낙성 한 달 만에 불에 타서 소실되고 말았으며, 영사관 신축 계획 역시 취소되고 말았다. 급진 개화파를 도와 갑신정변을 일으켰던 일본은, 갑신정변이 실패하자 다시 한 번 피난길에 오르게 되었다. 이 때 갑신정변의 실패를 예상한 공사관의 관원들은 미리 준비하여 피난함으로써 큰 피해를 입지 않았으나 남산 일대와 한성부의 각 처에 나누어 거주하던 교도구미와 오쿠라 구미의 상인들을 비롯한 일반 거류민들의 피해 정도는 매우 컸던 것으로 알려져 있다. 다음 해인 1885년 일본인들은 다시 한성부에 입경하였으나, 교동으로 공사관과 영사관을 이전하고 한성부 중심으로 진출하였던 일본의 계획은 완전히 실패로 돌아가 버렸다.

1885년 1월 한성조약[17]을 맺고 다시 한성부로 입경한 일본은 결국 다시 남산 일대에 공사관과 영사관을 설치하게 되었다. 조선정부는 한성조약의 내용에 따라 남산 언덕에 있던 박영원 소유의 녹천정鹿泉亭[18]을 공사관으로 제공하였으며, 주동鑄洞 일대의 땅을 영사관 부지로 제공하였다. 교동 공사관의 경우 일본이 직접 그 비용을 내고 공사관 부지를 구입하였다고 하나, 1885년의 공사관과 영사관 부지는 갑신정변으로 인한 일본인 피해에 대한 보상으로 조선정부로부터 제공받았

[17] 한성조약은 일본인 피해자를 위한 11만원의 배상과 공사관 부지 및 건물의 교부 및 신축비 2만원 배상 등의 갑신정변으로 인한 피해보상을 다룬 조약으로 이노우에 전권대사와 조선측 전권대사인 김홍집 사이에 체결된 조약이다.

[18] 경성부사에는 박모씨의 집이라고만 나와 있으나, 경성발달사에는 녹천정(綠泉亭)이라고 기록되어 있다. 그러나 이 것은 鹿泉亭의 오기인 것으로 보이며, 鹿泉亭은 철종 때 좌의정을 지낸 박영원(朴永元: 1791~1854)의 소유였다.-경성거류민단역소, 2010, 앞의 책, p.71

[19]
1880년 처음 서대문 밖 청수관에 설치되었던 일본공사관은 임오군란 당시 소실한 이후, 남산 이종승의 집을 임시로 사용하다가, 교동 박영효의 자택으로 이전하고 공사관 건물을 신축하였다. 이 건물 역시 1884년 갑신정변 당시 소실되자 1885년 1월 경기감영 선화당을 잠시 사용하다가 다시 남산 녹천정으로 공사관을 이전하였다.

다. 결국 1880년부터 공사관이 5번이나 이전[19]하는 혼란을 겪은 후, 1885년부터는 진고개와 주동을 중심으로 하는 남산 북쪽 언덕 일대에서 본격적으로 일본인 거류지가 시작되었다.

이상과 같이 1880년부터 1885년까지의 혼란 이후 일본인들은 한성부의 진고개 일대에 자리잡게 되었다. 거류 초기

그림 3 신축된 교통 공사관의 위치와 사진

청국과 서양보다 그 세력이 강하지 않아 한성부의 중심으로 진출하지 못하였고, 조선인들과의 마찰을 피해 남산 일대에 머무르던 일본인들은 이후 세력을 점점 키우면서 공사관과 영사관이 있는 거류 초기 중심지로부터 점점 그 영역을 확장해 나갔다. 이들이 본격적으로 한성부 내에서 주도권을 잡게 되는 것은 1894~95년의 청일전쟁의 승리 후였다. 청일전쟁 전까지 일본인 거류지는 남산 북쪽 언덕 진고개 일대를 벗어나지 못한 채 다소 불안정한 상태에서 시작하였다.

일본인 거류지 입지 선정의 배경

한성부 내 일본인들은 거류초기부터 인천 등과 같은 개항도시에서처럼 일정하게 정해진 구역, 즉 전관 거류지에서 거주했던 것이 아니라 기존의 한국인들이 살던 지역에서 한국인들과 섞여 살아가게, 즉 '잡거'雜居하게 되었다. 일본인들은 1882년 처음 한성부 성내에 들어오며 이종승의 집이 있었던 남산 북쪽 진고개 일대에 자리잡았는데, 본격적으로 이 곳에 일본인 거류지가 시작된 것은 1885년 이후의 일이었다. 이 당시 일본인의 거류지역이 진고개 일대로 정해진 것은 일본과 조선정부, 그리고 청국과의 협의에 의한 것이었다. 경성부사의 기록에 따르면, 1885년 곤도 모토스케近藤眞鋤와 조선의 외부협판, 그리고 청국 이사관의 협의 하에 청국인은 수표교 일대에 그리고 일본인은 남산 산록에 거류하기로 하였다고 하는데, 당시 거류구역을 정한 이유에 대해서 경성부사에서는 "1884년(명치17년)의 변란을 거울삼아 조약상 성내의 거주구역에는 하등의 제한이 없음에도 불구하고 …(중략)… 취체取締 편의상 일본인은 남산 산록에, 청국인은 수표교 부근에 거주하는 것으로 하고"라고 기술함으로써 남산 일대에 거류지를 정하게 된 것에는 갑신정변의 영향이 있었으며, 조선과 청국과의 협의에 의해 이루어진 것임을 알 수 있다.

그런데 남산 북쪽 언덕에 일본인 거류지가 위치하게 된 것에는 경성부사 기록상에 나타난 조선-일본-청국 간의 협의 이외에도 다음과 같은 몇 가지 이유가 있었을 거라 추정해 볼 수 있다.

첫째, 이 지역이 가지는 역사적 의미에 대해 생각해 볼 수 있다. 1885년 공사관이 세워졌던 남산 언덕 일대는 원래 조선시대 군사들의 훈련장인 무예장武藝場이 있어 예장골이라 불렸던 곳인데, 일본인들은 이 곳을 임진왜란 당시 왜장倭將 마쓰다增田長盛와 일본 군대의 주둔지였다 하여 왜성대倭城臺로 부르며 이 지역과 자신들의 연관성을 강조하였다. 또한 인근 지역인 낙선방藥善防 왜관동倭館洞(현재의 중구 인현동 일대)에는 조선 전기 일본 사절들이 머무르던 동평관東平館이 있었다.[20] 즉, 한성부의 남부에 속하는 남산 언덕 일대에는 과거 왜성대와 동평관이 존재하였으므로 이 일대는 일본인들에겐 역사적 의미가 있는 장소였다.

[20] 동평관은 임진왜란 이후 철폐되었다.-손승길, 1996, "조선전기 서울의 동평관과 왜인", 『향토서울』 56, 서울시사편찬위원회, p.109

둘째, 이보다 좀 더 실제적인 이유로는 당시 한성부에서의 일본이 처해 있던 정치적, 사회적 상황과 맞물려 생각해 볼 수 있다. 일본인을 왜인倭人이라 부르며 경시하던 조선인들에게 한성부로의 일본인들의 진출은 반갑지 않은 일이었으며, 1882년 임오군란과 1884년 갑신정변은 일본에 대한 반감이 증대되는 계기가 되었다. 게다가 조선인들을 대상으로 하는 일본 상인들이 등장하여 조선 상계商界에 영향을 미치기 시작함으로써 배일감정은 더욱 더 심화되었다. 이러한 상황에서 한성부 내 일본인들은 자신들의 신변에 위협을 느끼게 되었을 것이며, 따라서 거류지 입지 선정에 있어 거류민의 신변 보호와 안전이 중요한 고려 사항이 되었다. 특히 1884년 갑신정변 이후 피난하는 과정에서 일반 거류민들의 피해가 크자[21] 교동에 공사관과 영사관을 설치하고 한성부의 중심으로 진출하던 일본 본국 역시도 일반 거류민들 가까이에 공사관과 영사관을 설치하고 자국민들을 보호하고자 하였다. 진고개 일대는 상대적으로 한성부의 변두리였으며, 남대문을 통한 퇴로 확보가 쉬운 편이었기에 당시의 정치적, 사회적 상황상 일본인 거류민들이 비교적 안전하게 거주할 수 있는 장소로 여겨졌을 것이다.

[21]
경성발달사에서는 갑신정변 당시 일반 거류민들의 피해가 매우 컸으며, 이들을 보호하지 못한 일본 공사관 관원들에 대해 비판적인 태도를 취하고 있다.-경성거류민단역소, 2010, 앞의 책, p.67

셋째, 경제적인 측면에서는 이 지역이 한성부의 타지역에 비해 상대적으로 지가地價가 저렴한 지역이었다는 데에서 그 이유를 찾을 수 있다. 이 지역은 고관대작들을 비롯한 조선의 지배층이 주로 거주하는, 배산임수의 좋은 환경을 가진 북촌과는 달리, 거주 환경이 좋지 않아 지가가 상대적으로 저렴하였다. 또한 거주자 역시도 주로 몰락한 양반이나 무관 등으로 주택의 크기 역시 북촌의 주택들보다 소규모였다. 한성부래거문漢城府來去文의 각국가계거래 문서에는 일본인의 거류 초기인 1885년에서 1889년까지의 한성부 내 토지 및 가옥 매입 현황이 기록되어 있는데, 이를 통해 이 지역의 매입 가옥의 가격이 1간당 50량이상 100량 미만 정도가 가장 많았으며, 특히 진고개 일대인 훈도방 지역은 그 가격이 더 저렴하게 나타나는 걸 알 수 있다.[22] 따라서 당시 상대적으로 싼 지가 역시 이 지역으로 일본인들의 진출을 용이하게 하는 이유였을 것이라 생각해볼 수 있다.

[22]
왕현종, 1998, 앞의 글, p.28

거류지를 둘러싼 상황과 거류지 내부의 변화

1884년 갑신정변 이후 일본은 조선정부와는 한성조약, 청과는 텐진 조약을 체결하였다. 한성조약의 체결에 따라 일본은 남산 북쪽 언덕에 일본 공사관과 영사관을 설치하였고 주동과 진고개 일대를 일본인 거류지로 정하였다. 한성부 내 일본인의 거류가 본격적으로 시작된 1885년, 일본인 거류민은 20호, 89명의 소규모에 지나지 않았지만, 거류지 내에 일본식 가옥을 신축하고 상업 활동을 시작하였으며, 거류민 대표인 총대를 선발하는 등 거류지의 기반을 처음으로 마련하였다.

1886년 콜레라의 유행에도 불구하고 일본인 거류민은 점차 늘어 전년에 비해 두 배 규모인 163명이 되었다. 1887년에는 〈거류민규칙〉을 비롯한 거류지 관리 제도들을 정립하고 거류지의 주요 자치기관이라 할 수 있는 거류민단의 전신인 총대사무소[23]와 상업회의소[24]를 설치함으로서 일본 거류민 자치구역으로서의 면모를 갖추게 되었다.

1888년 이후 한국인들의 배일 감정이 고조되고, 1890년에는 종로상인의 철시撤市사건이 일어나는 등 거류지 외부 상황이 좋지 않아 거류 이후 점차 증가하던 거류민 인구는 그 증가세가 잠시 멈추는 듯하였으나, 1890년 총인구수가 전년 527명에서 524명으로 3명 감소한 이후에는 다시 증가세로 돌아서서 1893년에는 779명이 되었다. 거류민 인구가 점차 증가하고 거류지 주변상황도 점차 안정됨에 따라 거류지에서는 1889년에는 소학교 아동교육을 시작하였으며, 1890년에는 대

[23]
1885년 거류민총대가 설치되어 거류민의 공적 사무를 보기 시작하고, 1886년에는 〈거류민 총대규칙〉을 처음으로 만들고, 총대사무소를 설치하였다. 1887년 총대사무소는 이 해 설립된 상업회의소와 함께 이전, 설치되었다. 이 때 만들어진 총대사무소는 경성거류민단의 전신이다.-경성거류민단역소, 2010, 앞의 책, p.77

[24]
경성발달사에는 상업의회, 상업회의, 상업회의소 등의 용어가 혼용되어 사용되고 있으나 '상업회의소'로 통칭하여 사용하기로 한다.

곡파大谷派 동본원사東本願寺가 설립되어 거류지 내에 처음으로 교육 및 종교시설이 설치되었다.

그러나 1893년 동학당의 봉기로 인해 한성부 일본인 거류지는 또 다시 불안한 상황을 맞이하였으며, 1894년에는 한반도 내에서의 패권을 두고 청국과 일본이 부딪히면서 청일전쟁이 일어났다. 청일전쟁이 일어나자 다수의 일본군이 한성부로 들어오게 되어 남산 일대에 약 1,000여 명이 주둔하고, 용산 일대에 약 5,000여 명이 주둔하게 되었다. 청일전쟁으로 인하여 거류지 내 공공사업이나 공공기관의 업무는 제대로 수행되지 못하였으며, 거류지 주요기관들인 총대역장, 상업회의소, 본원사 별원, 소학교 등은 군대의 사무소 및 숙사로 충당되었다. 이처럼 일본인들의 본격적인 거류가 시작된 1885년부터 청일전쟁 때까지 거류지는 한국과의 관계 그리고 청국과의 관계의 불안정함으로 인하여 안정되지 못하였다. 그러나 불안정한 상황 속에서도 거류지의 기본 제도를 정립하고 시설물들을 설치하였으며, 이 시기 일어난 거류지의 변화는 청일전쟁 이후 크게 성장하는 일본인 거류지의 기틀이 되었다.

초기 거류지 영역

남산 북쪽 언덕 일대에서 일본인의 거류지가 시작된 것은 1882년 임오군란 이후 이종승의 집을 임시공사관으로 사용하면서부터였다. 이종승의 집은 남산 왜성대 아래였는데 경성부사에 따르면, 구체적인 위치는 요릿집料亭 가게쓰로花月樓가 있던 위치였다고 한다.[25] 당시에는 이종승의 집을 중심으로 인근 민가에 군인들이 주둔하고 어용御用상인인 교도구미協同組와 오쿠라구미大倉組의 직원들이 주변에 거주하였다. 1883

[25]
경성부사의 기록에 따르면, 이종승의 집은 1930년대의 요정 가게쓰로(花月樓, 본정 2정목 82번지)의 서측 일곽에 걸친 큰 주택이었다고 한다.-경성부, 1936, 앞의 책, p.551

년에는 요시다구미蘆田組가 새롭게 등장하였으며, 혼다本田가 명동 성당 아래 취조국 근처에 사진관을 개업하였다. 이로써 왜성대 아래 진고개 일대에서 일본인들의 거주가 시작되었다. 1884년에는 공사관과 영사관의 신축을 위해 건축 관련 직공職工 60~70명이 한성부로 들어옴에 따라 일본인 거류민이 100여 명이 넘었는데 이들은 대부분 남산 북쪽 언덕 일대의 한국인들의 집을 빌려 머물렀으며, 1885년부터는 새로 설치된 영사관과 공사관을 중심으로 일본인 지역을 형성하게 되었다.

한국과 청국과의 협약에 의해 진고개 일대에 머무르게 된 일본인들의 초기 거주구역은 남산 언덕의 공사관(이후 총독관저로 사용한 건물)을 시점으로 영사관에서 북쪽으로 올라가는 작은 길의 양측 즉, 수정壽町(주동)과 본정本町(진고개길) 5정목[26]의 남쪽 끝에서 옆으로 뻗는 작은 길의 양측과 그 서쪽 끝西端으로부터 본정[27]에 이르는 작은 길까지로 정하여졌다. 즉, 남산 언덕과 진고개길 사이의 주동 일대가 일본인들의 초기 거류구역이다.[28] 일본인 거류민들은 처음에는 한국인들의 가옥을 빌려 거주하였으나, 점차 일본식 가옥을 신축해 거주하기 시작하였다. 임시공사관이었던 이종승의 집이 있었던 위치에 1885년 처음으로 1,2 채의 일본식 가옥을 신축한 것을 시작으로,[29] 거류지 내 일본식 가옥의 건축이 빈번해지자 이 일대 경관이 변화하기 시작하였다. 당시 가장 번화했던 거류지의 중심은 진고개길에서 영사관으로 향하는 작은 길의 중간 정도, 즉 처음으로 일본식 가옥이 세워진 주변 일대였다고 한다. 당시 주요 시설들의 위치와 거류 영역을 표시하면 다음 [그림 4]와 같다.

거류민이 점차 증가하고 거류지 관리 제도 및 시설이 정립됨으로 주동과 진고개 일대는 점차 일본인 거류지로써의

[26]
당시의 지명은 주동과 진고개길이지만, 이 위치정보의 경우 경성부사(1936)의 기록에 의존하는 만큼 구체적인 위치를 파악하기 위해 일본식 지명을 사용하도록 한다.

[27]
본정 92번지

[28]
일본인이 주동일대 이외 지역에서 가옥을 매매할 경우 그 가옥을 판 한국인은 정부로부터 대금을 몰수당하거나 투옥당하고, 그 가옥을 산 일본인 역시 피해를 입음으로 이 일대 이외의 지역에서의 거류는 제한되었다.-경성부, 1936, 앞의 책, p.594

[29]
경성부사의 기록에 따르면 불란서 교회당 뒷문 앞 본정 2정목 81번지, 82번지의 지점에 1,2개의 일본인 가옥이 건축되었다고 한다.-경성부, 1936, 앞의 책, p.580

모습을 갖추어 나가게 되었다. 총대사무소와 상업회의소는 주동에 있던 나카타니中谷清兵衛의 집[30]에 설치되었는데, 당시 영사관과 총대사무소와 상업회의소의 연합사무실이 있던 주동 일대는 거류지 생활의 중심지였다. 1885년 처음으로 일본식 주택이 등장한 이후 1887년에는 처음으로 2층 일본풍 가옥[31]이 신축되었으며, 1888년에는 최초의 양풍 목조건축의 신축 가옥[32]도 등장하였다. 1888년 진고개길(본정 4정목 일대)은 일본식 가옥이 늘어선 작고 깨끗한 일본풍의 시가지가 형성되게 되었다고 할 정도로 이 지역의 면모는 거류지가 본격적으로 시작된 후 2~3년 만에 빠르게 변해 갔으며, 거류 초 공사관과 영사관이 위치한 남산 언덕 왜장동 일대에서 점차 북쪽으로 그 영역이 확장되어 갔다. 당시 거류지의 주요 시설들을 지도에 표시해보면 지금의 충무로 2가 지역인 당시의 본정 4,5정목 일대와 이 길에서 공사관에 이르는 길이 거류지의 중심이었음을 알 수 있다.

[30]
1930년대의 수정(壽町) 1번지

[31]
우노 도쿠타로(字野德太郎)의 신축가옥, 1930년대 본정 2정목 56번지-경성부, 1936, 앞의 책, p.592

[32]
오쿠라구미(大倉組) 직원 도미타 스즈키치(富田鈴吉)의 주택, 남산정 3정목 13번지에 위치. 이 주택은 1884년 교동에 신축한 공사관과 상당히 닮아 있다고 한다. 공사관 그림으로 미루어보아 2층 양풍 목조건축이었으리라 생각된다.-경성부, 1936, 앞의 책, p.574

1889년에는 영사관에서 토지 조사를 시행하였는데, 이를 통해 당시 일본인 거류지의 범위와 거류지 내 토지 등급에 대해 알 수 있다. 1등지는 남산정南山町 1호부터 시작되는 양쪽 거리와 본정 4정목의 서쪽 절반, 즉 가메야亀屋상점에서 야마구치山口상점의 북쪽 일대와 제일은행에서 히로이케広池상점의 남쪽 모퉁이까지이며, 2등지는 본정 4정목의 동측 절반과 5정목의 서측 절반이었다. 3등지는 나동(남산정 3정목)~파성관巴城館까지의 작은 길과 이현 작은 길, 즉 남산동 4정목 가게쓰로花月樓가 있는 작은 길, 그리고 박정동 옛 작은 길 (수정 1정목과 회의소 거리) 그리고 주자동 본통 (수정 일부와 회의소 아래 구 영사관 거리)를 포함한다. 4등지는 2,3등지의 주변부로 하며, 5등지는 거류지에서 멀리 떨어진 땅들을 모두 포함한다.[33] 즉, 진고개길(본정) 일

[33]
경성발달사에 기록된 위치 정보는 1910년의 정보이다.

그림 4 1885년경의 거류지 주요 시설 및 거류 영역 (1907 최신경성전도에 표시)

그림 5 1885년~1888년 거류지 주요 시설 및 거류 영역 (1907 최신경성전도에 표시)

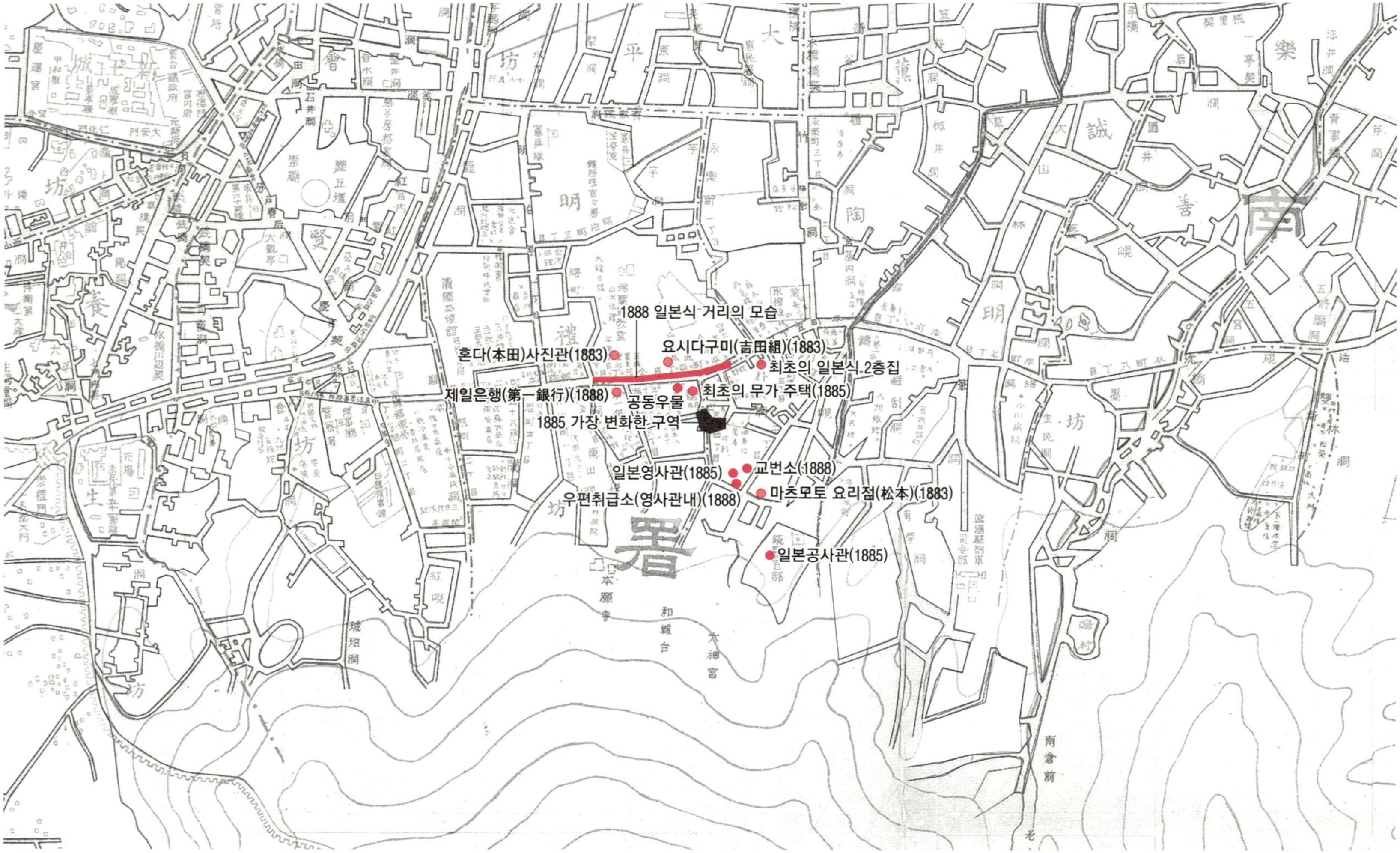

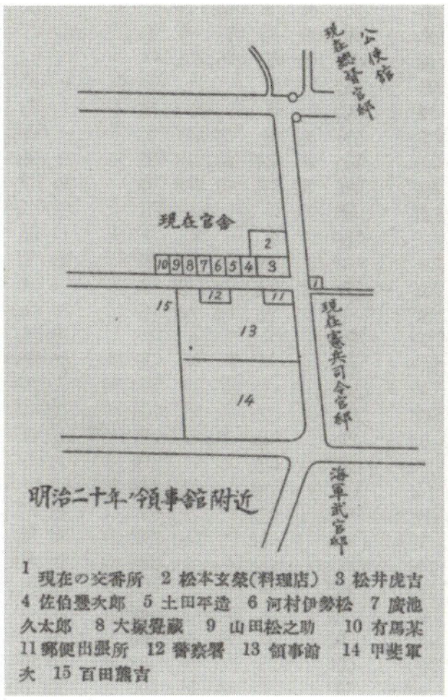

그림 6 명치 20년(1887) 영사관 부근 약도

그림 7 초기 일본인 거류지가 있었던 수정 일대

대가 1,2등지, 그 남쪽 일대가 3,4등지로 설정된 것을 알 수 있으며, 이를 지도에 표시해보면 [그림 8]과 같다. 1,2등지의 경우 전부 진고개길을 중심으로 하는 지역임을 알 수 있는데, 이는 처음 거류가 시작된 것은 진고개길 남쪽의 주동 일대였으나 점차 거류민이 늘어나고 거류지가 확장되면서 점차 북쪽으로 거류지 영역이 확장되고, 이 일대에서 가장 큰 도로인 진고개길이 거류지의 중심으로 자리 잡았기 때문이다. 특히 진고개길 중에서 본정 4~5정목 일대는 1888년 작은 일본인 시가지가 형성되었다고 말할 정도로 일본인 상점들이 집중되어 있었으며 이 곳을 중심으로 점차 일본인 상업거리가 형성되고 있었기에 거류지 내에서 상대적으로 그 중요성이 커져갔음을 알 수 있다. 한편 영사관과 공사관, 그리고 거류지 중심시설들이 설치되어 거류 초기에는 거류지에서 가장 중심이었던 주동 일대는 3,4 등급지로 그 중요도가 낮아졌음을 알 수 있다. 5등지는 거류지로부터 멀리 떨어진 땅이라 하여 어느 지역인지는 알 수 없으나, 한성부 내의 일본인 거류민의 거류는 사실상 지역 제한을 받는 것이 아니었기에 진고개 일대를 제외한 한성부 내 타 지역에 거주하는 이들도 있었음을 알 수 있다. 경성부사에서는 1,2,3 등지를 거류지의 중심, 4등지는 거류지의 주변으로 분리하였으며, 당시 1등급 토지는 토지 1평당 1~2원, 2등급 이하는 1원에서 50~60전 정도로 지가地價에 차이가 나타났다.[34] 이를 통해 당시 거류지 영역이 작은 구역이었음에도 불구하고 그 성격에 따라 차이가 있음을 알 수 있는데, 상대적으로 도로의 규모가 크고 큰 도로변에 면한 곳일수록 등급이 높음을 알 수 있다. 이는 당시 일부 관리와 군인들을 제외하고는 일본인 거류민 대부분이 상인계층이었기에 상업적 중요성이 토지 등급에 영향을 많이 줄 수밖에 없기 때문이었다.

[34] 경성부, 1936, 앞의 책, p.603

거류민이 점차 증가하고 거류지가 발전함에 따라 새로운 시설들도 다수 설치되었다. 1890년에는 주동에 총대사무소와 상업회의소의 연합사무소가 완공되었고 대곡파大谷派 동본원사東本願寺의 경성 별원이 설치되었다. 거류지 영역은 진고개泥峴과 주동 뿐 아니라 라동羅洞까지 확장되었으며, 이를 1891년 작성된 [그림 9]의 거류지 지도를 통해 확인해 볼 수 있다.[35] 한편 1885년부터 남산 북쪽 언덕 주동과 진고개 일대에 거류지 구역을 설정하고 본격적인 거류를 시작한 일본인들은 점차 진고개 일대에서 남대문로 방향, 즉 서쪽 방향으로 진출을 시도하였는데, 1888년 이후 종로와 남대문로 일대에서 노점路店 영업을 함으로써 진출을 시도하다가 청일전쟁 직전인 1894년에는 남대문로에 일본 상인이 상점을 설치함으로써 본격적으로 남대문로로의 진출을 시작하였다. 1893, 94년에 설치된 58은행과 교번소[36]의 위치 역시 거류지의 영역이 점차 서쪽으로 넓혀지고 있음을 잘 보여준다.

[35] 二四年機密信第十三號附屬地圖는 명치 24년(1891년) 12월 작성된 京城居留本邦人所有ノ土地並同居留人ノ為メ将来執ル可キノ方針ニ付在京城領事具申ノ件에 부속되어 있었던 지도이다.-JACAR(アジア歴史資料センター) Ref.B12083364100、韓国地所家屋関係雑件(B-3-12-1-97)(外務省外交史料館)

[36] 1893년 청국 상인과 한국 상인과의 마찰로부터 일본 상인을 보호하기 위하여 남대문로 근처(1930년대의 남대문 내 우편소 동쪽 편) 교번소를 설치하였다.-경성부, 1936, 앞의 책, p.620

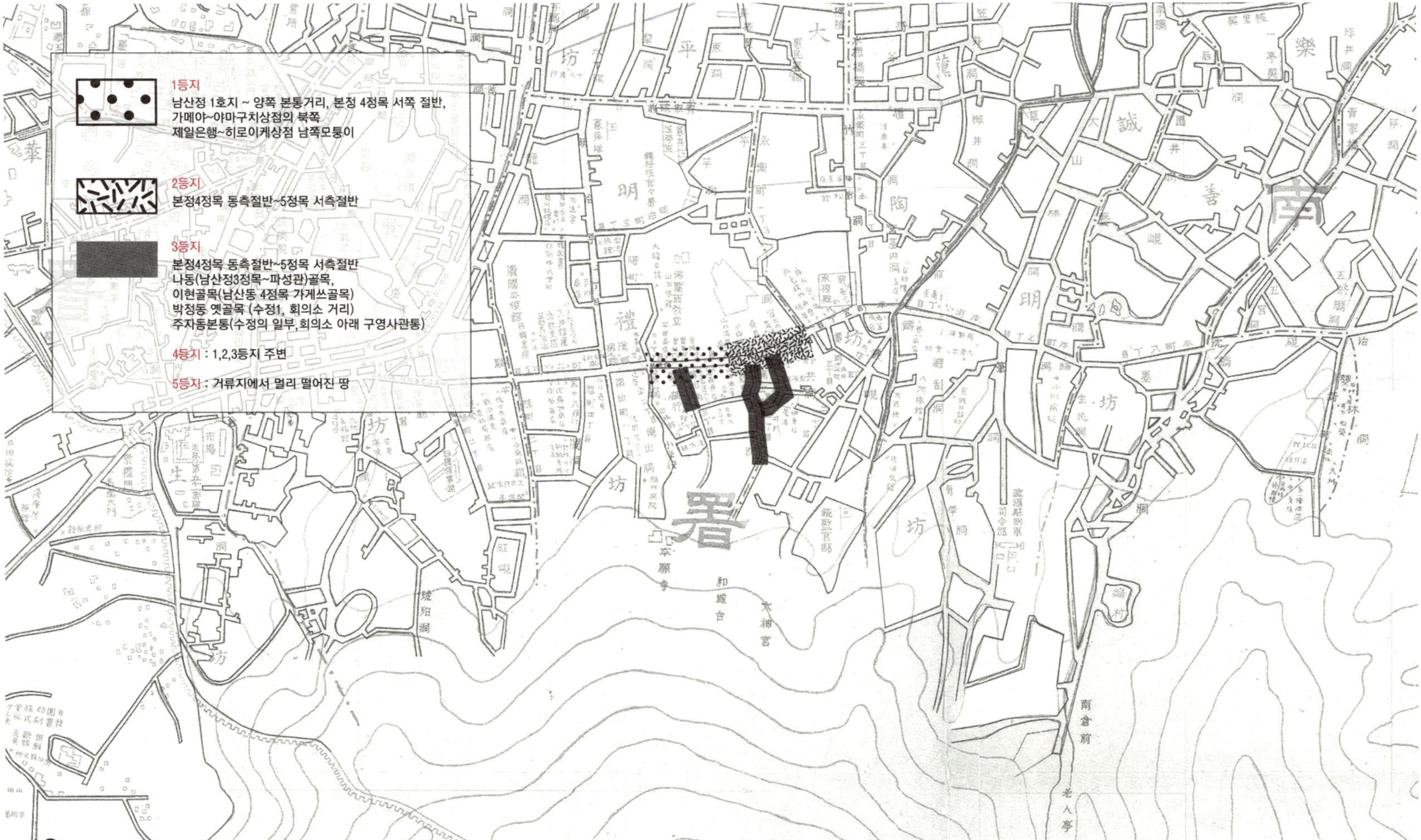

그림 8 1889년 토지등급에 따른 구역 (1907 최신경성전도에 표시)

자치 제도의 도입과 주요 시설의 구축

일본인 거류민이 점차 증가함에 따라 거류지의 안정과 거류민 관리를 위하여 다양한 제도가 도입되고 시설들이 설치될 필요가 있었다. 특히 거류민들의 토지와 가옥에 관련된 문제와 콜레라 등의 전염병과 화재, 사건사고로부터 거류민을 보호하기 위한 문제는 시급하게 해결되어야 하는 문제들이었으며 거류민 생활의 정착을 위해 은행과 우편국 등 각종 편의시설들과 종교, 교육 시설들이 설치될 필요가 있었다. 따라서 일본인 거류민들은 거류 초기부터 거류지 내 자치 기구를 설치하고 이 기구들을 중심으로 거류지 제도를 정립하고 공공사업을 진행하였다. 1885년부터 1894년까지 정립된 주요 제도는 토지 및 가옥 관련 제도, 위생 제도, 소방 및 치안제도, 그리고 각종 거류지 관리 규칙 등이었으며, 거류지 행정 시설, 위생, 교육, 종교 시설 및 각종 편의시설들이 설치되었다.

토지 및 가옥에 관련된 제도들은 한성부와의 협의에 의해 이루어진 것들과 거류지 내에서 자체적으로 시행한 것들로 나누어 볼 수 있다. 한성부 내에서 외국인의 토지 매입은 원칙적으로는 금지되어 있었으나, 공공연하게 한국인과 외국인들 사이의 가옥 및 토지 거래가 이루어지는 상황이었다.[37] 일본인 거류지에서는 1886년부터 한국인과 일본인의 토지 및 가옥 매매가 이루어졌는데, 이 거래에 대해서는 거류지 총대가 증명서를 발급하였으나, 이는 한성부에서 인정하는 문서가 아니었기에 소유권을 둘러싼 분쟁이 일어나는 경우가 종종 있었다. 따라서 일본 영사관은 한성부와 교섭하여, 1891년에는 한성부윤이 토지와 가옥의 매매에 대하여 공증하게 하고, 1893년에는 소유 가옥에 대해 가계家契[38]를 발급하여 줌으로써 거류민의 재산권을 보호하고자 하였다. 그러나 이는 가옥에 대

[37]
1885년에서 1889년까지의 외국인들과의 토지 및 가옥 거래 내용을 다루고 있는 한성부래거문 〈각국가계〉의 기록에는 가옥 뿐 아니라 공지(空地) 혹은 채전(菜田) 등의 거래 역시 포함되어 있어 실제로는 토지 매입 역시 이루어지고 있었음을 알 수 있으며, 경성발달사에서도 1886년부터 일본인과 한국인 사이의 가옥 및 토지 거래가 공공연하게 이루어졌다고 하고 있다.

[38]
1893년부터 조선 정부에서는 한성부의 모든 가호(家戶)에 대하여 가계(家契)를 발급하였는데 이는 외국인들의 가옥 매매에 대한 인가 요청에 따른 것이었다. 원래 계획은 모든 호에 대해 발행하는 것이었지만 실제로는 매매상 필요한 경우로 축소되었다.-왕현종, 1998, 앞의 글, p.9

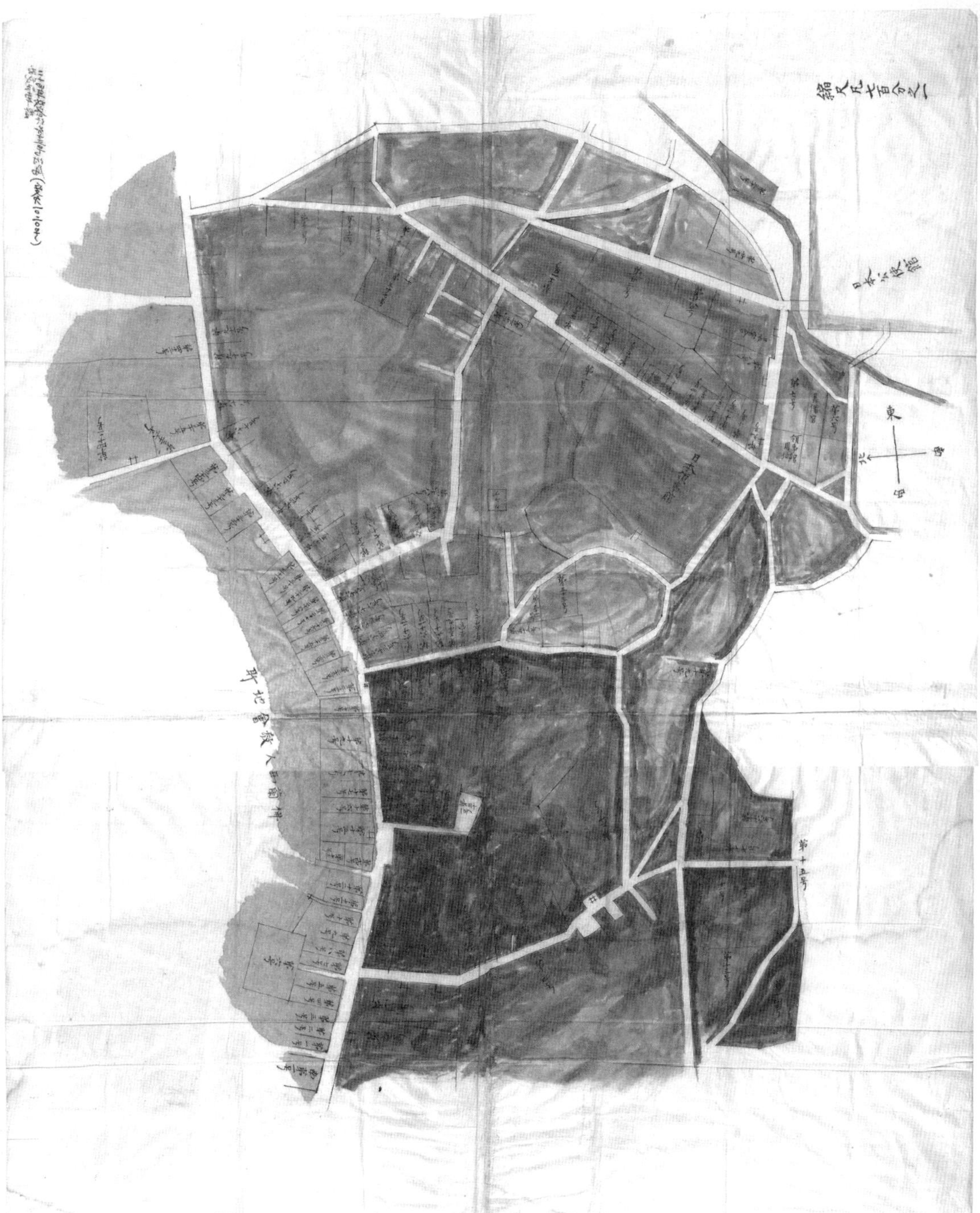

그림 9 1891년 二十四年機密信第十三號附屬地圖

한 소유권의 인정이었을 뿐 토지에 대한 증명이나 지권地券은 발급되지 않았다. 거류지 자체적으로는 거류민들의 소유 토지와 가옥의 규모를 조사하고 토지 규모에 따라 세금을 부과하였다. 1889년 설정된 토지 등급에 따라 1등급~4등급 토지는 정면 폭 1칸 당 2전, 5등급 토지는 정면폭 1칸 당 1전으로 함으로써 거류지 내부의 경우는 지세地稅가 동일하나 외부의 멀리 떨어진 지역의 경우는 지세가 낮았음을 알 수 있다.

거류지에서는 거류 초기부터 위생 제도의 도입에 많은 노력을 기울였다. 1886년 한국에서 대규모의 콜레라가 유행하자, 거류지에서는 위생비를 징수하고 한국인 가옥을 사들여 2곳의 피병원을 설치하고 콜레라 예방규칙을 발포하는 등 콜레라를 퇴치하고자 하였다. 또한 청소 및 쓰레기, 분뇨 처리 등의 사업도 거류 초기부터 적극적으로 시행하여 1887년에는 분뇨 처리장을 설치하였으며, 1890년에는 거류지 총대사무소에서 청소대행업자를 선정하여 쓰레기통을 10곳 이상 설치하고 매일 먼 곳에 버리게 하며 이에 대해 매월 8원의 보조비를 제공하는 내용의 의결을 하였다. 이듬해인 1891년에는 〈청소규칙〉을 제정하여 위생사가 쓰레기의 제거 및 도로 청소를 담당하게 하였으며 이에 대한 비용은 각 집에서 한 달에 10전을 위생사에게 지불하도록 하였다. 거류 초기부터 적극적으로 위생제도를 도입하고 위생시설들을 설치한 것은 콜레라와 같은 전염병으로부터의 거류민 보호가 가장 큰 목적으로 거류지에서 자치적으로 시행한 사업이었다.

한편, 1888년 거류지에서 있었던 상점[39]의 화재를 계기로, 소방조의 필요성을 느낀 일본인 거류민들은 1889년에는 의용소방대, 조장 1명과 소방대원 24명으로 이루어진 소방

[39]
1888년 음력 섣달에 본정 4정목의 우노(鵜野辰三郎)의 상점 화재의 진압 이후 본격적으로 소방조 설치에 대한 논의가 시작되었다고 한다.-경성거류민단역소, 2010, 앞의 책, p.521

그림 10 1894년 거류지 주요시설 분포 (1907 최신경성전도에 표시)

조[40]를 조직하였다. 소방조는 당시 빈번했던 화재를 진압하기 위해 설치된 것이었지만 화재 진압 뿐 아니라 거류지 경비와 비상경계, 수재水災 및 각종 재해와 사건들을 담당하였다. 당시 거류지 내 치안은 일본인 순사가 담당하였는데 그 수는 많지 않았다. 경성발달사의 기록에 따르면, 일본인과 한국인의 분쟁 등 거류지 내 사건사고가 많았으나 일본인 순사의 수가 많지 않아[41] 어려움을 겪었다고 한다. 따라서 거류지 내 비상사태 등에는 소방조의 도움이 필요하였으며, 소방조는 화재 진압 이외의 거류지 경비의 임무도 맡게 된 것이다. 1887년에는 〈위경죄목違警罪目〉을 발포하고 거류민들을 단속하였는데, 이 내용은 주로 거류지 내에서의 풍속 단속이 중심이 되었다. 거류지 내 경찰서[42]는 영사관 내에 설치되어 있었으나 일본인 상인들이 점차 종로와 남대문로 일대로 노점 영업을 시작하면서 한국 상인들 및 청국 상인들과 마찰을 일으킴에 따라 남대문 근처에 교번소를 추가로 설치하였다.[43] 이처럼 일본인 거류지 내에서는 소방조와 경찰서를 설치하고 자치적으로 거류지 치안 유지 및 경비를 시행하였는데, 이는 결국 한성부 내에서의 일본인 거류지의 불안정한 상황상 시급하게 요구될 수밖에 없었다.

토지 및 가옥 관련제도, 소방 및 치안제도의 도입과 더불어 거류지 관리를 위한 다양한 법령들이 만들어졌다. 1886년 〈거류민총대규칙〉이 만들어진 이후, 이를 수정하여 총 6장 36조로 만든 1887년의 〈거류민규칙〉을 발포하였다. 또한 1887년에는 〈위경죄목〉 〈여관과 요정, 그리고 음식점 단속 규칙〉 〈도박범죄자처분세칙과 매음에 대한 벌칙령〉 〈목욕탕영업에 관한 단속규칙〉 등이, 1891년에는 〈청소규칙〉 〈노점영업 취체규칙〉 등이 발포되었다. 또한 1885년 분두과금分頭課金[44]

[40]

일본에서는 에도(江湖)에서의 1657년 대화재 이후 1718년 마치비케시(町火消,)라는 소방조직을 창설하고 각 지역별로 자치적 소방 태세를 갖추었다. 빈번했던 화재에 대한 대응책으로 만들어진 소방조는 일종의 자치기구와 같은 역할을 하였으며 1874년 경시청이 창설되자 경시청 관할이 되었다. 1880년대에는 소방본부가 설치되고 근대적 소방조직이 확립되었으며 신식 소방기기를 수입하여 사용하는 등 점차 발전을 이루었다.-유모토 고이치, 연구공간수유너머동아시아근대세미나팀 옮김. 2004.『일본 근대의 풍경 : 만화와 삽화로 생생하게 살아나는 메이지 시대 정치, 경제, 사회, 문화의 기원』. 그린비. pp.378~380

[41]

1892년 일본인 순사는 7~8명 정도였다고 한다.-경성거류민단역소, 2010, 앞의 책, p.103

[42]

경찰서가 언제 설치되었는지는 정확하게 알 수 없으나 경성부사에 실린 1885년 본격적으로 거류지가 설치됨과 함에 경찰서장 사와다(澤田直澄)가 입경하였다고 하는 기록이 있으며 1887년 영사관 부근 지도에서 영사관 내부에 경찰서가 설치되어 있는 것으로 표시되어 있어 거류 초기부터 경찰서가 있었음을 알 수 있다. 또한 1882년의 기록에도 공사관 관계자들을 '공사이하 순사까지'라고 표현하고 있어 경찰서의 설치 이전 거류민 치안을 위한 순사가 있었음을 알 수 있다.

[43]

경성부, 1936, 앞의 책, p.620

[44]

분두과금(分頭課金), 1인당 부과하는 세금.

을 징수한 것을 시작으로 1886년 위생비 징수, 1890년 토지, 가옥, 영업세 등의 징수를 통해 거류지 재원을 마련하여 거류지 공공사업에 사용하였다.

일본인 거류지의 자치적인 발전을 주도한 것은 거류민자치기구들이었다. 1885년 거류지 총대를 처음 설치한 후, 1886년에는 거류지 자치 행정기구라 할 수 있는 거류지 총대사무소[45]가 설치되었고, 1887년에는 거류지 상업의 중심 기관인 상업회의소[46]가 설치되었다. 총대사무소는 거류지의 전체적인 관리를 비롯하여 거류지 공공사업을 주도하였으며, 상업회의소는 거류지 상인들 사이의 상업 활동을 조정하고 거류지 상업의 발전을 위한 사업을 주도하였다. 즉, 거류지 총대 사무소와 상업 회의소는 공공과 상업 두 분야에서 거류지의 자치적 발전을 주도하는 두 기관이었다. 이 두 기관은 거류 초기인 이 시기에는 공동으로 사무실을 운영하였다.[47]

또한 이 시기 일본인 거류지에는 새로운 시설들이 다수 등장하였다. 새로 등장한 시설들은 거류민 자녀들의 교육을 위한 교육시설과 전염병 예방과 거류민 치료를 위한 의료시설, 거류지 생활의 정신적 구심점이 된 종교시설, 그리고 각종 편의시설 등이다. 교육시설은 가족단위의 거류가 늘어나자 자녀들을 위해 1889년 처음으로 소학교 아동교육을 시작한 것이 시초가 된 것으로, 1892년 공립소학교의 설치로 이어졌다. 의료시설로는 1883년 설치된 공사관의원[48]을 비롯하여 1886년 콜레라의 유행시 설치된 피병원과 1891년에는 거류지 공의公醫였던 고조 바이케이古城梅溪가 설립한 산카병원贊化病院[49]이 있었다. 종교시설로는 1890년 창설된 대곡파大谷派 동본원사東本願寺가 있었다. 또한 1888년에는 인천우편국 출장소가 영사

[45]
거류민자치행정기구는 처음에는 총대사무소라 불리었으나, 이후 총대역장, 거류민사무소, 총대사무실 등의 다양한 이름으로 불리었다. 1906년에는 법인자격을 갖추고 거류민단으로 개칭하였다. 본서에서는 혼란을 줄이기 위하여 1901년 이전은 총대사무실, 1906년 이전은 거류민사무소, 1906년 이후는 거류민단으로 통칭하기로 한다.

[46]
경성발달사에는 상업의회, 상업회의, 상업회의소 등의 용어가 혼용되어 사용되고 있으며, 처음의 명칭인 상업의회는 1892년 이후 상업회의소로 개칭되었다. 혼란을 줄이기 위해 본문에서는 '상업회의소'로 통칭하여 사용하기로 한다.

[47]
1887년부터 공동으로 사무실을 사용하였던 총대사무소와 상업회의소는 1892년 회계를 분리하였으나 여전히 사무소는 공동으로 사용하였다.

[48]
박윤재, 2002, 『韓末·日帝 初 近代的 醫學體系의 形成과 植民 支配』, 연세대학교 대학원, pp.73~74

[49]
조우현, 박종연, 박춘선. 2002. "우리나라 근대 병원의 등장". 『醫史學』, 11(1): 20~48. p.28

관 내에 설치되어 거류지의 우편업무를 담당하였다. 이 우편국 출장소는 당시 한성부 내에서 유일하게 근대적 우편업무가 시행된 곳[50]으로 일본인들 뿐 아니라 기타 외국인들도 이용하는 장소였다고 한다. 거류지 내 금융업무를 담당한 은행의 경우 1888년 진고개길에 설치된 제일은행 출장소가 처음이었으며, 1894년에는 58은행이 제일은행의 서쪽에 새롭게 설치되어 금융업무를 담당하였다. 또한 목욕탕, 이발소, 흥행장, 사진관의 다양한 생활 시설들이 거류지에 등장하였다. 이들은 거류민들이 일본식 생활을 영위하기 위해 자연스럽게 설치된 것으로서 당시 한국인들도 이용하던 장소였던 것으로 추정된다. 1882년 일본 공사관의 설치와 함께 교도구미, 오쿠라구미 등의 상인들이 함께 들어왔으나, 이들은 관을 대응하는 어용상인에 지나지 않았다. 그러나 이들은 1883~84년을 지나며 한국의 화폐 주조에 필요한 구리를 수입함으로써 한성부 내에서의 한일 무역을 담당하게 되었고, 1880년대 후반에 들어서는 한국인을 대상으로 하는 상점들도 늘어, 양판점, 약재상, 잡화점, 과자점, 전당포 등의 다양한 상업시설 역시 등장하였다.

[50]
1884년 한국에는 근대적 우편기관인 우정국이 최초로 설치되었으나 갑신정변으로 인하여 바로 폐쇄되어버렸다.

1895~1904. 남산 북쪽 언덕 일본식 마을 만들기

청일전쟁 이후 거류지 내외부의 상황

1895년 4월 시모노세키 조약의 체결과 함께 청일전쟁에서 승리한 일본은 본격적으로 한국 침략의 야욕을 드러내며 한국의 내정에 깊숙이 관여하기 시작하였다. 청일전쟁 이후[51] 거류지 호수와 인구는 전년 대비 두 배 이상으로 급증하여 500호, 인구 1,839명(남 1,114 여 725)에 이르게 되었다. 거류민들의 토지 역시 급증하여 택지의 경우 전년 16,671평에서 28,881평으

[51]
거류지에는 전쟁을 계기로 다양한 사람들이 입경하였다. 경성발달사에 따르면 당시 한국 도항을 희망하는 자들은 '정치적 야심을 품은 자, 맨주먹으로 한국반도에 천국을 개척하겠다는 헛된 망상을 품은 자, 직업을 구하는 자, 사업을 계획하는 자, 일한무역에 종사하는 자' 등 다양한 사람들이었다. 즉 정치적 목적과 상업적 목적이 한국으로 오는 이들의 주요 목적이었음을 알 수 있다.-경성거류민단역소, 2010, 앞의 책, p.130

로 증가하였으며, 거류지 경비 역시 예산 7천여 원으로 전년의 2천원에 비해 3배 이상 늘어나는 등, 청일전쟁을 분기점으로 1895년의 거류지는 전년에 비해 폭발적으로 팽창한 모습을 보였다.

그러나 1895년 을미사변 이후 한국인들의 배일감정이 고조되어 전국에서 의병이 봉기하였으며 1896년 아관파천을 계기로 한반도 내에서 러시아의 세력이 강화되며 친일세력이 몰락함에 따라, 청일전쟁의 승리로 호황을 맞았던 일본인 거류지는 일시적으로 위축되게 되었다. 거류지의 불안정한 상황으로 인하여 일본인들의 한국 도항과 한성부 내 일본인 거류민에 대한 단속 역시 엄중해졌다. 그러나 이와 같은 상황에도 불구하고 일본 상인들은 남대문로로 끊임없이 진출을 시도하였으며, 영사관 및 거류민단과 상업회의소의 연합사무실 등 거류지 주요 시설들 역시 남대문로 입구로 이전하면서 거류지 영역이 한성부의 중심가로인 남대문로 방향으로 팽창해 나가고 있었다. 거류지의 확장과 함께, 일본인 거류민들은 거류민단을 중심으로 도로개수사업 등을 통해 거류지 환경을 개선하고 학교와 병원 등 공공시설을 확충하며 본격적으로 정주지定住地로서의 거류지를 구축해나가기 시작하였다. 또한 한일무역의 급증과 남대문로로의 진출에 힘입어 일본 상인들도 그 세력을 크게 넓혀 나갔다.

같은 시기 한국정부는 1894년의 갑오개혁과 1895년의 을미개혁에 이어 1897년의 광무개혁을 시행함으로써 근대국가로의 변화를 적극적으로 도모하였다. 또한 한성부에서는 1895년부터 도시개조사업이 적극적으로 시행되고 전차(1899)가 부설되는 등 도시근대화의 양상들이 나타나기 시작하였다. 그러나 청일전쟁 이후 한국으로의 진출을 본격화한 일본은 대한제국의 근대화 사업에 직접적인 관여를 하며 각종 이권들을 가져갔다. 특히 일본은 경부선 철도 부설권을 획득하고, 이어 원래 미국이 가지고 있었던 경인철도 부설권마저 획득함으로써 경인선과 경부선 철도를 모두 부설하게 되었다. 철도의 부설은 한반도 내에서 일본이 경제적 이득을 취하게 되는 계기가 되었을 뿐 아니라 한국과 일본과의 무역 증대에도 영향을 주어 거류지 상업의 발전에도 큰 영향을 주었다.

이처럼 열강들의 간섭으로 인하여 대한제국은 근대국가로의 변화를 적극적으로 도모할 수 없게 되었으며, 한성부의 근대 도시화도 그 속도가 점차 더뎌졌다. 아관파천 이후 고종의 러시아 의존은 결국 정부의 내분을 불러일으켰고 이는 외부적 상황 뿐 아니라 내부적으로도 대한제국이 어려움에 처하는 상황을 만들었다.[52] 러시아의 세력이 점차 강대해지자, 이에 위협을 느낀 일본은 한국 내에서의 패권을 두고 러시아와 대립하게 되었으며[53] 결국 1904년에는 러일전쟁을 일으켰다. 청일전쟁에서 러일전쟁까지의 시기는 일본이 한국 내에서 청국보다 우위를 점하며 러시아를 비롯한 서구 열강과 대립하게 되는 시기였는데, 이러한 외부적 갈등 양상과는 다르게 거류지는 점차 그 인구가 증가하고 도시 환경도 크게 변화하는 등 이전 시기의 불안정함에서 벗어나 점차 안정적인 정주지로 변화하였다.

[52]
러시아와 밀착한 정부를 독립협회가 비판함으로써, 독립협회와 정부의 갈등이 심화되었다. 대한제국에서는 독립협회에 대항하기 위해 황국협회를 발족하였으며, 결국 독립협회를 1898년 11월 해산하였다.-박도, 2012, 『개화기와 대한제국 : 1876~1910 : 빼앗긴 근대와 자주독립』, 눈빛, p.322

[53]
1896년 압록강 두만강의 삼림채벌권을 차지한 러시아가 1903년부터 이 지역에 본격적으로 벌채에 나서며 100여명의 군대를 보내어 용암포를 감정하자, 일본,영국,미국 등 삼국은 러시아의 불법강점에 항의하며 용암포의 개항을 요구했다. 이 용암포 개항사건을 계기로 일본과 러시아는 날카롭게 대립하게 되었으며, 이듬해 러일전쟁이 일어나게 되는 직접적 계기가 되었다.-박도, 2004, 앞의 책, p.417

거류지 영역의 확장: 남대문로로의 진출

1894년 처음으로 남대문로에 일본인 상점이 개설된 것을 시작으로, 일본인 거류민들의 남대문로로의 진출은 청일전쟁 이후 본격화되었다. 청일전쟁 이후 2배 이상 증가한 거류민들은 더 이상 주동과 진고개 일대에 머무르는 것이 아니라, 점차 거류지 영역을 넓혀 갔다. 1895년 통상휘찬의 기사에는 한성부는 잡거지로 거주구역이 따로 정해져 있지 않음으로 성내 어떤 지역에도 원하는 장소에 거주할 수 있음을 언급하고 있는데,[54] 이는 1885년 한국과 청국이 일본인 거류지 영역을 정하였던 것과는 부합되지 않는 내용이다. 즉, 1893년 처음 남대문로에 일본 상인이 진출한 이후 점차적으로 진고개길(본정本町)을 넘어 한성부의 중심 지역으로 거류지를 확장해나가는 상황이 반영된 것이다. 1885년에는 거류민단 주도로 도로개수사업이 시작되었는데, 이는 거류민들이 점차 남대문로 일대, 기존의 거류지로 진출하게 되자 도로개수 사업을 통해 기존 거류지 영역과 남대문로를 잇는 본정도로(진고개길)의 환경을 개선하여 남대문로와의 교통을 편리하게 하기 위한 것이었다. 즉, 상대적으로 한성부의 변두리였던 초기 거류지 영역을 벗어나 한성부의 중심으로 진출하고자 하려는 의도를 가진 것이었다.

[54]
京城には外國人居留地として定められたる區畫なし、京城は仁川,釜山及元山等の開港場と異り外國人居留地として定められたる區域なく一般に內外人の雜居地なるが故に本邦人は他の諸外國人と均しく城內何の地方と雖も基好む所に從ひ地所家屋を買求め之に住居營業すると自由を有す左しば新來の商人は勿論從來已むを得ざる事情により商業上最不便なるに拘らず泥峴と稱する城內の一隅に居住せる本邦商人も亦漸次南大門通り基地商業上最便利なる場所を撰み店鋪を開設するに至れり。-통상휘찬18호(1895.6.1.) 〈京城に於ける地所家屋の賣買慣例〉

1895년 도로개수사업의 시행 후인 1896년에는 영사관이 본정本町거리 입구로 신축·이전하고 1897년에는 총대사무실과 상업회의소의 연합사무실이 영사관의 건너편으로 신축·이전함으로써 본격적으로 거류지의 중심이 남대문로와 연결되는 본정 입구로 이동해가기 시작했다. 1898년 상업회의소는 영사관 남쪽 장동長洞에 상품진열장을 설치하였고, 1901년에는 영사관 맞은편에 경성우편국이, 1902년에는 영사관의 서측에 경찰서가 새롭게 신축되었다. 일본인 거류지의 중심시설들이라고 할 수 있는 영사관, 총대사무실 및 상업회의소, 우편국, 경찰서 등은 이전까지는 수정壽町(주동) 일대에서 한국인

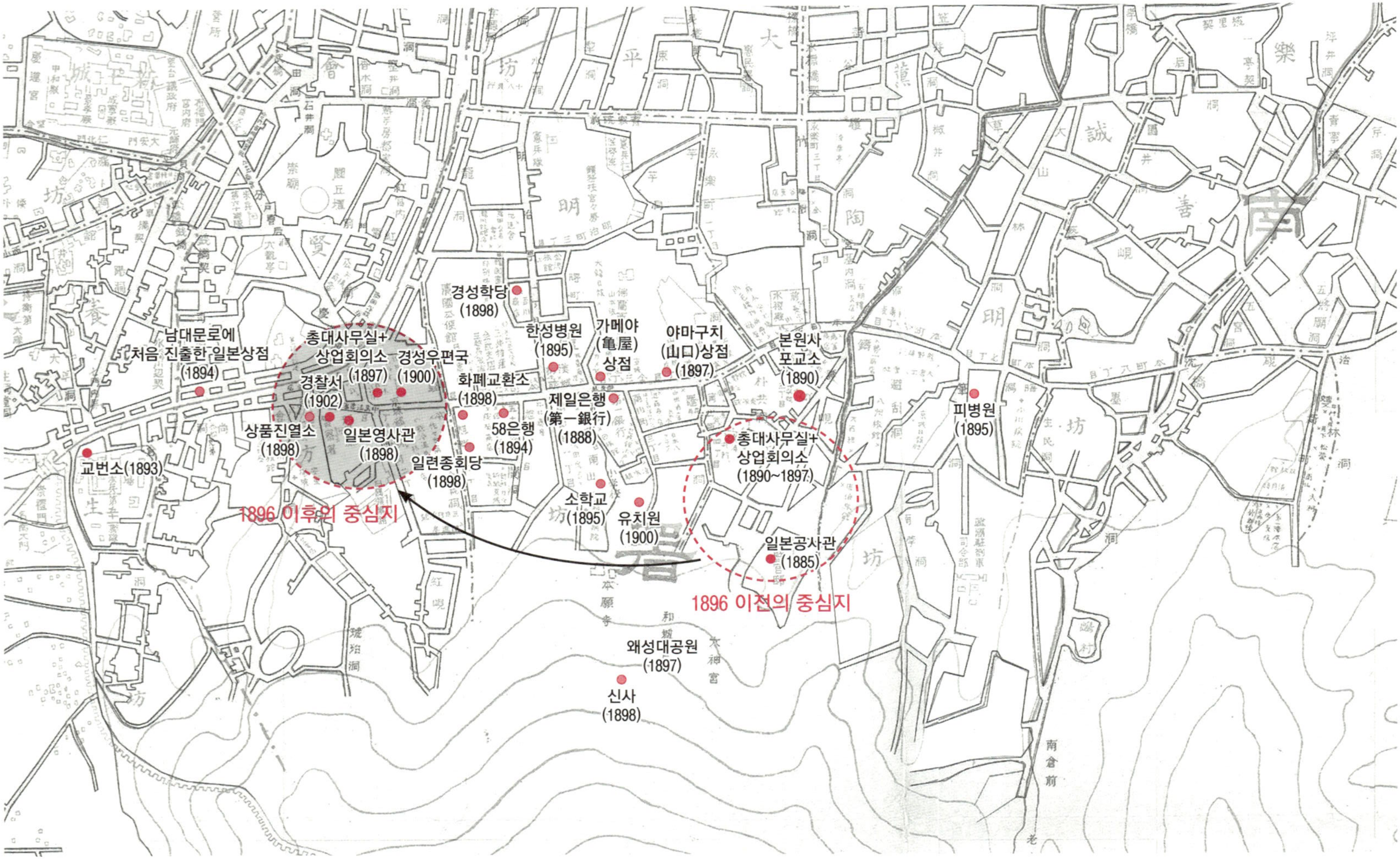

그림 11 1896년 이후 거류지의 중심 이동 (1907 최신경성전도에 표시)

의 가옥을 빌리거나 소규모의 일본식 가옥을 신축하여 사용하였으나, 1896년에서 1902년에 이르는 시기 동안 기존의 거류지 서측에 있는 본정 입구에 새로운 양식의 건축물을 신축하여 이전하였다. 또한 일본 제품들을 선전하기 위한 상품진열소 역시 그 주변에 새롭게 설치됨으로써 이 일대는 새로운 거류지의 중심이 되었다.

이렇게 거류지의 중심이 이동한 이유에 대하여서는 두 가지 측면에서 생각해볼 수 있다. 그 첫 번째는 점차 확장하는 거류지의 효율적인 관리와 거류민 보호를 위한 것이었다. 한성부 내에서 세력이 그리 크지 않았으며, 한국인들의 배일감정으로 인해 거류민들의 신변보호가 중요하였던 거류 초기에 비해 청일전쟁을 전후로 점차 한국 내에서 일본 세력이 강화되어감에 따라. 일본 상인을 중심으로 한 거류민들은 한성부의 상업적 중심이라 할 수 있는 남대문로 일대로 다수 진출하였다. 따라서 확장된 일본인 거류지를 관리하고 거류민들을 보호하기 위해 거류지 행정시설과 공공시설도 점차적으로 이 지역으로 옮겨갈 수밖에 없었을 것이다. 첫번째 이유가 일본인 거류지 내부적 필요에 의한 것이라면, 또 다른 측면에서는 한성부, 즉 한국인들과의 관계라는 측면에서 생각해볼 수 있다. 기존의 한성부의 상업적 중심인 남대문로와 접한 본정 입구에 영사관과 거류지 자치시설 등이 2층 양식 건축물을 새롭게 지으며 들어선다는 것은 일본의 근대기술과 힘을 한국인들에게 과시하며 이후 한성부로의 본격적인 진출이 시작됨을 보여주는 것이었다. 이 일대는 한성부의 관문이라 할 수 있는 남대문과 상업적 중심인 남대문로, 종로, 그리고 대한제국의 황궁인 경운궁과 매우 가까운 곳에 위치한 입지적 조건을 가지고 있으므로 향후 한성부에 본격적으로 진출하고자 했던 일본의 의도에 적합한 지역이었다. 일본 상품의 우수성을 전시하고 일한무역을 증대하기 위해 만들었던 상품진열소의 위치 역시 영사관 남측에 있었다는 것도 이러한 의도를 보여주는 것이라 할 수 있다. 이로써 일본인 거류지는 더 이상 남산 언덕의 변두리에 위치한 것이 아닌 한성부의 중심부로 진출하게 되었다

1896년 이후 주요 시설들을 본정 1정목일대로 이전한 후 1901년 다시 한 번 본정 도로를 전격적으로 수선하였다. 특히 이 해의 도로개수사업은 도로의 정비와 함께 본정 도로의 가로변에 약 30개의 전등을 설치함으로써 이 지역의 야간 풍경을 크게 변화시켰다. 1894년 처음 남대문로로 진출하며 서쪽으로의 진출을 시작한 거류지는 불과 6~7년 만에 최초의 거류지였던 수정(주동) 일대에서 벗어나 서측으로 거류 영역을 넓히고 중심 도로인 본정도로의 수선을 통해 일본식 마을로서의 모습을 갖추게 된 것이다. 1897년 일본인 거류지 내 상점 분포를 살펴보면 본정 입구에서 원래의 거류지였던 수정(주동) 일대까지, 즉 본정 1정목~5정목까지 이어지는 본정도로에 주요 상점들이 분포함으로써, 이 도로가 상업가로의 성격을 가지고 있음을 알 수 있다. 일본인 거류 이전에는 이 지역이 상업적 성격은 가지고 있지 않았음을 생각해볼 때, 본정도로(진고개길)의 상업화는 일본인 거류가 시작하며 만들어 낸 가장 큰 변화 중 하나라 할 수 있다.

1901년 3월경부터는 일본인들이 주로 거류하는 지역에 우편상의 편의 등을 위해 남산정, 수정, 일출정, 욱정, 본정 등의 3,4 개의 정町명을 원래의 동洞명과 병행하도록 함으로,[55] 이 지역은 일본식 지명과 한국식 지명을 동시에 가지게 되었다. 남산정南山町(미나미야마쵸우)은 남부 명례방 남산동계 남산동

[55] 경성부, 1936, 앞의 책, p.723

(현 남산동), 수정壽町(고토부키쵸우)과 일출정日出町(히데마치)역시 남부 훈도방 주자동계 주동(현 주자동) 일대, 욱정旭町(아사히쵸우)은 남부 회현방 회동會洞, 낙동駱洞, 장동長洞 일대, 즉 현재의 회현동 일대이며 본정本町(혼마치)은 당시 진고개길이라 불리던 길을 중심으로 부르던 지명으로 현재의 충무로 일대이다. 이처럼 이 일대에서 일본식 지명이 한국식 지명과 병용되었다는 것은 그만큼 이 지역에 일본인의 분포가 높았으며 한성부 내에서 일본인들의 세력이 크게 강화되었음을 의미한다.

거류지 정비와 한국정부와의 관계

청일전쟁 이후 일본인 거류지는 거류 초기 불안정한 상태에서 벗어나 안정적인 정착을 시작함으로써 정주지로서의 거류지 기반을 다져나갔다. 거류지의 인구는 청일전쟁 이후 급증하여, 1895년 848명에서 1896년 1,839명으로 약 2배 증가하였으며, 1903년에는 5,323명에 이르는 등 한성 내 일본인의 거주가 시작된 지 11년 만에 40명에서 5,323명에 이르는 약 133배의 증가세를 보였다. 1894년 한성부윤의 가권家券 공증은 거류지 내에서의 가옥에 대한 소유권을 보증해 주는 계기가 되어 거류지의 안정적인 정착에 도움이 되었고, 거류 초기에 대부분 한국인의 가옥을 빌려서 거주하던 거류민들은 점차 일본식 가옥을 지어 거주함으로써 점차 거류지의 도시 풍경 역시 일본식 마을과 비슷해졌다. 이 때부터 거류민들은 한성부 내 거류지를 임시 거주지가 아니라 정주지로 인식하기 시작하였던 것으로 보이는데, 이는 거류민들이 이 지역의 사업에 막대한 예산을 투자한 사실로부터도 확인해 볼 수 있다. 거류민단은 교통, 교육, 위생 사업에 특히 중점을 두고 거류민단의 예산을 투자하였다. 먼저, 1895년과 1901년의 본정 도로개수는 특히 각각 공비 1,000원, 10,000원을 투자한 것이었는데, 도로개수사업을 자체적인 예산으로 시행한다는 것은 이 지역을 임시적인 거주지가 아닌 정주지로, 한성부의 토지를 잠시 빌려서 사용하는 것이 아닌 자신들의 소유지로 인식하고 있음을 의미한다. 도로개수사업을 시행함과 함께 거류지에서는 불연不燃물질을 지붕재료로 사용하게 하는 등의 건축규제도 함께 시행하였다. 한편 거류 초기부터 위생사업에 각별한 주의를 기울이던 일본인 거류지에서는 배수시설과 하수 처리 등의 사업에 많은 노력을 기울였다. 이는 남산 아래 경사진 지형으로 인하여 비가 오면 남산으로부터 내려오는 물의 범람에 의해 통행마저 불가능해지는 진고개 일대의 단점을 보완하기 위한 것이었으며 또한 콜레라와 같은 수인성 전염병들로부터의 피해를 막기 위한 것이었다. 1895년 도로개수시 각 호마다의 배수구 설치, 1901, 1907년의 배수구 연장 사업 및 하수통 및 하수토관 시설 사업 및 1908년 각 호마다 홈통 설치 훈령 등은 일본인 거류지 내에서 지속적으로 이루어진 배수 및 하수 사업의 구체적인 내역들이다. 또한 이 지역에서는 상수도 사업 역시 중요한 사업으로 다루어져서, 1903년 소규모이긴 하나 사설 상수도가 설치되기도 하였다. 진고개 일대는 한성부의 타 지역에 비해 상대적으로 물이 부족한 지역이었기 때문에 우물 등을 이용할 수밖에 없어, 거류가 시작된 이후 식수용 우물을 지속적으로 설치하였으나 우물물은 염분과 악취로 인해 식용수로 쓰기 적당하지 않았기 때문에 상수도 설치가 시급하게 요구되었기 때문이었다. 이처럼 도로개수사업의 시행과 상하수도 시설을 비롯한 근대적 도시기반시설의 설치를 통해 적극적으로 도시 환경을 개선해 나간 것은 이 지역에서의 영구적인 거주를 염두에 둔 것이라 볼 수 있다.

한편 거류민의 수가 증가하면서 취학아동들 역시 증가하자 1892년에 설립한 경성공립일본소학교의 건물을 1895년 남산에 신축하고 1899년, 1902년에도 계속하여 증축하였으며, 1900년에는 경자기념유치원을 설립하기도 하였다. 위생사업에 있어서도 1895년에는 임시가 아닌 영구적으로 사용할 피병원을 마련하고, 1896년에는 공립병원인 한성병원을 세움으로써 거류지 내의 의료사업을 담당하게 하였다. 1902년에는 거류지 공의제도를 설립하고 고조 바이케이古城梅溪를 거류지 공의로 임명하여 거류지 내의 위생사업을 전담하게 하였다. 또한 1897년에는 왜성대 일대 공원부지를 영구임차하여 공원을 만들고, 대신궁을 공원으로 옮김으로써 일본인 거류민 사회의 종교적, 정신적 중심을 만들었으며, 1901년에는 광희문 밖의 토지를 임차하여 화장장을 설치하는 등[56] 거류지의 기반을 공고히 다지는 공공사업들을 지속적으로 진행하였다.

[56]
화장장에 관해서는 영사관으로부터 한성부윤에 교섭의 결과, 수구문밖 소나무 숲 중의 70여 평의 땅을 빌려 받아서, 和田常市, 山口太兵衛 등의 주선으로 당 기부금 1063원 50전을 모집하고, 그것에 공공비 191원 30전 을 더하여, 다음해 5월 10일에 이르러 2개의 관을 가지는 연와조의 건조를 했다.-경성부, 1936, 앞의 책, p.690

도로개수사업을 통해 그 환경을 개선한 본정도로는 일본식 상점가로서의 면모를 갖추어 나가기 시작하였다. 청일전쟁 이후 한일무역은 옥양목, 석유 등 외국산의 수입은 줄어들고 오히려 일본산 방적사와 모조 목면 등 일본산의 수입이 늘어나면서 전체 무역액도 늘어나게 되었다. 특히 이 시기에는 궐련, 맥주, 성냥, 도기, 소다 등 일본 잡화에 대한 한국인의 수요가 증가하였는데, 경성발달사에 실린 1897년의 주요 일본인 점포 목록에 따르면, 주요 상점들은 본정 일대에 몰려 있었으며 무역상과 잡화상, 그리고 양판점 등이 주를 이루고 있는 것을 발견할 수 있다. 당시 한국어신문이던 독립신문, 황성신문 등에는 가메야龜屋 상점, 옥천당玉泉堂 사진관 등의 광고가 자주 실려 있으며 이들이 광고하는 주요 상품들은 맥주, 소다, 설탕, 사진엽서 등이었다. 한국어신문에 화양잡화상들의 광고를 싣는 것과 경성발달사 등에 한국인의 수요에 대한 기록들이 남아 있는 것으로 미루어 보아 일본인 상점들은 거류지 내 일본인들 뿐 아니라 한국인들도 그 대상으로 하고 있었음을 알 수 있다. 또한 1895년 이전까지 종로의 상인들이 일본 상점에서 구매하는 한국인들에게 과세를 하던 것에 대하여 일본인들이 한일무역에 저해가 된다고 한성부윤에게 요청하여 1895년에 결국 이를 금지하게 되었던 것도 한국인들의 일본 상점 이용을 증진하게 하는 계기가 되었다. 또한 1898년에는 상업회의소 주도로 본정 입구[57]에 상품진열소를 설치하였는데, 이 상품진열소는 1900년까지 일본 농상공부성의 지원을 받아 한국인들의 기호에 맞는 일본 상품들을 진열함으로써 일본 상품들을 선전하고 한일무역을 활성화시키고자 하였다.

[57] 정확한 위치는 본정1정목 52번지(1930년대 지번)

일본영사관은 한국정부와의 지속적인 교섭을 통하여 거류민들의 한성부 내 생활을 좀 더 안정적이고 편리하게 하고자 하였다. 거류 초기부터 가옥 소유에 관해 한성부와 교섭해온 결과 1893년부터는 가계家契를 발급받았으나, 토지소유는 원칙적으로 금지되었다. 한성부 내 외국인의 거주가 늘어나자 외국인에게의 토지 침탈을 우려한 한성부에서는 1895년 한성부 내 외국인 거류지를 별도로 설정하고자 하였으나 실패하였고, 1898년 양지아문의 토지측량 사업을 시작하며 한성부 전체 토지를 관유지로 설정하여 외국인의 토지 소유를 금지하고자 하였다. 그러나 한성부의 외국인들은 한국인들의 가옥을 전당典當하여 돈을 갚지 못할 시에 가계를 환원하고 지권을 발급받게 함으로써 한성부 내 토지와 가옥의 소유를 넓혀 나갔는데[58] 특히 일본인들의 경우 그 정도가 매우 심하였다.[59] 이러한 상황에서 1903년 지계아문이 관계官契발급사업을 시행하면서 외국인의 토지소유 금지 조항을 삽입하여 전면적으로 외

[58] 1903년에는 무려 한성부 토지의 2/5가 외국인의 소유가 되었다.-황성신문 19030108 논설 〈地券爭端〉

[59] 황성신문 19010924 잡보 〈家券弊端〉

국인들의 토지 불법 거래와 토지 소유를 막고자 하였으나 이 역시 일본의 반대 등으로 실패하였고 결국 1904년 1월 지계아문은 폐지되고 말았다.[60] 또한 1895년 육의전 상인들의 불법 과세를 철폐하게 한 데에 이어 1901년부터는 한국정부와 교섭하여 일본인의 한국방문 여권발급 절차를 간소하게 함으로써 여권수속의 번거로움을 폐지하고 일부 일본인은 여권 없이 한국에 오는 것도 가능해졌다. 1902년에는 제일은행권을 통용시킴으로서 일본식 화폐 사용도 가능해졌다.

1898년 일본인 거류지 내 명동에 경성학당[61]이라는 교육기관이 설립되었는데, 경성학당은 한국인 자제들을 교육하기 위한 공립일어학교의 성격을 띄고 있었다. 또한 1899년에는 양잠강습소[62]가 세워져 역시 한국인 자녀를 대상으로 양잠교육을 하기 시작하였다. 또한 본원사, 일련종에 이어 정토종 개교원[63]이 세워져 일본인 거류민뿐이 아닌, 한국인을 대상으로 한 포교활동을 하였다. 이는 이전의 거류지에서 일본인 거류민만을 대상으로 교육 및 종교 활동이 이루어진 것에 비해 그 범위가 한국인들로 넓혀진 것을 의미한다. 개항 초기부터 미국과 유럽 선교사들이 적극적으로 교육과 종교 활동을 통해 한국인들과 교류하고자 한 것에 비해서는 상당히 늦은 것이었으나, 일본의 한국으로의 본격적인 진출과 더불어 한국인들과의 교류를 시도하고자 한 것이었다.

이처럼 이 시기 일본인 거류지는 거류지 내 제도의 정립과 다양한 시설들의 설치로 영구적인 정착을 위한 거류지 환경의 기반을 닦았을 뿐 아니라, 한국정부와의 정치 외교적 교섭 및 민간 차원에서의 한국인들과의 적극적인 교류를 통해 한국으로의 진출을 본격화하였다. 거류지는 임시적 거주지에

[60]
왕현종, 1998, 앞의 글, pp.40~41

[61]
명치 29년(1896) 4월 동경에서는 한국인 자제를 교육하는 대일본해외교육회로 칭하는 것이 생겼고, 현 명치정 1정목 59번지 부근에 경성학당을 설치했다. 그 과정은 3개년으로서 주로 일본어를 교육하고, 임관과 일본 유학의 편의를 가질 수 있어서, 올해 12월에 이르러서는 한국 정부의 인가와 월 삼십원의 보조금 하사를 받아, 정부 공인하의 한국 자제 교육을 담당하게 되었다.-경성부, 1936, 앞의 책, p.674

[62]
"현 누정정 2정목 180번지 (본정 4정목 경찰관 파출소) 동남쪽에 약 500평의 땅에 한인자녀를 모집하여 양잠 製絲 강습소를 열고, 더해서 보통학을 교육해 일일 10전을 지급했다."-경성부, 1936, 앞의 책, p.682

[63]
12월 정토종 관장 대승 쇼우노(正野上運海)는 개교 부사 2명을 파견하여 경성에 주재하게 하고, 임시 교회소를 설치하여 포교에 종사하게 하였다. 이후 신도의 증가에 따라 1899년 7월 종무소의 도움을 얻어 부지 가옥을 현 명치정 2정목에 매수하였다. 현 개교원의 시초가 이 것이다. 다음으로 1900년 5월 종규(宗規)에 따라 개교원을 승격하여 한국개교본부로하고, 개교사를 둬서 한국내의 사무를 총괄하게 하고, 9월 이후 한인의 포교에 착수하였다. 이후 크게 활동을 하여 명치 40년 정미정변까지는 한승 중의 유공자를 모아서 명진학교라 하는 학교를 설치해 청년한승을 양성하였다.-경성부, 1936, 앞의 책, p.676

서 영구적인 정주지로 그 성격이 변화하는 양상을 보였으며, 이후 러일 전쟁과 통감부 설치 이후 남촌 일대의 거류지를 벗어나 전체 한성부로의 그 영역의 확장을 시도하게 되는 기반을 갖추게 되었다.

1904~1910. 정주지定住地화 되어가는 일본인 거류지

러일전쟁 이후 거류지 내 외부의 상황

1903년 일본과 러시아 간의 교섭 실패로 러일전쟁이 발발하였으나, 이 전쟁에서 일본이 승리하면서 일본의 지위는 한국 내에서 더 확고해 졌다. 2월에는 하야시 곤스케林權助 일본특명 전권공사와 이지용 외무대신 임시 서리 사이에 한일의정서가 체결되었으며, 이로써 일본은 한국에 대해 군사, 정치적으로 특수한 권한을 갖게 되었다. 1894~95년의 청일 전쟁을 통해 한반도 내에서의 청국 세력을 축출한 일본은 1904년 러일전쟁을 통해서 아관파천 이후 고종과 밀접한 관계를 맺고 한국정부에 영향력을 발휘하던 러시아를 축출시켰다. 1905년의 뤼순 함락과 포츠머스 조약체결로 한반도 내에서 러시아의 세력은 거의 전멸하고 한국에서의 일본의 세력은 더욱 더 강화되었다. 1905년 1월에는 한성부와 경기 일원에 군사경찰제도를 확대하여 실시하였는데, 이는 곧 일본군이 한국 경찰을 대신하여 치안을 담당하고 질서 유지를 도모하게 되었음을 의미한다. 또한 한국 통신기관의 합병과 메가타目賀田개혁, 즉 재정정리를 행함으로써 한국은 경찰, 위생, 통신 등의 분야에서 일본의 간섭을 받게 되는 상황에 이르렀다. 결국 1905년 12월의 제2차 한일협약(을사늑약)을 맺음으로 한국은 일본의 보호국이 되었으며, 이토 히로부미伊藤博文가 초대통감으로 부임하여 한국의 외교권 및 입법, 사법, 행정권과 군사지휘권까지 모두 장악함으로써 실제적으로 일본이 한국을 통치하는 양상이 되었다. 이에 따라 거류지 내에서 영사관은 폐쇄되고 이사청이 신설되었으며, 공사관 역시 폐쇄되고 통감부가 신설되었다. 이렇게 러시아 세력을 모두 몰아내고 일본이 한국 내에서 최고 권력을 가지게 됨에 따라 거류지 역시도 전의 시기와 비교할 수 없을 정도로 크게 팽창하였다. 더 이상 일본인 거류지는 더 이상 한성부 안의 고립된 그들만의 지역이 아니었다. 앞선 시기보다 거류지 영역은 더 확장되어 1906년 거류지 영역은 돈의문(서대문)과 숭례문(남대문) 모악母岳[64], 아현, 청파, 이태원과 갈월리를 포함하는 동서 40정, 남북 50여 정에 이르는 구역을 포함하게 되어, 한성부 남촌 지역의 대부분과 한성부 외곽지역까지 차지하게 되었으며, 면적은 약 1천여 만평에 달하였다.

[64] 서대문구 현저~홍제동 사이의 언덕, 안현이라고도 한다.

1907년에는 헤이그 밀사사건을 계기로 일본은 고종을 강제로 퇴위시키고 '한일신협약'을 체결하였다. 법령제정, 관리임명, 행정권 및 일본 관리 임명 등을 내용으로 하는 한일신협약의 제정으로 일본은 대한제국 내정을 완전히 장악하게 되었으며 이어 대한제국 군대를 해산하였다. 이와 같은 일본의 침략에 대응하여 정미의병이 일어나는 등 한국인들의 저항도 매우 강렬하였다. 그럼에도 불구하고 거류지는 일본 세력의 성장과 함께 점점 팽창하고 발전해 나갔다. 1907년에는 일본 황태자의 방문과 경성박람회의 개최 등 일본인 거류지를 중심으로 하는 대규모의 도시 행사들이 있었으며, 이 행사들은 거류지 내부에서뿐이 아닌 한성부 전체 도시 규모로 진행되었다.

남촌의 대부분의 지역에는 일본식 정町명이 1901년에 이어 추가되어 2개의 정, 동 명을 가지게 되었으며, 이는 1914년 행정구역 개편시까지 병용되었다. 1907년 제작된 최신경성전도에는 일본인 거류지 일대에 한국식 지명과 일본식 지명이 병기되어 있는 것을 발견할 수 있다.(그림 12) 점차 대한제국은 국가주권을 일본에 모두 빼앗겨 유명무실한 국가가 되고 말았으며, 결국 1910년 8월 일제에 의한 한일병합이 일어남으로써, 한국은 일본의 식민지가 되었고, 따라서 일본인 거류지는 더 이상 소규모의 외국인 거류지가 아니게 되었다.

거류지 영역의 팽창과 용산개발

청일전쟁 이후 거류지 서쪽, 즉 남대문로로 영역 확장을 꾀하였던 일본인 거류지는 러일전쟁 이후에는 거류지 동쪽 영역의 개발을 시작하였다. 1904년에 이루어진 신정新町(쌍림동)개발은 이전까지의 거류지 영역 확장과는 다른 성격을 가진다. 이전의 거류지 영역 확장이 기존의 한국인의 지역에 점차적으로 일본인 거류민들이 들어가서 살기 시작하면서 상대적으로 오랜 시간에 걸쳐 이루어진 것이라면, 신정개발은 기존의 한국인들이 살던 지역의 토지를 한꺼번에 매수하여 대대적으로 이루어진 개발사업이었다. 거류민회에서는 1904년 6월 약 7,000원의 예산을 투자하여 묵정동[65]과 쌍림동 일대의 토지 7,000여 평을 한국인들로부터 매수하여 한옥을 철거하고 언덕을 평탄하게 한 후 특별요리점 영업장으로 만들고 신정新町으로 명명하였다. 이 지역의 대부분의 토지는 원래 한국인의 소유지였는데 이를 싼 값에 매입하기 위해 한국인들을 속이기도 하였다. 조선신문 1934년 11월 1일 기사에 따르면 이 일대 가장 방대한 양의 토지를 소유하고 있었던 조동윤이 토지

[65] 남산 북쪽 언덕에 위치한 묵정동은 풍경이 수려하고 환경이 쾌적하여 많은 문인과 명사들이 기거하며 독서를 하고 시를 읊으며 즐겼던 지역이라고 한다.-서울特別市史編纂委員會, 1992, 『洞名沿革攷, 2, 中區篇』, 서울特別市史編纂委員會, p.537

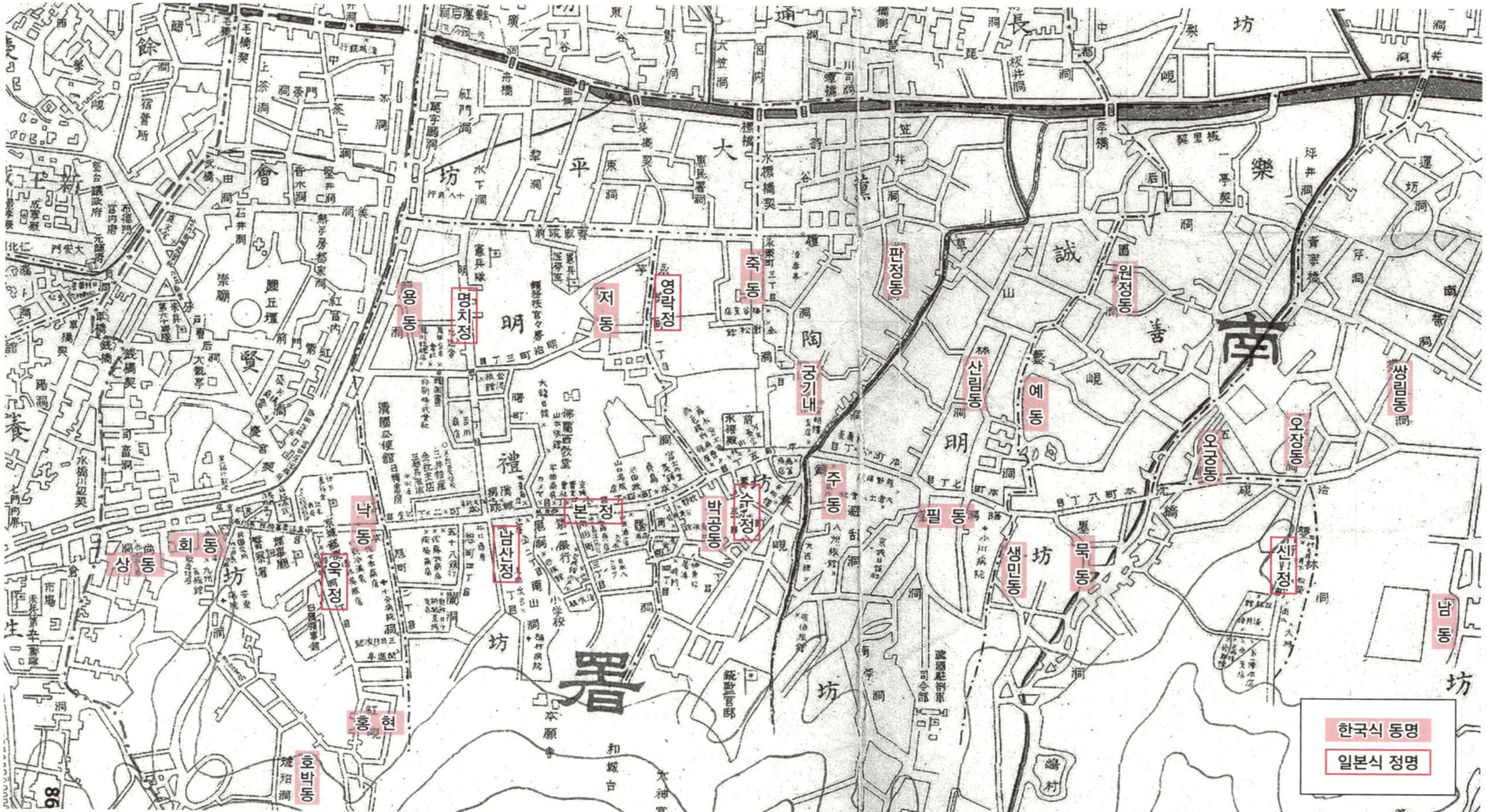

그림 12 한국식 동명과 일본식 정명이 병기되어 있는 1907년 최신경성전도

매각을 허락하지 않자, 이 일대의 토지가 일본군 마굿간 부지로 무상 수용될 예정이라고 속여 1평당 최고 80전에서 최저 8전에 매입하였다고 하며, 경성발달사는 당시 민회의원 기쿠타 마사히로菊田政宏가 수완을 발휘하여 한국인들이 뜻밖의 거액을 횡재하는 일이 없었다[66]고 전하고 있다. 신정지역 개발은 늘어나는 교육비와 위생비 충당을 포함한 거류민단의 재원확보를 위해 이루어진 사업이었다. 남산 언덕의 고지대 지형을 평탄하게 하고 신정지역을 개발한 거류민회는 이 일대 토지를 1평 80전의 가치로 불하하고 1개월 7전에서 31전까지의 지료地料를 부과하며 유곽영업을 허가하였다.[67]

[66] 경성거류민단역소, 2010, 앞의 책,p.202

[67] 赤萩與三郎, 遊廓街二十五年史 조선공론 23권 10월호(1935), p.47 - 유승희. 2012. "근대 京城 內 遊廓地帶의 형성과 동부지역 도시화-1904년~1945년을 중심으로". 『역사와 경계』 82(-): 137~174. p.143에서 재인용

신정개발과 함께 거류지가 동측으로 팽창함에 따라 본정 6~9정목으로 통하는 도로를 개착하였다. 이 도로가 개착되는 지역 역시 원래 일본인과 한국인들이 잡거하는 지역이었기에 한국인들로부터 가옥 및 토지를 매수할 필요가 있었는데, 이 도로개착사업에는 한성부윤이 도로개착에 필요한 토지 및 가옥의 일부를 자진 기부할 것을 한국인들에게 장려함으로써 예상보다 싼 가격에 기존의 토지와 가옥을 매입하여 도로를 개착할 수 있었다. 그러나 그 과정에 경찰력을 대대적으로 투입함으로[68] 이 도로 개착사업은 강제성을 띈 토지수탈이었음을 알 수 있다. 1904년 이후의 도로개수 및 새로운 도로를 개착하는 사업은 대부분 거류지의 동측, 즉 대화정大和町(묵정동)과 신정新町(쌍림동), 동사헌정東四軒町(장충동) 일대에서 이루어졌다. 이는 청일전쟁 이후 서쪽으로 확장하던 거류지가 남대문로까지 진출한 이후 더 이상 서측으로 진전이 불가능했으며, 북측 역시 구리개길, 즉 지금의 을지로 지역까지 부분적으로 진출하였으나 한국인들이 밀집한 지역이었기에 대대적인 진출이 쉽지 않았던 상황에서, 상대적으로 개발이 덜 이루어졌었던

[68] 경성거류민단역소, 2010, 앞의 책, p.203

기존의 거류지 동측 지역은 대규모 개발이 가능했기 때문이다. 신정 지역 개발은 이러한 점에서 거류지의 동측으로의 확장의 시발점이 된다고 볼 수 있다. 거류지의 동측으로의 팽창은 광희문 일대까지로 이어지면서 결국 일본인 거류지는 한성부 내에서 청계천 이남 지역, 남촌 일대를 거의 아우르는 정도에 이르렀으며, 성내 뿐 아니라 성외 지역인 서대문과 남대문 외곽지역, 홍제원과 안현의 동쪽 지역, 아현, 청파 및 용산 지역, 그리고 전생서[69]와 갈월리 동대문 외곽 일대 지역, 낙산의 동측, 자지동,[70] 왕십리와 대현동에 이르는 약 1천 여 만평의 규모에 이르렀다.[71]

성외지역 중에서는 용산의 성장이 두드러지게 나타났다. 1884년 개시장開市場이 된[72] 용산에서 일본인들은 1888년에는 인천-용산간 증기선 운행을 시작하고,[73] 1890년경부터는 원정元町(현 원효로 3,4가 지역)의 용산포구 일대를 중심으로 거주하기 시작하였다. 1894년부터는 용산거류민회를 개설하고 기존의 용산포구 지역 외에 효창공원일대까지 그 거주 지역을 넓히게 되었으며, 청일전쟁 이후인 1896년 5월 일·러 간의 합의 각서에 의해 용산지역에는 일본 군대가 상주하게 되었다.[74] 그러나 러일전쟁 이전까지는 용산 거류 일본인의 수는 매우 적어 본격적인 거류지로 보기는 어려웠다. 용산이 일본인의 주요 거류지역이 된 것은 1904년 러일전쟁 이후의 일이다. 1904년 한일의정서 체결 이후에는 일본 군대의 한국 상주가 공식화됨으로써, 한국 도처에 일본군의 영구 군사 기지를 설치하고 군대를 주둔할 수 있게 되었다.[75] 처음 일본군은 용산지역에 군용지로써 총 300만평의 토지수용을 요구하였으나, 한국인들의 강렬한 저항에 의해 이 계획은 포기하였다. 그러나 결국 러일전쟁 이후인 1905년에 115만평의 토지를 수용

[69]
조선 시대의 관청. 궁중의 제사에 쓸 짐승을 기르는 일을 맡아 보았다. 태조 때 전구서(典廐署)라 하던 것을 1460년(세조 6)에 전생서로 고쳤다. 남대문(南大門) 밖의 남부(南部) 둔지방(屯智坊)에 자리 잡고 있었다.

[70]
지금의 창신동

[71]
경성부, 1936, 앞의 책, p.764에 실린 확장된 거류민단 구역

[72]
1882년 체결된 한일수호조약(韓日修好條約)과 중국·조선 상민수륙무역장정(中國·朝鮮 常民水陸貿易章程)과 1883년의 한영수호통상조약(韓英修好通商條約)에서는 모두 양화진을 개시장으로 정하였으나, 이후 양화진보다 용산이 한양과의 접근성이 좋으며, 거주 및 통상에 유리하다는 판단 하에 1884년 최종적으로 개시장으로 결정되었다. 개시장 양화진을 용산으로 대체한 것은 일본이 주도한 일이었으며, 이에 청국, 영국, 미국 등의 각 국이 동조하여 이루어진 일이었다.-용산구청, 2001, 『龍山區誌』, 서울特別市 龍山區, pp.84~92

[73]
경성부, 1936, 앞의 책, p.599

[74]
유한철, "일제 한국 주둔군의한국 침략과정과 조직", 『한국독립운동사연구 6』,1992, pp.3~4 참조-양승우 외, 2009, 『보이는 용산 보이지 않는 용산』, 마티, p.16에서 재인용

[75]
용산구, 2001, 앞의 책, p.105

그림 13 1904~1910년 거류지 주요 시설 (1907 최신경성전도에 표시)

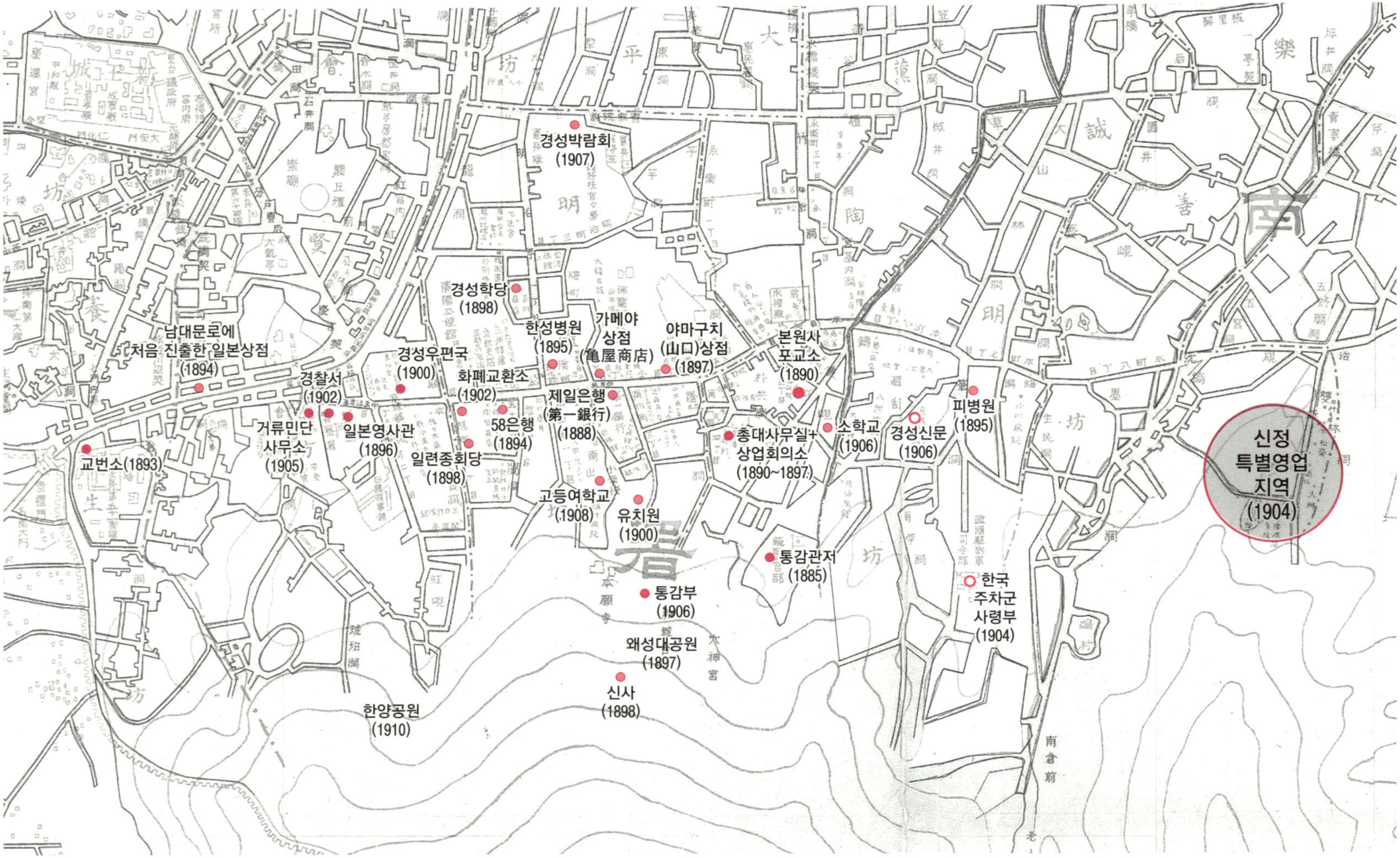

하였다. 한편 1904년 러일전쟁을 계기로 한국정부로부터 철도 용지로 수용한 토지에, 1906년부터 통감부 주도로 철도기지화 사업이 진행되며 신용산이라는 새로운 계획 시가지가 건설되었다. 통감부가 설치된 후인 1906년부터는 남대문 밖에서 시작하여 동쪽으로는 이태원, 서쪽으로는 욱천, 남쪽으로는 한강에 이르는 일대 지역에 대대적인 토목공사와 병영건설을 시작하였고, 또한 남대문정거장(현 서울역) 앞에서 동자동, 갈월동, 남영동을 거쳐 한강으로 통하는 대로를 1906년 6월 완성하고 그 동쪽 후암동에서 용산고등학교를 끼고 남행하는 도로를 1908년 12월에 완성함으로 신용산지역의 2대 간선도로를 완성하였다. 이 동측의 길을 따라 한국주차군사령부청사, 사령관 관저 및 위수병원 등의 일본군 시설들이 모두 들어서게 되었다.[76] 또한 용산역 앞에는 철도관련시설 및 종사원들의 관사들이 들어섬으로 철도종사원 마을이 형성되었다. 용산 지역 일본인 거류민 인구 상황을 살펴보면 1897년 35명이었던 거류민수는 1901년 80명으로, 다음 해인 1902년에는 거의 두 배에 가까운 150명으로 증가하였으며, 러일전쟁을 전후해서는 350명에서 1,700명으로 약 5배 가까이 증가하는 것을 볼 수 있다. 이후 한일병합이 되는 1910년에는 약 10,000명으로 늘어남으로 13년 새에 약 286배가 증가하였음을 알 수 있다. 이로써 용산은 한성부 성내 진고개 일대에 이어 제2의 거류지로 성장해 나갔다. 용산의 토지 수용은 대부분 일본군에 의해 이루어진 것으로, 단순한 주둔지로서가 아니라 낮은 수용 가격에 한국인으로부터 토지를 매입하여 일본인 거류지로 이용함으로 일본인 재산 증식의 도구로 활용하는 양상으로 나타났다.[77]

용산의 성장으로 인해 한성부와 용산을 잇는 도로의 중요성도 커지게 되었다. 본래 용산은 도성[78] 안으로 가는 교통

[76] 용산구, 2001, 앞의 책, p.p 114~115

[77] 양승우, 앞의 글, 2009, pp.20~28

[78] 한성부는 도성 안 지역뿐 아니라 성저십리(도성으로부터 10리 떨어진 지역)지역을 포함하므로 도성 안과 밖을 구분하여 표현하도록 한다.

의 요충지이자 상업 유통의 중심지로서, 한양 도성과 한강을 잇는 조선시대 주요 육로 9개 중 하나인 숭례문-청파-당고개를 지나는 길이 지나는 곳이었다. 1890년대 후반 이후 경의, 경부, 함경, 중앙선 등 철도 교통의 중추지인 용산은 서울로 들어오는 접근로로서 매우 중요한 역할을 하였고, 용산의 거류민 증가는 한성부 내의 기존의 거류민 중심지인 진고개 일대와의 긴밀한 연계를 필요로 하였다. 1907년 남대문을 통해 일본인 거류지로의 진입을 좀 더 용이하게 하기 위해 남대문로-구리개길-본정을 잇는 순환로를 정비하였던 경성거류민단은 1910년 남대문로부터 도성 밖 남대문정거장에 이르는 도로를 개축하였는데 이 도로는 1906년 완공한 남대문정거장에서 한강을 잇는 대로와 연결되어 도성 안 거류지(진고개 일대)와 도성 밖 거류지(용산 일대)가 연결되게 되었다. 용산의 성장과 도성과의 교통로 발달은 이후의 한성부의 변화에도 큰 영향을 주었다. 즉, 1910년 한일병합 이후 한성부의 근대적 도시 변화가 일본인의 거류지를 중심으로 이루어지면서 한성부는 도성 안과 도성 밖의 용산이 표주박 형태로 이어지는 이중 도시[79]의 구조를 가지게 되는 데 영향을 미치게 된 것이다. 1910년 이후의 한성부 지도에 용산이 함께 그려지는 것도 이러한 도시 구조의 변화를 반영한 것이다. 따라서 이 시기 용산의 발전은 향후 서울의 공간구조의 변화에 미치는 영향이 매우 크다고 할 수 있다.

그림 14 한성부와 용산

[79] 김백영, 2005, "러일전쟁 직후 서울의 식민도시화 과정", 지방사와 지방문화, 8(2): 77~143. p.88

표 1. 용산 일본인 거류민 증가표

연도	거류자수	연도	거류자수
1897	35	1904	350
1898	46	1905	1,700
1899	52	1906	2,579
1900	65	1907	3,142
1901	80	1908	6,300
1902	150	1909	10,035
1903	192	1910	10,638

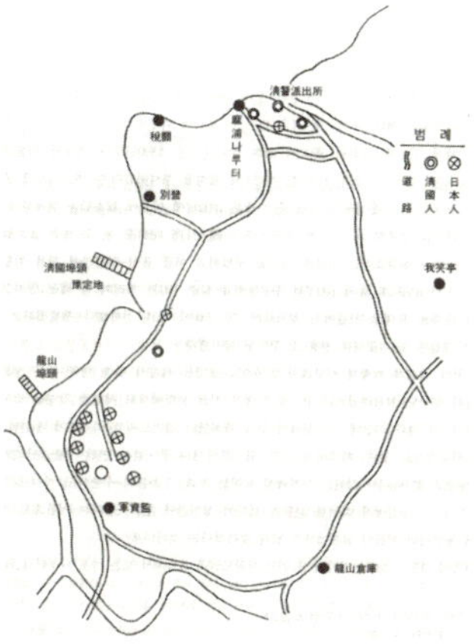

그림 15 1893년 용산 연안 상황

그림 16 용산시가

그림 17 용산 일본군사령부

그림 18 용산 거류민단 사무소

통감부 설치와 거류지 내부의 변화

통감부의 설치는 단순한 외교권의 박탈이 아닌 한국의 정치, 경제, 사회 전반에 걸쳐 일본이 주도권을 가지게 되는 사건이었다. 통감부가 설치됨에 따라 공사관은 철폐되었고, 영사관 역시 이사청理事廳으로 대체되었다. 그런데 공사관과 영사관은 외교기관이었지만 통감부와 이사청은 행정통치기구, 즉 일본의 한국에 대한 식민통치기구로서 그 성격이 달랐다. 일본인 통감은 한국의 내정에 전반적으로 간섭함과 함께 일본인 거류민에 대해서는 총리대신과 같은 기능을 가졌으며, 이사청 역시 기존의 영사관과 마찬가지로 일본인 거류민을 보호하고 감독하는 역할을 하였으나 그 범위가 넓어져 거류민 뿐 아니라 해당 지방의 행정에도 영향력을 발휘하게 되었다. 따라서 이 시기 거류지는 통감부와 이사청의 정책, 사업들과 거류민단의 정책·사업들이 동시에 시행되는 양상을 보인다. 통감부의 설치에 대해 거류민들은 한국 내에서 일본의 지위와 영향력이 안정화된 것에 대해 만족을 나타내는 한편, 통감부가 한국 사업에 대해서는 적극적으로 대처하면서 거류 일본인 사업에는 도움을 주지 않고[80] 거류 일본인 단속을 엄중히 한 것에 대해 불만을 나타내고 있다.[81] 그러나 통감부의 설치는 거류지에도 분명히 큰 영향을 미쳤다. 거류지가 안정된 상태에서 비약적인 성장을 한 데 영향을 준 것은 물론이고, 대한제국의 국유재산들을 거류민들이 주로 이용하게 되는 시설로 변경하여 무상 임차하게 하고, 화폐정리사업을 통해 일본 화폐를 사용하게 함으로써 일본 상인들이 경제적 이득을 얻으며 성장할 수 있게 되는 등 거류민들에게 직접적인 영향을 주었다.

[80] 일본인들의 이와 같은 불만과는 달리 실제로 통감부는 1906년 지하하수관 매설 사업 등에서 일본인 거류지를 우선 대상으로 사업을 시행하였다.

[81] 경성거류민단역소, 2010, 앞의 책, pp.243~247

1904년 재정고문 메가타 다네타로目賀田種太郎가 황실재정정리를 추진한 이후 1908년 황실재산은 통감 이토 히로부미

伊藤博文의 결정에 따라 모두 국유화되었다. 황실재산을 국유화한 이후 황실재산을 일반 혹은 단체에 허차許借함으로써 다양한 시설로 활용하였는데 창경궁 내에 박물관, 식물원, 동물원이 생기게 된 것도 이에 따른 결과였다. 거류지에서도 1909년 현재 28,735평에 이르는 토지를 무상으로 임차하였는데, 그 중 청파병원 부지 6,526평은 제실 재산정리국으로부터 영구히 임차하였음을 알 수 있다. 또한 탁지부 소유의 관유재산들 역시 일반에 허차하였는데 거류지에서는 포병대 터 부지 1,500평을 허차하였음을 알 수 있다. 이 외에도 일진회 및 총세무사청, 농상공부, 주둔군경리부로부터 각각 중학교 부지, 고등여학교 부지, 대화정소학교 직원사택, 용산군용지 차입지, 일출정 소학교 부지 등을 임차하고 있었다.[82]

[82] 경성거류민단역소, 2010, 앞의 책, p.305

표 2. 한국정부재산을 차용한 일본인 거류지의 각종 부지

내역			
구분	평수	차용기간	비고
중학교 부지	2,618.000	1909년 3월 31일부터 5개년	일진회로부터
포병대 터 부지	1,500.000	1909년 10월 8일부터 3개년	탁지부로부터
청파병원 부지	6,526.000	영구	제실재산정리국으로부터
고등여학교 부지	3,112.440	임대인으로부터 반환 요구 있을 때까지	총세무사청으로부터
대화정소학교 직원사택	392.800	영구	농상공부로부터
용산 군용지 차입지	12,776.750	1909년 6월 1일부터 20개년	주둔군경리부로부터
일출정소학교 부지	813.055	임대인으로부터 반환요구 있을 때까지	상동
계	28,739.945		

1907년 고종을 퇴위시킴과 동시에 군대를 해산한 통감부는 군사시설들을 1909년 1월 이후 탁지부 소관으로 이관하고 관유재산으로 관리하였다. 또한 한국 주차군 용산 병영이 건설되면서 군시설들이 용산으로 이전하자, 한성부 도성 내의 기존의 군시설들은 관사를 비롯한 다양한 용도로 변경하게 되

었다. 일본인 거류지에 있었던 남별영 부지의 경우, 주차군사령부가 1908년 용산으로 이전한 이후, 주차군 사령부는 헌병대가 되고 그 일대 한국주차군시설이 이전하고 남은 공지에는 관사가 집중적으로 신축되었다. 주차군 막료관사에는 대화정大和町 내부관사內部官舍가 신축되었으며, 남대문과 서소문 일대에도 각각 제51연대(남대문에서 남동쪽)와 시위대(원래의 태평관 자리)가 위치했던 곳에 재판소관사와 학무국장 관저學務局長 官邸가 신축되었다. 이 지역에 주로 관사가 들어선 것은 당시 관사에는 대부분 일본인들이 살았기 때문에 일본인 거류지와 가까운 위치가 선호되었을 것이기 때문이다.[83]

[83] 이규철, 2010, 『대한제국기 한성부 도시공간의 재편』, 서울대학교 대학원, pp.237~244

한편, 1904년 재정고문으로 부임한 메가타 다네타로目賀田種太郎의 화폐정리사업은 대한제국의 화폐 주권을 박탈하고 대한제국의 경제를 일본 화폐의 유통권으로 편입시킴으로써, 한국 상인들의 몰락을 가져왔다. 일본 화폐로의 통일과 어음제도의 폐지 등으로 궁지에 몰린 한국 상인들은 가옥과 토지들을 매매하였고, 일본 상인들은 오히려 높아진 일본 화폐가치를 바탕으로 한성부 내에서의 이권을 장악하게 되었다. 또한 황실 재정정리를 시행하여 황실 재산을 해체함으로 한국황실이 추구하던 근대 국가로의 변화를 위한 재정적 기반을 잃게 되었다.[84]

[84] 전우용, 2012, 『한국 회사의 탄생』, 서울대학교출판문화원, pp.207~214

그러나 통감부와 거류민단이 서로 공생의 관계에만 있는 것은 아니었다. 통감부의 설치 이후 통감부와 거류민단은 갈등의 양상을 보이기도 하였는데, 특히 이전에 거류민단이 주도적으로 해왔던 자치사업의 분야에서 그러했다. 1907년 거류민단장은 소방과 위생, 도로 등 거류민단이 자치적으로 시행했던 사업 분야가 한국인들에게 직,간접적으로 이익을 주고 있음과 한편으로 한국인들로 인하여 거류지 사업에 손해가 미치는 점들이 있음을 언급하며 보조금을 청원하기도 하였다.[85] 이 내용을 구체적으로 살펴보면 몇 가지 특징을 발견할 수 있는데 소방에 있어서는 한국인 가옥의 화재로 인한 연간 피해를, 위생과 도로에 대해서는 거류민단 사업에 의해 한국인들도 혜택을 입고 있음에 대해 언급하고 있다. 이 청원은 받아들여지지 않았지만 당시 거류민들이 한국인들에 대해 가지고 있었던 생각을 살펴볼 수 있으며, 통감부 설치 이후 위생제도 및 소방제도 등의 적극적인 도입과 연관이 있을 것으로 추정된다.

1905년 일본인 거류지에서는 거류지에서 위생에 많은 주의를 기울여도 주변의 한국인 지역의 위생이 취약하여 전염병 등의 피해가 발생하는 것에 대해 불만을 표하며 한국인 지역에도 위생법을 실행할 것과 영사관에 한국인들의 위생을 전문적으로 감독할 위생사무관의 설치를 건의하였다.[86] 이 건의는 즉각적으로 받아들여지지는 않았으나, 1907년 한성위생회를 설립하고 1908년 제예규칙 등을 공포하는 등 한성부에서 적극적으로 위생제도를 확립하고 시행함으로써 거류지 내에서 뿐 아니라 한성부 전역에 걸친 위생법의 시행이라는 거류민들의 요구가 만족되었음을 알 수 있다. 그러나 자치적으로 운영되던 일본인 거류지 내에서의 시행사업과는 달리[87] 통감부 설치 이후 한성부 내에서의 위생 제도는 경찰에 의한 강제적 시행이라는 양상을 보였다.[88] 또한 1908년 제예 규칙의 제정 이후에는 한성위생회 직원들이 쓰레기와 분뇨를 치워가고, 한성부민들에게 위생비용을 분담하게 하였는데,[89] 위생비만 징수하고 쓰레기와 분뇨를 제대로 치워가지 않음으로써, 한성부민 전체에 대한 위생비 부과가 오히려 일본인 거류지 내의

[85]
경성거류민단역소, 2010, 앞의 책, p.255~258

[86]
경성거류민단역소, 2010, 앞의 책, p.232, 239

[87]
일본인 거류민들이 과세 등의 의무를 행하지 않는 경우 등에 대하여서는 자세한 내용은 알 수 없으나 1905년 거류민단법의 신속한 실시에 관한 청원서에서 '과금 체납자에게 강제 제재를 가할 길이 없다' 라는 표현으로 미루어보아 강제성을 띄고 있지는 않았음을 알 수 있다. 이 것이 법률적 강제성을 가지게 되는 것은 1906년 거류민단의 법인화 이후의 일이다.-경성거류민단역소, 2010, 앞의 책,p.234

[88]
1905년 이후의 위생경찰제도는 실형이 내려지는 강제성을 가졌다. 실제로 1907년 한국정부와 통감부가 공동으로 창설한 한성위생회는 한성의 모든 거주자들에게 부과한 위생비용을 경찰이 직접 징수하고 납부하지 않을 경우 경찰서로 연행하기도 하였으며 1908년 발표된 제예(除穢)규칙이나 1907년과 1909년의 콜레라 발생 시의 방역활동에서는 벌금형 또는 구류형의 처벌이 뒤따랐다.-신동원, 1997, 『한국 근대 보건의료사』, 한울, pp.392~398

[89]
그러나 그 실제적인 시행에 있어서는 미흡한 점도 많았다. 한성부민들은 한성위생회 직원들이 쓰레기와 분뇨수거를 독점한 후, 그 비용만 걷어가고 실제로 분뇨처리는 잘 이루어지지 않았음과 분뇨상의 경제활동을 가로막았음에 대해 분노하였다고 한다.-신동원, 1997, 앞의 책, pp.397~401

위생비만 절감케 하는 효과를 가져올 뿐, 거류지 내 위생관련 사업의 비용 부담을 한성부민에게 전가시킨다는 등 폐해도 뒤따랐다.[90]

[90]
박윤재, 2002, 앞의 책, p.140

통감부는 처음에는 경무부의 보안과에서 거류민단의 소방관계 업무를 취급하게 하다가 이후 경무총감부를 설치하고 경무총감부 내의 보안과 소방계에서 한국의 소방 업무를 담당하게 하였다. 또한 경성이사청에서도 이사청령 제1호로 〈경성소방조규칙〉을 제정함으로써, 거류지 내 사설 소방조직이었던 경성소방조는 이사청의 통제를 받는 공공적인 성격을 가진 소방조가 되었으며, 조원을 확충하여 3부로 조직을 정비하여 제3부는 신용산을 담당하였다.[91] 위생 뿐 아니라 소방 역시도 일본인 거류지 내 소방제도가 통감부 설치 이후 한성부 전체로 확장되는 모습을 보여주는 것이다.

[91]
염복규, 2012, "日帝下 京城 지역 소방 기구의 변화 과정과 활동 양상", 『서울학연구』, -(49): 31~65. p.34

거류지 내부적으로는 1904년을 기점으로 거류민수가 급증하여 주택문제가 발생하였다. 이는 곧 집값이 폭등하는 이유가 되었으며 한성부윤으로부터 가권을 새로 발급받고, 또한 토지 거래도 성립하게 됨으로써 거류지 내에서의 소유권을 인정받게 되었다. 급격한 인구의 증가, 도시밀도의 증가와 함께 거류민 자치기구의 변화도 필요하였다. 1906년 거류민사무소는 법인의 자격을 갖춘 거류민단이 됨으로써 이후부터 법률에 따라 과세와 공공사업을 하는 기관이 되었다. 거류민단의 법인 전환 후, 즉 거류지 자치기구에서 공권력을 가진 공공기관으로의 전환 이후 거류민단은 도로와 위생 등에 많은 예산을 들여 사업을 진행하였으며, 교육 및 위생설비 등을 대대적으로 확충하였다. 1908년에는 한성병원의 증개축 및 고등여학교, 제3 심상고등학교 등의 설치가 추가적으로 이루어졌으며 1909년에는 신정에서 동사헌정에 이르는 도로를 개착하고, 1910년에는 남산공원에 이어 한양공원을 설치하는 등 거류지 내의 발전을 대대적으로 추구하였다. 1910년 경성의 일본인 거류지에 대한 경성발달사의 묘사는 다음과 같다.

"거류지가 날로 발전하면서 이 해 엄청나게 커진 이른바 남촌은 이제 3만 거류민을 포용하는 대도시가 되었다. 목멱산 위에 서서 두 눈을 뜨고 바라보면 수 많은 거리가 즐비하고 거리의 번성함을 짐작케 하는 광경들이 펼쳐진다."[92]

[92]
경성거류민단역소, 2010, 앞의 책, p.332

본정과 수정 등 거류지의 중심도로들은 2층 일본식 상가들이 늘어선 일본식 상점가의 모습을 갖추게 되었다. 또한 상업회의소에서 주최한 1907년의 경성박람회는 명목상은 한국과 일본의 상품들을 같이 진열하고 판매한다는 목적을 가졌으나, 실제로는 한국산 상품들과 대조되는 일본산 상품들의 우수함을 전시하고 일본 상품들을 판매하고자 하는 것이었다. 경성박람회는 구리개길의 대동구락부大同俱樂部(현 을지로) 근처에서 열렸으며, 몇 개 동에 걸쳐 진열함으로써 한성부에서 일어난 첫 번째 근대적 박람회가 되었다.

통감부의 설치 이후 일본인 거류지는 한성부의 남촌 전역과 용산에 이를 만큼 팽창하였고 안정적인 거류지 안팎 상황을 바탕으로 크게 발전하였다. 특히 통감부 설치 이후 통감부의 제도 개편과 새로운 사업 시행 등은 일본인 거류지 내의 제도들과 연관을 가지는 것으로, 그 제도와 사업의 시행 결과가 일본인 거류민들에게 이익을 주게 되었다. 1910년 식민화 이후에는 한국이 일본의 식민지가 되면서 거류지는 더 이상 의미를 가지지 못하였고, 따라서 1914년 거류민단은 폐지되었다. 일본인들의 주장에 따르면, 일본인 거류지가 발전함에 따라 깨끗하고 문명화된 일본인 거류지(한성부의 남촌南村)는 더럽고 미개한 한국인 지역(기존의 한성부의 중심인 북촌北村)과 대비되었으며, 이는 식민지 이후 한성부의 공간 구조가 남촌과 북촌으로 분리되어 나타나는 데에 직접적인 영향을 주게 되었다.

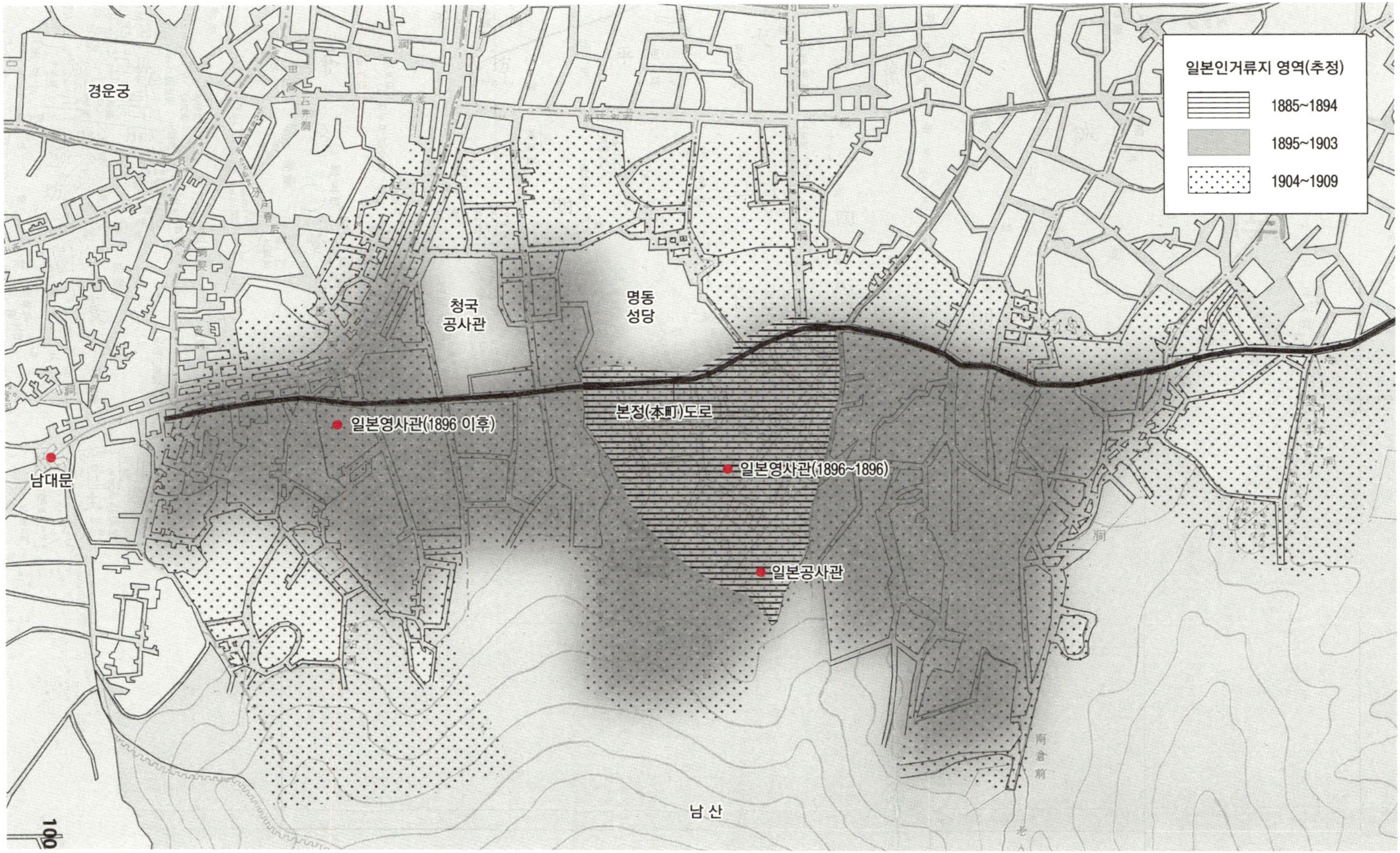

그림 19 남촌 일대 전역으로 확장된 거류지 (1907 최신경성전도에 표시)

2장

일본인 거류지 사회와 상업

한성부의 '작은 일본', 진고개 혹은 本町

일본인 거류지 사회

거류민

거류민 인구

처음 한성에 들어온 일본인은 공사관 관계자들과 관리들, 군인, 그리고 관과 군에 납품업무를 하던 어용상인이 대부분이었다. 1882년 임오군란이 일어났을 당시 한성에 거주하던 일본인은 경찰관계자 9명, 군 관계자 8명, 외교관 8명, 어학생 7명, 공사관 고용인 6명, 공관 소사 1명, 서기 소사 1명, 총 40명이었는데,[1] 이들은 임오군란이 일어나자 모두 일본으로 철수하였다. 임오군란 이후에 재입경한 일본인들의 구성도 이와 크게 다르지 않았으며, 1883년의 일본인 인구는 소실된 공사관을 재건축하기 위해 입경한 어용상인인 교도쿠미와 오쿠라쿠미의 직원 10여 명을 포함하여 50~60여 명 정도였다.

[1] 경성부, 1934,『京城府史, 第1卷』, 京城府, pp.504~505

일반 일본인의 한성 거주가 시작된 것은 1883년 11월로 한국과 영국 사이의 조약에 의해 영국인의 한성 내 거주가 허가되면서 일본인도 동등한 권리를 얻었기 때문이었다.[2]

[2] 다카사키 소지, 이규수 역, 2006,『식민지 조선의 일본인들: 군인에서 상인, 그리고 게이샤까지』, 역사비평사, p.32

1884년 영사관과 공사관을 신축하며 직공 60~70명이 한성부에 입경함으로써 일본인 거류민은 일시적으로 증가하여 100여명이 되었지만, 1884년 12월 갑신정변의 결과 다시 그 인구가 줄어 1885년에는 거류민 인구는 전부 89명에 지나지 않았다. 이 중 여성은 18명이었는데 그 중 절반 정도만 부녀자이고, 나머지는 첩이나 작부였다.[3] 1885년 남산 북쪽 언덕의 진고개 일대를 일본인 거류지로 정하고 본격적인 거류가 시작된 이후에는 일본인 거류민 인구는 점점 증가하여 1894년에 이르면 총 호수 266호, 인구는 848명(남 510, 여 338)에 이르렀다. 1881년에서 1894년까지의 거류지의 인구변동을 살펴보면 〈표 1〉[4]과 같다.

[3]
경성거류민단역소, 박진우, 오일환, 2010, 『(국역) 경성발달사』, 서울특별시사편찬위원회, p.73

[4]
경성발달사의 기록에 근거하여 작성하였다.

표 1. 1881~1894년 한성 일본인 거류민의 수

	1881	1883	1884	1885	1886	1887	1888	1889	1890	1891	1892	1893	1894
호수				20	34	65	86	130	137	157	169	234	266
인구	40	50~60	100여명	89	163	245	348	527	523	698	715	779	848
남				71	118	170		354		435	442	454	510
여				18	45	75		173		263	273	325	338

거류초기 한성부 일본인 거류지의 인구분포를 보면 남녀성비가 매우 불균형한 것을 알 수 있다. 이는 임오군란, 갑신정변 등이 연달아 일어나며 정국이 불안정하였고, 일본인에 대한 감정이 좋지 않았던 한국인들과의 충돌로 인해 거류지 상황이 매우 불안하였기 때문이었다. 따라서 일본인 거류민들의 경우 가족들과 함께 한국으로 오기보다는 홀로 오는 경우가 많아 남성의 비율에 비해 상대적으로 여성의 비율이 낮았다. 그러나 거류지가 점차 안정세에 들어서는 1893~94년에 이르면 여성의 비율이 전체의 약 40%에 이르게 되었다.

표 2. 1895~1904년 한성 일본인 거류민의 수

	1895	1896	1897	1898	1899	1900	1901	1902	1903	1904
호수	500	479	471	480	522	549	639	797	·	1350
인구	1,839	1,749	1,588	1,734	1,985	2,115	2,490	3,034	·	5,323
남	1,114	1,019	871	946	1,117	1,159	1,395	1,684	·	2,978
여	725	730	717	788	868	956	1,095	1,350	·	2,345

1894~1895년의 청일전쟁을 기점으로 한성부 일본인 거류민의 총 인구수는 폭발적으로 증가하였다. 거류민 총인구는 1894년의 848명에서 1895년의 1,839명으로 약 2.17배 증가를 보이는데 이는 청일전쟁 당시 많은 일본군인들이 들어왔으며, 또한 청일전쟁에서의 승리와 함께 상업적 목적으로 한성부에 들어오는 이들이 많아졌기 때문이다. 그러나 1895년 10월 을미사변이 일어나면서 거류지의 정세는 다시 불안하여졌고, 전쟁 시의 일시 호황과 함께 한성부에 들어왔던 이들이 귀국함에 따라 1896년과 1897년에는 오히려 인구수가 줄어드는 경향을 보인다. 이는 1896년의 아관파천, 1897년의 대한제국의 설립 등에 러시아가 깊게 관여하면서 한국 내에서 러시아의 힘이 강해진 것과도 관련이 있다.[5] 그럼에도 불구하고 1897년 한성부 내 일본인의 인구는 청국인보다도 많아져, 한성부 거류 외국인 중 가장 많았다.[6] 1898년 이후에는 거류지가 점차 안정되고 한일 무역액 역시 증가함으로써 상인을 위시한 거류민은 점점 늘어갔고, 여성의 비율도 높아져 갔다. 한편, 거류 초기 대부분의 거류민이 공사관 관계자나 어용상인 등이었던 것에 비해 거류민이 늘어날수록 직종의 종류도 다양해져서 경성발달사의 기록에 따르면 1886년 35종에 불과했던 영업종수는 1902년 75개에 이르는 증가세를 보였다.[7]

[5]
한성의 거류민 신 다쓰마는 러시아의 세력이 강화됨을 염려하여 일본인거류민들의 귀국을 주장하였다고 한다.-다카사키 소지, 2006, 앞의 책, p.70

[6]
경성발달사의 기록과 별도로 통상휘찬에는 한성부내 외국인 통계가 실려 있는데, 1897년 3월의 경우 일본인 1,758명(남 1,035 여 723), 청국인 1,273명(남 1,236 여37), 프랑스인 28명 (남23, 여5), 러시아 57명(남 56, 여 1), 독일 9명 (남 6, 여 3), 미국 95명 (남47, 여48), 영국 37명(남 25, 여 12)이 한성부에 거류하고 있었다고 한다. 청국인의 경우 남성 인구는 일본의 남성인구보다 많은데 이는 경인철도의 부설을 위해 산둥성으로부터 일시적으로 다수의 인원이 입경하였기 때문이라 통상휘찬에서는 설명하고 있다. 일본인의 인구가 가장 많은 것과 또한 상대적으로 여성의 인구가 타국에 비해 많은 것은 그만큼 일본인 거류지가 정주지(定住地)로서의 성격을 띄고 있음을 보여준다고 할 수 있다.-통상휘찬 65호(1897.05.15.) 〈本年3月中京城商況〉

[7]
〈표 5〉 참조

표 3. 1905~1910년 한성 일본인 거류민의 수

	1905	1906	1907	1908	1909	1910
호수	1,986	3,260	·	8,866	7,743	8,794
인구	7,677	11,724	·	29,474	28,788	34,468
남	4,140	6,447	·	·	·	19,078
여	3,517	5,277	·	·	·	15,390

1904년의 제1차 한일협약, 러일전쟁과 1905년의 제2차 한일협약, 그리고 1906년의 통감부 설치 등 일본의 한반도 식민화가 본격화됨에 따라 거류지는 점점 안정되어 갔으며 거류민 인구도 급격하게 증가하였다. 특히 1905년 이후에는 많은 일본인 관리들이 한성부에 들어오게 됨에 따라, 한성 내 일본인 거류민 수는 폭발적으로 증가하여 1906년에는 총 인구수 10,000명 이상이 되었다. 거류민 인구의 증가세는 계속 이어져 한일신협약과 고종의 퇴위가 있었던 1907년 이후에는 거류지 인구가 약 3만명에 이르게 되었으며, 1910년 일제에 의해 한일병합이 일어난 1910년에는 34,468명에 이르러 1910년 한성부 총인구 278,958명의 약 12%를 점하게 되었다.

거류민 출신지

개항 이후 한국으로 온 일본인들은 위치상 한반도와 가까이 있는 야마구치山口, 나가사키長崎, 후쿠오카福岡, 오이타大分 등 규슈九州를 중심으로 하는 서일본 출신이 다수를 이루고 있었다. 1896년의 기록에 따르면 나가사키, 야마구치 출신이 각각 30.3%, 27.8%로 전체의 과반수 이상을 차지하였으며 그 다음으로 오이타 8.2%, 후쿠오카 5.4% 출신이 많았다. 1906년의 경우 야마구치 17.0%, 나가사키 11.0%, 후쿠오카 7.5%, 오이타 7.0% 순으로 나타나, 서일본 지역 출신들의 전체적인 비중은

줄어들었으나 여전히 다수를 차지하고 있었음을 알 수 있다.[8]

[8]
木村健二, 1989, 『在朝日本人の社會史』, 未來社, p.14

한성부의 경우는 수도로서의 위상과 거류 초기의 불안정한 상황 등으로 인해 전체 한반도 내 일본인들의 출신지 분포와 조금은 다른 상황을 보인다. 한성부 내의 거류민들의 출신에 관하여서는 통상휘찬 118호, 121호, 124호에 각각 1898년 10월, 11월, 12월의 거류민들의 출신지 및 출신성분에 대한 통계자료가 실려 있고, 경성발달사에 1911년 각 출신지별 호수 및 인구수에 대한 통계자료가 실려 있어 전체 한국 내 일본인 거류민의 출신지별 분포상황과 비교해 볼 수 있으며, 1898년과 1910년 사이의 변화에 대해서도 살펴볼 수 있다.

먼저 1898년 한성부 내 일본인 거류민들의 출신지 분포를 살펴보면, 나가사키(24.14%), 야마구치(18.47%), 오이타(12.04%), 구마모토熊本(7.69%), 후쿠오카(7.21%), 사가佐賀(4.41%), 오사카大阪(3.81%), 도쿄東京(3.52%), 히로시마広島(2.80%), 가고시마鹿児島(2.15%) 순으로 나타나고 있다. 이는 전체 한국 내 일본거류민의 분포와 비슷한 양상으로 나가사키와 야마구치, 그리고 오이타가 전체의 과반 이상(54.65%)를 차지하고 있으며, 도쿄와 오사카를 제외한 대부분의 지역은 서일본지역, 주고쿠中國 지방 서부와 규슈지역 출신이 대부분을 차지하고 있다. 그러나 도쿄와 오사카가 각각 3.52%, 3.81%를 차지하며 전체의 약 7.33%를 차지하는 것은 전체적인 한국 내 일본인 거류민의 분포와는 조금 다른 성격을 보인다. 이 해 통계기록에는 무사 계급인 사족士族과 평민의 분포 역시 나타나 있는데, 사족의 경우 전체 인구수의 약 8.46%밖에 차지하지 않고 있음을 알 수 있다. 이는 일본에서 한국으로 오는 일본인들의 대부분이 상류계층이 아닌 평민계층임을 의미한다.

표 4. 한성부 내 일본인 거류민 출신지, 출신성분별 분포

	1898.10							1911			
	사족(士族)		평민		인구수	인구수 백분율	순위	호수	인구수	인구수 백분율	순위
	남	여	남	여							
나가사키	12	15	202	176	405	24.14	1	790	2,899	6.70	4
야마구치	9	9	114	178	310	18.47	2	1,075	4,028	9.31	1
오이타	1	1	109	91	202	12.04	3	642	2,394	5.53	5
구마모토	13	3	66	47	129	7.69	4	607	2,187	5.06	6
후쿠오카	8	5	70	38	121	7.21	5	741	3,079	7.12	2
사가	6	2	44	22	74	4.41	6	840	1,723	3.98	9
오사카부	0	2	38	24	64	3.81	7	550	1,872	4.33	8
도쿄부	5	0	33	21	59	3.52	8	795	2,918	6.75	3
히로시마	2	0	31	14	47	2.80	9	644	2,148	4.97	7
가고시마	6	3	16	11	36	2.15	10	429	1,383	3.20	10
효고	0	0	18	14	32	1.91	11	403	1,289	2.98	11
교토부	4	3	12	9	28	1.67	12	257	886	2.05	14
에히메	2	1	13	11	27	1.61	13	270	923	2.13	13
시가	1	0	16	3	20	1.19	14				
미에	2	0	8	3	13	0.77	15	220	772	1.78	16
이시카와	5	1	4	0	10	0.60	16	184	663	1.53	19
시즈오카	2	2	4	1	9	0.54	17	193	615	1.42	20
오카야마	1	0	5	2	8	0.48	18	392	1,246	2.88	12
가가와	0	0	6	1	7	0.42	19	260	761	1.76	17
아이치	2	1	2	1	6	0.36	20	320	829	1.92	15
기후	0	0	3	3	6	0.36	20				
와카야마	0	0	6	0	6	0.36	20				
니가타	1	0	3	1	5	0.30	23				
군마	1	0	2	2	5	0.30	23				
후쿠이	0	0	4	1	5	0.30	23	189	672	1.55	18
미야기	1	0	3	1	5	0.30	23				
후쿠시마	1	0	3	1	5	0.30	23				
미야자키	2	2	0	1	5	0.30	23				
시마네	0	0	2	2	4	0.24	29	225	827	1.91	16
가나가와	0	1	1	1	3	0.18	30				
나라	0	0	3	0	3	0.18	30				
치바	0	0	3	0	3	0.18	30				
토치기	1	0	2	0	3	0.18	30				
사이타마	1	0	1	0	2	0.12	35				
야마나시	0	0	1	1	2	0.12	35				
아오모리	0	0	1	1	2	0.12	35				
도쿠시마	0	0	2	0	2	0.12	35				
이바라키	0	0	1	0	1	0.06	39				
이와테	0	0	1	0	1	0.06	39				
야마가타	0	1	0	0	1	0.06	39				
돗토리	0	1	0	0	1	0.06	39				
코치	0	0	1	0	1	0.06	39				
나가노								185	595	1.38	21
총합	89	53	854	682	1,678	100		10,026	34,114	78.87	
	142		1,536								

1898년 10월 통계는 1898년 12월 8일자 통상휘찬 118호 〈本年十月末京城在留本邦人戶口表〉를 참조, 1911년 통계는 경성발달사 pp.497~498 내용을 참조하였다.

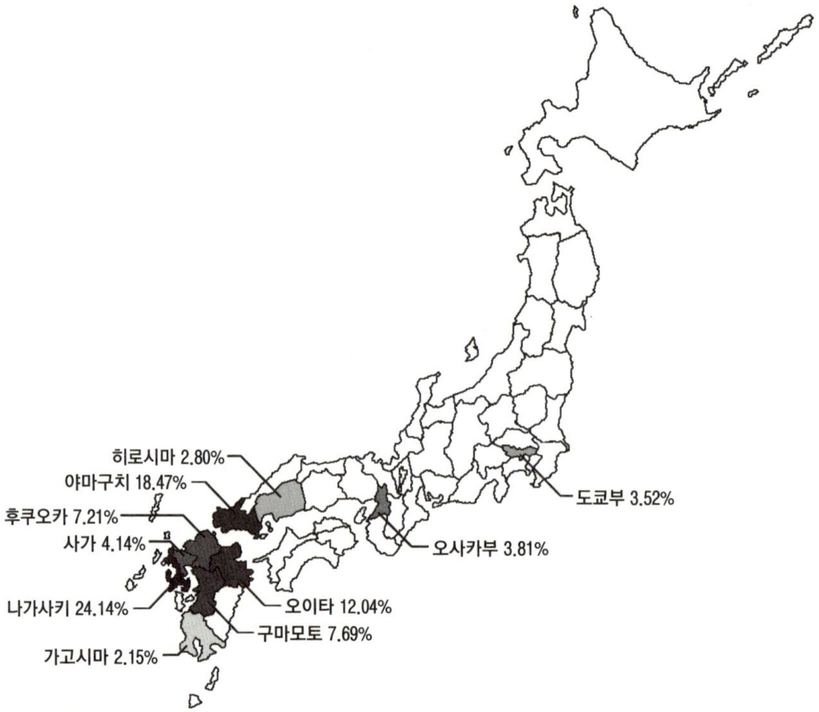

그림 1 1898년 한성부 내 일본인 거류민들의 출신지 분포

한일병합 직후인 1911년의 통계를 보면 이와 같은 양상이 상당히 달라졌음을 알 수 있다. 1911년에는 출신지별 분포는 야마구치(9.31%), 후쿠오카(7.12%), 도쿄(6.75%), 나가사키(6.70%), 오이타(5.53%), 구마모토(5.06%), 히로시마(4.97%), 오사카(4.33%), 사가(3.98%), 가고시마(3.20%), 효고兵庫(2.98%), 오카야마岡山(2.88%), 에히메愛媛(2.13%), 교토京都(2.05%) 순으로 나타나고 있다. 여전히 야마구치, 후쿠오카, 나가사키 등 주고쿠 지방 서부와 규슈 지방이 주를 이루고 있음을 알 수 있으나 도쿄(6.75%), 오사카(4.33%), 교토(2.05%)와 같은 일본의 주요 대도시 출신이 약 12.13%에 이르는 특징을 보인다. 이는 통감부 설치 이후 도쿄나 오사카 등

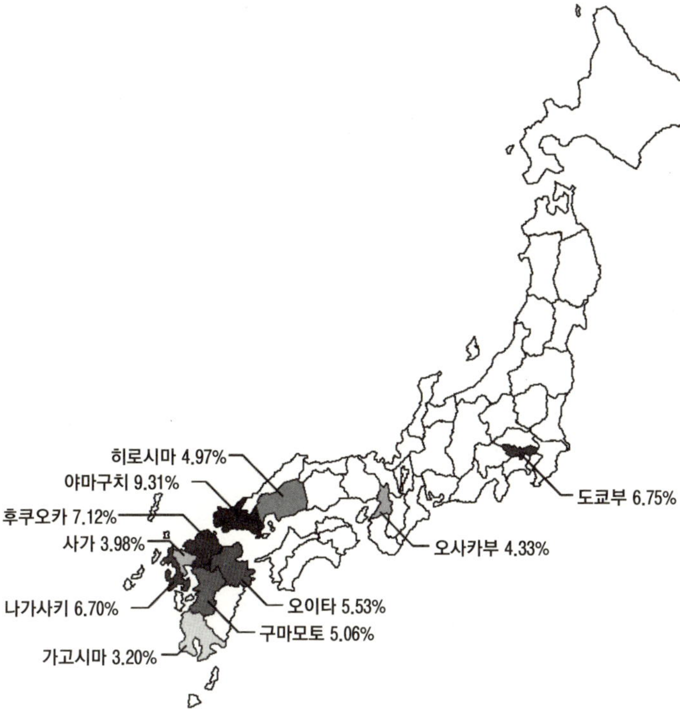

그림 2 1910년 한성부 내 일본인 거류민들의 출신지 분포

과 같은 대도시의 대형회사들에서 한성부에 지점을 설치하면서 관리나 회사원들을 파견하였고, 또한 대도시에서 전문 교육을 받고 전문 기술을 가진 이들이 다수 한성부로 진출하여 새로운 사업을 개척하였기 때문이라 할 수 있다. 또한 효고, 오카야마, 에히메 등 간사이關西 지방과 시코쿠四国 지방 출신들도 상당한 비중을 차지하고 있음을 알 수 있다. 1898년에 비해 규슈 뿐 아니라 서일본지역의 전체 영역에서 한국으로 진출하고 있으며, 1898년에는 출신지가 야마구치, 나가사키, 오이타 등에 과반 이상이 편중되었던 것에 비해 전체의 10%를 차지하는 지역이 없을 정도로 골고루 분포하고 있음을 알 수 있다.

거류민 직업 분포

일본인 거류가 시작된 초기에는 공사관 관계자들과 어용상인들이 거류민의 대부분을 차지했으나 거류지가 점차 정착됨에 따라 다양한 영업종과 직업군이 등장하였다. 경성발달사에는 각각 1888년, 1893년, 1896년, 1898년, 1902년, 1909년의 직업(영업)별 분포가 나와 있으며, 경성부사에는 1894년과 1905년의 직업(영업)별 분포가 나와 있어 거류민의 직업(영업) 분포를 통한 거류지의 사회상을 살펴볼 수 있다. 1909년의 통계치에는 관리, 회사원 등의 직종을 모두 포함하고 있지만, 이를 제외하고는 대부분 개별 영업 현황을 기록하고 있어 이를 통해서는 거류지 내 전반적 직업 분포보다는 거류지 내 영업 현황을 알아볼 수 있다. 1888, 1893, 1894년에 30여 종에 불과했던 영업의 종류는 청일전쟁 이후인 1896년에 이르면 50여 종으로 증가하였으며 1902년에는 약 80여 종으로 증가하였다. 1905년의 경우에는 54종으로 나타나 있으나 이는 경성부사와 경성발달사의 표기의 차이 등을 고려해야할 것으로 보이며, 1909년에 112종에 이르는 것은 영업의 종류가 늘어나기도 하였지만 관리, 군인, 회사원 등의 직종들을 모두 포함한 통계치였기 때문이다. 그러나 전반적으로 거류민이 증가하고 거류지가 확장됨에 따라 새로운 영업이 등장하여 영업의 종류가 증가하였으며 시대적 변화에 따라 영업종 역시 변화하였음을 알 수 있다.

청일전쟁 이전까지 영업종별 인구수에서 다수를 차지한 것은 잡화상, 목수, 과자점, 전당포, 무역상, 양복포목상, 행상 등이었다. 무역상과 중개인 및 잡화상, 과자점, 양복포목상 등의 소매상과 거류지 내 건축을 담당하던 목수, 그리고 한국인을 대상으로 고리대금업을 하던 전당포 등이 주요 영업종을 차지하고 있음을 알 수 있다. 청일전쟁 이후에는 일본인 군인들을 대상으로 하는 작부, 예기, 흥행 등의 유흥 관련 업종이 크게 늘었으며, 청일전쟁시 도입된 인력거업 역시 주요 업종으로 등장하는 것을 발견할 수 있다. 특히 거류지에서 일본식 가옥 신축이 시작되며 일본식 마을의 모습을 갖추기 시작하는 1887년과 청일전쟁, 러일전쟁 이후 거류민이 폭발적으로 증가하고 거류지가 크게 확대되는 1896년과 1902년의 경우 목수, 미장이 등 건축 관련 업종의 종사자수가 크게 증가하고 있음을 알 수 있다. 또한 거류 초기부터 새로운 종류의 시설들인 시계포, 사진관 등이 등장하고 있었으며, 1890년대 후반~1900년대 초반에는 활판인쇄업, 서적, 신문사 등의 출판, 언론 관련 업종들과 점등업, 식목 등과 같은 새로운 종류의 업종들이 등장하였다. 1900년대 후반부에 들어서는 오락실, 극장, 찻집 등 다양한 유흥, 여가 관련 업종들도 등장하고 있는데 특히 신정 특별영업지역이 설치되는 1904년 이후 그 종류와 수가 전체적으로 증가함을 알 수 있다.

표 5. 거류민 직업별 분포

	1888	1893	1894	1895	1896	1898	1899	1902	1905	1909
관리										2134
공리(公吏)										25
고용원										1269
교원										182
회사원										739
변호사 및 소송대리인										19
군인군속										58
의사	3									81
약사										6
수의사										8
치의사										10
산파										42
간호사										175
침구술					2			6	1	45
틀니기술자								1		
측량사										14
전화교환수										94
신문잡지기자										63
저술가										5
신관(神官)										14
승려 및 선교사										69
통신기술자										64
역원(譯員)										26
대서인(代書人)										24
상점원										1478
사환급사										294
각종 잡역인										683
생철(함석)장이										35
도장공	1					1				
목재를 다듬고 자르는 목수										58
목수	35	25		123	50		61	123		961
목수 및 톱장이						6				
톱장이		1		7	7			4	7	
미장이	20	5	3		10	10		15	17	
페인트공		2	1	1				6	1	
옷칠장인	2									
대장장이	1	2			2			10		76
석공	1			2	4			6	2	140
대모갑 장인	1	1	1		1			1	1	
다다미 직인[1]		1	1	2	2			2	2	
도롱이,우비장인					2					
체(篩)직인								1		
일용직				5			1	2		
화가										13
날품팔이				5			3		5	
논밭 경작										337
어업										25

도검업										2
광산업										31
잡업										456
작부				47	140		31	65	47	
예기				10	10		41	52	10	
기생						17				
은행	·	2	1	2	2	2		2	2	
회사	2									
전당포	11	5	8	24	15	13	30	45	24	
중개인	13	1	2	7			8	5	7	
청부업					2					321
환전(兩替)상								2		
조선돈 환전상								1		
금전물품 대부업										127
경매	2									
운반업			1	6	2			11	6	110
용달						3	1	2		
인력거꾼				12	20	30	48		12	
인력거대여				1	1	3		8	1	
인력거업(借)								21		
인력거업(소유)								3		
인력거제조업								1		
나룻배								1		
자전거업										10
무역상	5	5	3		4	2		15	4	14
잡화상	15	37	61	120	79	50	78	99	120	179
도매상					5	7		11		
경매상								2		
회조업(回漕業)	4									
노점상		9			14			13		
새벽시장행상			43	98	60	60	44	42	96	
행상			16	81			24	23	81	137
양복포목상	11	6	18						12	47
옷가게								1		
일본 옷 재봉업										154
양품 재봉업										116
양품점					8	5		1		
피혁·제혁			1	1				5	1	3
신발[2]						3				15
신발가게										63
나막신가게								4		
구두제조										21
시계포	2	2	3	5	4	4	6		5	44
식료품잡화상			18	50			27			204
두부판매상	2	2	4	11	7		4	4	11	29
식초·누룩제조[3]					2	1				
된장제조					2	1		3	5	14
간장 제조						3				
고기·야채소매						2				

정육, 우유점[4]	2	1	2	7	1		1	2	7	34
우유점						1		1		12
어물전							1	4		138
제분										4
미곡상[5]				2		2	2	4	2	27
과일상										12
채소상										18
통조림 제조								2		
차(茶)상										6
과자점	10	10	8	23	18	30	22	33	23	325
음료수판매										41
얼음판매상		7								
빙수				9	20	10			9	
청량음료제조								1		
담배제조				2					2	
담배가게				1					1	25
주조업						3		2		
주류상	5			5			2	4		34
약종상[6]	3	1			5			5		
제약업		3								
약종 및 매약[7]			7	15	5	6	6	8	15	62
도살업						1				
토목·건축청부			1	1	6			17	1	
토목								2	5	
양철세공업[8]	2	2	6		6	5			12	
목재상[9]	2		2	3	3	2	1		3	33
시멘트 판매										2
문,창호 제조										74
기와제조[10]	1							5	1	8
페인트칠·석조세공						3				
쇠장식						1				
유리								1		20
유리제조				1					1	1
서양가구점										13
철물			6	12						49
지물직(指物織)			8		2	2		1	123	10
나무통가게	1	1		4	4			3		18
생활소품상										26
초롱불 제조						1				
어구상										1
도자기상							1	10		25
비누제조								1		2
비누판매										3
성냥제조								1		
부채 제조										1
가죽제품업					1				1	
솜틀집					1			1		
염물업				1	2		1			1

고물상		2	1				18	10	2	162
조각		1	3	3	3		5	6	3	
조화 판매상										3
장례도구 판매 및 대여										4
석유판매상		1				1			2	
땔감·석탄상[11]						3	6	4		57
석탄상										4
종이류상점										8
책대여점				1						6
서적[12]					1	1			1	31
인쇄조각업										41
활판인쇄				2	2			2	2	42
신문사								1		
표구사										35
안마						2		1		
엽총화약						1				3
대마업						1				
솜틀기계제조업								1		
기계제조업										4
기계상										3
의료기계 판매										1
머리치장								12		
이발업	4	5	8	16	14	14		12	16	
목욕업	1	2	2	7	3	5	5	3	7	31
세탁업	3		6	9	2		2	2	9	
재봉업	2	2			5	7		11		
하숙업										51
여인숙					8			4		
여관업	4	3	3	8			5		8	30
요리점		4	6	10	9		9	11	10	71
대석업	1									
음식점	14	3	18		50			28	50	127
사진관[13]		2	3	4	3			5	4	51
점등업						1				
식목업						1	1			29
대합실, 찻집										9
흥행	2							19		
유기장	2									
대궁(大弓)장				1					1	
권번										2
대중문화소극장										2
사격오락장					1					
오락실								35		
유예전수								2		
예능, 취미, 가업(稼業)										44
영업종수	35	33	35	46	52	44	32	79	53	111
총합	151	131	281	644	580	320	495	766	801	13,239

1. 1902년에는 다다미 가게라 표현
2. 1909년에는 신발제조라 표현
3. 1898년에는 식초제조라 표현
4. 1909년에는 새,가축,정육이라 표현
5. 1898, 1902, 1905년에는 곡물소매상이라 표현
6. 1893년에는 약재상이라 표현
7. 매약(賣藥)은 매춘을 의미하기도 한다.
8. 1893년에는 철세공업, 1898년에는 철엽세공이라 표현
9. 1894, 1898년에는 재목상이라 표현
10. 1905, 1909년에는 기와, 벽돌제조라 표현
11. 1909년에는 땔감, 탄가게 / 1899년에는 신탄이라 표현
12. 1909년에는 서적, 문구라 표현
13. 1894, 1905, 1909년에는 사진사라 표현

*1894년과 1905년의 통계 자료는 경성부사, 1895년과 1899년은 통상휘찬, 나머지는 경성발달사 참조

거류지 주요 기관들

일본인 거류지내에는 외교기관인 공사관과 한성부 거류 일본인의 보호기관인 영사관(1906년 이후 이사청), 그리고 1906년 이후 설치된 감독기관인 통감부와 같은 관공서들이 있었으나 이 중에서 거류민과 직접적으로 관련이 있는 것은 영사관과 이사청이었다. 공사관과 통감부는 각각 한국 정부와의 외교적인 업무와 내정 간섭 등을 위한 기관이었으므로 직접적으로 일본인 거류민과 연관이 있는 기관은 아니었다. 오히려 일본인 거류민의 생활에 직접적으로 영향을 준 것은 자치행정시설이라 할 수 있는 거류민단이었다.

영사관

한성부 일본인 영사관은 일본 거류민들의 공식 보호 기관이자 대민 업무 행정을 처리하는 기관으로 1884년 교동 공사관에 부속되어 본격적으로 업무를 시작하였다. 영사관에서는 일본인 거류민들의 관리를 위해 다양한 법령(영사관령)을 제정하고, 거류민 치안과 보호를 위하여 경찰서 및 교번소를 설치하고 순사를 파견하였으며, 거류지 자치기관인 거류민단과 협력하여 거류지 내 각종 공공사업의 시행을 지원하였다. 또한 한일무역의 증진을 위해 거류지 상인들의 상업활동을 지원

하고, 한성부와의 교섭을 통하여 거류민들의 이권을 보호하고자 하였다.

영사관에서 거류민의 관리를 위해 발포한 다양한 법령들은 거류민들의 풍기단속과 각종 영업종별 단속을 그 목적으로 하였다. 대표적인 것은 1885년의 〈퇴한령〉 및 〈내지여행단속규칙〉과 1887년의 〈위경죄목〉,〈도박범죄자처분세칙과 매음에 대한 벌칙령〉, 1895년의 〈시가단속제도〉 〈일본인 단속령〉, 1904년의 〈도로를 따라 건물 및 담벽 신축, 보수 토목공사시 신고 및 검사〉 등이 있다. 영사관의 단속령 발표는 거류초기 한국인들의 배일 감정을 약화시키기 위함과 동시에 거류민 단속을 통하여 일본인의 이미지를 좋게 하고자 하는 의도가 있는 것이었다. 그러나 경성발달사 등의 기록에서 알 수 있듯이 거류민들은 거류민의 편의를 봐주지 않는 듯한 단속령들에 불만을 품기도 하였다. 각종 영업종별 단속을 위한 규칙들은 1887년의 〈여관과 요정, 음식점 단속규칙〉 〈목욕탕영업에 관한 단속규칙〉 1896년의 〈총포단속규칙〉 〈수육판매 단속규칙〉 〈화약단속규칙〉 〈전당포단속세칙〉, 1899년의 〈인력거영업단속규칙〉, 1903년의 〈도살 및 우유 판매에 관한 법령〉 등이 있다. 이외에도 1886년의 〈콜레라 예방규칙〉 1883년 〈토지매매양도규칙〉 등의 규칙들도 발포하였다.

한편 영사관에서는 거류지 내외의 정치·사회적 상황에 따라 유고諭告를 포고하여 거류민들에게 상황을 알리고 그에 맞는 조치를 취하도록 하였다. 일본의 황족들 및 공사의 사망시에는 이를 알리고 3일에서 5일간 거류지 내의 음주 가무를 금하게 하였으며, 1889년에는 흥행업자에 대한 유고를, 1891년에는 조선인과의 상거래에 대한 유고를 발포하였으며, 1904

년에는 제일은행권의 발행과 복권 등 사행성 행위 금지, 및 외국 유통 화폐 위변조 단속, 일본군의 용산 일대 수용 등의 내용을 고지하였다. 1896년과 1903년 정치적 상황으로 인하여 거류지가 위험에 처했을 때에는 피난 및 주의사항에 대한 내용을 고지하여 거류민들을 보호하고자 하였다.

또한 영사관에서는 거류민들의 이권을 위해 가권관련 내용으로 한성부와 적극적으로 교섭하여 1893년에는 가권 발급을 가능하게 하였으며, 1905년에는 새로운 가권을 발급받도록 하였다. 1893년에는 순사로 하여금 이현에서 남대문로까지 매일 순회하게 하고 교번소를 신설하는 등 거류민들의 치안을 위해 노력하였다. 이처럼 영사관은 거류민의 단속 및 이권 보호, 그리고 치안 유지를 주목적으로 설치된 기관이었으며, 거류민단과 상업회의소와 공동으로 거류지 행정을 책임지는 기관이었다.

이사청

1906년에는 통감부가 설치됨에 따라 공사관과 영사관이 폐지되고 영사관이 있던 각 지방에는 통감부의 지방 기관으로서의 이사청이 설치되었다. 이사청은 영사관과 마찬가지로 거류민의 단속과 보호를 주목적으로 하면서 각종 법령들의 발포 및 위생·경찰 업무를 적극적으로 담당하였다. 그러나 이사관의 경우 영사보다 권능이 확대되어 일본 군대 사령관에게 필요할 경우 출병을 요청할 수 있었으며 벌금 10원 이내의 구류 및 과태료의 벌칙을 부과할 수 있는 권능을 가졌다. 또한 한국의 지방관 행정에 대해 이를 감독하고 요구할 권리 역시 가짐으로써[9] 거류민들만의 행정기관이 아닌 한성부 전체에 영향을 미치는 기관이 되었다.

[9] 경성거류민단역소, 2010, 앞의 책, p.244

이사청 설립 이후에는 1906년 〈경성 내 공원규칙〉의 발포와 거류지 내 공원시설의 확충, 1906년 〈우측통행 기타에 관한 도로규칙〉과 같은 교통 규칙의 제정, 1908년 한국정부와 〈한성위생회조약〉을 체결한 이후 〈제예규칙除穢規則〉의 제정, 1908년의 〈요리점 및 식료점 취체규칙〉, 1909년의 〈대합영업 취체규칙〉과 〈화류병예방규칙〉 등을 발포하였는데 이 내용들을 살펴보면 〈경성 내 공원규칙〉이나 〈우측통행 기타에 관한 도로 규칙〉의 경우 그 범위가 한성부 전체로 확대된 것을 알 수 있으며, 1908년 이후에는 위생 및 방역 관련 규칙들이 주로 발포되었음을 알 수 있다.

또한 이사청은 1910년 4월 〈학교조합령 시행규칙〉의 제정을 통해 학교조합을 만들고 일본인의 의무교육을 추진하였으며 1906년 〈거류민단시행규칙〉 및 〈거류민단법시행규칙실시심득〉을 제정하여 거류민단을 이사청의 관리 하에 두고 민단장의 임명에 통감이 관여하도록 하였다. 이는 이전까지 거류지 내의 자치기관으로서의 성격을 가졌던 거류민단의 성격을 변화시킴으로, 이러한 과정에서 이사청은 거류민단과 대립하기도 하였다. 일례로 1906년의 병원부지 관련 문제로 거류민단 및 상업회의소 의원들과 대립하여 거류민회 해산을 건의하고 주도자 몇 명에게는 퇴한령의 처분을 내는 사건이 있었다. 또한 거류민들의 보호를 핑계로 군용총을 휴대하고 대여해 줌으로써 한국인들을 위협하였으며, 이사청 관할의 경찰을 가지고 있어 무력을 행사할 수 있었다.[10]

[10]
박경룡, 199212, “통감부 이사청 연구”, 『한국사연구』 85권, 한국사연구회, pp.123~135

영사관 및 이사청은 거류민의 단속과 행정, 보호 등을 목적으로 한다는 점에서는 공통적인 성격을 보이나 이사청의 경우 거류민 뿐 아니라 한성부 전체를 관할구역으로 두면서 그

대상을 일본인 뿐 아니라 한국인들에게까지 넓혔으며, 경찰력을 동원하여 한국에 대한 식민지화 정책을 본격화한 기관의 성격을 가졌다. 또한 이사청은 기존의 자치기관인 거류민단을 그 아래에 두고 관리함으로써 거류민단의 자치적 성격을 약화시켰으며 이에 따라 거류민단과 마찰을 빚기도 하였다.

거류민단

거류민단은 1885년 거류민 총대總代를 설치한 것으로부터 시작된 것이었다. 처음의 총대는 거류민 중 대표 몇 명이 1개월씩 돌아가면서 맡았으나 1887년 이후에는 위원들 중에서 1명을 추천하여 선발하는 방식으로 선출하였다. 1887년부터는 상업회의소와 연합하여 연합사무실을 구축하였으며, 총대사무소(1887), 총대역장(1894), 거류민사무소(1896) 총대사무실(1897) 등의 다양한 이름으로 불리다가 1901년 거류민사무소로 개칭하였다. 1905년에는 상업회의소와의 연합사무실에서 분리하여 민단사무소로 독립하였으며 1906년에는 법인자격을 갖춤으로써 비로소 거류민단이 되었다.

민단 위원은 1887년 창단 당시에는 10명이었으나 점차 그 수가 늘어나 1906년에는 19명, 1909년에는 20명, 1910년에는 18명의 규모로 증가하였다. 거류민 대표는 거류지 내 유력자들이 주로 맡았는데, 특히 거류 초기부터 한성에 입성해 입지를 다진 무역상인 야마구치山口太兵衛와 잡화점 및 전당포를 경영하던 나카무라中村再造, 그리고 무역과 토지매매를 하던 후치가미淵上貞助 등은 여러 번 거류민 대표로 선임되며 거류지 행정을 주도하였다. 인천의 경우, 거류 초기에는 거류민 대표를 대형 회사나 은행의 간부들이 맡았으나 시간이 흐름에 따라 그 지역 상인들이 맡게 되었던 것과는 달리 한성부 거류지

[11]

기무라 켄지는 인천의 거류민 대표의 성격이 개항 초기에 지역자본이 길러지지 않은 상황에서는 일본 거대자본, 즉 회사나 은행의 지점장들이 거류민단의 중심 인물로서 역할을 하였으나 청일전쟁 이후 지역자본이 성장함에 따라 상인들 중에 유력층이 나타나게 되었고, 이들이 이후 거류민단의 중심인물들이 되었다라고 지적하며 인천의 예를 들고 있다.-木村健二, 앞의 책, 1989, p.68~69

는 처음부터 상인들이 거류지 주요 권력을 가지고 있었음을 알 수 있다.[11] 이는 전관 거류지였던 인천과는 달리 잡거의 양상을 띄었던 한성부에서는 무역상이나 잡화상 등과 같은 개별 상인들이 불안정했던 거류 초기부터 한성부에 들어와서 영업을 하며, 거류지 운영을 주도하였기 때문이다. 일본의 거대 자본, 즉 은행이나 회사 등의 지점 등은 상대적으로써 거류지가 안정화되고 난 이후 설립되었기 때문에, 상대적으로 지식인 계층이었던 회사나 은행 간부들은 오히려 거류지 운영에 있어서 주도권을 잡기 어려운 상황이었다.

표 6. 연도별 거류민 대표(경성발달사 여록, p.486)

연도	직함	성명		직업	출신지
1889년 이전	거류민 대표	林德兵衛·山本清記·古川石動·木下清兵衛			
1890년 9월	거류민 대표	山口太兵衛	1885	무역상	鹿兒島縣
1891년 7월	거류민 대표	市川石動		여관경영	山口縣
1892년 7월	거류민 대표	山口太兵衛			
1893년 7월	거류민 대표	山口太兵衛			
1894년 9월	거류민 대표	穗積寅九郎			
1895년 9월~1896년 7월	거류민대표 대리	淵上貞助	1891	무역&토지가옥경영	鹿兒島縣
1896년 7월~11월	거류민대표 대리	和田常市			
1896년 12월~1901년 2월	거류민대표	菊地景春			
1901년 2월~3월	거류민대표	中村再造	1886	잡화점, 전당포	福岡縣
1901년 4월~1902년 2월	민장	中村再造			
1902년 2월~4월	민장대리	曾我勉	1893	군인,회사	東京市
1902년 4월~7월	민장	中村再造			
1902년 7월~1903년 9월	민장	山口太兵衛			
1903년 10월~1905년 12월	민장	中井衛太郎			
1905년 12월	민장대리	和田常市			
1906년 1월~5월	민장대리	淵上貞助			
1906년 6월	민장	黑河內良			
1906년 8월~11월	민단장 대리	黑河內良			
1906년 12월~1909년 11월	민단장	態谷賴太郎			
1909년 12월~1911년 현재	민단장	古城管堂	1903	의사	大分縣

거류민단은 공공사업을 위시한 거류지 운영을 위한 재원財源을 확보하기 위해 거류민들에게 자체적으로 공공비를 징수하고, 본국으로부터의 지원이나 황태자 등으로부터의 하사금 등을 추가적으로 확보하여 충당하였다.[12] 과세는 1885년 분두과금分頭課金을 격월로 징수하는 걸로 시작하였는데, 과세 항목과 방법은 매해 조금씩의 차이를 보인다. 그러나 기본적으로는 개인에게 부과하는 분두과금 혹은 각 호마다 부과하는 호별과금과 영업자에게 부과하는 영업과금, 그리고 소유 토지에 대해 부과하는 토지과금의 세 가지 종류로 나눌 수 있다. 이에 더하여 특별 영업들에 대해 흥행과금, 예기과금, 작부과금 등의 과세를 하는 것을 볼 수 있는데 이는 1906년 이후 호별세, 토지세, 영업세, 잡종세의 4가지 징수 세목으로 개정되었다. 이외의 세입항목을 살펴보면 토지, 가옥 매매 시의 수수료 등 각종 수수료와 민단 운영 교육시설들의 수업료, 그리고 민단 재산으로 얻은 수입 등이 포함되어 있다.

[12]
1907년 황태자 방문시 일본 황태자가 위생비 5,000원 한성병원 설비비 1,500원, 경성심상고등소학교에 500원, 경자기념 유치원에 200원을, 아리스가와 노미야(有栖川宮)가 각각 항목에 800원, 500원, 400원, 100원의 금액을 하사하였다.-경성거류민단역소, 2010. 앞의 책. p.292

거류민단의 예산은 1888년의 약 1,000원으로 시작하여 1894년까지는 2,000~3,000원 규모 수준이었으나 1895년 청일전쟁을 계기로 거류지 인구가 폭발적으로 증가하게 되자 거류민단 예산 역시도 7,000원 이상으로 증가하게 되었다. 1901년에 들어서는 처음으로 거류지 예산이 10,000원을 초과하게 되었다. 러일 전쟁 이후에는 그 규모가 급증하여 1902~1903년의 12, 13만원 정도, 1907년 이후에는 20만원 이상이 되었다.

각 해 예산을 살펴보면 다음 표와 같다.

표 7. 경성민단 예산 (경성발달사 여록, p.493)

연도	예산	비고
1888	약 1,000원	
1889	1,785원 (결산금액)	
1890	3,345원 87전 (결산금액)	
1891	2,204원 91전 (결산금액: 3,156원 57전)	
1894	1,900원	전쟁으로 인해 거류지 사업 불가
1895	약 7,000원	도로개수, 소학교 신축
1896	6,937원 40전	
1897	11,501원 10전	총대사무소 신축(4,000원)
1898	7,700원	
1899	8,997원 9,343원 34전 8리	
1900	8,897원 82전	
1901	10,537원 23,942원	거류지 도로개수(임시비 10,000원)
1902	16,360원 20,681원 5전	
1903	19,063원 17,122원 18전	
1904	20,923원 20전	러일전쟁
1905	128,698원	거류지 팽창, 소학교 건축(5만 300원) 및 이전, 토지측량 및 수도매수 및 증축
1906	131,396원 22전	소학교 신축(3만 7천여원), 예산 외로 1만 1,836원 62전 투자하여 한성병원 신축
1907	182,805원 2전	민단사무실 신축, 도로개축
1908	220,333원 4전	한성병원보수, 교등여학교 신설, 제3심상고등소학교 설치
1909	210,001원 84전	여학교 교사 신축
1910	270,246원	

거류민단의 주요 사업은 토목, 위생, 교육에 관련된 공공사업들로써, 이는 거류민들의 생활의 안정과 편리를 위한 것들이었다. 먼저 토목에 관련된 사항들은 초기에는 진고개 지역이 가지고 있었던 지형적 단점들을 극복하기 위한 것으로서, 좁은 길의 양 옆 가옥들을 정리하고 도로 환경 자체를 개선하기 위한 것이었다. 그러나 1904년 이후에는 거류지의 팽창과 함께 새롭게 거류 영역으로 편입된 지역들의 개발사업을 위주로 진행되었다. 특히 거류지의 중심이라 할 수 있는 본정 도로가 협소하여 생기는 교통상의 어려움을 해결하기 위한 도로개수 사업들이 지속적으로 이루어졌다. 또한 거류 초기 콜레라 등의 질병에 무방비상태였던 당시의 상황을 벗어나고자

전염병 예방과 방역, 그리고 피병원 운영 등과 함께 거류지 청소와 쓰레기 및 분뇨 처리, 화장장 관리 등의 사업에 많은 예산을 투자하여 거류지 주요 사업으로 시행하였다. 상하수도 사업 역시 위생사업 측면에서 매우 중요하게 다루어졌다. 또한 거류민의 수가 늘어나면서 가족 단위의 거류민들도 늘어났고, 이에 따라 아동 교육의 문제가 시급하게 되자, 거류민단에서는 우선적으로 많은 예산을 투입하여 소학교와 유치원, 그리고 여학교를 설치하였다. 이외에도 거류민들의 정신적, 종교적 지주라 할 수 있는 신궁을 설치하고, 거류민들의 생활을 위해 남산 일대에 공원을 마련하는 등의 사업들을 지속적으로 진행하였다.

거류민단은 기본적으로 자치적 성격의 기구이다. 거류민단은 거류민 대표를 공선을 통해 선출하고, 거류민들에게 과세를 함으로써 공공의 재원을 마련하고 이를 기반으로 거류민의 생활을 위한 공공사업을 시행하였다. 그러나 법적 효력은 갖추지 못하여 거류민 모두에게 과세의 의무를 지울 수는 없는 등의 어려움이 있었다. 결국 1906년 거류민단을 법인화함으로써 거류민단의 규칙과 과세 등은 법적 효력을 가지게 되어, 거류민을 대상으로 하는 과세가 의무화되고 체납자 처벌이 가능해짐에 따라 일본인 거류민 자치기구로서의 입지를 더욱 곤고히 하게 되었다.

기타 공공기관들 : 경찰서와 우편국

거류지 내에는 거류민 생활의 보호와 편의를 위해 설치한 공공기관들이 있었는데, 대표적인 것은 경찰서와 우체국이다.

일본인들이 처음 한성부에 도래하였을 때부터 그 인원에는 순사가 포함되어 있었으며, 정확하게 경찰서가 언제 설치되었는지에 대해서는 정보가 없지만, 1887년 영사관 부근 약도[13](2부 [그림 3])에 영사관 내부에 경찰서가 표시되어 있는 것으로 미루어보아 영사관 설치 이후 얼마 지나지 않아 설치되었던 것으로 보인다. 1893년에는 남대문 일대 일본 상인의 보호를 위하여 남대문 근처에 교번소를 추가로 설치하였으며,[14] 1902년 11월에는 본정 1정목 입구, 영사관의 서측에 경찰서를 새롭게 준공하였다.[15] 일본인들은 별도의 경찰을 운영하며[16] 거류지 치안을 책임졌는데, 이는 일본인 거류지가 한성부 내에서 가지는 독특한 성격으로 인한 것이었다. 거류 초기에는 일본인 거류지는 한국인들의 배일감정과 1880년대와 1890년대에 일어난 정치적 사건들로 인해 매우 불안한 정세였고, 이에 따라 거류민 스스로 자신들을 보호하기 위해 경찰제도를 운영하였다.[17] 그러나 일본의 식민지화가 본격화됨에 따라 일본인 거류지 내의 경찰은 일본인 거류민을 보호하기 위한 차원이 아니라 한국을 식민화하는 데 앞장서는 이들이 되었다. 1904년 거류지 동측 개발에 경찰력을 동원하고 1907년 이후 한성위생회가 한성부민들에게 위생비를 과금하는 데에 있어 경찰력을 동원하는 등 거류민 보호를 넘어서 강력해진 일본 제국의 힘을 드러내는 역할을 하였다.

한편, 우체국은 1888년 영사관 내에 인천우편국 출장소를 설치한 것이 그 시작이었다. 당시 이 우편출장소는 한성부 내에서 유일하게 근대적 금융업무를 시행하는 곳이어서 외국인들도 많이 이용하였는데, 외국인들은 이 우편출장소에 대한 기록도 다수 남겼다. 대표적으로 이사벨라 비숍은 '한국과 그 이웃나라들에서' 1894년 당시의 일본인 거류지를 묘사하며

[13]
경성부, 앞의 책, 1936, p.594

[14]
통상휘찬 4호 (1894.05.19.) 〈明治26年中京城商況年報〉

[15]
경성부, 1936, 앞의 책, p.708

[16]
"일본인들은 나름대로 중심지역에 모여 거주 하며 별도의 경찰력을 운영하고 있다."-샤를 바라, 샤이에 롱 지음; 성귀수 역, 2001, 『조선기행: 백여 년 전에 조선을 둘러본 두 외국인의 여행기』, 눈빛, p.72

[17]
이사벨라 비숍은 이와 같은 거류지의 치안유지활동에 대해 다음과 같이 기록하고 있다. "또 군기 엄정한 군인들과 무장한 경찰대들, 일정한 시차를 두고 교대되는 칼을 찬 헌병들도 보인다. 한국에서 면면히 이어져 온 일본에 대한 증오감을 생각하면 이같은 경계 조치는 필수불가결한 것이리라. 벌써 두 번이나 일본 공사관의 요인들은 인천을 향해 한 줄기 혈로를 뚫고 야반도주해야 했던 경험이 있다."-이사벨라 버드 비숍, 이인화 옮김, 1994, 『한국과 그 이웃나라들』. 살림, p.58

"그 거리에는 놀라울 정도로 잘 운영되고 있는 일본 은행과 우편 연락소가 있다."[18] *라고 하고 있으며, 1903년 한성부를 방문한 바츨라프 세로셰프스키는 "이 지역의 일본 우체국은 깨끗한 이층집에 자리하고 있다. 그 곳에서 발송했던 편지는 단 한 통도 유실되지 않았다. 일본의 우체국은 매우 훌륭하게 조직되어 있으며 우편료 또한 아주 싸다. 일본 우체국은 세계 최고라 평가받는 영국의 우체국에 뒤지지 않으며, 편지 발신자에 대한 배려와 법정의 결정에 따라서만 개봉할 수 있는 개인 서신의 비밀 유지라는 측면에서 보면 최근 들어 헤카티즘으로 명성을 얻은 독일의 우체국보다 우수하다."*

[18] 이사벨라 버드 비숍, 1994, 앞의 책, p.58

라고 기록하고 있어[19] 거류지 내 우편출장소의 우편업무가 상당히 원활하게 이루어지고 있었음을 알 수 있다. 1896년 영사관의 이전 이후에는 이 우편출장소의 위치가 어디에 있었는지는 정확하게 알 수 없으나, 1900년 3월에는 인천우편국 경성출장소를 폐지하고 경성우편국으로 개칭하였으며, 1901년 9월 새로운 청사를 준공하였다.[20] 새로 신축된 경성우편국은 영사관 맞은편, 본정 1정목의 입구에 위치하였으며, 이는 현 중앙우체국의 위치이다. 이 우편국은 한일병합 이후 중앙우체국으로 역할을 하게 되었으며, 이후에는 경성중앙전화국으로 사용되다가 다시 경성우편국의 일부로 사용되었다.

[19] "보기에 소박한 대사관 건물은 정성을 들여 아름답게 장식한 튼튼한 대리석 테라스로 둘러싸여 있었다." 김진영역, 2006, 『코레야 1903년 가을』, 개마고원,-바츨라프 세로셰프스키, p.393

[20] 경성부사에는 1900년에 경성우편국이 신축되었다고 기록하고 있으나 경성발달사 및 1901년 9월 12일 황성신문에 '郵局落成'이라는 기사가 실려 있어 1901년 9월에 우편국이 준공되었음을 알 수 있다.

한성부의 '작은 일본', 진고개 혹은 本町 거류지 제도와 문화

한성부 일본인 거류지에서는 거류민 인구가 점차 증가하게 되자 거류지 사회의 안정된 운영을 위하여 다양한 제도를 도입하고 도시시설들을 구축하였으며, 거류지만의 독특한 문화를 형성하였다.

위생제도와 시설

일본인 거류지에서는 거류 초기부터 위생제도를 도입하고 위생시설을 설치하는 데에 많은 노력을 기울였다. 거류민단의 중점 사업은 토목, 위생, 교육사업이었는데 특히 위생사업의 경우 거류민의 건강과 생존을 위해 거류 초기부터 매우 적극적으로 시행되었다.

거류지에서는 1887년 외무성 보조의였던 고조 바이케이古城梅溪를 거류지 전임의사로 임명하여 종두를 시행하고 위생기관을 설치하였으며,[21] 1902년부터는 공의公醫제도를 설립하고 고조 바이케이를 거류지 공의로 임명, 연 2,000원을 지원하였다.[22] 거류지 공의는 공공위생 및 거류민 진료, 전염병 예방과 방역 등의 임무를 수행하는 거류지 내 위생사업의 핵심인물로 위생사업과 함께 한성병원, 산카贊化병원 등을 운영함으로써 거류지 의료의 선구자적 역할 역시 담당하였다. 이 시기 위생의 중요성이 강조된 이유는 콜레라와 같은 전염병의 유행으로 많은 피해를 입었기 때문이었다. 외부와의 교역이 시작되면서 한국에도 콜레라가 전래되었고, 콜레라에 의한 피해는 한번에 수십 만 명의 사망자를 낼 정도로 심각하였다.[23] 거류지에서는 1886년 콜레라가 유행하자 거류민들에게 예방비를 징수하고 한인가옥을 사들여 2개소의 피병원을 최초로 설치하였고,[24] 1887년에는 이 피병원을 수리하여 위생기관으로 사용하였다.[25] 1895년의 콜레라 유행 시에는 대화정 1정목 46번지[26]의 한옥을 매입하여 거류지 피병원으로 사용하였다.[27] 이외에도 1895년에는 의학사 세와키 도시오瀨脇壽雄의 병원과 경성사령병원이 피병원의 역할을 담당하였다. 그 진료 대상은 각각 달라서, 대화정 1정목의 피병원은 일본인 거류민을 위한 것이었으며, 한성병원은 한일양국민, 그리고 경성사

[21] 경성거류민단역소, 앞의 책, 2010, p.79

[22] 경성거류민단역소, 앞의 책, 2010, p.180

[23] 1821년(순조21년) 8월 13일부터 22일까지의 조선왕조실록에는 괴질이 평양과 해서, 관서, 그리고 한성 도성에 유행하고 있음을 기록하고 있으며 특히 22일의 기록에는 '요주(遼州)와 계주(薊州) 지방에서 번져 들어와서 온 나라에 퍼졌다고 한다.'라고 기록하고 있다. 또한 1821년(순조21년) 10월 24일의 일성록에는 '금년에는 큰 비가 내리고 괴질이 성행' 하였다는 기록이 남아 있다. 이 괴질에 대해서는 신동원은 이 질병의 증상이 '전염되고 전파속도가 빠르고 걸리면 10명 중 8,9명이 죽으며 설사와 구토를 하는, 전례가 없는 괴질로서 오늘날의 급성콜레라의 증상과 같음을 지적하고 있다.-신동원,"조선말의 콜레라 유행 , 1821~1910",『한국과학사학회지』, 11권 1호, 한국과학사학회지, 1989, p.57

[24] 경성거류민단역소, 앞의 책, 2010, p.74

[25] 경성거류민단역소, 앞의 책, 2010, p.79

[26] 1936년 당시의 지번 (경성부사의 기록 참조)

[27] 경성부, 앞의 책, 1936, p.636

령병원은 당시 일본육군부대의 군인들을 그 대상자로 하였다. 1902년의 콜레라 유행시에도 역시 피병원을 개설하고 예방액을 배포하는 등의 거류지 단독 방역사업을 진행하였다.[28]

[28] 경성부, 앞의 책, 1936, p.705

일본인의 거류가 시작된 이후 일본 정부는 군의軍醫들이 진료하는 관립병원을 개항장들에 설치하였는데, 한성부에는 1883년 공사관의원을 설치하였다.[29] 1880년대 초반에 설치된 관립병원들은 경비 문제로 인하여 1880년대 중반 이후 폐지되거나 각 거류지의 거류민단에서 운영하는 공립병원으로 전환되었다. 한성부에서는 공사관의원이 폐지된 후 1895년 한성병원漢城病院이 설립되었으며, 1904년 이후 한성병원은 거류민단에서 직접 운영하는 공립병원이 되었다. 그러나 한성병원은 경영상의 어려움으로 인해 1909년에는 개인경영으로 전환되었다. 한성병원은 명동성당의 서측, 명치정 2정목에 위치하였으며 내과, 외과, 부인과, 소아과, 산과[30] 등의 전문과와 수술실, 병동을 갖춘 서양식 종합병원이었다. 이외에도 1905년에는 신정병원新町病院이 설치되었으며, 피병원避病院은 1905년 용산지역으로 이전하여 청파병원青坡病院이라는 이름으로 개명하였다. 〈표 8〉은 1885년 거류가 시작된 이후 일본인 거류지 내에 설치된 주요 의료기관들의 위치와 특징에 대해 정리한 것이다.

[29] 박윤재, 2002, 앞의 책, pp.73~74

[30] 황성신문 1901년 09월 28일에는 한성병원이 여의사를 초빙하여 부인과, 소아과, 산과 진료를 하고 있다는 광고가 실려 있다.

표 8. 진고개 일대 일본인 거류지 내 주요 의료기관

병원명	설치연도	위치(1930년대 기준)	비고
한성병원(漢城病院)	1895	명치정 2정목 25번지	1895 세와키 토시오의 민간병원으로 설치 1896 해군성 병원 1905년부터 거류지공립병원 1909년부터 민간병원
피병원(避病院)	1895	대화정 1정목 46번지	청파병원(1905, 용산)의 전신
경성사령병원 (京城司令病院)	1895	대화정2정목 122번지 영락정 1정목 23번지*	1903 재한국 주차병원으로 개칭 1906 한국주차병원으로 개명후 이전(*) 용산 위수 병원의 전신
산카병원(贊化病院)	1891	본정 2정목 12번지	고조 바이케이의 민간병원
신정병원(新町病院)	1906	신정	건강진단소

이외에도 진고개 일대의 일본인 거류지에는 산카병원贊化病院 등 민간병원들도 있었다. 산카병원은 1887년 거류지 공의 고조 바이케이가 1891년 설립한 병원으로서[31] 보통병실과 격리병실, 수술실 등을 갖춘 대규모의 병원이었다.[32] 고조 바이케이는 1896년 사설 종두양성소도 설립하여 조선인 종두의들을 육성해 내기도 하였다.[33] 이외에도 1906년 경성발달사 종두 무료 예방접종 기록에서 수정 2정목의 사카이坂井병원, 남산정 1가의 우에무라植村병원, 욱정 3정목의 주젠十全병원, 욱정 1정목의 안도安東병원, 태평동의 후루쇼故蔣병원 등의 민간 병원들의 이름을 확인할 수 있으며,[34] 광고와 사진 등에서 본정 2정목의 노다野田치과 의원 등 치과 전문 의원도 있었음을 확인할 수 있다.

[31]
조우현 외 2인, 2002, "우리나라 근대 병원의 등장", 『醫史學』, 11호, p.28, 大韓醫史學會,

[32]
황성신문 1902년 05월 31일 〈贊化病院擴張〉

[33]
황상익, 20100812, "근대 의료의 풍경 48", 프레시안,

[34]
경성거류민단역소, 2010, 앞의 책, p.250,

일본인 거류지 내의 병원들은 한국어 신문인 황성신문 등에 지속적으로 광고기사를 실었다. 이는 일본인 거류지 내 병원들이 일본인뿐 아니라 한국인도 그 대상으로 삼고 있었음을 보여준다. 한성병원은 한국인을 대상으로 무료치료 혹은 저가치료를 일부 시행하기도 하였다.

거류민단이 설치한 위생기관과 한성병원 등의 의료기관 이외에도 거류지 내에는 거류 초기부터 공중위생시설들, 즉 목욕탕, 이발소, 세탁소 등과 같은 개인의 위생·청결과 관련있는 시설들이 존재하였다. 1887년에 이미 '목욕탕 영업에 관한 단속규칙'이 제도적으로 도입되는 것으로 보아 1887년 이전부터 대중목욕시설인 목욕탕이 거류지 내에 존재하였음을 알 수 있다.[35] 또한 거류민의 직업별 인구분포를 통해 1888년에 이미 목욕업 1명, 세탁업 3명이 존재하였으며, 1893년에는 목욕탕 2개소, 이발소 5개소가 있었음을 알 수 있다.

[35]
경성거류민단역소, 2010, 앞의 책, p.79,

그림 3 거류지 내외 위생시설 분포 (1907 최신경성전도에 표시)

1894년의 사쿠라이 군노스케柵懶軍之佐는 조선시사朝鮮時事에서 당시 거류지의 목욕탕 모습을 기록하고 있는데 그 구체적인 내용은 다음과 같다.

"이현에는 목욕탕이 두 군데 있다. 둘 다 일본인 남녀 욕실 이외에 조선인 욕실을 설치했다. 그리고 욕실 입구에 '중국인 입욕 사절'이라는 팻말을 붙였다. 아마 중국인은 가장 불결하고 또 조선인을 학대하여 중국인과 조선인이 함께 목욕을 하면 싸움이 그치질 않아 조선인이 이 곳에 발길을 끊기 때문인 것 같다."[36]

[36]
井上角五郎, 한상일역, 1993, 『서울에 남겨둔 꿈』, 건국대학교 출판부, p.297

이를 통해 당시 일본인 거류지 내에는 목욕탕이 있었으며 이 목욕탕은 일본인과 한국인이 함께 이용하였는데, 이들의 욕탕을 분리해두었음을 알 수 있다. 또한 1903년 한성을 방문한 러시아인 바츨라프 세로셰프스키의 기록에서도[37] 일본인 거주지에 목욕탕이 있었으며, 그 곳을 외국인들도 이용하였음을 알 수 있다.

[37]
"내가 가볼만한 좋은 곳이 있는지 묻자마자 일본인 거주 지역에 꼭 가보라고 권했다. 그 곳에는 목욕탕도 있었다. 목욕탕은 프랑스호텔에도 없었는데, 여행에서 돌아온 후 나는 장기간의 여행길에서 쌓인 먼지와 더러움을 씻어내고 싶었다."-바츨라프 세로셰프스키, 2006, 앞의 책, p.392

또한 일본인들은 메이지유신 이후 단발斷髮을 하였기 때문에 일본인 거류지에는 이발소 역시 존재하였다. 단발의 경우 근대화, 서구화의 표상이기도 하였지만 머리를 깨끗이 하는 개인의 위생과도 연관되는 것이었다. 세탁소 역시 마찬가지여서 강가나 냇가 등이 아닌 전문적으로 의복을 세탁하기 위한 위생과 관련된 시설로 볼 수 있다. 일본인 거류지 내 각 영업종별 통계치를 통해 목욕탕과 이발소, 세탁소의 숫자를 확인할 수 있는데(〈표 2〉[38]), 그 숫자는 거류민의 증가에 따라 자연스럽게 증가하고 있음을 알 수 있다.

[38]
1888년과 1893년의 통계치는 경성발달사의 기록을, 1895년과 1895년의 통계치는 경성부사의 기록에 근거하여 작성하였다.-경성부, 1936, 앞의 책, pp.641~644

표 9. 일본인 거류민 중 위생관련 업종 종사자수

	목욕업	세탁업	이발업	총거류민수
1888	1	3		348
1893	2		5	779
1895	2	6	8	1839
1905	9	9	16	7677

교육제도와 시설

일본은 메이지 유신 이후 근대적 교육제도를 적극적으로 도입하고자 하였다. 이는 서구지역 보다 늦게 근대화를 하게 된 상황에서, 교육을 통해 서구 근대화와의 간극을 줄이고자 하는 노력이었다. 일본정부는 1869년 각 부와 현에 소학교 설치를 장려하였으며, 1872년에 학제를 발포하고 1879년에는 교육령을 발포하는 등 근대적인 교육제도의 체계를 구축해나갔으며, 1886년부터는 소학교를 의무교육화 하였다. 거류지에서는 1889년부터 거류민의 증가로 취학아동도 증가함에 따라 소학교 교육을 시작하게 되었는데, 처음에는 교사校舍와 정식 교원이 준비되지 않은 상황에서 거류민단과 상업회의소의 연합사무실 한 칸에서 수업을 시작하였다. 1890년에는 대곡파大谷派 동본원사東本願寺 경성 별원이 설치되자 이 곳의 일부를 빌려 '공립학사'라 명명하고 본원사의 승려 아카마츠赤松慶運가 포교와 함께 교육을 담당하였다. 거류지의 성장과 함께 취학 아동이 점차 증가하게 되자 1892년에는 정식 교원을 받고 설비를 완비하여 정식 공립소학교인 경성공립일본소학교를 설립하였다. 제도적으로는 동본원사에서 독립하였으나, 여전히 교실은 동본원사 별원에 머물렀던 경성공립일본소학교는 1895년 남산정 2정목에 약 3,500원을 투자하여 교사를 신축하여 동본원사에서 완전히 독립하였으며, 대일본공립경성심상고등소학교로 개칭하였다. 1905년 일본 정부에서 재외지정학교제도를 실시하게 됨에 따라[39] 대일본공립경성심상고등소학교는 1906년부터는 재외지정학교가 되었으며 일본육군연병장이었던 대지에 연와조煉瓦造의 새 교사를 신축하여 이전하였으며, 연병장 일대를 소학교 운동장으로 사용하기 시작하였다. 이 소학교는 1908년에는 제1심상소학교尋常小學校로 개칭하였으며 1910년에는 일출심상고등소학교日出尋常小學校로 개칭하였다. 한일병합 이후 거류민 수가 폭발적으로 증가하고 거류지 역시 한성부 남촌의 전역으로 팽창하게 되자 1906년에는 남대문 소학교 교사를 신축하기로 하고, 종래 무상으로 사용하던 동본원사 별원의 소학교 부지와 유치원 부지 730평을 10,000원에 사들였다. 1908년에는 남대문심상소학교南大門尋常小學校를 남대문통 5정목[40]에, 이어서 1910년 앵정심상소학교櫻町尋常小學校를 남산정에 설치하였다. 한편 용산에서는 1903년 용산순사주재소의 한 칸을 교실로 빌려 소학교 교육을 시작하였다.

소학교 이외의 교육시설로는 유치원과 고등여학교, 중학교가 있었다. 유치원은 1900년 황태자의 결혼 축하 기념으로 동본원사 별원 부지 150평을 차입하여 설립한 경자기념유치원庚子記念幼稚園과 1908년 설립된 고등여학교의 부속 유치원이 있었다. 고등여학교는 소학교 이상의 고등교육기관이 없어 소학교 이상의 교육을 받지 못하거나, 교육을 받기 위해서는 본국으로 유학을 갈 수밖에 없었던 상황에서 우선적으로 여학생들을 위해 설치된 것이었다. 고등여학교의 설치 이전에도 사립 경성여학교가 설치되어 1907년부터는 이 학교에 보조금을 지출하기도 하였으나 공립여학교의 필요성에 의해 1908년에 고등여학교가 설립되었다. 이 학교에는 유치원[41]을 부속시켜 여학생들로 하여금 보육을 담당하게 하기도 하였다. 고등여

[39]
재외지정학교는 학교 관리 및 유지 방법이 확실하고 소정의 학과를 교육하는데 충분한 교사 및 설비를 구비한 학교에 한하여 지정을 받을 수 있었으며, 재외지정학교로 지정을 받으면 거류지 학교의 교원은 일본에 있는 공립학교 직원과 동일한 대우를 받게 되었다.-조미은, 2012, "재조선 일본인의 재외지정학교제도와 『소학교규칙』",『한국민족운동사연구』 71권, 한국민족운동사학회, pp.139~140

[40]
남대문심상소학교는 1908년 4월 처음에는 남산의 본원사 경성심상소학교 분교 터에 개교하였으나 5개월 후인 9월 남대문통 5정목의 고등여학교(1908년 4월 개교)가 개교하였던 위치로 이전하였다.-경성거류민단역소, 2010, 앞의 책, pp.296~298

[41]
고등여학교부속유치원은 남대문심상고등소학교로 이전하였으나, 이 학교의 학생수 증가로 1910년 결국 폐지되었다.

학교는 1908년 4월 남대문통 5정목에서 개교하였으나, 이 자리를 남대문심상소학교에 내어주게 됨에 따라 기존의 경성일본공립소학교가 있던 위치인 남산정南山町 2정목으로 이전하였다. 그러나 소학교 취학 아동의 증가로 다시 이 곳을 앵정심상소학교에 내어 주고, 1910년에는 고등여학교를 서대문 밖 포병대 자리에 고등여학교 교사를 새롭게 신축하여 이전하기로 하였다. 1909년에는 제국대학에 입학하기 위한 학문적 소양과 자격을 갖추기 위한 준비과정 기관인 중학교가 일진회 회원들의 협력으로 서대문 밖 독립관을 무상임차하여 개교하였다.

메이지 시기 일본의 교육제도는 기본적으로 누구나에게 평등한 것이었으며, 소학교 교육은 의무적으로 해야 하는 것이었다.[42] 교육에 들어가는 비용은 민간에서 직접 조달하는 것을 원칙으로 하여 거류지에서도 자치기관인 거류민단에서 교육비[43]를 예산에 편성시켰으며, 수업료를 거류민들에게 부과시킴으로써 예산을 충당하였다. 각 교육기관별 교육과정은 소학교 심상과 6년, 고등과 2년, 중학교 5년, 고등여학교 4년으로 이루어져 있었으며, 교과서는 일본의 공립학교와 같은 교과서[44]를 사용하였다. 거류지에서는 빠른 속도로 증가하는 취학 아동을 수용하기 위해 기존 학교 시설을 확충하는 한편, 새롭게 교육시설들을 설립하여 앞서 살펴본 바와 같이 1908년에서 1910년 사이에는 무려 2개의 소학교와 1개의 고등여학교, 1개의 중학교 총 4개의 학교가 생겼으며 1개의 유치원이 생겼다. 고등여학교 부속유치원을 제외한 교육시설들은 모두 식민화 이후에도 계속 이어졌으며, 식민화 이후에는 한국인들의 입학도 허가되었으나 일본인들이 주로 거주하던 지역들에 있었으므로 일본인 학생이 대부분인 일본인 학교와 같은 성격을 계속하여 유지하였다.

[42]
1886년부터 일본에서는 소학교의 심상 4개년 과정이 의무화되었다.

[43]
1891년 처음으로 거류민단 예산에 학교비가 추가된 이후 거류지 예산의 상당부분이 교육관련 제비용으로 사용되었다.

[44]
일본에서는 근대적 교육제도를 실시하기 시작한 초기에는 번역교과서를 주로 사용하였으나, 이 것이 일본의 실정과는 맞지 않다는 판단하에 1880년대 초반에는 불교주의적인 윤리가 강조된 교과서가 등장하였다. 그러나 1886년 교과서 검정제도가 도입된 이후에는 국수주의적 성격이 뚜렷한 검정교과서제도가 채택되었으며, 1904년부터는 국가주의적, 동양도덕적 사상이 강하게 드러나는 국정교과서가 채택되어 사용되었다.

그림 4 거류지 내 교육시설 분포 (1907 최신경성전도에 표시)

한편 거류지에서는 거류민 대상 교육시설 외에도 한국인을 대상으로 하는 교육시설들도 다수 등장하였다. 1898년 명치정明治町에는 경성학당京城學堂이 설치되어 일본유학과 임관을 위한 일본어 교육이 이루어졌으며, 1907년에는 동양협회 식민전문학교東洋協會 植民專門學校의 분교(경성고등상업학교의 전신)를 대화정 1정목에 설치하였다. 1905년에는 보다 적극적으로 한국의 소학교들에 일본의 교원을 정부 차원에서 파견하기도 하였다. 이 외에도 일출심상고등소학교를 비롯한 거류민 소학교에는 대한제국 황실의 자제와 고위 관리들의 자제들이 다수 입학하여 교육을 받기도 하였다.

종교문화와 신사, 공원

일본인들은 종교 신앙 자체보다는 일상생활에서의 종교적 실천과 감정을 매우 중시하며,[45] 일본인들에게는 종교적 행위나 의례가 일상생활화 되어있다. 특히 신도神道와 불교는 일본인들의 일상생활 속에 매우 뿌리 깊게 자리 잡고 있는 종교들이다. 한성부 내 일본인 거류지가 정착됨에 따라 거류지 내에도 신궁神宮과 불교 관련 시설 등 다양한 종교 시설들이 생겨났으며, 거류민들의 일상생활에서도 신도나 불교와 연관된 다양한 의례들이 행해졌다.

[45] 차남희, 2009, "일본의 시민종교와 신도", 『담론 201』, 12권 1호, 한국사회역사학회, p.82

신도神道의 경우는 메이지 정부가 신도를 국교화하고 천황을 신격화 함에 따라 중요해진 종교로, 일본에서는 각 지역별로 신사를 설치하도록 함으로써 일본인들의 생활의 중심에 자리잡게 되었다. 거류지에서는 1896년에 일본공사가 조선정부에 대신궁 건설을 위한 부지를 요청하고, 이 요청이 이듬해에 받아들여져 그 일대에 왜성대공원을 조성하면서 동시에 대신궁大神宮을 공원 안에 건설하고 공설신사로 삼았다. 1898년에는 이세신궁伊勢神宮으로부터 분영分靈을 받아 내궁의 12/100의 크기로 제작한 신전을 일단 해체하여 한성부로 가져온 후 다시 조립하여 왜성대 공원에 있는 대신궁에 봉인하고 사호社號를 대신공으로 하고 거류지 수호신으로 숭배하였으며, 이 해 11월 3일 천장절天長節에 봉천대제奉遷大祭를 시행하였다.[46] 대신궁은 1916년에 경성신사로 개칭되었다.

[46]
경성부사, 1936, 앞의 책, p.673

이처럼 1897년 거류지에서 처음으로 설치된 왜성대 공원은 일종의 신사神社공원이었음을 알 수 있다. 메이지 시기 일본의 공원은 신사나 경승지景勝地와 결합된 신사공원의 형태가 많은 수를 차지하였다. 신사공원은 서구 선진문명의 공원과 일본의 전통적 공간요소인 신사가 결합되어 나타난 일본식 공원이었으며,[47] 따라서 왜성대공원은 서구에서 만들어진 근대적 의미의 공원이라기보다는 신사공원으로서의 일본식 공원이었다. 왜성대공원은 일본인들의 위락을 위한 것으로 정신적, 종교적 중심으로서의 역할을 하기도 하는 것이었다.

[47]
이수연, 2010, 『남산공원의 공간적 특성과 변화에 관한 연구』, 한양대학교, p.17

1900년 한국을 방문한 제이콥 로버트 무스는 그의 책에서

"우리는 지금 막 일본사당을 지나고 있다. 그 쪽에는 아름다운 소나무숲 아래 세운 조그마한 정문과 부처상이 놓여 있는 곳으로 오르는 순환도로가 보인다. 일본인들도 최근의 전쟁에 대한 상념을 잠시 접은 채, 영령들에게 예를 올리기 위해 오랜 시간 머문다."

라고 왜성대공원과 대신궁 일대의 모습을 묘사하고 있다.[48] 이 글에서 묘사하고 있는 1904년 이 일대를 촬영한 코레아 코레아니의 사진을 통해서 확인해 볼 수 있다. [그림 5]와 [6]에

[48]
제이콥스 로버트 무스, 문무홍 외 역, 2008, 『1900 조선에 살다』, 푸른역사, .p.76

서는 1897년 왜성대공원의 신설시 왜성대에 이르는 도로를 확장하고 넓혀 순환도로를 만든 것을 확인해 볼 수 있는데, 특히 이 순환도로는 잘 정비되어 있으며 주변에 가로수가 심겨 있어 공원 주변의 정비에 많은 노력을 기울였음을 알 수 있다. 1890년에는 왜성대공원에 청일전쟁 승리를 축하하는 기념비를 세웠으며, 1891년부터 매해 이 기념비에서는 초혼제招魂祭를 거행하였다.

그림 5 왜성대로 향하는 순환도로 입구

그림 6 동본원사 별원부지에 위치한 유치원(좌측)에서 왜성대에 이르는 도로

그림 7 왜성대 공원 갑오기념비

그림 8 동본원사 방향에서 본 갑오기념비.

그림 9 남산대신궁

불교의 경우 1890년 정토진종淨土真宗 대곡파大谷派 동본원사가東本願寺 경성별원을 설치한 것을 시작으로 1897년 일련종日蓮宗이, 1898년에는 정토종淨土宗이 개교하였다. 일본 불교의 진출은 메이지 정부의 대외 정책의 일환으로, 서양이 기독교의 적극적인 포교 활동을 통해 대외로 진출한 것과 같이 일본 역시 포교 활동을 통해 한국으로의 진출을 시도하고자 한 것이다. 개항 초 부산을 비롯한 각 개항장과 한성부에는 정토진종 대곡파가 가장 먼저 진출하였는데, 이는 1876년 한국 개항 이후 일본 정부가 정부와 가까운 관계에 있었던 대곡파에 한국 내 포교활동을 의뢰, 종용한 결과에 따른 것이었다.[49] 개항 초기 대곡파가 주를 이루었던 반면, 대한제국의 성립 이후에는 일련종과 정토종이 진출하여 적극적으로 포교활동을 하였다. 특히 정토종은 한국 황실과 우호적 관계를 맺음으로서 포교의 실마리를 찾아, 한국 내에서 교세를 급격하게 확장시켰다.[50] 불교의 각 종파는 우선적으로는 일본인 거류민들을 대상으로 교육 보조 및 행려병자 구호 등의 활동을 하는 한편, 한국인들을 대상으로 포교활동뿐 아니라 교육 및 구제·구휼 활동을 하였다. 즉 신도神道가 일본인 거류민들만을 위한 종교였다면 불교는 거류민뿐 아니라 한국인들을 대상으로 하는 성격을 가지고 있었다.

[49] 윤기엽, 2012, "개화기 일본불교의 포교양상과 추이", 『원불교사상과 종교문화』 54집, 원광대학교 원불교사상연구원, p.260

[50] 윤기엽, 2012, 앞의 글, p.274

각 종파별로 살펴보면, 대곡파 동본원사는 1890년 10월 수정에 처음으로 별원을 창설하였으며, 1895년에는 왜성대 근처의 남산 아래를 별원 부지로 결정하고 1906년에는 대가람을 낙성하였다. 동본원사는 거류지 내에서 교육 및 죄수 교화 및 구호·구제 활동을 활발하게 하였다. 1889년 처음에 거류민단과 상업회의소의 연합사무실의 한 켠을 빌려 시작했던 소학교 교육은 1890년 동본원사 별원이 설치되자 이 곳으로 옮겨 1892년까지 소학교 교육이 이루어졌다. 1892년에 소학교는 별도의 건물을 신축하여 옮겨 갔으며 제도상 완전히 독립하였으나 1895년까지 동본원사에서 교원을 파견하였다.[51] 또한 1891년부터 영사관 내 감옥의 수용자들을 교화하는 교육을 시작하였는데, 통감부 설치 이후인 1907년부터는 한국인들이 수감되어 있는 경성감옥에서도 수용자 교화 교육을 하는 등 그 범위를 넓혀 나갔다. 1906년에는 행려병자 구호소를 설치하여 구호활동을 적극적으로 시작하였다. 동본원사는 1910년 한국인 신도가 8,000여 명(일본인 신도는 12,000명)에 이를 정도로 포교활동을 활발히 하였다.

일련종의 경우 1881년 부산에 일종회당日宗會堂을 창립한 이후 1896년에 처음으로 한성부에 들어오고, 1897년 남산정南山町에 포교소를 설치하고 일종회당이라 명명하였다. 이 회당은 1898년 욱정旭町 3정목[52]으로 이전하였으며 1907년 3월에는 인가를 받아 입정산국호사立正山國護寺로 개칭하였다. 특히 일련종의 경우에는 1896년 한성부에 들어온 사노左野前勵가 한국인 승려의 한성부 입경 금지를 해제해줄 것을 고종에게 직접 요청하여 허가를 받았으며 당시 한성부에 입경한 한국인 승려들을 일본에 유학시키는 등 한국 불교와 밀접한 관계를 맺었다.

정토종은 1898년 한성부에 처음 임시 교회당을 설치하고 포교활동을 시작하였는데, 신도수의 증가로 1899년 7월 명치정明治町 1정목에 부지와 가옥을 매수하여 교회당을 이전하였다. 1900년에는 교회당을 개교원으로 승격시켰으며 1908년에는 본당의 위치가 한성병원 옆에 있어 염불외는 소리가 환자들에게 방해됨에 따라 본정 3정목[53]으로 이전하고 1910년

[51]
소학교가 정식으로 '교원을 받은 것은 1891년의 일이었으나 이 기록으로 미루어보아 1895년까지는 본원사에서도 교원을 파견하였던 것으로 보인다.

[52]
1930년대의 욱정 3정목 10번지 위치-경성부, 1936, 앞의 책, p.665

[53]
1930년대의 본정 3정목 50번지-경성부, 1936, 앞의 책, p.676

그림 10 거류지 내 종교시설 분포 (1907 최신경성전도에 표시)

에는 본당 개축을 진행하였다. 일련종과 정토종 이외에도 용산에 조선포교총감부를 설치한 본파 본원사本派 本願寺가 있었으며 통감부 설치 이후에는 일본 불교의 진출도 더 적극적이 되어 조동종曹洞宗, 진언종眞言宗, 임제사臨濟寺, 조계산 일한사曹谿山 日韓寺, 봉각사鳳閣寺 등의 다양한 종파들이 한성부에 진출하였다. 이들은 한국 불교와 관계를 구축해 나가면서 한국인 승려들을 일본에 유학을 보내는 등의 지원을 해주면서 한국 내에서의 일본 불교의 영향력을 확대해 나갔다.

이처럼 한성부 일본인 거류지 내에는 신도와 불교 관련 종교 시설들이 설치되고 고유의 종교문화를 발전시켜 나갔다. 신도神道의 대표적인 공간으로 볼 수 있는 신사공원인 왜성대공원이 거류민들의 생활의 중심으로서의 역할을 담당했다면, 불교 관련 시설들은 장례 등 거류민들의 각종 의례를 담당하고 거류지 내 교육 및 구호활동을 담당하는 한편 한국인을 대상으로 포교활동을 활발히 진행함으로써 교세를 확장해 나갔다.

유흥문화와 신정新町특별영업지역

에도江戶시대 일본의 주요 도시에는 유곽을 비롯하여 찻집, 주점, 식당 등이 모여 있는 유흥구遊興區가 설치되어 있었으며, 유곽과 각종 흥행 시설을 중심으로 유흥문화가 발달하였다. 이는 에도시대에 지방봉건영주인 다이묘大名가 에도에서 몇 년씩 거주하게 됨에 따라 많은 사무라이들이 함께 가족을 떠나 이동하게 되어 에도 등에 홀로 온 남성의 인구가 많았기 때문이었다. 특히 일본에서는 1589년 도요토미 히데요시가 교토의 야나기초柳町에 처음으로 유곽을 만든 이후 1617년 도쿄에도 요시와라吉原 유곽을 만드는 등 근대 이전부터 공창公娼제가 시행되고 있었다.

이와 같은 상황은 거류지도 크게 다르지 않았다. 거류지는 초기의 불안정한 정세로 인하여 남성 혼자 한성부로 오는 경우가 대부분이었고, 청일전쟁과 러일전쟁의 두 번의 전쟁은 많은 수의 군인이 한성부에 들어오게 되는 계기가 되었다. 따라서 앞서 살펴본 바와 같이 거류지 내의 남녀 성비는 매우 불균형적인 양상을 보였으며, 혼자 거류지에 온 남자들을 위하여 거류지에서는 초기부터 각종 유흥업종들이 등장하였다. 그런데 거류 초기에는 각종 흥행 및 유기장遊技場의 무질서한 영업과 풍기문란 및 싸움 등의 혼란으로 인하여 1889년에는 일본 영사가 영업 신청시 엄격하게 심사하여 허가할 것이며, 영업을 시작한 이후에도 문제를 일으킬 경우에는 영업정지 등의 처분을 내리겠다고 포고하는 상황이 벌어지기도 하였다.[54] 1888년 거류지 직종별 분포에는 요리점 및 여관업 4개소, 흥행장 2개소, 유기장 2개소, 대석업(마치아이, 待合) 1개소가 있음이 기록되어 있어 거류 초기부터 흥행 관련 업종들이 다수 등장하고 있음을 알 수 있으며, 특히 당시의 전체 인구 규모나 직종 규모를 고려해볼 때 이들의 비중이 적지 않았음을 알 수 있다. 당시의 요릿집이나 여관은 정식 예기藝妓는 없었지만 나카이仲居나 작부 등을 고용한 요정料亭의 성격을 가졌다. 수정 영사관과 공사관 근처에 이몬로井門樓, 난잔테이南山亭, 마츠모토로松本樓 등이 있었다.

[54] 경성거류민단역소, 2010, 앞의 책, p.88

청일전쟁 이후에는 군인의 수가 늘어남에 따라 작부와 예기의 숫자 역시 급증하였으며 요리점도 다수 새롭게 등장하였다. 대표적인 요리점으로는 후지이藤井가 1894년 개업하여 거류지 최고의 요릿집이 된 남산정 3정목의 기쿠스이로菊翠樓[55]와 마키노로牧野樓, 후타바테이二葉亭, 유메이로有名樓 등이 있었으며 1900년에는 가케쓰로花月樓가 개업하였다.[56] 이 요리점들은 가무가 있는 연회장소로 고위층 인사들의 중요 회합이 이루어지는 장소이기도 하였다.

[55] 川端源太郎 編, 1995, 『京城と内地人』, 경인문화사, pp.491~492

[56] 임종국, 2004, 『밤의 일제침략사』, 한빛문화사, p.19

1904년에는 일본인 거류민단에서는 쌍림동 일대에 신정특별영업지역을 설치하였는데, 이는 유흥업종들에 대한 세금의 부과로 새로운 재원財源을 마련하는 한편, 한 지역에 유흥업소들을 집중시킴으로써 풍기단속도 편리하게 하기 위함이었다.[57] 이 해의 특별영업지역 설치는 1895년 이후 요정업자 11명이 모여 요리옥조합을 결성하고, 이들이 요정과 별도로 공창가 설치를 출원하고자 오랜 시간 영사관과의 협의를 한 결과였다. 토지매수위원인 기쿠다菊田眞가 중심이 되어 싼 값에 쌍림동 일대 8,300여 평의 대지를 구입한[58]후, 이 곳에 요리업자 11명의 공동출자로 소우린칸雙林館을 개업하였으며, 그 외에도 다이이치로第一樓, 미나하루로皆春樓, 겟카로月下樓 등의 을종요리점을 개업하였다. 일본인들은 기루妓樓를 을종요리점이라 불렀으며 창기들을 제2종 예기라 부름으로써 요리점의 제1종 예기들과는 구분하였다.[59] 1904년에는 신정 1,2정목에 요리점의 개설을 허가하였으며 신정 4정목은 유흥장과 극장 등의 건축지로 허가하였으나, 1905년에는 신정 3,4정목에도 요리점의 개설을 허락함으로써 그 영업지구를 점차 확장하였다.[60]

[57] 경성거류민단역소, 2010, 앞의 책, p.203

[58] '신마치 설치위원'은 나카무라(중촌재조), 야마구치(산구태병위), 소가(會我勉), 기쿠다(菊田眞), 후로시로(古城梅溪) 5명, 기쿠다가 토지매수위원이 되어 일대 유력자인 조동윤과 교섭을 벌임, 조동윤이 토지매입에 응하려 하지 않자 일본군 기마대가 마굿간 부지로 그 땅을 무상수용할 것이라 헛소문을 내서 예상가의 1/4로 8300여평을 4,400원에 매입하였다.

[59] 홍성철, 2007, 『유곽의 역사』, 서울, 페이퍼로드, p.34

[60] 경성거류민단역소, 2010, 앞의 책, p.202

1906년에는 밀회할 방을 빌려주고 술과 음식을 제공하는 영업 형태인 마치아이待合가 영업 허가를 얻어 카스가春日, 코우요우紅葉, 야스八州, 고토부키壽 등의 마치아이들이 등장하

그림 11 신정 특별영업지역

였으며, 같은 해에는 기생, 창기를 유숙시키면서 출장 매음을 하는 알선 매춘업소인 오키야置屋도 영업 허가를 얻어 수정에는 시미즈세키清水席이 생겼는데, 이는 이후 경성권번京城券番으로 발전하였다.[61] 이외에도 거류지에는 대합실, 찻집을 비롯하여 대궁大弓장, 사격오락장, 오락실 등의 유흥시설들이 있었는데 대합실이나 찻집의 경우 기루妓樓에 들어가기 이전 절차를 밟는 성격의 장소였으며 대궁大弓장, 사격오락장, 오락실 역시 군인과 같은 성인 남성들을 대상으로 유흥을 제공하는 환락시설들의 일종이었다.

[61] 임종국, 앞의 책, 2004, pp.23~25

요리점과 기루妓樓를 비롯한 유흥업소들은 신정특별영업지역을 제외하고는 거류 초기 중심지역인 수정壽町, 남산정南山町 일대에 주로 분포하고 있었다. 이는 요리점이나 여관 등이 거류 초기부터 개업하였기 때문이다. 1907년 최신경성전도에도 다수의 유흥업소들의 위치가 기록되어 있는데, 이를 표

표 10. 유흥시설 업종별 현황

	1888	1893	1894	1895	1896	1898	1899	1902	1905	1909
여관업	4	3	3	8			5		8	30
요리점		4	6	10	9		9	11	10	71
대석업	1									
대합실, 찻집										9
흥행	2							19		
권번										2
유기장	2									
대궁(大弓)장				1					1	
사격오락장					1					
오락실								35		
대중문화소극장										2
작부				47	140		31	65	47	
예기				10	10	17	41	52	10	
영업종수	35	33	35	46	52	44	32	79	53	111
총합	151	131	281	644	580	320	495	766	801	13,239

시해보면 [그림 12]와 같다. 요리점과 신정특별영업지역의 기루妓樓들의 사진들은 많이 발견되지 않으나 몇 장의 사진으로 미루어보아 이 건물들은 대부분 일본 에도시대 전통건축의 모습을 그대로 하고 있다. 즉, 유흥시설과 유흥문화는 모두 메이지 시기 일본에 여전히 남아 있던 에도시대의 성격이 그대로 나타나고 있는 것임을 알 수 있다.

그러나 이와 같은 문화에 익숙하지 않았던 한국인들에게는 유곽이라는 공창은 낯선 것이었으며, 유곽에 늘어선 일본식 유곽 건축들과 예기들의 모습은 더욱 더 낯선 것이었다.

거류지 도시행사

일본인 거류지에서는 황실관련, 종교관련, 상업관련 다양한 행사들이 일어났다. 메이지 시기 일본에서는 천황과 관련된 여러 날들을 축일祝日로 지켰는데, 그 중 천황의 생일인

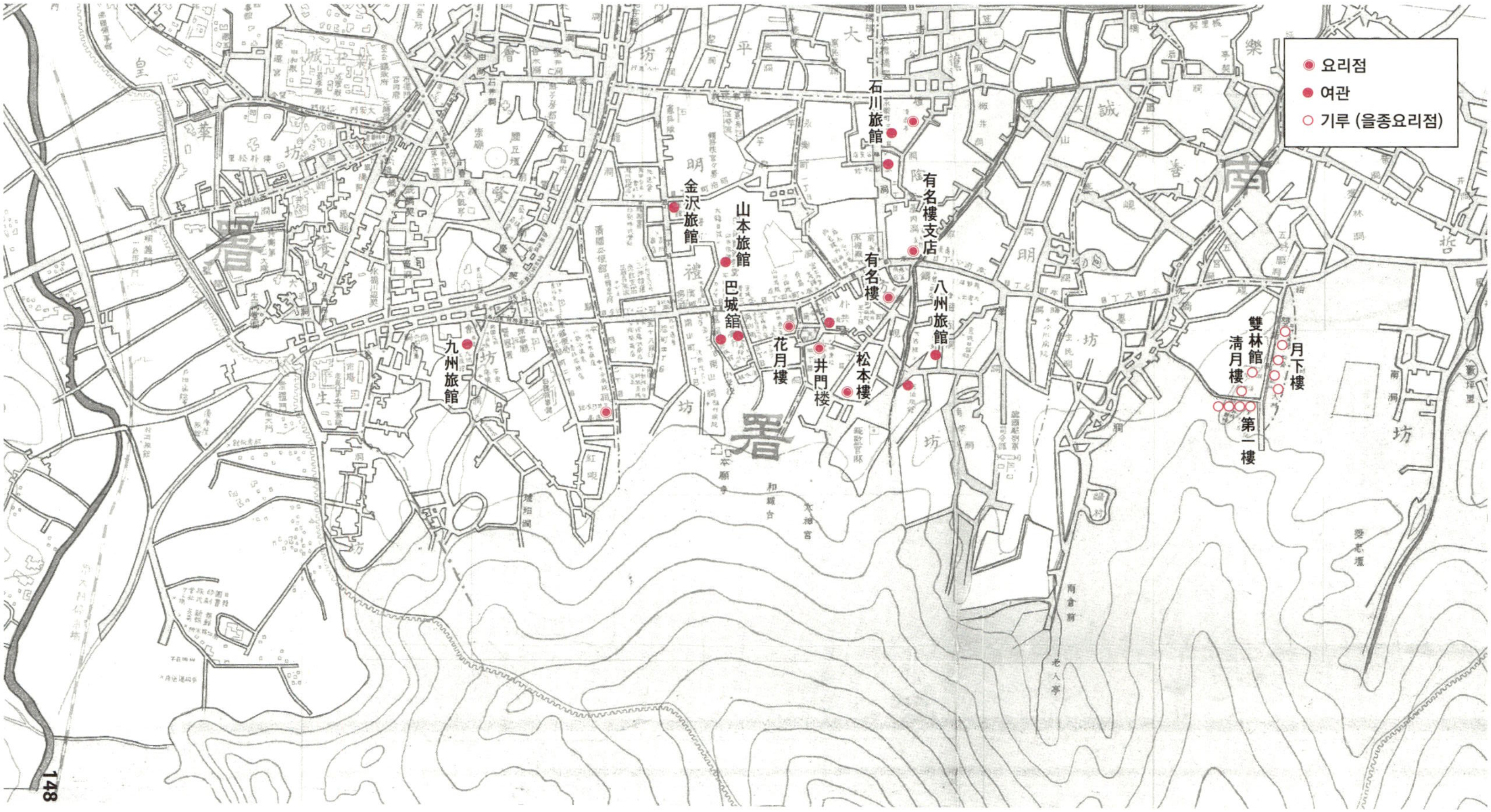

그림 12 거류지 내 유흥시설의 분포 (1907 최신경성전도에 표시)

천장절天長節은 가장 중요한 축일 중 하나였다. 거류지에서 천장절에 어떠한 행사를 했는지에 대해서는 자세히 알 수 없으나, 영사관, 거류민단 등의 주요 건물들의 낙성식을 천장절에 거행하였던 것으로 미루어 보아 거류지의 중요한 축하 행사를 천장절과 연관지어 시행하고 있음을 알 수 있다. 또한 황실 일원의 사망 시에는 거류지 내에서 3일 혹은 5일간 음주가무를 금하고 애도를 표하게 함으로써[62] 황실의 일이 곧 거류지의 도시 분위기를 주도하는 역할을 하고 있었음을 알 수 있다. 이는 메이지정부가 천황을 중심으로 한 강력한 전제 황권을 내세워 국가적 통일성을 추구하는 정부였기에 가능하였던 것으로 거류지도 예외는 아니었다.

[62]
1886년 1월 다루히토 친왕의 홍거시에는 영사관에서 포고를 내려 5일 동안 음주가무를 금하였으며, 1903년 아키히토 친왕의 홍거시에도 영사관에서는 3일간 음주가무를 금하였다.

한편 순국자들을 기리는 초혼제는 매해 5월경 왜성대 공원의 갑오기념비에서 행하여졌으며, 왜성대의 대신궁을 중심으로 신사 제례가 정기적으로 행해졌다. 또한 1905년에는 경부철도개통행사에서 사용되었던 노能무대를 왜성대공원에 이축하였다 하고 있어 이후에는 거류지의 주요 행사시에는 연극의 일종인 노能 역시 시행되었을 것임을 추정해볼 수 있다.

그림 13 경성신사제례의 신여(神輿)
(위치는 영사관 앞)

거류지에는 이후 일본인구락부가 들어서는 남산정南山町 3정목의 원형 공터가 있었으며 수정壽町 남쪽의 남산 언덕에는 군사 훈련을 하던 연병장[63]이 있었다. 이 원형 공터나 연병장은 거류지의 다양한 행사가 일어나는 다목적 공간으로 사

[63]
이 연병장은 1906년 이후에는 소학교 운동장이 되었다.

용되는 장소로, 당시의 여러 사진들에서 이 장소에서 러일전쟁 이후의 축하연 등이 벌어지는 모습을 볼 수 있다. 사진으로 미루어 보아 이 공간들에서 행사가 있을 때에는 큰 천막을 쳐서 햇빛을 가리기도 하였던 것으로 보인다.

그림 14 남산정 3정목 공터

그림 15 러일전쟁 이후의 축하연 장소

1910년 이전 거류지의 가장 큰 행사는 바로 1907년의 황태자 방문과 경성박람회의 개최였다. 1907년 10월 견학 차원에서 요시히토嘉仁 황태자가 한국 황실을 방문하였는데, 거류지에서는 한달 전인 9월부터 황태자가 지날 길인 어도御道를 수선하고 시내 장식을 하는 등 황태자 봉영奉迎 준비를 하였다. 황태자 봉영 준비는 크게 도로 정비와 대녹문大綠門(상록수 잎으로 감싼 아치문) 설치로 나누어 볼 수 있는데 우선 도로는 ①남대문 3정목 전차정류소-통감관저 ②일출소학교 사거리-의화궁 ③ 군사령부정문-본정 4정목까지의 도로를 대상으로 깨끗한 흰 모래로 포설하여 준비하였다. 이 구간을 지도에 표시해 보면 거류지의 중심도로인 본정 1정목에서 6정목까지의 도로가 모두 포함되며, 황태자의 숙소였던 통감관저로 향하는 길과 황태자가 한국 황실을 방문하러 가는 길인 의화궁까지의 도로, 그리고 사령부 정문에서 본정 6정목까지 올라가는 길을 포함하고 있음을 알 수 있다. 또한 남대문역에는 대녹문을, 장곡천정 입구, 그리고 소학교 정문에는 녹문을 설치하였는데 이 장소들을 지도에 표시해보면 대녹문의 경우에는 황태자가 한성부에 도착하는 장소에, 녹문의 경우에는 하얀 모래를 포설한 도로의 종점終點들에 위치함을 알 수 있다. 한편 일본인 거류민들 이외에도 친일 세력이었던 일진회에서 경운궁 앞과 남대문 앞에 황태자 환영 아치문을 세웠던 것을 당시의 사진을 통해 확인할 수 있다. 또한 도로를 따라 줄에 깃발을 매달아 장식하고 있었음을 알 수 있다.

줄에 깃발을 매다는 것은 당시 거류지 내에서 자주 사용하는 거리 장식이었다. [그림 21]의 1902년 본정 1정목 입구 사진에서도 볼 수 있듯이, 어떤 행사인지는 모르겠으나 우편국 옆에 늘어서 있는 일본인들과 한국인들의 모습으로 보아 무언가를 환영하기 위해 서 있는 것임을 추정해볼 수 있다. 일본 황태자 봉영시에는 각 단체별로 남대문정거장 플랫폼, 남대문역 앞, 거류민단사무실 앞, 일출정, 소학교 체조장 및 일출소학교문 앞 등 거류지의 각 곳에서 정열하여 황태자를 환영하였다. 사진에서 확인할 수는 없지만 각 집마다 환영 깃발 및 휘장, 헌등軒燈등으로 장식할 것을 장려하기도 하였다.[64]

[64]
경성발달사의 289~290쪽에는 당시 거류민단이 준비한 황태자 봉영준비 내용이 상세하게 나와 있다.

경성박람회는 1907년 9월 15일부터 11월 15일까지 약 두 달간 한일 협동으로 개최되었다. 이 박람회는 한성부에서 처음으로 개최되었던 박람회로 대동구락부 건물(지금의 을지로 1가)및 고치베巨智部 박사의 광물진열장과 그 부근 땅을 차입하여 각 진열관과 연예장 등으로 신축하여 박람회장으로 사용하였다. 이 박람회의 목적은 한국과 일본의 생산품과 공예품 등을 진열하여, 통상 무역의 발전을 꾀하고 한일 양국의 문화 교류 및 인적 교류를 활성화 하는 것을 목적으로 하는 것이었으

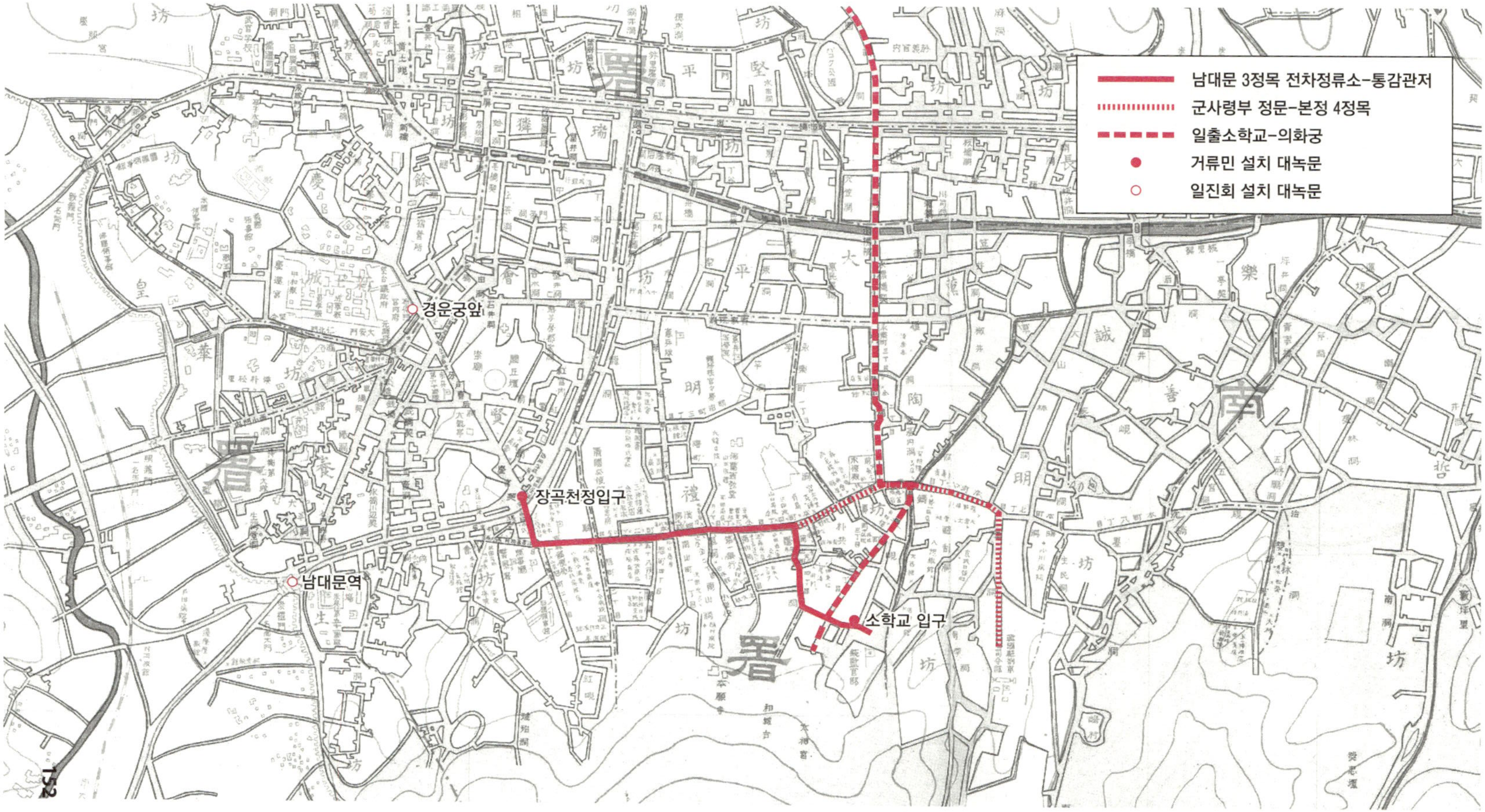

그림 16 1907 황태자 봉영 준비 (1907 최신경성전도에 표시)

그림 17 일진회에서 설치한 남대문 아치문

그림 18 일진회에서 설치한 남대문 아치문

그림 19 남대문역 앞 대녹문

그림 20 일진회서 설치한 경운궁 앞 아치문

그림 21 1902년 본정 1정목 입구

[65]
경서거류민단역소, 2010, 앞의 책, pp.285~288

나 실제로는 한국산 출품은 많지 않았고 대부분은 일본산 제품들이었다.[65]

그림 22 경성박람회장

그림 23 경성박람회장 뒤편

황성신문 1907년 9월 6일 기사인 '博覽會記'에서는 박람회장의 규모와 모습을 비교적 잘 묘사하고 있어 당시 상황에 대해 알 수 있는데 대략적인 내용을 정리해보면 다음과 같다.

경성박람회장 내에는 본관 및 1,2,3,4호관의 5개의 진열관과 연예관, 식물원, 그리고 한옥 사랑 1칸이 있었다. 그 규모는 5개의 진열관 규모만 572평에 이르렀으며, 박람회장 내에는 요리점도 곳곳에 설치되어 있었다고 한다. 그러나 다

표 11. 1907 경성박람회 각 동별 특징 및 진열품

	형태	규모	진열품
본관	대동구락부건물	203평	
1호관	장방형	45평	주류, 목재, 미곡, 과실, 광석 & 곡물에 유해충과 유익충
2호관	사각형	120평	간장, 과자, 화장품, 약품, 종이제품, 모피, 차
3호관	사각형	120평	오복, 絲류, 인형
4호관	장방형	84평	금속제품, 금고, 장신구, 指輪, 行李, 양산, 가구, 잉크, 필기구류, 가방
演藝院			주 3회 한국 기생과 삼패, 일본 기생의 가무 공연
식물원			뚝섬농업모범장에서 재배한 야채
한옥 사랑	1칸		문방사우 및 제반 房具

수의 요리점 중 하나만이 한국인 경영의 명월관에서 설치한 것이었으며 진열품 중에서도 겨우 122명의 한국인만이 출품하여 대부분의 진열품은 외국산으로 채워졌던 것을 알 수 있다.

일본은 경성박람회를 통해 명목상으로는 한국과 일본이 공동으로 박람회를 개최하여 산업을 진흥하고 무역을 활성화하고자한다고 하였지만, 실제적으로는 일본 상품의 우수성을 전시하고 한국을 개화시켜야 하는 당위성을 부여하고자 하였다. 1907년 10월 15일 대한매일신보에는 박람회장에 대한 소감을 담은 기사가 실려 있는데, 이 기사의 어조를 통해서도 박람회 개최에 담긴 일본의 의도를 읽어낼 수 있다.

"일본이 우리나라에 와서 개화도 잘 시키고 장사하는 법도 잘 가르치고 이 박람회에다가 두 나라 물건을 합하여 둠과 같이 두 나라 사람들의 마음도 합하고 힘도 합하고 일도 합하여 두 나라 장사도 흥왕하고 참 개화가 잘 되어 복됨이 있었을 것이어늘 지금인즉 박람회에 두 나라 물건이 한 가지로 한 자리에 놓인 것이 뜻 없는 것은 두 나라 물건은 같이 놓였으나 두 나라 사람의 마음은 같이 있지 못한 즉 두 나라 일과 장사와 복됨이 이루기가 매우 어렵겠도다."

한편, 박람회장에는 연예관이 설치되어 있어 한국 기생들과 삼패, 그리고 일본 기생들의 가무 공연이 열렸다. 이는 경성박람회가 갖는 연예적인 측면으로, 경성박람회는 상품의 전시와 공연 문화가 결합된 형태를 보여줬다. 특히 공연이 있을 때에는 수많은 사람들이 몰려 광장을 가득 채웠다는 기록[66]이 있어 관람 문화가 일본인들 뿐 아니라 한국인들에게도 유행하고 있음을 알 수 있다. 또한 9월 30일과 10월 10일은 부인전람회날[67]로, 11월 15일은 빈민만 입장하는 날[68]로 정하

[66]
황성신문 19070906

[67]
『再昨九月三十日은 豫期와 如흔 婦人博覽會인딕 上午七時假量에 砲聲一起흠이 各處 貴婦人이 其會式을 開흠으로 認定흐고 乘轎人과 徒步人이 蟻屯雲集흐야 爭先入場흐니 場內가 僅히 七千餘人을 納容흠이 於焉間에 場內가 充滿흐야 人肩相磨흠으로 一時入場券의 發賣를 禁止흐는 告示를 揭흐얏스나 容易히 制止치 못흐얏더라. 伊日 演舞臺上의셔 官妓의 宮中 舞樂과 日本藝妓의 舞樂이 替代供覽흐며 烟火을 爆揚흐며 軍樂을 迭奏흐나 人數가 稠疊흐야 其演舞를 觀光치 못흔 者ㅣ 十의 二三이더라. 該會에서 辯士 鄭雲復氏를 請흐야 各貴婦人에게 對흐야 博覽의 趣旨를 說明흠이 場內婦人덜이 無不傾聽흐야 新思想을 感發흐는 듯흐더라. 當日은 男子의 入覽을 不許흠은 各新聞에 已爲廣佈흐얏는딕 空然히 遊衣遊食흐는 輕薄子덜이 場門外에서 彷徨而立흐고 注目而望흐니 此는 惡少年의 行爲라 然흐나 旣히 入場흐는 權利가 無흔데 奈何오. 場內에셔는 日本飮食店을 多多히 準備흐얏스나 其揭示흠을 日文으로 用흔 故로 韓婦人이 解得치 못흐야 買食흐는 者ㅣ 無흐니 亦一可欠의 事이러라. 惟麥酒會社出店은 大韓國文으로 表記흠으로 店內가 頗히 繁盛흐며 且飮食店에서 蓄聲器를 懷置흠으로 各婦人의 贊賞을 快得흐더라』 –황성신문 1907.10.2 <婦人博覽景況>

[68]
황성신문 1907.11.14

여 박람회 관람에서 소외된 특정 사람들-여자와 빈민-을 그 대상으로 지정하기도 하였으며, 추첨권 행사[69] 등을 통해 박람회 분위기를 고조시키고 많은 사람들의 참여를 장려하였다.

[69]

『'○十一月十二, 十三 兩日(雨天則 順次延期)에 入場ᄒᆞ시ᄂᆞᆫ 人에게ᄂᆞᆫ 抽籤券을 贈與ᄒᆞᆷ(但 抽籤券은 一日에 一萬五千個ᄅᆞᆯ 限ᄒᆞ야 發行ᄒᆞᆷ) ○右兩日은 入場者 一人에게 觀覽券 二枚ᄅᆞᆯ 要ᄒᆞᆷ ○景品은 一等에 約一百圜이오 最低者ᄂᆞᆫ 五錢價値에 相當ᄒᆞᆫ 者인ᄃᆡ 空籤外에ᄂᆞᆫ 景品을 當日에 渡與ᄒᆞᆷ / 大抽籤 京城博覽會 ○十一月十四日(雨天則 順次延期)은 婦人觀覽을 擧行ᄒᆞᄂᆞᆫᄃᆡ 當日은 五千個ᄅᆞᆯ 限ᄒᆞ고 抽籤券을 贈與ᄒᆞᄂᆞᆫᄃᆡ 觀覽券 一人에 二枚ᄅᆞᆯ 要ᄒᆞᆷ ○景品은 一等에 約七十圜이오 最低者ᄂᆞᆫ 五錢價値에 相當ᄒᆞᆫ 者인ᄃᆡ 當籤치 아닌 者ᄂᆞᆫ 無ᄒᆞᆷ ○以上 抽籤日에ᄂᆞᆫ 銅峴通表門으로 入場케 ᄒᆞ고 裏門으로ᄂᆞᆫ 入場을 謝絶ᄒᆞᆷ』-황성신문 1907.11.10 광고

경성박람회는 일본인 거류민뿐 아니라 한성부의 한국인들에게도 의미있는 큰 행사였다. 그 규모나 성격에 있어 근대적 박람회라 부르기에는 부족한 부분들도 많으나, 상품 전시와 공연, 연예 문화가 결합되어 하나의 도시 행사로서 이루어진 점은 의미가 있다. 그러나 이 행사의 중심은 한성부가 아닌 일본인 거류지였으며, 실제로 그 수혜자도 일본 상인들이었다.

한성부의 '작은 일본', 진고개 혹은 本町

거류지 상업

거류지 상계의 성장

한성부의 일본인 거류지는 일본 상인들의 성장과 함께 발전하였으며 거류지의 중심 세력은 인천 등 기타 거류지와는 달리 상인계층이었다. 일본 상인들은 청국 상인 및 한국 상인들과 경쟁하면서 점차 그 세력을 키워 나갔고, 이들이 이루어낸 상업적 발전은 거류지가 팽창하고 발전하는 데에 크게 영향을 주었다.

한일 무역의 팽창

개항 이전 한일무역은 사대관계였던 한일양국의 관계상 일본의 대마도에서 조선에 조공朝貢을 보내는 공公무역과 객관인 왜관倭館[70]에서 일본인 상인들이 관리들의 감독 하에 개시開市하는 사私무역으로 이루어져 있었다. 조선 초 주요 수

[70]

왜관은 조선 초기부터 설치되었으나 1419년 쓰시마 정벌과 1592년의 임진왜란으로 인하여 두 차례 폐쇄되기도 하였다. 1607년 다시 국교가 재개되면서 왜관 역시 다시 설치되었다. 그러나 왜관 설치 초기에는 왜관을 통해 들어온 일본인들이 내륙으로 상경하거나 한양에 와서 동평관(東平館)에 머무르기도 하였던 임진왜란 이후에는 이는 전혀 허락되지 않아, 부산의 왜관(1678년 이후 초량왜관)을 통해서만 한일무역이 이루어질 수 있었다.

출품은 면, 모시, 삼베 등의 직조물과 인삼 등이었으며 수입품은 동, 유황, 차조기, 후추 등의 일본산과 동남아산 상품들이었다.[71] 그러나 17세기 이후에는 왜관을 통한 무역 이외에 민간 상인들을 통한 사私무역이 이루어지기도 하였다. 사무역을 주로 담당하였던 민간상인들은 동래상인들이었는데, 19세기에 들어서는 오히려 왜관을 통한 공식적인 무역보다 민간을 통한 사무역이 많아지는 현상을 보였다.[72]

개항 전인 1873~1875년의 경우 한일무역액은 약 12만원(수출, 수입 각 6만원) 규모의 수준으로, 비교적 평등한 관계에서 수출과 수입이 균형을 이루고 있었다. 주요 수출품은 쌀, 대두, 해태, 인삼 등이었으며 주요 수입품은 금속, 향료, 염료 등이었다. 그러나 1876년 불평등 조약인 강화도 조약[73]을 맺은 이후 한일무역액은 1875년 약 13만원 수준에서 1876년 16만원으로 증가하였고, 이후 1879년 약 120만원, 1880년 235만원, 1881년 382만원 규모로 급증하였다.〈표 12〉[74] 무역액의 급격한 증가뿐 아니라 무역 수출품과 수입품의 종류도 많이 달라졌다. 개항 후 주요 수출품은 미곡 및 금, 피혁, 두류豆類 등이었으며, 주요 수입품은 주로 셔츠지 및 한랭사 등의 직물과 구리銅를 포함한 금속제품과 염료, 식료품, 잡화 등이었다. 이는 조선 초중기 한일무역에서 주요 수출품은 면, 모시, 베 등의 직물이며 주요 수입품은 원료였던 상황과 반대인 상황으로, 즉 원료를 수출하고 직물 등의 공업생산품을 수출하는 양상이었다. 또한 수입품들의 대부분(약 80%이상)을 차지한 직물들의 경우 대부분 일본이 영국 등 유럽에서 수입한 것을 다시 한국에 수출하는 중계中繼무역의 성격을 띠고 있었다.〈표 13〉[75]

[71] 최성호, 1988, 『개항기 식민지화 과정에 있어서의 무역구조 연구』, 경남대학교 대학원, pp.21~23

[72] 안창현, 1986, 『우리나라의 근대무역형성과정에 관한 연구』, 부산산업대학교 대학원, p.36

[73] 강화도조약은 일본 화폐의 통용과 무관세무역 등의 불평등한 내용을 포함하고 있는 불평등 조약이었다.

[74] 현해용, 2002, 『1876년 朝鮮開港에 관한 經濟史的 考察』, 단국대학교, p.21

[75] 현해용, 2002, 앞의 책, p.22

표 12. 개항 전후 한일무역액

단위: 円

연도	대일수출	대일수입	계
1872	52,382	69,664	112,046
1873	55,935	57,522	113,457
1874	59,787	68,930	128,717
1875	82,572	81,374	163,946
1877.7~1878.6	119,538	228,554	348,092
1878.7~1878.12	154,707	142,618	297,325
1879	677,061	566,953	1,244,014
1880	1,882,657	1,944,731	3,827,388
1882.1~1882.6	897,225	742,562	1,639,787

출처: Conroy H. : The Japanese Seizure of Korea (1868~1919) A Study of Realism and Idealism in Internationale Relation, Pennsylvania University, 1959, p.457 – 1876년 朝鮮開港에 관한 經濟史的 考察, p.21 에서 재인용)

표 13. 일본 수입품과 서양산 수입품의 비율

단위: %

연도	일본제품	서양산 제품
1877	38.1	61.9
1878	20.6	79.4
1879	9.8	90.2
1880	11.9	88.1
1881	10.4	89.6
1882	6.4	93.6

출처: 大藏省 編, 日本商務省 譯, 韓國誌, 1905, p.p.112~114 (개항기 식민지화 과정에 있어서의 무역 구조 연구, p.32에서 재인용)

개항 이후 한국 내에서의 대외무역을 독점하다시피 했던 일본은 1882년 본격적으로 한반도 전역이 개시장開市場이 되고 서양 국가들과도 교역을 시작하게 됨에 따라 청국 등 기타 국가들과 경쟁하는 상황이 되었다. 특히 청국과 한국과의 무역액은 급격하게 늘어 1892년에는 일본과의 무역액과 거의 차이가 나지 않게 되었다.〈표 14〉 이는 임오군란 이후 청국 세력이 한반도 내에서 강화되었기 때문이며, 청국 상인들 역시 일본 상인들과 마찬가지로 서양산 수입품들의 중계무역이 가능했으며, 비단과 한약재같은 일본에는 없는 상품들을 보유하고 있기 때문이었다.[76] 또한 한국인들은 일본인들에 대해 적대적 감정을 가지고 있었기 때문에 일본인 상인보다 청국 상인을 선호하기도 하였다.

[76] 현해용, 2002, 앞의 책, p.23

표 14. 청국과 일본의 수입액 비교 (인천항)

단위: 달러

	청국		일본	
1885	242,680	25 %	726,760	75
1886	406,856	30	941,550	70
1887	641,340	44	827,113	56
1888	636,092	28	1,049,486	62
1889	729,037	34	1,113,647	66
1890	1,312,614	51	1,259,218	49
1891	1,738,044	55	1,426,463	45
1892	1,717,231	56	1,323,588	44

출처: 監川一太郎, 朝鮮通商事情 p.57 (개항기 식민지화 과정에 있어서의 무역 구조 연구, p.34에서 재인용)

그러나 1894~95년 청일전쟁 이후 청국 세력이 약화되고 일본의 세력이 강화되면서 대외무역에 있어서도 청국과의 무역이 차지하는 비중은 줄어들고 일본의 비중이 증가하였다. 이 시기 러시아와 미국을 비롯한 서양 열강의 상인들도 다수 대외무역에 본격적으로 진출하여, 1907년 이후에는 청, 일, 러시아를 제외한 기타 국가들과의 무역이 수입 부문에서 약 20% 이상 차지하는 양상을 보이기도 하나, 수출이나 수입 두 측면에서 모두 대일무역의 비중은 과반 이상, 전체 무역액의 60~70%를 차지하는 절대적인 위치를 점유하고 있었다.〈표 15〉 청일전쟁 이후 한일무역은 그 액수도 증가하였지만, 그 내용에 있어서도 이전 시기와는 다른 양상을 보였다. 청일전쟁 이

표 15. 나라별 수출입액과 비율

단위: 千圓

		일본		청국		러시아		기타	
1893	수입	1,949	50.2	1,906	49.1	25	0.7		
	수출	1,543	90.9	134	7.9	21	1.2		
1894	수입	3,647	62.5	2,065	35.4	120	2.1		
	수출	2,051	88.8	162	7.0	98	4.2		
1895	수입	5,839	72.2	2,120	26.2	130	1.6		
	수출	2,366	95.3	92	3.7	24	1.0		
1896	수입	4,294	65.8	2,159	33.0	78	1.2		
	수출	4,396	93.0	264	5.6	69	1.4		
1897	수입	6,432	63.9	3,536	35.1	100	1.0		
	수출	8,090	90.2	736	8.2	148	1.6		
1898	수입	6,777	57.4	4,929	41.7	111	0.9		
	수출	4,523	79.2	1,130	19.8	56	1.0		
1899	수입	6,658	65.1	3,471	33.9	98	1.0		
	수출	4,205	84.2	686	13.7	107	2.1		
1900	수입	8,241	75.3	2,582	23.6	117	1.1		
	수출	7,232	76.6	1,969	20.9	239	2.5		
1901	수입	9,052	61.6	5,618	38.2	27	0.2		
	수출	7,402	87.5	800	9.5	260	3.0		
1902	수입	8,689	64.2	4,832	35.7	20	0.1		
	수출	6,550	78.8	1,536	16.4	231	2.8		
1903	수입	11,555	63.4	5,359	29.4	127	0.7	1,178	6.5
	수출	7,600	80.2	1,549	16.3	329	3.5		
1904	수입	19,007	70.9	5.053	18.9	89	0.3	2,656	9.9
	수출	5,697	82.2	1,233	17.8	3		1	
1905	수입	23,562	73.7	5,945	18.1	102	0.3	2,351	7.4
	수출	5,390	78.1	1,501	21.8	12	0.1	1	
1906	수입	22,914	77.3	4,105	13.8	38	0.2	2,597	8.7
	수출	6,917	85.1	700	8.6	5011	6.1	15	0.2
1907	수입	27,649	66.0	4,456	10.8		0.4	9,606	23.2
	수출	12,649	76.7	3,180	19.3	658	4.0	11	
1908	수입	24,041	58.6	4,882	11.9	45	0.1	12,058	29.4
	수출	10.963	77.8	2,247	15.9	773	54	130	0.9
1909	수입	21,852	59.6	4,473	12.2	45	0.1	10,279	28.1
	수출	12,082	74.4	3,203	19.7	785	4.8	179	1.1
1910	수입	25,348	63.7	3,845	9.7	18		10,572	26.6
	수출	15,379	77.2	3,026	15.2	1,155	5.8	354	1.8

출처: 제3차 통감부 통계연표 및 1916년 조선총독부 통계연보 (개항기 식민지화 과정에 있어서의 무역 구조 연구, p.36에서 재인용)

전 일본으로부터의 수입은 대부분 서구산 상품들을 중계무역하는 것이었던 데 반해 청일전쟁 이후에는 점차 일본산 상품들의 비율이 증대되는 양상을 보였다. 이는 일본이 메이지 유신 이후 근대적 산업화에 노력을 기울여온 결과 면직물 및 기타 공장제품들을 생산하게 되었고, 따라서 이전의 서구산 제품들의 중계를 대신하여 일본산 제품들을 수출하게 된 것이다. 또한 일본 해운업의 발달 역시 한일무역의 증대에 큰 역할을 하였다.[77]

[77] 최성호, 1988, 앞의 글,

경성발달사에는 1887년부터의 한성부 거류 일본 상인들의 한일무역액이 나와 있어 좀 더 구체적으로 경성부에서의 무역상황을 살펴볼 수 있다.〈표 16〉

1887~1893년 사이 한일무역액 통계를 분석해보면, 다음과 같은 특징을 발견할 수 있다. 한성부 내 일본 상인들의 한일무역액은 1889년 70만원에 이르렀다가 1892년까지 지속적으로 감소세를 보였다. 이와 같은 현상은 몇 가지 측면에서 생각해 볼 수 있다. 먼저 전체적인 한일무역과 연관이 있는 것으로, 앞서 설명한 바와 같이 일본의 주요 수입품이었던 옥양목이나 한랭사와 같은 수입품을 점차 청국으로부터 수입하게 되면서 일본과의 무역이 감소하게 된 것이다.[78] 특히 이 기간 일본산 수입액뿐 아니라 수출액 역시 줄어드는 경향을 보이는데, 일본산 수입액이 줄어든 것은 이전까지 일본산 수입의 대부분을 차지하고 있던 구리 수입이 상평통보常平通寶 주조의 중지에 따라 급감하였기 때문이었다. 또한 1893년 이후에는 한국정부가 선철로 화폐를 주조하기 시작함으로써 구리 수입은 자연히 더 줄어들게 되었다. 수출액이 줄어든 이유는 일본으로의 과도한 미곡 수출로 인하여 한국 내 식량부족 사태가 발

[78] 통상휘찬 4호 (1894.05.10.)

표 16. 전체 한일무역액과 한성부 한일무역액

단위: 천원

<table>
<tr><th rowspan="3">연도</th><th colspan="3">전체 한일무역액</th><th colspan="5">한성부 한일무역액</th></tr>
<tr><th rowspan="2">수입</th><th rowspan="2">수출</th><th rowspan="2">총액</th><th colspan="3">수입</th><th rowspan="2">수출</th><th rowspan="2">총액</th></tr>
<tr><th>일본산 수입</th><th>서양산 수입</th><th>조선산 수입</th></tr>
<tr><td>1887</td><td>2,080</td><td>1,960</td><td>4,040</td><td></td><td></td><td></td><td></td><td>250
(10개월간)</td></tr>
<tr><td>1888</td><td>2,196</td><td>1,810</td><td>4,006</td><td></td><td></td><td></td><td></td><td>(556)</td></tr>
<tr><td>1889</td><td>2,299</td><td>1,730</td><td>4,029</td><td>203</td><td>245</td><td></td><td>253</td><td>701(702)</td></tr>
<tr><td>1890</td><td>3,086</td><td>3,750</td><td>6,836</td><td>149</td><td>237</td><td></td><td>92</td><td>478(490)</td></tr>
<tr><td>1891</td><td>3,226</td><td>3,492</td><td>6,718</td><td colspan="3">(320)</td><td>(30)</td><td>(353)</td></tr>
<tr><td>1892</td><td>2,542</td><td>2,637</td><td>5,179</td><td colspan="3">(168)</td><td>(10)</td><td>178</td></tr>
<tr><td>1893</td><td>1,949</td><td>1,543</td><td>3,492</td><td colspan="3">(187)</td><td>(45)</td><td>231</td></tr>
<tr><td>1894</td><td>3,647</td><td>2,051</td><td>5,698</td><td>245</td><td>327</td><td>58</td><td>108</td><td>738</td></tr>
<tr><td>1895</td><td>5,839</td><td>2,366</td><td>8,205</td><td colspan="3">(602)</td><td>108</td><td>710</td></tr>
<tr><td>1896</td><td>4,294</td><td>4,396</td><td>8,690</td><td>255</td><td>202</td><td>58</td><td>108</td><td>623</td></tr>
<tr><td>1897</td><td>6,432</td><td>8,090</td><td>14,522</td><td>358</td><td>117</td><td>29</td><td>116</td><td>620</td></tr>
<tr><td>1898</td><td>6,777</td><td>4,523</td><td>11,300</td><td>416</td><td>73</td><td>82</td><td>61</td><td>632</td></tr>
<tr><td>1899</td><td>6,658</td><td>4,205</td><td>10,863</td><td>465</td><td>81</td><td>63</td><td>609</td><td>1,218</td></tr>
<tr><td>1901</td><td>8,241</td><td>7,232</td><td>15,473</td><td>774</td><td>169</td><td>30</td><td>849</td><td>1,822</td></tr>
<tr><td>1902</td><td>9,052</td><td>7,402</td><td>16,454</td><td>721</td><td>449</td><td>30</td><td>2533</td><td>3,733</td></tr>
<tr><td>1903</td><td>11,555</td><td>7,600</td><td>19,155</td><td></td><td></td><td></td><td></td><td></td></tr>
<tr><td>1904</td><td>19,007</td><td>5,697</td><td>24,704</td><td colspan="3">8656</td><td>1902</td><td>10,558</td></tr>
<tr><td>1905</td><td>23,562</td><td>5,390</td><td>28,952</td><td colspan="3">10273</td><td>2068</td><td>12,341</td></tr>
<tr><td>1906</td><td>22,914</td><td>6,917</td><td>29,831</td><td colspan="3">16425</td><td>3365</td><td>19,790</td></tr>
<tr><td>1907</td><td>27,649</td><td>12,649</td><td>40,298</td><td></td><td></td><td></td><td></td><td></td></tr>
<tr><td>1908</td><td>24,041</td><td>10,963</td><td>35,004</td><td></td><td></td><td></td><td></td><td></td></tr>
<tr><td>1909</td><td>21,852</td><td>12,082</td><td>33,934</td><td></td><td></td><td></td><td></td><td></td></tr>
<tr><td>1910</td><td>25,348</td><td>15,379</td><td>40,727</td><td></td><td></td><td></td><td></td><td></td></tr>
</table>

1. 1887~1892년까지의 한일무역총액에 관한 데이터는 오두환, 한국개항기의 화폐제도 및 유통에 관한 연구에서 발췌, 재구성 하였다.
2. 1893~1910년까지의 한일무역총액에 관한 데이터는 개항기 식민지화 과정에 있어서의 무역구조 연구에서 발췌, 재구성하였다. (원 자료 출처: 제 3차 통감부통계연보 및 1916년 조선총독부통계연보)
3. 1887~1906년까지의 한성부 일본 상인들의 한일무역액에 관한 데이터는 경성발달사의 내용을 참조하였다. 단, 수입과 수출의 총합액과 (경성발달사에 기록된) 총무역액 사이에 오차가 있는 경우, 총합액을 기록하였다.
4. 한성부 한일무역액 중 ( ) 안의 내용은 통상휘찬에서 인용한 것이다. (통상휘찬 4호 1894년 5월 10일 / 통상휘찬 52호 1895년 11월 2일)

생하자 1889년 조선정부에서 방곡령防穀令을 실시함에 따른 것이었다.

그러나 일본 측의 반대로 1894년 이후 방곡령은 해제되었고, 청일전쟁 이후 한일무역액은 전체적으로 증가하였다. 청일전쟁 직후인 1896년에는 전체 무역액이 크게 증가하지는 않았으나 1897년 이후 급증하는 것을 볼 수 있다. 그러나 한성부의 경우 오히려 1898년까지는 전쟁 이전과 거의 비슷하거나 혹은 약간 줄어드는 양상을 보이는데 이에 대해서 경성발달사에서는 1895년의 여러 가지 정치 사회적 상황, 즉 단발령과 을미사변 이후의 국상國喪 등으로 인해 소비 심리가 위축되었으며, 1895년 5월 시모노세키 조약 이후 전쟁시 한성부를 떠났던 청국 상인 약 3천여 명이 다시 한성부로 돌아와 그 빈자리를 차지했었던 일본 상인들의 상권을 회수하였기 때문이라 설명하고 있다.[79]

[79] 경성거류민단역소, 2010, 앞의 책, pp.364~367

1899년 이후 한일무역액은 급증하기 시작하였다. 1898년 63만원에 불과하였던 총무역액은 1899년 128만 6천여 원으로 2배 이상 증가하였는데, 서양산 수입액의 감소와 수출액의 급증이 특히 눈에 두드러지는 특징이다. 이는 바로 이 해에 금괴 수출이 시작되었기 때문이다. 1899년 이전 금괴 수출은 대부분 청국 상인들이 독점하고 있었는데 1899년 이후 제일은행에서 금괴를 매입하기 시작하며 60만 9천여 원 정도의 금괴를 수출하였다. 1899년의 총 수출액이 64만 3,138원이었음을 고려해볼 때 금괴 수출액이 전체 수출액에서 차지하는 비중은 매우 높았음을 알 수 있다. 1899년 총수출액은 전년도인 1898년의 6만여 원에 비해 약 10배 정도로 증가하였으며, 전체 한일무역액 역시 1898년에 비해 2배 정도가 증가하였다. 즉, 금괴 수출이 한일무역에 미친 영향은 매우 크다고 할 수 있다. 한일무역액의 증가 뿐 아니라 한일무역의 성격 역시 크게 변화하였다. 수입에 있어서는 1894년까지 일본산 수입보다 서양산 수입이 더 많았으나, 1896년에는 거의 비슷한 액수가 되었고 1897년부터는 일본산 수입액이 외국산 수입액을 훨씬 능가하기 시작하였다. 1898년, 1899년에는 일본산 수입액이 각각 46만여 원, 77만여 원인데 반해 서양산 수입액은 11만여 원, 7만여 원으로 줄어드는 것을 볼 수 있다. 이는 한국인의 수요 변화와 연관이 있는 것으로서 1898년 경성발달사의 기록에 의하면 1895~96년까지 주요 수입품이던 염색비단, 명주, 양사 등은 감소하고 일본산 옥양목, 다시마, 소다, 면, 약종 등이 증가하였으며 또한 삼합사, 염색비단, 서양우산, 견, 명주, 편물, 밀감, 귀금속류, 유리 등도 역시 판매가 증가하였다. 1899년 일본으로부터의 수입품은 1.방적사 2.석유 3.명태 4.일본산 옥양목 5.궐련 6.성냥 7.도기 8.목면 9.소다 10.다시마 11.양지 12.면의 순이었다.[80] 이는 앞서 설명한 바와 같이 영국산 직조물의 수입이 줄어들고 일본산 방적사 및 옥양목 등의 수입이 늘어났으며, 한편 성냥, 궐련, 도기, 소다 등의 일본 잡화들에 대한 한국인들의 수요가 늘어났기 때문이다.

[80]
경성거류민단역소, 2010, 앞의 책, p.379

이후 한일무역에 있어 두드러지게 성장세가 보이는 건 러일전쟁이 있었던 1904년 이후이다. 1904년 한성부 한일무역 총액은 1,000만원 규모로 성장하였는데, 이는 2년 전인 1902년에 비해 약 3배가 증가한 것이었다. 또한 이 액수는 한국 전체의 한일 무역 총액 2,470원의 약 43%에 해당하는 금액으로 전체 한일무역에서 한성부가 차지하는 비중 역시도 매우 높아졌다고 볼 수 있다. 수출액과 수입액의 격차 역시 크게 벌어져 1904년 이후 수출액이 수입액의 약 20% 이하까지 떨어지는 양상을 보인다. 이는 러일전쟁의 승리로 인해 일본이 한반도 내에서 패권을 가지게 됨으로, 한국의 대외 무역을 일본이 독점하게 되었고, 일본의 정치적 세력의 강화에 힘입어 일본인 상인들의 세력도 크게 확장되었기 때문이다. 한편, 한성부의 한일무역액의 비중이 늘어난 것은 철도교통의 발전으로 인한 것이었다. 1899년 경인선 개통에 이어 1905년 경부선, 1906년 경의선이 개통되자 한성부는 한반도 교통의 중심이 되었고, 이는 곧 한성부 상계의 발전을 가져왔다. 실제로 1899년 경인철도의 개통 이후

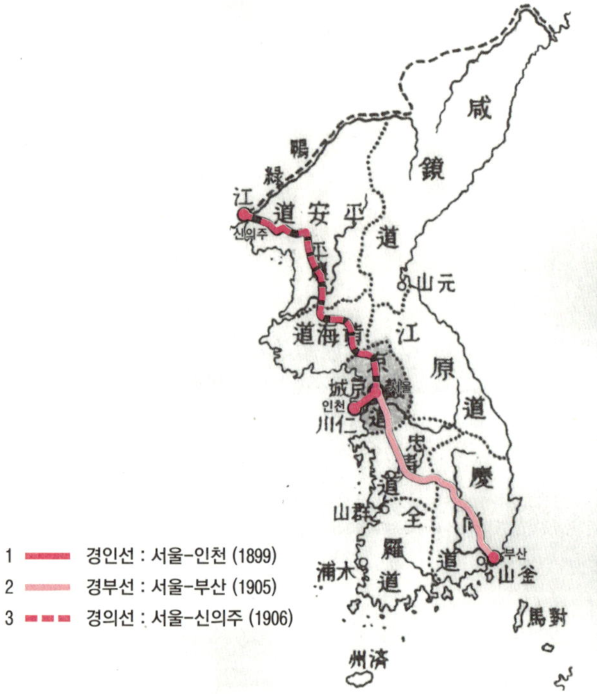

「신정분도대한제국지도新訂分道大韓帝國地圖」의 부분
서울역사박물관 소장

그림 24 근대 초기 철도 노선도

한성부의 한일무역액은 전년 632,000원에서 1,218,000원으로 약 2배 증가하였으며, 1905년 경부철도의 개통 이후에도 무역액이 12,341,000원에서 19,790,000원으로 약 1.5배 증가하였다.[81] 1906년의 경우 전체 무역액(29,831,000원)의 약 66%를 차지하여 한성부 무역이 전체 한일무역에서 큰 비중을 차지함을 알 수 있다. 이는 1898년까지 한성부 무역액이 전체 무역액의 10% 이하밖에 차지하지 못하였던 것과 비교하여 매우 큰 차이를 보이는 것으로 철도 교통의 발전으로 인해 한일무역에서 한성부가 매우 큰 비중을 차지하게 된 것을 보여준다.

[81] 〈표 16〉 전체 한일무역액과 한성부 한일무역액 참조 (p.161)

일본 상계商界의 성장

어용상인인 오쿠라구미大倉組, 교도구미協同組가 1882년 한성부에 처음 들어오고, 1885년 거류지가 본격적으로 시작됨에 따라 점차 일반 상인들의 입경도 크게 늘어났다. 1887년에는 양판물 상점 10호, 약종상 5호, 잡화상 10여호, 과자상 10호, 전당포質商 10호가 생겨 한국인을 상대로 영업하기도 하였다[82]고 전해지고 있으나 청일전쟁 이전까지 일본 상인들은 주로 일본인 거류민들에게 일용품을 공급하기 위한 수준에 지나지 않았던 것으로 보인다. 1893년 5월 19일 통상휘찬 4호 '京城商況年報'에는 다음과 같은 보고가 있어 당시의 상황을 잘 보여준다.

[82] 경성거류민단역소, 2010, 앞의 책

"在留 本邦人ノ戶數は255戶ナルモ貿易商ト稱セラルト者3戶內2戶ハ雜貨店ヲ承子之ニ次デ洋反物商8戶雜貨店52戶基內洋反物商4戶雜貨店24戶ヲ除クノ外多クハ在留日本人に向テ日用品ヲ供給スルニ過ギズ而シテ技業者24戶,旅宿,料理店,食料店ノ類15戶ノ多ニキ達セリ其他ハ質屋,菓子屋,乃至勞動者ノ類ヲ多シトス基在留者ノ,,," (중략)

즉, 1893년 현재 한성부 내 일본 상인은 무역상 3호, 양품점 8호, 잡화점 52호에 지나지 않는데, 그마저도 양품점 4호, 잡화점 24호를 제하고는 대부분 일본인 거류민에 대해 일용품을 공급하는 데에 지나지 않는다는 것이다. 이는 청국 상인에 비해 매우 미미한 것으로서 청국 상인과의 경쟁에서 뒤처져있었던 일본 상인들의 위치를 보여준다. 1893년 이전에 개업한 것으로 알려져 있는 일본인 상점들은 제일은행을 제외하고는 대부분 개인이 거류지 내에 설립한 무역상이나 잡화상에 지나지 않았으며 그 위치도 대부분 거류지 내에 한정되어 있는 경향을 보였다.〈표 17〉

표 17. 개업시기별(1886~1894) 상점현황

개업년도	업종	상호	지명	정목	출신
1886	무역상	와다(和田)상점	남대문로	3	오이타
1887	오복상	야마구치(山口)오복점	본정	3	가고시마
1889	무역상	세키(關)상점	본정	5	
1890	시계상	기지마(木島)시계점	본정	4	오사카
1892	시계상	고바야시(小林)시계점	본정	2	
1894	요리점	기쿠스이로(菊翠樓)	남산정	3	

그러나 청일전쟁을 전후로 일본 상인들의 수가 크게 증가하였으며, 남대문로로의 진출 역시 본격화됨에 따라 한성부 내에서 일본 상인들의 세력도 커져 갔다. 또한 일본인 상인들의 영업종수도 다양화되고 거류 일본인을 상대로 하는 것 뿐 아니라 한국인들을 상대로 하는 상점들도 크게 늘어났다. 1893년 처음 남대문로에 진출한 일본 상인들은 1895년에는 이미 40여 호의 상점을 내었으며 남대문로 뿐 아니라 종로 및 정동 등에도 진출하기 시작하였다. 통상휘찬 1896년 7월 6일의 《28年中京城商況年報》에서는 본정도로와 남대문 사이의 라동, 명동, 란동, 낙동, 장동, 금동[83] 등의 도로변은 대부분 일본인의 소유가 되었음을 보고하고 있어 일본 상인들이 청일전쟁을 전후로 하여 매우 빠르게 한성부 남부일대에 진출하였음을 알 수 있다.

[83] 일본식 지명으로는 욱정, 남산정, 명치정 일대 이다.

《28年中京城商況年報》(29年7月6日付在京城領事館報告)[84]

…基開店區域も漸次膨脹從來唯泥峴の一地方に蟄居せし本邦商人は鐘路貞洞附近に進出し南大門通りの始き一昨年々末迄は本邦商店僅に兩三軒のみなりしが昨年々末には殆ど四十戶になり終に泥峴より南大門通りに到る羅洞,明洞,蘭洞,駱洞,長洞,金洞 等通路の兩側は殆ど全く本邦人の所有に屬するに到れり從て同地附近地所家屋の價格は一時非常に騰貴し….(중략)

[84] 통상휘찬 52호 (1896.11.2.)

청일전쟁을 전후로 등장한 한국인을 대상으로 하는 상점들 중 대표적인 것은 잡화무역상인 가메야龜屋상점과 츠지야辻屋, 메이지야明治屋, 도기상인 도우에이陶榮상점, 철물점인 구기모토釘本상점, 아사타淺田양복점, 서양가구상인 마스다增田상점, 모리야스森安상점 등이 있었다. 가메야, 츠지야, 메이지야의 경우 도쿄에 본점이 있는 해운을 통해 직접 잡화들을 수입하여 한성부에 공급하는 역할을 하였다. 잡화상들은 이전에도 거류지 내에서 가장 많은 수를 차지하고 있었지만, 청일전쟁 이후 도쿄에 있는 무역상들의 진출로 인해 대규모화 되는 경향을 보였다. 또한 거류민의 증가와 한국인들의 수요 증가에 따라 도기상, 서양가구상, 철물점 등이 다수 등장하고 있음을 볼 수 있다. 모리야스상점과 같은 경우는 원래는 1894년 개업한 잡화상이었는데, 시대의 변화에 따라 서양가구상으로 전업하기도 하였다.[85]

[86]
川端源太郞, 1995, 앞의 책, p.186

표 18. 개업시기별(1895~1904) 상점현황

개업년도	업종	상호	지명	정목	출신
1895	은행	주식회사 백삼십 은행지점	본정	1	오사카
1895	인력거업	이토우구미(伊藤組)	본정	4	
1895	철물점	구기모토(釘本)상점	본정	5	사가
1895	도기상	도우에이(陶榮)상점	본정	2	
1896	잡화상	가메야(亀屋)	본정	4	도쿄
1896	양복상	아사타(淺田)양복점	광화문통	광화문통	
1896	서양가구상	마쓰다(增田)상점	본정	3	
1899	철물점	사노(佐野)상점	본정	2	미에
1900	서양가구상	모리야스(森安)상점	본정	3	
1902	잡화상	메이지야(明治屋)경성지점	본정	3	요코하마
1903	오복상	엔죠우지(圓城)오복점	본정	3	江州 (시가현)

1896년~1899년 동안 발간된 독립신문과 1898년부터 발간되기 시작한 황성신문에는 일본 상점들의 광고가 자주 실

렸다. 이는 이 시기 일본 상인들의 한국인 상대 영업이 크게 늘었음을 의미하는 것이며 광고의 내용을 통해 한국인을 대상으로 하는 상품의 종류에 대해 알 수 있다. 특히 이 시기 광고에서 자주 등장하는 것은 과자, 우유, 커피, 담배 등의 기호품들과 맥주, 청주 등의 주류, 그리고 성냥, 석탄, 석유 등의 수입품들이다. 또한 사진관이나 식목사 등의 광고 등도 나타남으로써 새로운 물품들뿐 아니라 새로운 서비스 역시 등장하고 있었음을 알 수 있다. 당시 일본인 거류지 상계의 대표적인 상점인 츠지야辻屋와 가메야龜屋상점의 경우 처음에는 정동에 위치하였다가 이후 본정으로 이전하였는데, 이는 청일전쟁 직후까지 한국인 뿐 아니라 서양인을 대상으로 하던 일본 상인들이 남대문로로의 상권 확장과 일본인 거류민의 증가 등으로 인해 일본 상권의 중심 지역으로 이동하였을 것이라 추정해 볼 수 있다. 광화문 앞에 있었던 아사타淺田양복점의 경우 조선 황실에 양복을 독점적으로 공급하는 등 일본 상인의 상업 활동이 점차 한성부의 중심부로 진출하는 것을 확인할 수 있다.[86]

[86] 川端源太郎, 1995, 앞의 책, p.190

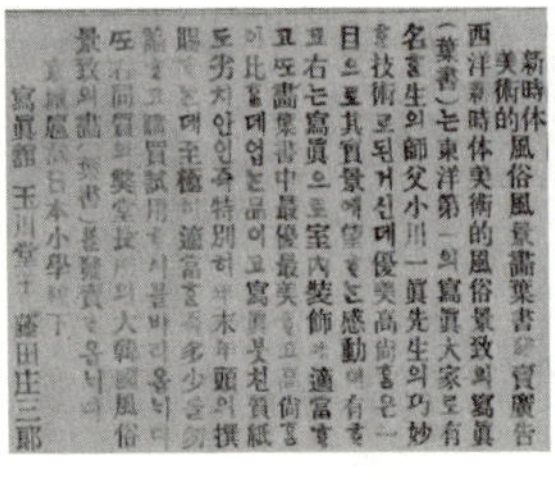

옥천당 사진관 광고(황성신문 1901. 12. 06)

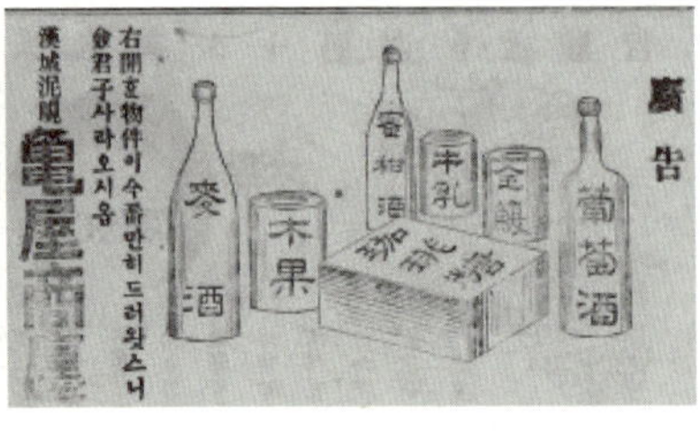

가메양 상점 광고(황성신문 1901. 06. 19)

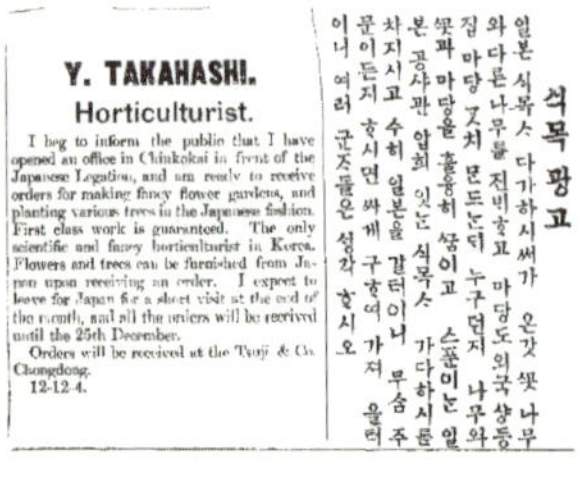

다카하시 식목사 광고(독립신문 1896. 12. 12)

그림 25 한국어신문에 실린 일본 상점들의 광고

러일전쟁 이후 한국 내 일본 세력이 강화되고 한일 무역이 크게 팽창함에 따라 일본 상인 역시 크게 성장하였다. 청일전쟁 이후 무역상, 잡화점 등이 중심이었던 거류지 상업계에는 1904년 이후 합자회사, 보험회사, 오복상 등 대규모 상업회사와 상점들이 등장하였으며, 연초제조공장 및 가구공장 등 공장제 생산업 역시 등장하였다. 또한 대형 무역상과 오복점의 등장 및 골동품상, 주류상 등의 다양한 업종의 등장으로 거류지 상점들은 더욱 대형화·전문화·다양화되는 경향을 보였다.

표 19. 개업시기별(1904~1910) 상점 현황

개업년도	업종	상호	지명	정목	출신
1904	골동품상	콘도우(近藤骨董店)골종상	본정	3	
1905	은행	주식회사18은행지점	남대문로	번외	나가사키
1905	무역상	오오하시(大橋)상점	본정	8	
1905	오복상	주식회사 미츠코시(三越)오복점 지점	본정	2	도쿄
1905	연초제조업	히로에(廣江)상회	장곡천정	2	
1906	재목상	호리우치(堀內)상점	고시정		히로시마
1907	금융업	경성십우(十友)주식회사	영락정	2	
1907	교통및운수업	나이코쿠(內國)통운 주식회사 지점	남대문역앞	남대문역앞	도쿄
1907	잡화상	아오기토우(青木堂)	본정	1	도쿄
1907	잡화상	쇼세키(篠崎)상점	본정	1	
1907	주류상	야마무라(山邑)주점	명치정	1	고베
1908	연초제조업	동아연초 주식회사 지점	명치정		
1909	은행	한국은행	본정	3	
1909	보험업	동양생명 보험회사 지점	종로앞		도쿄
1909	요리점	쇼쿠도우라쿠(食道樂)	일출정		

은행, 합자회사, 보험회사 등 금융관련 회사들의 등장과 성장은 일본 상인들의 영역이 물품과 서비스를 제공하는 것을 넘어서 본격적인 경제적 침탈이 시작되었음을 의미한다. 한성부 내에만 제일은행第一銀行(1888년 설치), 58은행五八銀行(1895년 설치) 이외에도 130은행白三十銀行, 18은행十八銀行, 한국은행韓國銀行 등이 설립되었는데, 특히 1909년 설립된 한국은행의 경우 이전에 제일은행이 하던 한국의 중앙은행으로서의 기능을 하

게 되어 지폐발행권을 가지고 있었다.[87] 한국은행은 한국정부의 중앙은행 설립을 반대하던 일본이 통감부 체제 하에서 한국정부의 재정자금을 대규모로 동원하여 설립하였던 것으로, 경영에 있어서는 한국인을 전면 배제하는 모습을 보였다.[88] 또한 거류지 내 주요 상인 10명이 1907년 공동으로 조직한 경성십우합자회사京城十友合資會社는 상품과 부동산 매매 및 동산 부동산의 담보대부 영업을 주로 하는 대형 회사였다.[89] 또한 동양척식주식회사東洋拓植株式會社를 비롯한 토사권업합자회사土左勸業合資會社, 대한권농주식회사大韓勸農株式會社 등 척식회사의 설립은 일본이 한국을 경제적으로 식민지화 하는 과정에서 나타나는 현상이었다. 통감부는 농상공부의 회사설립 인허가에 적극적으로 관여하였으며, 일본인들의 한국 내 회사설립절차를 간소화하는 한편 보조금 지급 등의 특권을 부과함으로써 일본인들의 회사설립을 적극적으로 지원하였다.[90] 거류지 내 상업활동으로 자본을 축적한 일본인 상인들은 그 자본금을 기초로 하여 통감부의 지원 하에 금융회사 등을 설립하게 되었던 것이다. 이처럼 이 시기 금융관련 및 척식회사 등의 활발한 설립은 1905년 화폐정리사업을 통해 한인 자본이 몰락하고, 1906년 통감부 설치 이후 통감부와 이사청이 일본인들의 회사설립을 적극적으로 지원함으로써 가능해진 것이었다.

또한 연초제조소, 가구공장 등 제조업 역시 발전하였다. 1909년 11월 한성부에 제조소를 설치한 동아연초주식회사(경성 지점 설치는 명치 31년, 1898년의 일)에는 약 천여 명의 직공이 있었는데 이들 중 다수는 조선인 자녀로서 양반 유생도 많았다고 하며,[91] 1904년 창업한 히로에廣江상회의 경우에도 약 천여 명의 직공, 그 중 다수는 한국인인 대형 제조소였다.[92] 모리야스森安상점과 같은 서양 가구상의 경우에도 1910년 약 백여 명의

[87] 川端源太郎 , 1995, 앞의 책, p.212

[88] 전우용, 2012, 앞의 책, pp.232~233

[89] 川端源太郎, 1995, 앞의 책, p.484

[90] 전우용, 2012, 앞의 책, pp.225~226

[91] 川端源太郎, 1995, 앞의 책, p.438

[92] 川端源太郎, 1995, 앞의 책, p.478

[93] 川端源太郎, 1995, 앞의 책, p.456

직공을 거느리는 등[93] 거류지 내에 다수의 직공을 보유한 제조소들이 나타나고 있음을 알 수 있다. 이는 거류지 상업이 더 이상 일본이나 서양으로부터 물건을 수입하여 한국에 유통시키는 것에 머무르지 않고 직접 제조·생산하여 판매까지 하게 되었음을 의미한다. 이 것이 가능해진 것 역시 화폐정리사업 이후의 일본인 자본의 성장과 통감부 설치 이후 일본인 회사 설립이 용이해짐에 더해 일본인들의 한성부에 대한 인식 자체가 더 이상 잠시 머무르는 곳이 아닌 영구적 거주지, 혹은 자신들의 식민지로 변화함에 따른 것이다.

거류지 상인들과 상업회의소

일본 상인들의 유형별 특징

일정한 거류구역과 상업구역이 정해지지 않았던 한성부 거류지의 상황상 일본 상인들은 한성부 내에서 청국 상인과 한국 상인들과 경쟁을 하면서 점차 성장해 나갔다. 거류 초기 일본인 거류민들과 한국인을 상대로 개인적으로 영업을 하던 소매상들은 거류지가 점차 확장·발전됨에 따라 거류지의 발전을 주도하는 중심 세력이 되었다. 즉, 한성부 내 거류지 발전에는 관이나 회사 등에서 일하는 유력 인사들이 아닌 오랜 시간 거류지에서 상업활동을 하던 상인들의 역할이 컸다고 할 수 있다. 1897년 경성부사에는 거류지 주요 상점들의 목록이 실려 있어 당시 거류지 내 상업 현황과 상인들의 출신지에 대해서 알 수 있다. 먼저 무역상이나 대형 잡화상(선박으로 수입하는 잡화를 파는 상점)의 경우 도쿄나 오사카 등 대도시에 본점이 있고 그 지점이 거류지에 설치된 것이 대부분이었다. 제일은행, 츠지야辻屋를 비롯한 도쿄 출신의 7개의 상점의 경우 총 5개가 도쿄에 본점이 있는 지점이었으며, 2개만이 한성부에 개인이 설치한 무역상 및 잡화상이었다. 58국립은행 등 10개소의 출신지인 오사카의 경우, 키시마시계점木島平兵衛 1개소와 잡화점 2개소를 제외하고는 모두 오사카에 혹은 한성부 이외의 다른 지역에 본점을 둔 지점이었다. 그 외 다수를 차지하는 출신지는 나가사키 5, 오이타 4, 가고시마 4, 야마구치 4, 효고 3 등 일본의 서남부지역으로 이들이 경영하는 상점들은 대부분 개인이 한성부에 설치한 상점들이었다. 특히 야마구치 출신의 상점들의 경우 여관 및 토목인부, 재목상 등 숙박이나 건축관련 업종에 집중되어 있는 특징을 보인다.

이처럼 청일전쟁 이전까지는 주로 일본의 남서부인 오이타나 가고시마, 야마구치 등에서 한성부에 개인적으로 온 거류민들이 자신들의 생활을 위해 상점을 설치하고 영업을 시작하였던 것이었으나, 청일전쟁 이후에는 도쿄나 오사카 등의 대형 상점들이 한성부에 지점들을 설치하는 등 그 성격이 변화하였다. 러일전쟁 이후에는 도쿄나 오사카, 나가사키 등과 같은 일본 대도시의 금융회사나 통운회사 등 역시 본격적으로 진출하였으며 거류지 상업도 대형화되고 전문화되는 경향을 보였다. 또한 일본 상인들의 출신지도 점차 대도시 출신 비율이 높아졌다.

1885년 이후 한성부에 들어온 일본 상인들은 그 성격에 따라 네 가지 유형으로 분류할 수 있다.[94] 첫 번째는 초기의 어용상인들과 같이 관이나 군대를 상대로 영업을 하던 경우, 두 번째는 일본 내 본점의 지점이 설치됨에 따라 한성부에서 영업을 하게 된 경우, 세 번째로 일본 내에서 전문 경력을 쌓고 그 것을 바탕으로 한국으로 건너와 개업한 경우, 그리고 마지막으로 어

[94]
전우용은 '일제하 서울 남촌 상가의 형성과 변천'에서 일본 상인의 유형을 '정상형(政商型)', '자수성가형', '분리독립형', '포괄형'의 4가지로 분류하고 있다.-전우용, 2003, "일제하 서울 남촌 상가의 형성과 변천", 『서울남촌』, pp.173~205, 서울시립대학교 부설 서울학연구소, pp.188~189

표 20. 1897년 출신지별 상업현황

지역	본사	영업종	상호명	위치(1936년 주소)
가고시마		양품점	후치카미(淵上)상점	본정 2정목 84번지 부근
가고시마		양품점	이케다(池田安之助)	
가고시마		잡화점	야마구치(山口太兵衛)	본정 2정목 17번지
가고시마		잡화점	이와이다(度田利吉)	본정 2정목 86번지 부근
교토		무역상	무카이야마(向山)	본정 2정목 83번지
구마모토		매약상	삿사(佐々正之)	남대문통 3정목 조선은행 앞
군마현		잡화점	마쓰모토(松本武平)	남대문통 3정목 38번지
나가사키		양품점	히라오카(平岡演次郎)	본정 2정목 17번지
나가사키		잡화점	마쓰나가(松永遠一郎)	본정 2정목 10번지 부근
나가사키		잡화점	나가사토(長理德右衛門)	일출정 24번지
나가사키		오복점	오노(小野瀧三郎)	본정 2정목 79번지
나가사키		잡화점	모모타(百田態吉)	본정 2정목 10번지
도쿄		무역	후쿠다(當田鈴吉)	남산정 3정목 13번지
도쿄	츠지야(辻屋) 상점	船來잡화	경성 츠지야(辻屋)지점	본정 2정목 61번지/100번지→1정목 28번지
도쿄	가메야(龜屋) 상점	船來잡화	경성 가메야(龜屋)지점	본정 2정목 8번지
도쿄		잡화점	오오시마(大島專藏)	광화문통 187번지 부근
도쿄		잡화점	다무라(田村)지점	
도쿄	아라이(新井) 상점	오복점	아라이(新井)지점	본정 2정목 32번지
도쿄	제일국립은행	은행	제일국립은행 경성출장소	본정 2정목 92번지
사가현		주조장	야미시키(山崎豊太郎)	명치정 1정목 54번지
사가현		무역상	하다시마(旗嶋)상점	본정 2정목 80번지
사이타마		여관	동경관	본정 3정목 26번지 부근
야마구치		여관	파성관(巴筬館)	본정 2정목 93번지
야마구치		여관	이츠카와(市川石動)	영락정 2정목 15번지 부근
야마구치		토목인부	미요시(三好堂之助)	원정 4정목
야마구치		材木	세토(世登彌作)	본정 2정목 30번지
오사카	이오이기요(五百井淸) 상점	무역상	경성 이오이기요(五百井淸) 지점	남대문통 3정목 91번지 부근
오사카	기타니(木谷) 상점	무역상	경성 기타니(木谷) 지점	남대문통 3정목 87번지
오사카	고쿠라(小倉) 상점	무역상	경성 고쿠라(小倉) 지점	본정 1정목 36번지
오사카	이오이나가(五百井長) 상점	무역상	경성 이오이나가(五百井長) 지점	본정 2정목 89번지 부근
오사카		시계점	기지마(木島平兵衛)	본정 2정목 92번지
오사카		잡화, 양품점	오사카토우(大阪堂) 지점	본정 2정목 33번지
오사카		잡화점	기무라(木材建夫)	본정 2정목 11번지
오사카		잡화점	사콘(左近倉太郎)	본정 1정목 42번지
오사카		한잡화	마루쿠라(丸庫) 지점	본정 2정목 12번지
오사카	제58국립은행	은행	제58국립은행 경성지점	본정 1정목 47번지→41번지
오이타	와다(和田駿人)	무역상	동맹(同盟)회사	본정 2정목 43번지 부근→ 남대문통 2정목 25번지
오이타		무역상	히로이케(廣池久太郎)	본정 2정목 81번지
오이타	와다(和田常一)	양품점	와다(和田) 상점	본정 2정목 14번지
오이타		잡화점	이와시타(岩下彌助)	본정 2정목 91번지
효고		시계상	오라이(織居加一)	본정 1정목 45번지
효고		잡화점	이데(井出)상점	남대문통 3정목 조선은행 앞
효고현		잡화점	츠보타(坪田又藏)	남대문통 3정목 조선은행 앞
후쿠오카		양품점	나카무라(中村再造)	본정 2정목 12번지

떠한 기술이나 경험을 가지지 않은 채 맨 몸으로 한국으로 건너와 개업한 경우 등의 네 가지 유형으로 나누어 볼 수 있다.

첫 번째 유형은 초기 거류지에 등장하였던 교도구미, 오쿠라구미 등과 같은 어용상인들 및 관 및 군대의 용달업무를 주로 하며 한성부 거류지 내에서 점차 상권을 확장해 나간 상인들이다. 대표적인 상점으로는 1889년 개업한 무역상 겸 전당포인 세키상점關商店과 운반 및 인력거 업을 하던 이토구미伊藤組, 그리고 잡화상 이케다상점池田商店, 문방구 및 측량기구를 판매하던 쇼세키상점篠崎商店 등을 들 수 있다. 세키상점의 점주인 세키 한타로의 경우 거류지 내에서 독자적인 영업을 하다가 청일전쟁 당시 군대 용달을 하게 되었으며,[95] 이토구미의 점주인 이토추 토모마츠伊藤忠友松의 경우 청일전쟁 당시 군에 소속되어 한성부에 들어왔다가 전쟁 이후 인력거업을 시작하였는데, 당시 영사관 및 공사관 업무를 담당함으로써 그 세력을 키웠다. 특히 이토추 토모마츠의 경우 폭력청부업까지 수행하였다.[96] 이케다 상점의 경우에는 박래舶來잡화점이었는데, 관공의 용달업무를 겸한 경우였으며,[97] 쇼사키 상점의 경우에는 대한제국 궁내부의 용달을 독점하고 있었다.[98] 즉, 이들은 기본적으로는 무역상, 잡화상, 인력거업 등의 상점의 업무를 하는 데에 일본 영사관 및 공사관, 군대, 그리고 대한제국 정부 부처의 어용御用을 담당함으로써 큰 이득을 취하고 있었던 상인들이다.

두 번째 유형은 도쿄나 오사카 등의 대도시에 있는 본점에서 한성부에 지점을 설치하며 지점장으로서 한성부에 온 경우이다. 청일전쟁을 전후하여 설치된 츠지야와 가메야를 시작으로, 1900년대 한성부 거류지에 등장한 미츠코시三越 오복

[95] 川端源太郎 編, 앞의 책, 1995, p.454

[96] 이토구미는 영국인이 경영하던 은산금광에 대해 폭민이 불온한 조짐을 보이자 당시 야마자 공사관서기관을 통해 보호요청을 받고 수백명의 인부를 거느리고 그 요청에 응하였으며, 불란서인이 경영하는 강원도 모금광 채굴 때나 온양온천 획득 시에도 유사한 임무를 수행하였다. 이 것에 근거하여 전우용은 "일제하 서울 남촌 상가의 형성과 변천"에서 이토구미같은 경우는 폭력청부업까지 겸하고 있으므로 다른 어용상인들과는 구별하여 분류하고 있다.-전우용, 2003, 앞의 글, p.189

[97] 川端源太郎 編, 1995, 앞의 책, p.466

[98] 전우용, 2003, 앞의 글, p.188

점, 메이지야明治屋, 아오키토우青木堂, 야마무라山邑주점, 호리우치堀內상점 등과 같은 상점들은 모두 일본 대도시 상점들의 지점이었다. 먼저 1902년 개업한 잡화상 메이지야의 경우에는 요코하마 혼마치에 본점을 두고 있었으며, 1905년 개업한 미츠코시 오복점의 경우 먼저 도쿄의 본점에서 직원을 한성부에 파견하여 현지를 시찰한 연후 지점을 창설하였다. 미츠코시 오복점은 이후 미츠코시 백화점으로 성장하여 경성 상업계에 중요한 역할을 하게 되었다. 미츠코시 오복점의 지점장 柄擇正三나 회계주임 요코야마橫山辰藏는 모두 게이오의숙慶應義塾[99] 출신의 수재들이었다.[100] 야마무라주점은 약 200여 년 전 창업한 나라야마무라灘山邑 본점에서 한성부에 지점을 낸 것으로서 지점장은 오랜시간 본점에서 근무하였던 하마다濱田萬次郎이었다. 미츠코시 오복점이나 야마무라山邑주점의 경영인들의 경우, 전문학교에서 교육을 받거나 일본의 본점에서 경력을 쌓으며 경험을 쌓은 이들이라는 점에서 특별한 의미를 가진다. 아오키토우의 경우에는 본점은 도쿄에 있었으며 프랑스 및 영국 및 홋카이도 회사들의 판매대리점 역할까지 겸하였다. 대재목상인 호리우치상점의 경우 히로시마시 본점에서 경성에 개설한 것으로, 러일전쟁 후 한성부와 용산의 각종 공사를 담당하면서 크게 성장하였다.[101] 일본에 본점을 두고 한성부에 지점을 개설한 경우의 상인들은 미츠코시 오복점의 예에서 보듯이 보다 전문적이고 경험이 많은 사람들이었다. 이들은 1900년 이후 주로 등장하였으며 러일전쟁 이후 본격적으로 등장하였으며 대규모 상점을 경영하는 경우가 많았다.

[99] 원문에는 應應義塾이라 되어 있으나, 慶應義塾의 오기일 것으로 판단된다.

[100] 川端源太郎, 1995, 앞의 책, p.447

[101] 川端源太郎, 1995, 앞의 책, p.471

세 번째 유형은 일본 내에서의 경험을 바탕으로 한국에 와서 개업한 유형이다. 대표적인 상인은 히로에廣江상회의 점주인 히로에廣江澤次郎로서, 일본에서 전매법의 시행 이전부터

나고야에서 궐련 제조업을 하였으나 정부에서 전매법을 시행함에 따라 한국으로 건너와 연초제조업을 시작하였다.[102] 오오하시大橋상점의 점주인 오오하시大橋清三郎는 1905년 고등상업학교를 졸업한 후 한성부로 왔는데, 재학시절 남청북청 및 한국의 각지를 돌아보고 조모포鳥毛布의 개발 특허를 얻는 등의 경험을 가지고 있는 사람이었다. 한성부에 온 이후에는 일한연초상회에서 일을 하다가 안동에 연초제조업을 개시하기도 하였으나 폐업하고, 오오하시상점을 개업하여 흑연수출 및 정미업, 감옥작업품의 청부, 작잠, 상묘의 매입, 기타 신탄판매 및 전당포 영업까지 하였다.[103] 이 둘의 경우에는 전문적인 지식이나 기술 등을 가지고 있었다는 점에서 두 번째 유형과 유사한 성향을 보이나 일본에 본점을 두고 지점을 설치한 것이 아니라 자력으로 한성부에서 개업을 하였다는 점에서 차이를 가진다.

[102] 川端源太郎, 1995, 앞의 책, p.478

[103] 川端源太郎, 1995, 앞의 책, p.454

마지막으로 맨 몸으로 한성부에 와서 자력으로 사업을 개척하여 거류지 주요 상인으로 성장한 유형이 있다. 이 유형 역시 첫 번째 유형과 마찬가지로 거류 초창기에 많이 등장한 유형인데, 특히 한성부 일본인 거류지의 경우 거류 초기에는 불안정한 정세로 인하여 대규모 회사 등의 진출은 거의 없었으며 주로 개별로 영업을 하는 소규모 상업이 발전하였기 때문에 초기에는 어용상인과 이 유형의 상인들이 주를 이루었다. 1886년 개업한 와다和田상점, 1887년 개업한 야마구치山口오복점의 경우 모두 이 유형에 속한다고 할 수 있는데, 이들은 모두 거류지가 아직 불안정하였을 시기에 본정 일대에 상점을 개업하고 조선인을 대상으로 일상 잡화를 중심으로 영업을 하였다. 특히 이 두 상점의 점주인 와다和田常一市와 야마구치山口太兵衛의 경우 상업회의소 및 거류민단의 중책을 담당하는 거류지의 주요 인물이었다. 그 외에도 1894년 14살의 나이로 한국에 건너와서 장년이 되자 잡화상인 후지토미藤富상점을 개업한 후지토미藤富國太郎, 1895년 맨 주먹으로 한성부에 와서 철물점 구기모토釘本상점을 개업한 구기모토釘本藤次郎, 불황이었던 1899년 한성부로 들어와 철물점인 사노佐野상점을 개업한 사노佐野彦藏 등이 이 유형의 상인들이었다. 구기모토와 사노의 경우에도 상업회의소 및 거류민단의 중책을 담당하며 거류지의 중심세력으로 성장하였다. 특히 이 유형의 상인들의 경우 일본에서는 크게 세력을 가지지 못한 사람들이었으나 한성부로 와서 자력으로 개업을 하고 거류민들과 조선인들을 상대로 영업을 하면서 거류지 내에 정착하여, 거류지 중심세력으로 성장한다는 점에서 특징적이다.

상업회의소

일본인 거류민들은 1887년 자치행정기구인 거류민단을 조직한 데 이어 거류지 내 일본인의 상업 단속 및 한일무역에 관한 모든 이해득실을 협의하고, 무역에 관한 것에 대해 영사와의 교섭을 목적으로 상업회의소를 조직하였다. 한성부 상업회의소는 1887년 야나기柳武貞, 나카무라中村再造, 이치카와市川石動 등의 발기로 기획된 것으로, 2월 20일 거류지내 상인들이 연서하여 상업의회 인가를 영사대리에게 신청하고, 2월 23일 영사로부터 설립을 인가받았다. 설립 초기 22개조의 규칙을 만들고 10명의 의원을 정하고 회장 1명, 부회장 및 회계 1명, 상황조사위원 1명, 서기 1명의 임원을 구성하여 같은 해 3월 30일에 우노宇野德太郎의 가옥에서 상업의회를 개업하였다. 1890년에는 위원을 15명으로 늘렸으며, 1892년에는 거류민단에서 분리하여 경성상업회의소로 개칭하고 재경성일본인상업회의소조례를 제정하였다.

상업회의소의 주요 활동을 그 성격별로 나눠보면 다음과 같다. 먼저 상업회의소는 조선정부나 조선상인으로부터 일본인 거류민의 상업 활동을 보호하는 역할을 하였다. 1893년의 방곡령 철폐 요구, 1895년의 육의전 불법과세 철폐 요구, 그리고 1903년 조선정부의 제일은행권 통용 금지를 취소 요구하는 등의 상업회의소의 활동은 모두 일본인 상인들의 권익을 보호하기 위한 것이었다.

두 번째로 상업회의소는 경부철도사업, 경인철도사업, 전차부설 등의 사업에 적극적으로 참여하고 상품진열소를 설치(1898)하는 한편, 영사 및 공사에 백동화 문제(1901,1902), 육지세관 및 보세창고 부지 차용(1905), 통감부와 소속 관리들의 무관세 통관 철폐 등의 문제를 적극적으로 건의함으로써 거류지 상업 발전에 도움이 되도록 하였다. 거류지 상업 발전을 위해 상업회의소가 시행한 구체적인 활동 내역은 〈표 21〉과 같다.

표 21. 상업회의소의 주요 활동

연도	주요 활동
1898	상품진열소 설치
1899	경인철도의 마지막 정거장을 노량진으로 연장토록 교섭
1900	경부선철도 조기완공에 대한 청원서 제출 경인선철도 운임료 인하방안 건의
1903	경인선철도 화물수송 지연에 관해 건의
1904	전화증설 건의
1905	육지세관설치건 공사관과 협의 보세창고부지 차용건 경부철도회사와 교섭 백동화교환소 설치
1909	동현-남대문-본정5정목 입구까지 전차부설 건의

한성부 상업회의소는 한반도 내 타지역 상업회의소들과 연합하여 거류지 상인들의 상권 보호 및 은행, 세금, 교통,

토지 등에 대한 문제들에 대한 결의안을 제출하였으며 시모노세키, 오사카 등의 일본 내 상업회의소들과의 협조를 통해 한일무역을 증진할 수 있도록 하였다.

거류지 상업시설의 분포

경성부사에 실려 있는 1897년 주요 상점에 대한 기록과 1910년에 발간된 단행본인『京城と內地人』의 거류지 내 주요 상점들에 대한 상세한 기록, 그리고 발행연도를 분명히 알 수 없지만 1906년~1909년 사이에 발간된 것으로 추정되는『京城府之卷』에 실려 있는 사진과 설명을 통해 일본인 거류지 내 상업시설들의 현황에 대해 살펴볼 수 있으며 1907년 최신경성전도와 1910년 경성시가도를 통해 그 위치를 확인해볼 수 있다. 또한 독립신문, 황성신문을 비롯한 다양한 신문 매체들을 통하여서도 상점들의 위치를 일부 파악해 볼 수 있다.

지역적 분포

1897년의 경성부사 기록에서 소개된 상점들은 대부분 본정에 위치하였으며, 본정 이외에는 남대문로와 명치정明治町(명동) 및 기타 일본인 거류지역인 남산정南山町(라동), 일출정日出町, 영락정永樂町(죽동) 등에 위치하였다. 당시 일본인 거류지가 아닌 지역에는 유일하게 잡화점 하나가 광화문통에 있었다.

1910년의 경우 본정에 전체 233개의 상점 중 105개소가 위치하여 본정 일대가 명실 공히 일본인 거류지의 중심임을 알 수 있다. 특히 본정 중에서도 본정 3~5 정목, 즉 거류지가 처음 시작했었던 수정壽町(주동) 일대의 북쪽, 즉 명동성당 남쪽 지역인 현재의 충무로 2가 지역은 일본인 상점들이 집중적으로 모여 있는 장소임을 알 수 있다. 본정 외에는 1893년부터 진출을 시작한 남대문로과, 본정과 남대문로 사이의 북쪽 일대인 명치정, 그리고 남쪽 일대인 남산정과 욱정旭町(장동) 등에 다수의 상점이 분포하고 있어, 일본 상점들의 확산을 알 수 있다. 특히 1910년 기록에서는 남대문로 5가 일대의 어성정御成町과 소공동 일대인 장곡천정長谷川町에도 다수의 일본인 상점들이 분포하고 있음을 알 수 있어서, 일본인 상점들이 본정 일대와 남대문로 일대를 벗어나 점차 남쪽과 서쪽으로 진출하고 있음을 알 수 있다. 종로에도 일본인 소유의 2개소가 있으나 이 둘은 하나는 경성와사회사京城瓦斯株式會社(전신은 한성전기회사)와 동양생명보험회사東洋生命保険株式會社지점이므로 거류지 내 일반 상점들과는 다른 성격의 회사들이었다.

표 22. 1897년과 1910년의 지역별 상점 분포

지명	본정	남대문로	명치정	남산정	욱정	어성정	장곡천정	수정	영락정	일출정	광화문통	기타	총합
1897	31	6	2	1	-	-	-	-	1	1	1	3	46
1910	105	25	21	11	11	10	7	6	5	1	2	29	233

남대문로는 원래 한성부의 중심 상업 도로였으며, 거류지 외부 지역의 일본인 상업시설의 분포는 산발적인 것이었으므로 거류지 내부의 주요 상업도로라 볼 수 있는 것은 동서로 뻗은 본정 도로와 명치정 도로, 그리고 본정 도로에서 남북으로 뻗은 남산정, 욱정, 일출정, 영락정 도로 등이었다.

업종별 분포

일본인 거류지에는 다양한 종류의 상점들이 분포하였다. 이 중 가장 많은 수를 차지한 것은 무역상과 잡화점이었으

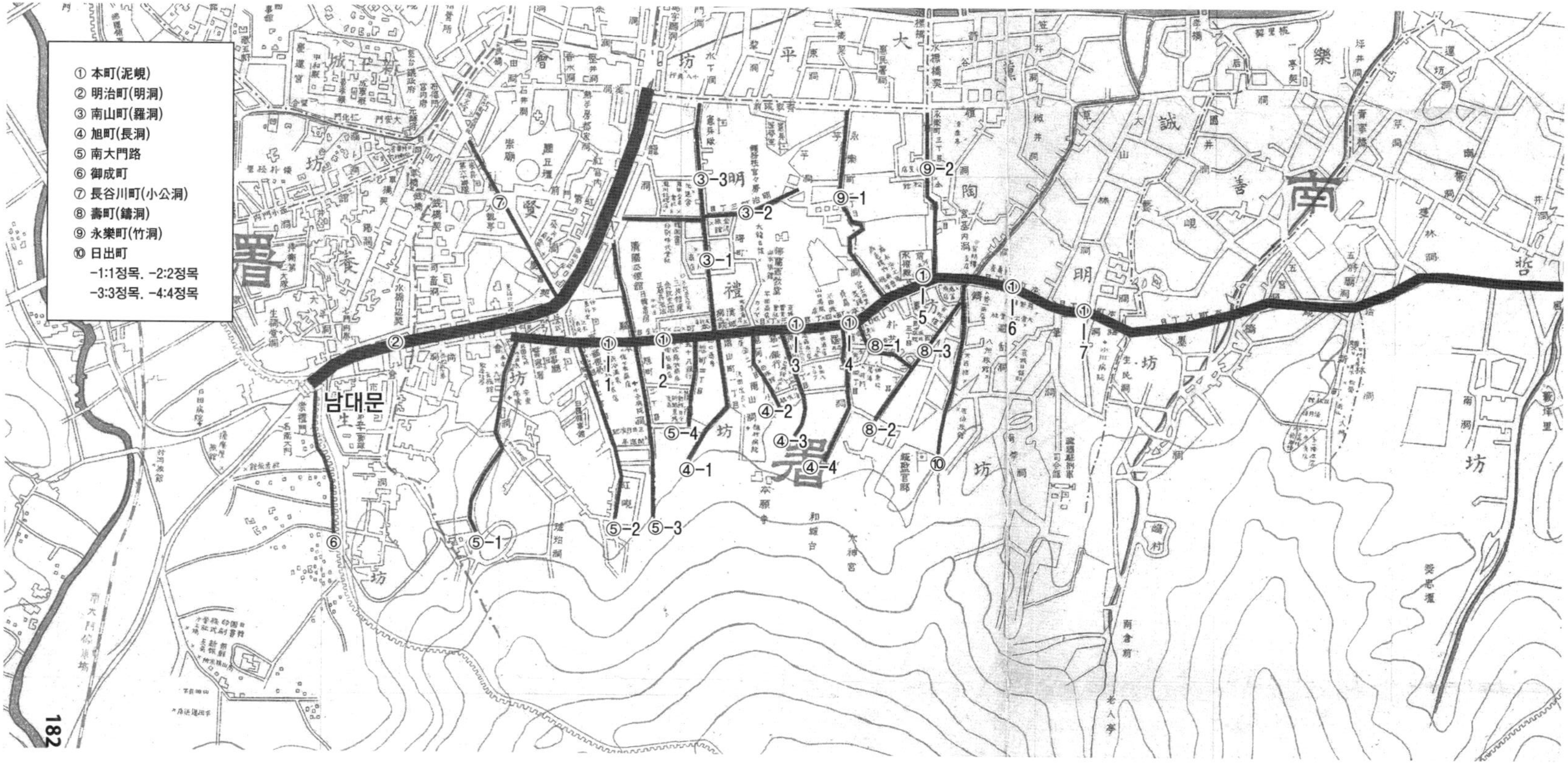

그림 26 일본인 거류지의 주요상업도로 (1907 최신경성전도에 표시)

며, 그 외에는 의류, 식료품 등과 같은 생활용품 중심의 소매상들이 주를 이루었다. 1897년 경성부사에서는 총 47개의 상점들이 소개되었는데, 그 중 대부분은 은행과 무역상, 오복점과 잡화점이었다. 특히 무역상과 오복상이 전체의 절반 이상인 26개가 존재함을 알 수 있다. 그 외에는 양품점과 시계상, 그리고 주류상酒類商, 약, 토목노동자仲仕가 소수 있었다.

1910년의 기록인『京城と内地人』에는 총 37종의 영업종별로 상점들이 소개되고 있는데, 이를 좀 더 포괄적으로 분류해보면 1.금융관련 2.교통 및 운수 3.무역 및 잡화 4.의류 및 장신구 5.식료품 및 기타 6. 건축 및 자재 7.생활용품 및 기타 로 나누어 볼 수 있다. 금융관련은 금융업, 은행, 보험업뿐만 아니라 척식업, 전당포 및 대가업貸家業까지 포함하였다. 전당포, 대가업은 그 성격이 일반적인 금융업과는 다르지만 상품의 거래가 아닌 재화의 거래라는 측면에서 포함시켰다. 교통 및 운수업은 1894년 청일전쟁 당시 처음으로 도입된 인력거업과 기타 교통 및 운수, 용달업을 포함한다. 거류지 초기부터 가장 중요한 위치를 차지하였던 무역 및 잡화상은 그 성격의 유사함을 고려하여 무역, 오복, 잡화를 하나의 대분류로 분류하였으며 양복, 양화, 양품, 라사, 시계 등 서양 의류 및 장신구 관련 업종 역시 하나의 대분류로 분류하였다. 다음으로는 미곡과 과자, 설탕, 우유 등의 식료품들과 기호식품인 술과 담배, 그리고 약을 하나의 대분류로 그리고 건축 및 자재 관련을 하나의 대분류로 분류함으로써 거류지 내 상점들을 의依, 식食, 주住 관련 업종들로 나누어 분류하고자 하였다. 그리고 마지막으로 기타 생활용품 및 사진, 인쇄 등의 서비스 업종들을 하나로 분류하였다. 이렇게 분류해본 결과 금융관련은 총 27개소, 교통 및 운수는 16개소, 무역 및 잡화는 53개소, 의류 및 장신구는 25개소, 식료품 및 기타는 41개소, 건축 및 자재는 38개소, 생활용품 및 기타는 33개소가 존재하였음을 알 수 있다. 이 결과를 1897년과 비교해 보면 금융 및 교통, 건축 등의 업종이 다수 증가하였음을 알 수 있으나, 여전히 거류지 상업의 다수를 차지하고 있는 것은 무역 및 잡화, 의류 및 식료품 등 임을 확인할 수 있다.

표 23. 1897년과 1910년 업종별 상점 현황

영업종	금융	교통, 운수	무역, 잡화	양품, 양화 등	식료품 등	건축, 자재	생활용품, 기타	총합
1897	2	-	28	7	2	2	5	46
1910	27	16	53	25	41	38	33	105

거류지 내 상업시설들의 영업종별 지역 분포를 살펴보면 금융관련 업종의 경우 남대문로와 본정에 주로 분포하고 있으며, 교통, 운수 관련은 명치정과 본정에, 무역·잡화, 의류·장신구의 경우 60~70%, 식료품 및 일상생활용품의 경우 40% 이상이 본정 지역에 집중 분포하고 있음을 알 수 있다. 그러나 건축관련 업종의 경우 본정 이외에도 고시정, 욱정, 남대문로, 남산정 등 다소 고르게 분포하고 있음을 알 수 있다. 일본인 상점들은 그 성격별로 거류지의 특정지역에 집중하는 경향을 보였는데, 그 중 대표적인 것은 본정도로로, 이 지역에는 각종 무역, 오복, 잡화상 및 의류, 식료를 비롯한 생활용품 상점들이 집중되어 일본식 상업가로를 형성하고 있었다.

거류지 중심 상업가로인 본정도로의 경우 거류 초기부터 본정 3~5정목,즉 거류지가 처음 시작했었던 수정 일대의 북쪽이며 명동성당 남쪽 지역인 현재의 충무로 2가 지역에 일

표 24. 1910년 업종별 지역적 분포현황

대분류	지명	개수	비율(%)
금융관련	남대문로	6	22.22
	본정	6	22.22
	명치정	3	11.11
	남산정	2	7.41
	욱정	2	7.41
	대화정	1	3.70
	미창정	1	3.70
	曙町	1	3.70
	수정	1	3.70
	신정	1	3.70
	영락정	1	3.70
	장곡천정	1	3.70
	종로앞	1	3.70
총합		27	100
교통·운수	명치정	4	25.00
	본정	3	18.75
	御成町	2	12.50
	욱정	2	12.50
	남대문역앞	1	6.25
	曙町	1	6.25
	영락정	1	6.25
	종로앞	1	6.25
	태평정	1	6.25
총합		16	100
무역·잡화	본정	41	77.36
	남대문로	6	11.32
	명치정	2	3.77
	御成町	2	3.77
	태평정	1	1.89
	황금정	1	1.89
총합		53	100
의류·장신구	본정	16	64.00
	광화문통	2	8.00
	남대문로	2	8.00
	장곡천정	2	8.00
	대한문앞	1	4.00
	명치정	1	4.00
	御成町	1	4.00
총합		25	100
식료품·기타	본정	17	41.46
	남대문로	4	9.76
	명치정	4	9.76
	남산정	3	7.32
	고시정	2	4.88
	대화정	2	4.88
	봉래정	2	4.88
	수정	2	4.88
	御成町	2	4.88
	서대문외	1	2.44
	욱정	1	2.44
	장곡천정	1	2.44
총합		41	100
건축·자재	본정	7	18.42
	고시정	5	13.16
	욱정	5	13.16
	남대문로	4	10.53
	남산정	4	10.53
	명치정	3	7.89
	수정	3	7.89
	御成町	3	7.89
	영락정	2	5.26
	길야정	1	2.63
	일출정	1	2.63
총합		38	100
생활용품 기타	본정	15	45.45
	명치정	4	12.12
	남대문로	3	9.09
	장곡천정	3	9.09
	남산정	2	6.06
	대한문앞	2	6.06
	고시정	1	3.03
	서대문외	1	3.03
	영락정	1	3.03
	욱정	1	3.03
총합		33	100

본인 상점들이 집중적으로 모여 있었다. 본정 1,2정목의 경우 상대적으로 대형 필지가 많았으며 남대문로와 가까운 지리적 특성으로 인하여 은행이나 대형 무역상 등이 위치하였으며, 3,4,5정목의 경우 잡화점, 오복점, 양품 양화 및 시계점, 과자점, 철물점, 가구상 등 각종 생활관련 상점들이 다수 분포하였다. 본정 6,7정목에는 잡화, 생활용품 등 소규모 상점들이 있었으며 전당포 등도 위치하였다.

표 25. 1910년 본정 상점 분포

본정 정목	1	2	3	4	5	6	7	8	총합
상점 개수	17	19	16	24	12	13	2	2	105
무역, 잡화상	5	7	8	10	4	6	-	1	41
양품,양화	4	5	1	5	1	-	-	-	16
식료품 등	5	2	0	6	3	1	-	-	18
전당포	-	-	-	-	-	1	2	1	4

그림 27 1897년 주요 상점의 위치 (1936 대경성정도에 표시)

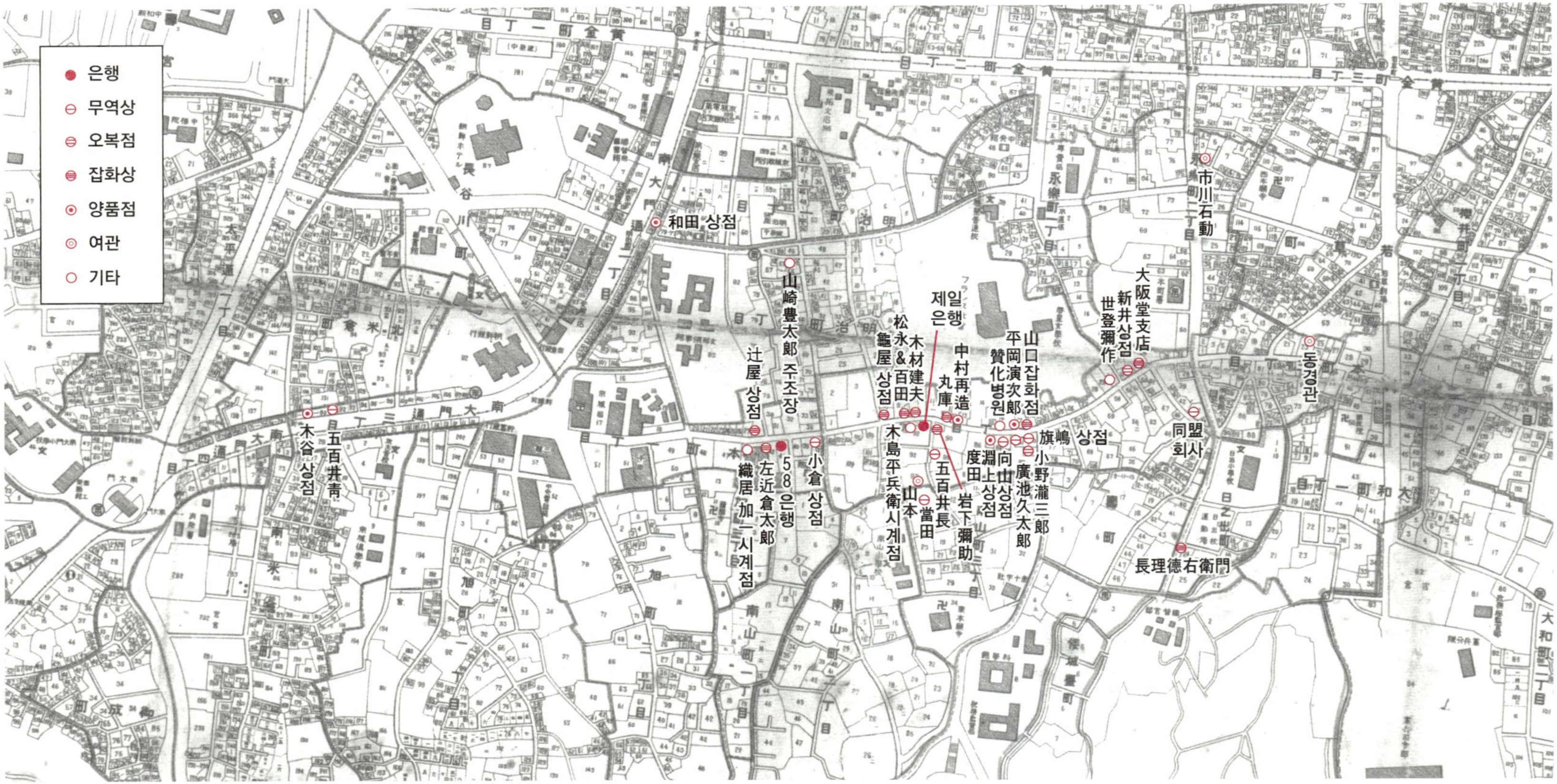

1897년 상점 위치의 경우 경성부사에 1936년 주소를 기준으로 기록되어 있어 정확한 위치 파악을 위해 같은 시기 지도에 표시하였다.

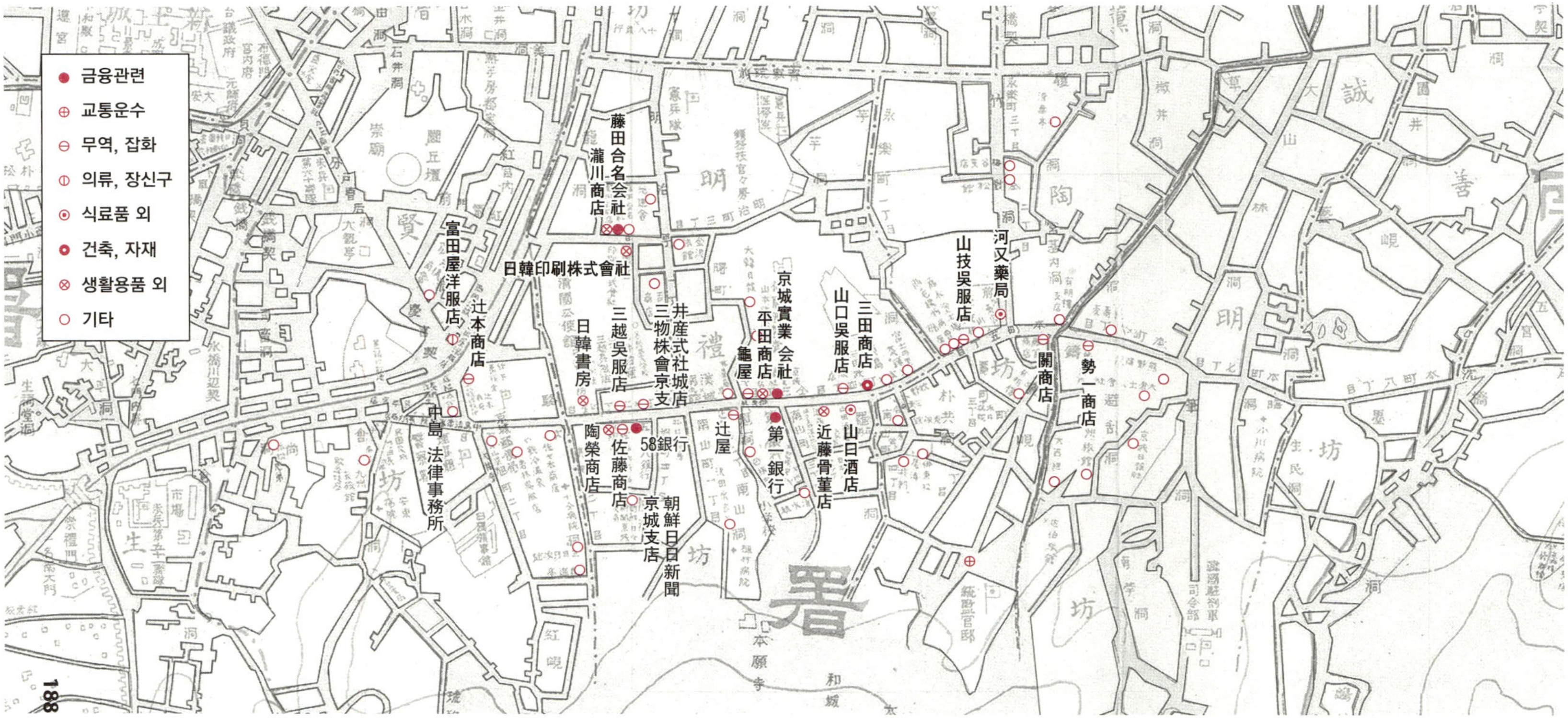

그림 28 1910년 주요 상점의 위치 (1907 최신경성전도에 표시)

거류지 상업시설의 분포

금융업

금융업이라 크게 분류한 영역에는 은행, 금융업, 보험업 외에도 척식업, 전당포, 대가업貸家業을 포함시켰다. 가장 먼저 거류지에 설치된 은행은 제일은행으로 1888년 처음 본정 3정목과 남산정 3정목이 만나는 위치에 출장소를 설치하였다. 1894년에는 58은행이 본정 1정목에 출장소를 설치하였으며 1909년 130은행과 합병되었다. 이 두 은행은 거류지 상업의 발전과 직접적인 관련이 있는 은행들인데, 먼저 제일은행은 일본의 국립은행으로서 한국의 금괴 수출 및 제일은행권의 통용 등 국가적 차원에서 한일무역의 성장을 촉진하고 거류지 상인들의 상업 활동을 지원하는 역할을 하였다. 58은행은 오사카에 본점을 둔 사립은행으로서, 반관민은행半官民銀行으로서의 역할을 한 제일은행과는 달리, 주로 상공업자들에게 자금을 대출해 주는 역할을 하였다. 이 두 은행은 거류 초기부터 거류지 상계에서 중요한 역할을 담당한 만큼, 거류지 상업의 중심인 본정 거리에 위치하고 있었다. 1905년에는 18은행이 남대문로에, 1909년에는 한국은행이 본정 3정목에 설치되었는데, 한국은행의 경우 이전에 제일은행이 하던 화폐발행을 계속 하였으며, 1910년 식민지화 이후 조선은행이 되어 식민지 조선의 중심금융기관인 은행이 되었다. 1912년 이후에는 현 금융박물관으로 사용되는 건물인 남대문로의 건물이 완공되자 그 곳으로 이전하였다.

금융업과 보험업의 경우 거류지 상업의 성장과 함께 등장한 업종들이었다. 1907년 영락정 2정목에 설립된 경성십우합자회사京城十友合資會社의 경우, 거류지 주요 상인 10명이 만든 신용조합으로서, 상품과 부동산 매매 및 동산부동산의 담보대부 영업 등을 하면서 거대한 자본금을 소유한 회사였다.[104] 1907년 합자회사에서 주식회사로 1907년 변경한 경성기업주식회사京城起業株式會社의 경우 야마구치오복점山口吳服店의 주인 야마구치山口太兵衛가 사장, 와다상점和田商店의 주인 와다和田常一, 실업가 나카무라中村再造, 세키 상점의 주인 세키關繁太郎 등이 중역을 맡고 있는 대금貸金 및 부동산 매매, 각종 대리업을 겸하는 회사였다.[105] 또한 1909년에 한성부에 지점을 설치한 동양생명보험회사의 경우에도 그 이전부터 한국에 진출하는 피보험자를 모집하는데 주력을 둔 회사였으며, 1909년 지사를 설치한 이후에는 한국의 각 도 주요지에 대리점을 설치하고 영업을 하였다.[106] 이들의 경우 대부분 1905년 한국이 일본의 보호국화 되고 난 이후 설치된 것으로서 일본의 경제적 침탈이 본격화됨에 따라 급격하게 성장한 것이다. 1910년 기록에 의하면 총 8개소가 있었으며, 이들 중 절반인 4개소가 남대문로에 위치하였다. 이는 이후 남대문로가 금융의 중심가가 되는 것과도 연관이 있다고 볼 수 있다.

[104]
川端源太郎, 1995, 앞의 책, p.484

[105]
川端源太郎, 1995, 앞의 책, pp.441~442

[106]
川端源太郎, 1995, 앞의 책, p.484

은행, 금융업, 보험업, 척식업 등의 대규모 회사들은 제일은행과 58은행을 제외하고는 대부분 1905년 이후 설치되었으며, 남대문로에 가장 많이 분포하였다. 이에 반해 소규모 금융업이라 할 수 있는 전당포質屋와 대가업貸家業의 경우 상대적으로 상점가의 중심에서 떨어져 있는 본정 6,7,8정목과 수정, 남산정 등 일본인들의 주거지 근처에 주로 분포하였다. 전당포質屋의 경우 거류 초기부터 다수 존재하였으며, 앞에서 살펴본 바와 같이 한국인들에게 집을 전당하여 돈을 빌려준 다음 이를 상환하지 못할 시에 집을 차압하는 등의 행위를 일삼으며, 이를 통해 부를 축적해나가는 경우가 많았다. 또한 전당포의 경우 전당포 영업만을 하는 것이 아니라 상점 등을 운영하며 부수적으로 전당포를 운영하는 경우가 많았는데, 본정 5정목의 무역상인 세키상점關商店은 무역상과 전당포를 겸업하였으며,[107] 욱정 1정목의 정미업 및 미곡상인 이케다상점池田商店 역시도 부업으로 전당포를 운영하였다.[108]

[107] 川端源太郎, 1995, 앞의 책, p.454

[108] 川端源太郎, 1995, 앞의 책, p.466

표 26. 금융관련업 영업종별 지역분포

업종	지명	정목	개수	전체 개수	업종	지명	정목	개수	전체 개수
은행	남대문로		1	1	전당포	본정	6	1	4
	남산정	3	1	1			7	2	
	본정	1	1	2			8	1	
		3	1			曙町		1	1
금융업	남대문로		2	2	貸家業	수정	3	1	1
	명치정	1	1	1		신정		1	1
	영락정	2	1	1		남산정	3	1	1
	장곡천정	2	1	1		명치정	2	1	1
보험업	남대문로	1	1	2		미창정		1	1
		2	1						
	대화정	2	1	1		욱정	1	1	1
	종로앞		1	1					
척식업	남대문로	3	1	1					
	명치정		1	1					
	욱정	3	1	1					

표 27. 금융관련업 주요 회사

업종	상호	위치	영업내용 및 기타	출신	개업 년도
은행	제일은행	남산정 3	지폐발행 및 국고금 취급		1888
은행	주식회사 백삼십은행지점	본정 1	주로 상공업자에게 차금 공급 역할 (원래는 58은행, 1909년 130은행과 합병)	오사카	1894
은행	주식회사 18은행지점	남대문로	1890년 처음 한국에 지점 개설, 한성부에는 1905년에 지점 개설하고 이후 한성부의 발전과 함께 성장	나가사키	1905
은행	한국은행	본정 3	1909년부터 지폐발행권 가짐		1909
금융업	경성十友 합자회사	영락정 2	상품과 부동산 매매 및 동산, 부동산의 담보대부		1907
금융업	경성기업 주식회사	남대문로	대금과 부동산의 매매 및 각종 대리업		1907
보험업	동양생명 보험회사지점	종로앞	한국방면으로 피보험자 모집 및 각 도 주요지에 대리점을 설치	도쿄	1909
척식업	동양척식 주식회사	명치정	토지개척, 금융, 식민을 목적으로 설치		1908

교통·운수업

교통·운수업 영역에는 교통·운수업 및 인력거, 용달업이 포함된다. 교통·운수업은 나이코쿠통운주식회사內國通運株式會社를 비롯하여 일한와사전기회사京城瓦斯株式會社(舊한성전기회사) 및 나카무라中村 운송점, 교도구미協同組 등이 있었다. 일한와사전기주식회사는 대한제국 정부가 세운 한성전기회사를 인수한 것으로 전차 운행 및 경성부의 전기 및 가스사업을 총괄하는 회사였으며 나이코쿠통운주식회사는 도쿄 본사의 지점으로서 한국의 각 지역을 연계하는 통운회사였다. 교도구미의 경우 1882년 일본인들이 처음 남산 일대에 들어왔을 때부터 있었던 어용상인조직의 이름과 동일하나 같은 조직인지는 확실하지 않다. 이들은 교통상의 입지가 매우 중요하였을 것이므로, 원래 종로에 위치하였던 일한와사전기주식회사를 제외하고는 모두 남대문역과 가까운 위치인 남대문역 앞 및 어성정에 위치하였다.

1894년 청일전쟁을 계기로 인력거가 한성부에 도입된 이후 다수의 인력거업체 역시 등장하였다. 대표적인 것은 이토우구미伊藤組로서 이토우구미의 경우 인력거업 외에도 운반업 역시 겸업하였다. 또한 소규모의 용달업체들도 다수 존재하였는데 인력거업이나 용달업의 경우 일본인들이 주로 거주하던 지역인 본정 및 명치정, 욱정 등에 주로 분포하고 있는 양상을 보인다.

표 28. 교통·운수업 영업종별 지역분포

업종	지명	정목	개수	전체개수	업종	지명	정목	개수	전체 개수
교통및운수업	남대문역앞		1	1	용달업	명치정	1	1	3
	御成町		2	2			2	2	
	종로앞		1	1		曙町		1	
인력거업	명치정	1	1	1		영락정	2	1	1
	본정	2	1	3		욱정	4	2	2
		4	1			태평정		1	1
		5	1						

표 29. 교통·운수업 주요 회사

업종	상호	위치	영업내용 및 기타	출신	개업 년도
교통및 운수업	나이코쿠(內國)통운 주식회사 지점	남대문역 앞	경성 지점 및 초량, 인천 출장소 개설 주요 역과 목포, 군산 항구에는 취차소	도쿄	1907
인력 거업	이토우구미 (伊藤組)	본정 4	운반 및 인력거업 공사관 및 영사관의 어용		1895

무역·잡화상

거류 초기부터 1910년까지 거류지 상업에서 가장 많은 비중을 차지한 무역·잡화상은 거류지 상계의 중심이라 할 수 있다. 무역상, 오복점 및 잡화상들은 다양한 물건들을 판매한다는 점과 일본 및 서양 각국으로부터 수입한 물건들을 주로 판매한다는 점에서 유사성을 가진다. 특히 다수의 무역상, 오복점, 잡화상들은 일본인 거류민 뿐 아니라 한국인들을 그 영업대상으로 하여, 한국인들의 기호를 파악하고 그에 대응하여 상품을 선택, 판매하였으며 또한 서양 및 일본의 여러 회사들과 특약을 맺어 독점적으로 상품을 공급하기도 하였다. 이들은 대부분 거류지의 가장 중심적인 상업거리인 본정 도로에 위치하였다.

의류·장신구

의류 및 장신구 업종의 상점들은 크게 양복상, 나사羅紗상, 양품점, 양화점 및 시계점 등을 들 수 있다. 먼저 나사羅紗상이란 양복이나 외투 등의 재료로 주로 사용되는 두꺼운 방모직물인 나사를 판매하는 상점으로 그 성격상 양복상과 유사하다고 볼 수 있다. 일본에서는 이미 메이지 시대부터 양복이 유행하고 있었고, 한국에서도 1895년 을미개혁 이후 서양식 의복의 착용을 허용함에 따라 양복을 입는 경우가 많아졌다. 나사상과 양복상의 경우 본정 외의 지역인 광화문과 남대문

표 30. 주요 무역·잡화상

업종	상호	위치	영업내용 및 기타	출신	개업년도
무역상	와다(和田)상점	남대문로 3	목면, 금포, 방적사 및 성냥, 석유 등 조선인 상대 영업 점주 와다(和田常一)는 약 10여 년간 상업회의소 회장, 20여년 간 거류민회 의원		1886
무역상	세키(關)상점	본정 5	무역상 겸 전당포 점주는 세키 한타로씨. 초기엔 금건, 방적사, 석유류 취급, 이후 남대문 시장 행상을 하다 3년 후 전당포 겸업 청일전쟁 때 군대 용달 전쟁 이후 인삼 재배하여 크게 발전		1889
무역상	오오하시(大橋)상점	본정 8	흑연수출, 정미업, 감옥 작업품의 청부, 작잠 및 상묘의매입, 기타신탄판매, 전당포 등 점주 오오하시(大橋)는 상업회의소의원		1905
오복상	야마구치(山口)오복점	본정 3	조선인 상대 무역상 오복, 옷감, 게다, 우신 등과 일상 잡화 점주 야마구치는 거류지 상업회의소 회장 및 민단위원 역임		1887
오복상	엔죠우지(圓城)오복점	본정 3	시류의 기호에 응하여 유행계를 선도	江州(시가현)	1903
오복상	주식회사 미츠고시(三越) 오복점지점	본정 2	1905년 2월에 현 지점장이 시찰한 결과, 먼저 미나카이 물산회사출장소의 일부를 빌려서 개설, 1907년 봄 본정 3정목, 현 지점을 개설하고, 1910년 10월 미나카이물산회사의 이전과 함께 그 가옥을 인수하여 일대 개축	도쿄	1905
잡화상	가메야(亀屋)	본정 4	박래잡화, 양품잡화, 서양식료품, 양식기구 1904년 러일전쟁 후 급격히 팽창 1904년 안동계지점, 1906년평양지점, 1909년 본정3정목에 지점 증설 10 여 명의 점원 점주 進辰馬은 상업회의소의원 및 거류민회의원	도쿄	1896
잡화상	메이지야(明治屋) 경성지점	본정 3	화양식료품, 잡화, 연초, 화장품, 양식기, 기린맥주, 각종 양주 판매 및 박래품 점내 설비 및 취인방법 등을 서양식으로, 서양 각국의 제조소와 특약맺어 수입	요코하마	1902
잡화상	아오키토우(青木堂)	본정 1	서양술, 서양식료품, 서양담배, 박래화장품, 서양식 기구 등 프랑스 및 영국, 이탈리아 회사들과 특약맺어 판매 3층 서양식건물에는 1층에는 판매점, 2층은 가벼운 음주 및 끽다점과 서양요리점으로, 3층은 집회연회용으로 사용	도쿄	1907

표 31. 무역·잡화상 영업종별 지역분포

<table>
<tr><th>업종</th><th>지명</th><th>정목</th><th>개수</th><th>전체 개수</th><th>업종</th><th>지명</th><th>정목</th><th>개수</th><th>전체 개수</th></tr>
<tr><td rowspan="9">무역상</td><td rowspan="3">남대문로</td><td>2</td><td>1</td><td rowspan="3">3</td><td rowspan="12">잡화상</td><td rowspan="2">남대문로</td><td>1</td><td>1</td><td rowspan="2">3</td></tr>
<tr><td>3</td><td>1</td><td>2</td><td>2</td></tr>
<tr><td>4</td><td>1</td><td>명치정</td><td>1</td><td>1</td><td>1</td></tr>
<tr><td rowspan="6">본정</td><td>1</td><td>1</td><td rowspan="6">7</td><td rowspan="6">본정</td><td>1</td><td>4</td><td rowspan="6">26</td></tr>
<tr><td>3</td><td>1</td><td>2</td><td>5</td></tr>
<tr><td>4</td><td>2</td><td>3</td><td>4</td></tr>
<tr><td>5</td><td>1</td><td>4</td><td>6</td></tr>
<tr><td>6</td><td>1</td><td>5</td><td>2</td></tr>
<tr><td>8</td><td>1</td><td>6</td><td>5</td></tr>
<tr><td rowspan="5">오복상</td><td rowspan="4">본정</td><td>2</td><td>2</td><td rowspan="4">8</td><td>御成町</td><td></td><td>1</td><td>1</td></tr>
<tr><td>3</td><td>3</td><td>태평정</td><td>2</td><td>1</td><td>1</td></tr>
<tr><td>4</td><td>2</td><td>황금정</td><td></td><td>1</td><td>1</td></tr>
<tr><td>5</td><td>1</td><td colspan="5"></td></tr>
<tr><td>御成町</td><td></td><td>1</td><td>1</td><td colspan="5"></td></tr>
</table>

로, 그리고 대한제국의 황궁이었던 경운궁 앞에도 다수 분포하였다. 본정에 위치한 양복상들도 상대적으로 남대문로에 가까운 본정 1정목에 위치하는 양상을 보인다. 이는 그만큼 양복에 대한 수요가 일본인 거류민뿐 아니라 한국인들도 있었음을 보여주는 것인데, 일례로 광화문로에 있었던 아사타淺田 양복점의 경우 대한제국 황족 일가의 양복을 전담하고 있었다고 한다.[109] 아사타 양복점이 개업한 1896년은 일본인 상점들이 본정일대와 남대문로 일부에만 분포하던 시기였지만, 1895년 을미개혁 이후 왕족 및 정부 관리들이 양복을 입게 됨에 따라 그 수요가 있었을 것이라 생각된다.

[109]
川端源太郎, 1995, 앞의 책, p.460

한편 양품점과 양화점, 시계상들은 본정 2~5 정목 사이 즉, 거류지 상업의 중심지에 주로 위치하였는데, 특히 시계상의 경우 1890년부터 영업을 해왔다는 점이 특징적이다. 시계는 근대기 새롭게 도입된 상품으로서, 근대적 시간의 도입이라는 것과도 연관이 있다는 점에서 의미가 있다. 당시 시계상에서는 귀금속도 함께 판매하였으며 시계와 귀금속은 고가의 상품이었는데, 한국인들에게도 인기를 끌어 양복과 마찬가지로 대한제국의 황실에도 납품을 하였다.[110]

[110]
川端源太郎, 1995, 앞의 책, p.459

표 32. 주요 의류·장신구상

업종	상호	위치	영업내용 및 기타	출신	개업 년도
양복상	아사타 (淺田) 양복점	광화문로	처음에는 동경 아사타(淺田)비-루 지점을 겸업 현재는 이왕가 일족의 양복을 담당 점주는 상업회의소위원		1896
시계상	기지마 (木島) 시계점	본정 4	시계, 미술, 귀금속 판매 러일전쟁 이후 한국인의 기호를 만족시키며 확장		1890
시계상	고바야시 (小林) 시계점	본정 2	점주 다나카, 거류민단 의원, 황실에 헌납, 저금치 시계의 조선 일수 판매점으로 특약		1892

표 33. 의류·장신구상 영업종별 지역분포

업종	지명	정목	개수	전체 개수	업종	지명	정목	개수	전체 개수
羅紗상	남대문로	4	1	1	양품점	본정	2	1	3
	御成町		1	1			4	1	
양복상	광화문로		2	2			5	1	
	남대문로		1	1	양화점	명치정	1	1	1
	대한문앞		1	1		본정	1	1	3
	본정	1	3	4			2	2	
	본정	4	1	4			4	1	
	장곡천정		2	2	시계상	본정	2	2	5
							3	1	
							4	2	

식료품·기타

식료품·기타의 분류에는 식생활과 관련된 상품들을 판매하는 상점들을 포괄하였다. 이들 중 정미업을 제외한 우유, 설탕, 과자, 연초(담배) 및 주류 등은 1890년대 후반 이후 한국인들의 수요가 급증한 것으로 20세기를 전후하여 새롭게 등장한 식품군인데다가 기호품에 가까운 성격을 가진다. 특히 과자나 연초, 주류 등은 초기에는 일본에서 수입해오는 것이 대부분이었으나 점차 그 수요량이 증가함에 따라 제조까지 하게 되었다. 통상휘찬 162호에는 '京城に於ける本邦清酒'라는 기사가 실려 있는데, 이 기사에서는 일본인뿐 아니라 한국인에게도 일본 청주가 인기가 많아 청일전쟁 이후 급격하게 그 수요가 증가하여 그 업종에 종사하는 이들이 판매고를 올렸다고 기록하고 있으며[111] 1898년에는 이미 청주제조소가 한성부에 3개소가 있었던 것을 알 수 있다.[112] 한편 연초 역시 일본 상인들의 주요 수입품 중 하나였는데, 그 수요가 증가함에 따라 1904년부터는 장곡천정長谷川町(소공동)에는 연초제조소가 등장하여 1,000여 명의 직공을 보유한 대규모 상공업회사가 되었다. 약품 관련도 일본을 통해 수입하는 주요 물품 중의 하나였으며 금계랍, 인단 등은 당시 신문 광고에 자주 실리는 인기

[112]
통상휘찬 162호 (1900.03.18)

[113]
112쪽 〈표 5〉. 직업별 분포 참조

품목이었다. 식료품 관련 업종들 중 특히 과자, 주류, 약종은 대부분 본정 거리에 집중분포하였다. 과자점의 경우 거류초기인 1888년에도 10개, 1898년에는 30개에 이르는 등 다수가 있었으며 주류상은 1888년 5개소, 정육·우유점의 경우에 1888년에도 2개소가 이미 나타나는 등 식료품 관련 상점들은 거류초기부터 등장하였던 것을 알 수 있다.

표 34. 주요 식료품·기타 상점

업종	상호	위치	영업내용 및 기타	출신	개업년도
주류상	야마무라(山邑)주점	명치정 1	櫻正宗, 山邑正宗 등 각종 주류	고베	1907
연초 제조업	히로에(廣江) 상회	장곡천정 2	일본에서의 연초제조업 하던 점주가 전매법 실시 이후 한성부로 와서 새로 개업 천 여명의 조선인 직공이 있는 연초제조회사		1904
연초 제조업	동아연초주식 회사지점	명치정	관연초수출조합이 정부특허회사가 된 이후 한성부에 지점 설치 1909년 11월에는 제조소 설치 천 여명 넘는 조선인 직공		1898

표 35. 식료품·기타 영업종별 지역분포

<table>
<tr><th>업종</th><th>지명</th><th>정목</th><th>개수</th><th>전체 개수</th><th>업종</th><th>지명</th><th>정목</th><th>개수</th><th>전체 개수</th></tr>
<tr><td rowspan="5">과자 제조업</td><td>남산정</td><td>4</td><td>1</td><td>1</td><td rowspan="9">주류상</td><td>남산정</td><td>2</td><td>2</td><td>2</td></tr>
<tr><td rowspan="4">본정</td><td>1</td><td>1</td><td rowspan="4">5
5
5
5</td><td>대화정</td><td>3</td><td>1</td><td>1</td></tr>
<tr><td>2</td><td>1</td><td>명치정</td><td>1</td><td>3</td><td>3</td></tr>
<tr><td>4</td><td>1</td><td rowspan="3">본정</td><td>1</td><td>1</td><td rowspan="3">4</td></tr>
<tr><td>5</td><td>2</td><td>4</td><td>2</td></tr>
<tr><td rowspan="2">설탕상</td><td rowspan="2">남대문로</td><td>3</td><td>1</td><td rowspan="2">2
2</td><td>6</td><td>1</td></tr>
<tr><td>4</td><td>1</td><td rowspan="2">수정</td><td>1</td><td>1</td><td rowspan="2">2</td></tr>
<tr><td rowspan="5">우유 및 우육상</td><td>고시정</td><td></td><td>1</td><td>1</td><td>3</td><td>1</td></tr>
<tr><td>남대문로</td><td>3</td><td>1</td><td>1</td><td>御成町</td><td></td><td>2</td><td>2</td></tr>
<tr><td>대화정</td><td>2</td><td>1</td><td>1</td><td rowspan="3">연초제조업</td><td>명치정</td><td></td><td>1</td><td>1</td></tr>
<tr><td>본정</td><td>1</td><td>1</td><td>1</td><td>본정</td><td>4</td><td>1</td><td>1</td></tr>
<tr><td>서대문외</td><td></td><td>1</td><td>1</td><td>장곡천정</td><td>2</td><td>1</td><td>1</td></tr>
<tr><td rowspan="4">정미업 및 미곡상</td><td>고시정</td><td></td><td>1</td><td>1</td><td rowspan="5">약종상</td><td>남대문로</td><td>4</td><td>1</td><td>1</td></tr>
<tr><td>본정</td><td>1</td><td>1</td><td>1</td><td rowspan="4">본정</td><td>1</td><td>1</td><td rowspan="4">5</td></tr>
<tr><td>봉래정</td><td></td><td>2</td><td>2</td><td>2</td><td>1</td></tr>
<tr><td>욱정</td><td>1</td><td>1</td><td>1</td><td>4</td><td>2</td></tr>
<tr><td></td><td></td><td></td><td></td><td></td><td>5</td><td>1</td></tr>
</table>

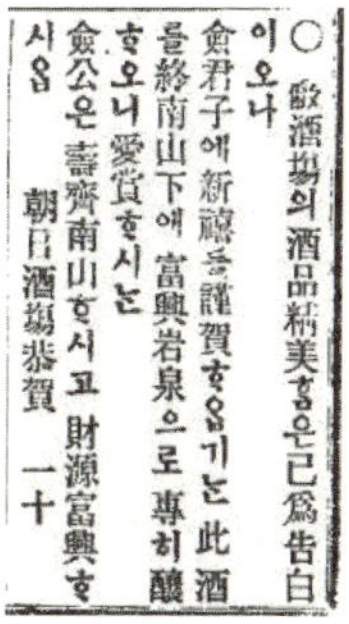

그림 29 18990112 독립신문 〈朝日주장〉 광고

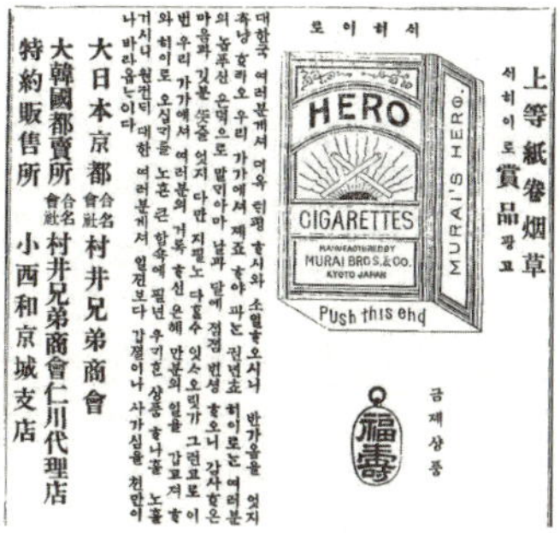

그림 30 18990701 독립신문 〈히이로 담배〉 광고

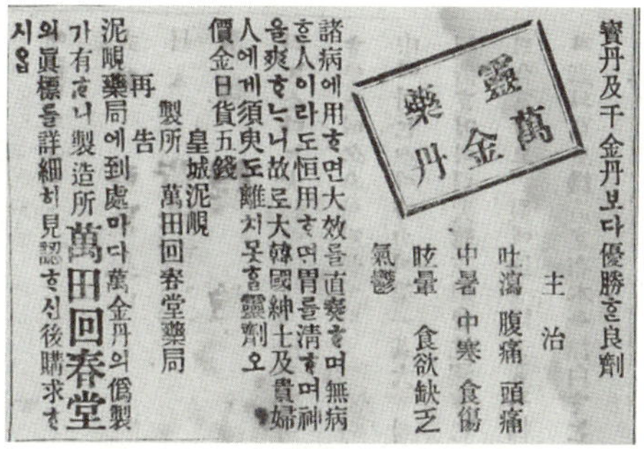

그림 31 19000604 황성신문 〈萬金丹(약)〉 광고

건축·자재

거류민이 증가하면서 건축관련 업종도 급격하게 증가하게 되었다. 일본인들이 한성부에 들어와서 거주하기 시작한 초기에는 한인가옥들을 빌려서 사용하였으나 생활방식이나 상업방식이 다름으로 인하여 불편함을 느끼자 점차 일본식 가옥을 짓고 살기 시작하였기 때문이다. 1888년 35명이었던 목수는 1902년에는 123명, 1909년에는 무려 961명으로 증가하는 양상을 보인다. 뿐만 아니라 건축관련 직종들인 톱장이, 미장이, 칠장이, 다다미직인 등도 다 같이 증가하고 있으며 건축자재 관련인 목재상이나 기와벽돌제조점 등도 청일전쟁을 전후로 다수 등장하였다. 1900년 이후에는 유리상 및 유리제조상들도 등장하는 것을 알 수 있다.[113] 토목·건축 관련 업종들은 의류나 식료품 같은 다른 소매상들과는 달리 상점가 중심에 위치해 있어야 할 필요는 없었다. 따라서 이들은 대부분 본정이나 남대문로와 같은 상업대로변이 아닌 남산정, 욱정, 수정 등 일본인들의 밀집된 주거지역에 주로 위치하고 있다. 그러나 건축관련 업종들 중에서도 상대적으로 소매상의 성격이 강한 철물점金物商의 경우 남대문로에 다수 분포하고 있음을 알 수 있다.

[113] 경성발달사 및 경성부사의 기록을 참고

표 36. 주요 건축·자재 상점

업종	상호	위치	영업내용 및 기타	출신	개업년도
재목상	호리우치(堀內)상점	고시정	대재목상, 한성부 및 용산의 공사 담당	히로시마	1906
金物商	구기모토(釘本)상점	본정 5	도매부와 소매부가 있음 철물류 일절, 건축제재료부터 일상기구까지 각종 채권, 주권의 현물 중매를 겸업 점주는 민단의원, 위생조합장, 연합회회장, 경용금물조합장 담당	사가	1895
金物商	사노(佐野)상점	본정 2	철물 일절 판매 점주는 상업회의소 위원	미에	1899

표 37. 건축·자재 영업종별 지역분포

업종	지명	정목	개수	전체개수
토목건축청부업	고시정		2	2
	길야정	1	1	1
	남산정	2	2	3
		3	1	
	명치정	1	1	1
	수정	1	1	2
		2	1	
	영락정	2	1	1
	육정	1	2	4
		2	1	
		3	1	
	일출정		1	1
疊建具상	남산정	4	1	1
	명치정	2	1	1
	본정	6	1	1
	御成町		1	1

업종	지명	정목	개수	전체개수
재목상	고시정		3	3
	명치정	2	1	1
	본정	5	1	1
	수정	3	1	1
	御成町		1	1
	영락정	2	1	1
	욱정	1	1	1
金物商	남대문로	1	1	3
		2	1	
		3	1	
	본정	2	2	3
		5	1	
	御成町		1	1
유리상	남대문로	4	1	1
	본정	4	1	2
		6	1	

생활용품·기타

생활용품 관련 업종에는 가구나 도기와 같은 생활용품과 난방을 위한 석탄 및 신탄, 그리고 지류 및 문방구, 인쇄 및 사진 등을 포함하였다. 총포화약상의 경우 그 성격이 약간 다르나 크게 전체적인 생활의 범주에 포함되는 것으로 간주하여 이 분류에 포함시켰다. 경성발달사의 기록에 따르면 1899년 일본으로부터의 수입품의 상위에 포함되는 등 거류민 뿐 아니라 한국인들에게도 그 수요가 많았음을 알 수 있다. 골동품상의 경우에는 1개소가 있었는데, 1895년 약제사로서 부산으로 왔던 긴토近藤가 러일전쟁 이후 한성부로 와서 골동품상을 하면서 거액의 이득을 남겼다고 한다. 이와 같은 형태의 영업은 식민지 이후 더 확장되어 문화재 침탈 등의 문제를 일으켰다. 또한 새로운 서비스를 제공하는 인쇄나 사진업 역시 거류 초기부터 등장하였다. 사진업의 경우 1883년부터 설치되어 구경온 한국인들로 그 앞이 항상 북적였다고 하는 기록이 있을 정도로 한국인들에게도 인기가 많은 상점이었으며, 인쇄업은 거류지 내 매체 등의 발달과 함께 그 성장을 이루었다. 거류지에는 인쇄업 외에도 서적대출업소 등도 존재하였다. 서양가구상의 경우 이전에는 한국에 거주하던 서양인들 정도의 수요밖에 없었던 것인데 1900년 이후 서양가구에 대한 한국인들의 수요의 증가에 따라 새롭게 등장한 업종이다. 특히 서양가구상의 경우에는 판매하는 상품 자체의 크기가 대형이므로 판매상점 역시 대규모로 지어졌으며, 직공들이 그 곳에서 직접 가구를 만들고 이를 전시하고 판매하였다. 대표적인 서양가구상인 마스다增田상점과 모리야스森安상점의 경우 모두 본정 3정목에 위치하였으며 처음에는 잡화나 도기상으로 개업하였지만 시대의 요구에 따라 서양가구상으로 전업한 경우였다. 생활용품의 경우에는 거류지 각 처에 골고루 분포되어 있었으나, 서양가구, 서적 및 문구, 인쇄 등의 경우에는 서양인들이 많이 살던 지역인 정동 근처, 즉 대한문 앞과 장곡천정에도 분포하고 있음을 알 수 있다. 이 업종 역시도 가장 많은 수의 상점이 분포하는 곳은 본정과 본정의 남북측인 명치정, 남산정 등이었다.

표 38. 주요 생활용품·기타 상점

업종	상호	위치	영업내용 및 기타	출신	개업년도
골동품상	긴토(近藤)骨董店	본정 3	점주 긴토는 1895년 부산공립병원에서 약국장으로 일하다가 상업으로 전업 한성부에서 골동상시작하여 거액의 이득 남김		1904
도기상	도우에이(陶榮)상점	본정 2	전문도기점, 제국관연(담배)의 원매, 탁지부와사제조소와 함께 스탄다드 석유 회사 대리점을 경영 점주 마에다는 거류 민단과 상업회의소의원, 주식회사 경성수산시장 전무취체역 담당		1895
서양가구상	마스다(增田)상점	본정 3	개업 당시에는 잡화 및 도기상이었지만 서양가구 및 실내장식품상으로 전업		1896
서양가구상	모리야스(森安)	본정 3	1894년 잡화점으로 개업하였다가 1900년 서양가구상으로 전업 3층 건물 및 백 여명의 직공 가진 공장		1894(1900)
요리점	기쿠스이로(菊翠樓)	남산정 3	수십명의 기생이 있는, 연회 요리점 풍류객과 화류객에게 명망 높음		1894
요리점	쇼쿠도우라쿠(食堂楽)	일출정	객석에 음악을 올리는 특징가진 요리점		1909

표 39. 생활용품·기타 영업종별 지역분포

업종	지명	정목	개수	전체 개수	업종	지명	정목	개수	전체 개수
골동품상	본정	3	1	1	지류상	남대문로	3	1	1
도기상	본정	2	1	3		명치정	1	1	2
		4	1	3			2	1	
		5	1	3		본정	1	2	3
	영락정	2	1	1			6	1	
서양가구상	대한문앞		1	1	인쇄업	명치정	2	1	1
	본정	3	2	2		본정	6	1	1
석탄, 신탄상	고시정		1	1		욱정	2	1	1
	본정	3	1	1		장곡천정		2	2
	서대문외		1	1	사진업	남대문로	2	1	1
	장곡천정		1	1		남산정	2	1	2
서적 문구상	대한문앞		1	1			3	1	
	본정	2	1	3	총포 화약상	남대문로	2	1	1
		3	2	3		명치정	2	1	1
						본정	6	1	1

3장

일본인 거류지의 도시환경

거류지 내 도로개수사업
거류지 도시환경의 구성 1: 도로환경
거류지 도시환경의 구성 2: 필지
거류지 도시환경의 구성 3: 주요건축물
거류지 경관의 형성

일본인 거류지의 도시환경

거류지 내 도로개수사업

도로개수사업의 필요성과 배경

일본인 거류지에서는 거류민단의 주도 하에 1895년부터 1910년까지 지속적으로 도로개수사업을 시행하였다. 1895년 일본인 거류민들이 자체 예산으로 처음 시행한 도로개수사업은 한성부의 도로개수사업보다 시기적으로 이른데, 여기에는 그만큼 시급한 필요성이 있었기 때문이다. 일본인 거류지의 도로개수사업의 필요성과 시행 배경에 대해서는 네 가지 측면에서 생각해볼 수 있다.

첫째, 경계가 정해져 있지 않았던 거류지의 상황상 도로개수사업은 새로운 지역에의 진출과 직접적인 연관이 있는 것이었다. 즉, 청일전쟁 이후에는 한성부의 중심인 남대문로로, 러일전쟁 이후에는 거류지 동측 일대로 진출하기 위해서 기존의 거류지와 새로운 거류지 영역을 잇는 도로를 정비할 필요가 있었다.

둘째, 새로운 교통수단들이 등장함에 따라 도로환경을 개선해야할 필요성이 있었다. 보행교통이 대부분이었던 한성부에 새로운 교통수단들이 등장하면서 도로정비를 해야 할 필요성이 생겼고, 이는 거류지에서도 예외가 아니었다.

셋째, 배수와 하수 시스템을 비롯한 상하수도 관리를 위해 도로개수사업은 지속될 필요가 있었다. 이는 빗물이 잘 빠지지 않아 늘 질척거리는 상태였던 진고개 일대의 특성상 시급하게 필요한 부분이었으며, 거류지 위생 관리상 중요한 일이기도 하였다.

한편, 1890년대 중반에는 일본인 거류지 이외에도 한성부 및 정동 일대에서 가가철거사업 및 도로개수사업이 이루어졌는데, 이는 곧 일본인 거류지 뿐 아니라 한성부 전역에서 도로개수사업에 대한 요구가 생겨났음을 의미한다. 이처럼 거류지를 둘러싼 외부, 즉 한성부의 도시적, 사회적 분위기 역시 영향을 미쳤을 것이다.

새로운 거류지 영역으로의 진출

1895년 도로개수사업의 내용을 기록한 영사관 보고[1]는 다음과 같은 문장으로 시작한다.

"泥峴ハ南山山麓ニ位置スル京城內ノ一僻地にして且道路狹小崎嶇荷車ノ通行ハ勿論 人馬ノ通行ニモ頗困難ヲ極メ"

"一時泥峴ハ自然衰微の徵候ヲ現スニ至リシガ元來他ノ便利ナル地方ニ於て今續續本邦商店ノ開設セラルノハ甚喜ブベシト唯モ之が為メ十數年來本邦商人ガ巨萬ノ資ヲ投シテ經營セル泥峴地方ナシテ俄ニ衰微セシムルハ頗ル遺憾ナルヲ以て"

[1] 1896년(明治29년) 1월 24일 우치다 사다츠키(內田定槌) 영사로부터 1895년 니현(泥峴, 진고개의 한자식 표현)의 도로수리에 대한 보고 〈二十八年中ニ於ケル京城泥峴地方道路ノ修理〉가 있었다.-통상휘찬 제 35호 (1896.2.15.)

이 기사의 내용에 따르면, 일본인 거류지의 중심이었던 니현泥峴(진고개의 한자식 표현) 도로는 남산 언덕의 '벽지僻地', 즉 변두리에 위치하였으며, 도로도 협소하여 짐차뿐 아니라 사람의 통행도 어려운 환경에 처해 있었다. 일본 상인들은 십수년간 노력하여 니현에 일본풍 가로를 구축하였으나 교통상의 불편함으로 인하여 남대문로와 다른 지역으로 떠남에 따라 니현지방이 점차 쇠락하고 있는 데에 유감을 표하고 있다. 따라서 거류지에서는 한성부의 중심인 남대문로, 구리개길 등으로 통하는 도로를 만들 필요가 있었으며, 또한 원래의 일본인들의 본거지인 니현 도로 환경의 개선 역시 필요하였던 것이다.

1904년 이후에는 점차 증가하는 거류민 인구를 수용하기 위해 거류지 동측을 개발하면서 도로를 신설하거나 개수할 필요가 있었다. 특히 1904년 이후 개발한 지역들은 대부분 경사가 있는 남산의 언덕 지역이여서 경사를 완만하게 하고 도로를 개수하여 기존의 거류지 중심과 새롭게 개척한 거류지 영역을 연결하여야만 했다. 즉, 일본인 거류지 내에서의 도로 개수는 거류지와 한성부의 중심을 이어야 할 필요성, 그리고 기존의 거류지 중심과 새로운 거류지 영역을 이어야 할 필요성에 의해 이루어졌다.

교통상의 필요성

조선시대 주요 교통수단은 말이나 가마를 이용한 경우를 제외하고는 대부분 보행에 의존한 것이었다.[2] 그러나 19세기 말 한성부에는 전차, 자전거, 우마차와 인력거 등 새로운 교통수단들이 등장하였다. 그 중 인력거[3]는 청일전쟁 당시 한성 내 일본 공사관과 영사관, 그리고 인천영사관과의 교섭사항이 폭주하게 됨에 따라 한성부에 처음으로 등장한 것이

[2] 서울特別市史編纂委員會, 1979, 『서울六百年史. 第3卷 : 1864~1910』, 서울특별시, p.530

[3] 기차와 전차, 자동차와 같은 근대적 교통수단들이 대부분 서양에서 만들어진 것인데 비해, 인력거는 일본에서 자체적으로 발명하여 오히려 유럽과 아시아, 아프리카에 이르는 지역에 수출한 교통수단이었다. 도쿄에서 인력거 영업이 허가된 것은 1870년으로, 인력거는 그 비용이 저렴하고 좁은 길에도 통행이 가능하다는 장점으로 인하여 서민들의 이동수단으로 널리 사랑받으며 유행하였다고 한다.-유모토 고이치, 연구공간수유너머 동아시아근대세미나팀 옮김. 2004. 『일본 근대의 풍경 : 만화와 삽화로 생생하게 살아나는 메이지 시대 정치, 경제, 사회, 문화의 기원』, 그린비. p.352

었다. 인력거 영업은 1894년 영락정永樂町(죽동 일대) 2정목 북편(현재의 수표로 중부경찰서 근처)에서 10대의 인력거를 구비하고 전원 일본인 인력거꾼을 고용하여 시작하였는데,[4] 빠른 속도로 그 수가 증가하여 인력거 운영의 무질서함을 방지하기 위하여 인력거영업취체규칙이 발포되기도 하였다.[5] 1908년 8월 15일에는 경무청령으로 인력거영업단속규칙이 공포되어 한성부 및 경기도 일원에서의 인력거의 영업허가, 차체, 인력거꾼의 자질, 운임, 속도, 정원, 길 양보, 차체검사, 주차장 등의 세부사항을 규정하기에 이르렀다. 1903년 께를로 로제티가 찍은 사진에서 남대문로에서 우측 길로 들어가는 입구[6] 주변에 인력거들이 여러 대 서 있는 것을 발견할 수 있다. 또한 이 사진[그림 1]에서는 우차牛車가 여러 대 남대문로를 통행하고 있는 모습도 발견할 수 있어, 당시 인력거와 우마차, 특히 우차가[7] 상당수 존재하였음을 확인할 수 있다. 우마차 역시 전쟁 물자의 수송을 위해 청일전쟁 당시에 도입된 것으로,[8] 러일전쟁을 전후로 그 수가 급증하였다. 말보다 소가 많았던 상황상 마차보다는 우차, 즉 소달구지가 더 적극적으로 사용되었으며,[9] 마차의 경우에는 일부 서양인들이 이용하였으나 그 수가 많지는 않았다. 인력거와 마찬가지로 우마차의 수가 급격하게 증가함에 따라 교통상의 혼란을 초래하자, 이를 단속하기 위해 1906년에는 우차 및 짐마차 관리규칙이 제정되기도 하였다.

[4] 京城府, 1936,『京城府史. 第2卷』京城府, p.631

[5] 경성부, 1936, 앞의 책, p.682

[6] 이 길이 어느 곳인지에 대해서는 사진 상의 정보만으로는 충분치 않으나, 본정이나 명동 등의 일본인 거류지로 진입하는 길의 입구 였을 것이라 예상할 수 있다.

[7] 그 수가 많지는 않았으나, 1911년의 통계에서 객마차의 수가 110대라는 기록을 발견할 수 있어, 1911년 이전에 이미 객마차 역시 도입되었음을 알 수 있다.

[8] 이전까지 한국에서는 도로사정상 수레가 거의 사용될 수 없었다. 18세기 실학자들은 수레의 사용을 강력하게 주장하였는데, 도로사정상 19세기 중반 이후까지 실제적으로 도입되지는 못하였다.

[9] 서울특별시사편찬위원회, 1979, 앞의 책, p.541

그림 1 남대문로(을지로~종각방향)의 모습

자전거의 경우 1895년 윤치호가 일본에서 들여온 것이 처음이라 알려져 있는데, 한성부 내와 일본인 거류지 내의 자전거 교통이 얼마나 되었는지에 대해서는 알려져 있지 않다. 그러나 1902년 거류지에 있었던 야마모토山本 상점의 광고에서 미국산 자전거 판매[10]와 자전거 타는 법 무료강습 등의 내용이 나오는 것으로 미루어 보아[11] 거류지에서는 이미 자전거가 보편화되어 있었음을 알 수 있다. 1909년 거류민 직업별 분포에서 자전거업 종사자 수가 10명에 이르는 것을 보아 1900년대 말에는 이미 자전거가 상당히 많이 분포하고 있었음을 알 수 있다.

한편 일본인 거류지 내에 설치된 것은 아니었지만 1899년 종로와 남대문로를 관통하는 전차가 새롭게 등장하여 한성부의 교통 상황에 획기적인 변화를 가져 왔다. 전차의 등장은 최초의 새로운 기계적 교통수단의 등장으로써, 그 속도와 수송력에 있어 여타 교통기관과 비교할 수 없는 것이었다. 전차는 한성부 성곽 내에서는 종로와 남대문로에 설치되었는데, 남대문로의 경우 일본인 거류지와 바로 맞닿아 있어 거류민들 역시도 많이 이용하였을 것임을 예상할 수 있다.

새로운 교통수단의 등장은 여러 가지 측면에서 의미를 지닌다. 먼저, 보행자와 짐을 실은 소 등이 대부분이었던 한성부의 도로 위에 인력거, 자전거, 우마차, 전차 등의 다양한 교통수단들이 등장하였다는 점이다. 이들의 도입 초기에는 그 수가 소수여서 크게 도시 교통에 영향을 주지는 않았지만 이들의 숫자가 늘어남에 따라 도로 위 혼란을 초래하게 되었고, 따라서 이를 단속하는 규칙들이 만들어지기 시작하였다. 앞서 살펴본 인력거 및 각종 교통수단들 개개의 관리를 위해 제정된 규칙들 외에도, 1905년에는 가로관리규칙이 제정되었으며

[10]
일본에서는 1885년 요코하마에서 국산 자전거를 처음 제조한 이후 1890년부터는 본격적인 자전거 제조가 시작되었다. 그러나 한국에서 일본산 자전거를 언제부터 팔기 시작했는지는 알 수 없다.

[11]
<一自轉車發賣及修補> 本店은 美國自轉車製造所와 特約ᄒᆞ야 勿論廉價로 發賣ᄒᆞᆯ 뿐더러 欲買諸君子中의 未熟練ᄒᆞᆫ者은 自弊店으로 無價教授ᄒᆞ야 드릴 터이오니 願買 僉君子은 枉臨試驗ᄒᆞᆷ을 望ᄒᆞᆷ : 京城倭場臺下羅洞 山本商店–황성신문 1902.09.02. 기사

1906년에는 경성 이사청에서 6개 조항의 교통규칙을 제정 공포되어 도로 위 교통수단들의 질서를 확립하고자 하는 시도들이 있었다.[12]

[12]
경성부사에는 이 교통규칙에 대한 상세한 내용이 실려 있다. *"12월 1일 경성이사청은 근래 민단이 뚜렷이 발달하고 있어, 니현의 교통이 점차 번번하게 혼잡과 위험을 야기할 염려가 있어, 통행자는 모두 도로의 우측으로 통행하게 하고, 2대 이상의 우차마차는 각 대 반드시 차부를 붙여서, 가로에 있어 홍정하는 등의 행인을 정지시키는 것을 없이하는 것, 장대한 물건을 운반하는 것을 없게, 다량의 배수를 하여 도로의 결빙하게 하는 것 등 6개 안을 게재하여 지키게 하여 공중의 안전과 상호의 편의를 기하는 훈령을 발하였다. 경성의 교통에 관해 우측통행을 공연고시한 것은 이때 처음이다. 후에 대정 10년에 이르러 조선총독부령 제 142호에 의해 동년 2월 1일부터 내지와 똑같이 좌측통행으로 개정되었다."*-경성부, 1936, 앞의 책, p.771

[13]
종로구, 1994,『鍾路區誌』, 鍾路區, p.536

두 번째로는 이 교통수단들은 모두 '바퀴'를 가진 것이어서 이들의 원활한 통행을 위해서는 도로면의 정리가 필요하였다. 한성부의 육조거리나 종로, 남대문로와 같은 대로大路의 경우 상대적으로 노폭이 넓고, 노면 역시 포장은 되어 있지 않았지만 토질이 좋아 우마차의 통행에도 크게 문제가 없었다고 하나, 그 외의 도로들은 도로의 폭도 일정하지 않고 노면은 울퉁불퉁하였으며 도로에는 배설물들이 버려져 악취마저 풍기는 열악한 상황이었다.[13] 이러한 상황에서 수레바퀴를 가진 교통수단의 등장은 노면정리와 도로의 포장 등을 포함한 도로개수사업을 필요로 하게 되었다. 특히 비만 오면 홍수가 나던 지역인 일본인 거류지의 진고개 일대에서는 비로 인한 피해를 막기 위하여서뿐만 아니라 새로 등장한 교통수단들의 이용을 위하여서도 도로개수가 매우 시급하게 필요한 상황이었다.

마지막으로, 새로운 교통수단들의 등장으로 인해 우측통행을 비롯한 교통규칙이 시행되고 이에 따라 도로 위의 질서가 생겨나게 되면서 도로는 일정한 노폭을 확보하는 게 필요했다. 그러나 한성부의 도로변은 가가假家들이 불법적으로 점거하고 있어 노폭이 일정치 않아 통행에 큰 장애가 되었다. 가가 외에도 도로를 침범해 지어진 가옥들도 다수 있어 교통수단들이 점차 늘어남에 따라 큰 불편을 야기하는 상황이었다. 따라서 한성부에서는 1895년부터 가가철거사업을 진행하였으며 일본인 거류지의 1895년 도로개수사업 역시 이 가가철거사업을 계기로 하여 시작된 것이었다.

위생상의 필요성

도로개수사업이 시급하게 필요했던 또 하나의 이유는 바로 이 지역의 자연환경[14]으로 인한 문제, 즉 배수 문제를 해결하기 위해서였다. 거류지에서는 거류 초기부터 각 호마다 하수구 설치를 장려하는 등 하수와 배수 문제에 많은 노력을 기울였는데, 이는 진고개 일대가 비가 많이 오는 여름에는 통행이 불가능할 정도로 질척거리는 땅이었기에[15] 원활한 교통을 위해서라도 배수 문제의 해결은 시급하였기 때문이었다. 그런데 배수 및 하수 관리의 문제는 단순히 도로 관리의 차원이 아니라 위생과도 직결되는 문제였다.

조선시대부터 한성부의 도로 양측에는 '구거溝渠'가 설치되어 배수로의 역할을 하였다. 그러나 조선 말기 이 구거들은 오물로 가득 차 있어 매우 불량한 위생상태를 가지고 있었다. 1880년대와 1890년대에 한성을 방문한 외국인들의 한성부에 대한 인상을 적은 기록들에서는 한성부의 불결한 도로와 환경상태에 대한 언급들이 자주 등장하는 것을 볼 수 있다.[16] 외국인들이 지적하듯이 오물과 쓰레기로 가득한 도로와 배수관, 그리고 포장되지 않은 진흙 상태의 도로는 전염병의 직접적 원인이 되었으며, 따라서 도로와 하천의 정비는 도시 위생상으로도 매우 시급하게 필요하였다. 이와 같은 상황을 개선하기 위하여 1880년대 초부터 개화파들은 적극적으로 근대적 위생제도를 도입하고자 하였으며, 1883년에는 한성부에서 처음으로 근대적 위생사업이 시도되기도 하였으나 위생개념의 부재와 한성부민들의 반발로 그 시행에 많은 어려움을 겪었다.[17] 1896~97년에 와서야 한성부에서 도시개조사업을 시행하면서 배수구와 개천, 우물의 정비 사업이 시작되었는데, 당시 도시개조사업 내용을 다루는 독립신문의 기사 등에서 '길

[14] 진고개 일대의 자연환경에 대해 경성부사에서는 "니현(泥峴)이라는 지명은 옛날부터 토지 습윤의 땅으로, 강우 시에는 남산으로부터 세차게 흘러오는 계곡물이 범람하여, 현 본정 2정목 8번지 서쪽은 걷는 게 불가능할 정도였다."라고 묘사하고 있다.-경성부, 1936, 앞의 책, p.633

[15] "*其盤面凹凸極リナク糞尿路ニ滿チ泥濘靴ヲ沒シ春夏の淩ハ殆ド通行ニ堪ヘ難キ有樣ナリシ*"-통상휘찬 제 35호 (1896.2.15.)

[16] 1884년 한국에 있었던 미국 군의 조지 우드는 오물로 오염된 도로들과 쓰레기 가득한 배수에 대해 언급하며 그 배수로가 여름날 질병의 온상이 될 것이며, 역질의 대유행의 원인이라고 지적하고 있다.(Fred. C. Bohn and Robert R. Swartout, Jr., Naval sutgeon in Yi Korea, p.68-신동원, 1997, 『한국 근대 보건의료사』, 한울, p.65에서 재인용) 또한 1894년 한국을 방문한 영국인 이사벨라 비숍은 서울을 베이징 다음으로 이 세상에서 가장 냄새나는 도시로 그 불결함에 대해 그 인상에 대해 얘기하고 있으며, 진흙탕의 좁은 골목길과 쓰레기로 가득 차 냄새가 나는 배수로 등에 대해 묘사하고 있다(이사벨라 버드 비숍, 이인화 옮김. 1994, 『한국과 그 이웃나라들』, 살림, pp.52~53)

[17] 신동원, 1997, 『한국 근대 보건의료사』, 한울, p.71

고치기는 모든 인민의 위생과 세계의 정결함을 위함'이라는 언급을 통해 도시개조사업을 통한 위생청결 사업을 강조하고 있음을 알 수 있다. 1896~97년의 도시 개조사업의 성과로 남대문로, 종로와 같은 대로의 상황은 나아졌으나[18] 대로변을 제외한 작은 길 등은 여전히 불결한 위생상태를 가지고 있었다.

[18]
이사벨라 버드 비숍, 이인화 옮김, 1994, 『한국과 그 이웃나라들』, 살림, pp.498~499

이러한 상황에서 일본인 거류지에서는 일본 내에서의 경험에 근거해 거류 초기부터 청결한 거류지 환경을 구축하고자 분뇨처리장 및 쓰레기장 등을 설치하고 청소사업을 적극적으로 시행하였다. 또한 청소사업과는 별도로 거류지에서는 상하수도시설을 설치하여 위생적인 도시기반시설을 구축하고자 하였다. 특히 하수도의 경우 도로개수사업과 함께 시행되어 거류지 내 각 도로를 따라 하수구와 배수로를 설치하여 하수관리에 많은 노력을 기울였다.

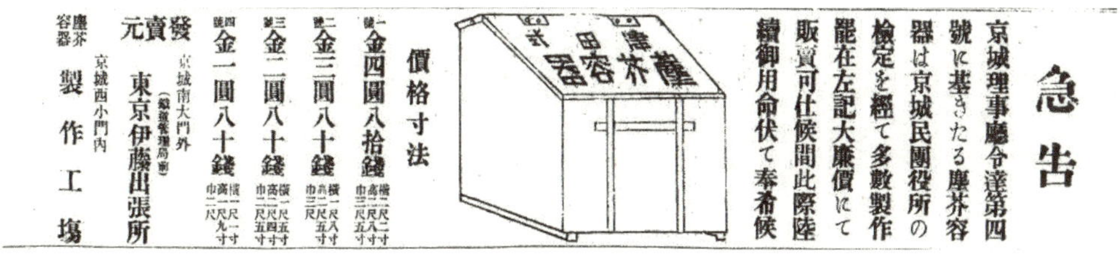

그림 2 경성이사청령 제4호에 의거해 제작된 쓰레기 용기와 그 판매처 (경성일보 1907. 11. 12)

거류지 외부적 상황

도로개수의 필요성은 일본인 거류민들 뿐 아니라 한성부의 서양인들 및 한국인들 역시 인식하고 있었다. 1880년대부터 한성부에서는 도로를 범하고 있는 가가를 철거하여 노폭을 확보하여 도로교통을 원활하게 하고 배수로를 구축하고자 하는 시도들이 있었는데 부민들의 반발로 인하여 1895년 갑오개혁 이전까지는 실현되지 못하였다.[19] 한성부와는 별도로 정

[19]
1883년 한성부윤 박영효가 치도국을 설치하고 3명의 일본인 치도사를 두어 도로정비를 시행하고자 하는 등의 시도가 있었는데, 이 시도는 한성부민들의 반발을 사게 되면서 실패하였다.-이정옥, 2009, 『갑오개혁 이후 한성 도로정비사업과 府民의 반응』, 고려대학교 대학원, p.10

동의 서양인들 역시 도로개수의 필요성을 강하게 주장하며 정동길 일대의 도로개수를 진행하기도 하였다. 1895년 1월 정동에 사는 서양인들은 정동길 도로개수를 위한 협의회를 구성하고 정동 거주자들에게 자체적으로 세금을 거두어 1월 29일부터 공사를 시작하였다.[20] 이는 1895년 4월에 시행된 일본인 거류지의 본정 도로개수사업보다 약 3개월 앞선 것으로서 한성부 및 일본인 거류지에도 자극을 주었을 것임을 알 수 있다. 이에 대해 서양인들은 다음과 같이 기록하고 있다.

"The action of the Chong Dong residents has stirred up others and more streets are to be put into passable shape. Our Japanese friends especially are not to be outdone, nevertheless Chong Dong is one ahead."[21]

위의 인용문에서는 정동지역의 도로개수가 일본인 거류지에 영향을 주었으며 그 수준 역시 상당하였다 평가함으로써, 두 지역 사이의 경쟁적인 분위기가 일본인 지역의 도로개수사업에도 영향을 주었을 것임을 예상해 볼 수 있다.

1895년에는 한성부에서도 본격적인 가가철거사업과[22] 도로개수사업이 시작되었다. 한성부의 가가철거사업은 남대문로에서의 일본 상인들의 가옥 건축을 제한하고자 한 의도도 있었으나 일본영사는 가로를 범한 일본식 가옥의 건축을 억제하는 대신에, 본정 및 남대문로 일대에 지어진 한국인 가가들의 철거를 요구하는 상황이 벌어지기도 하였다.[23] 또한 정동길의 도로개수 이전에도 이 길 일대에 세워진 가가들을 철거함으로써 도로개수가 가능하였다는 기록이 있어,[24] 정동길 및 본정 도로의 도로개수는 한성부의 가가철거사업에 의해 도로

[20] 도로개수의 정확한 내용은 알 수 없으나 정동의 외국인들이 발행한 Korean Repository의 내용으로 미루어 보아 당시 도로개수의 시행방법 및 영향에 대해 알 수 있다.
"The foreign residents in Chong Dong and vicinity promise themselves the pleasure at least one good street. On the 18th, they met in mass meeting, passed a series of resolutions with great harmony and unanimity, voted to tax themselves, which they referred to a committee of five gentlemen to do for them. The same committee was authorized to build the road. Work was begun on the 29th."-『The Korean Repository』, Trilingual Press, Seoul, Vol.2(1895), p.40

[21] 『The Korean Repository』, Vol.2(1895), p.40

[22] Booths are to be removed from the streets of the capital-『The Korean Repository』, p.37, 1895, Vol.2 / 통상휘찬 제 35호 (1896.2.15.)

[23] 이정옥, 2009, 앞의 책, p.20

[24] 『The Korean Repository』, Vol.2(1895). p.40

변 정리가 되어가고 있는 바탕 하에서 시행된 것이었음을 알 수 있다.

도로개수사업의 연차별 시행

일본인 거류지에서는 1895년부터 도로개수사업이 시작되어 1910년까지 이어졌다. 그 구체적인 내용을 연차별로 살펴보면 다음과 같다.

1895년 도로개수

1895년의 도로개수사업이 계획되었을 초기에는 1.진고개 일대와 남대문로를 잇는 동서방향의 본정**本町**도로[25] 2.본정도로에서 동현**銅峴**(구리개길의 한자식 표현)[26]에 이르는 남북도로 3.본정도로에서 영락정**永樂町**(죽동)에 이르는 남북도로의 3개 도로를 그 대상으로 하였다. 그러나 1만원 여에 이르는 예산을 감당하지 못해 처음의 계획과는 달리 본정도로 일부에만 실제로 도로 개수사업을 시행하였다.[27]

1895년 도로개수의 내용은 1896년(明治29년) 1월 24일 우치다 사다츠키**內田定槌**영사의 보고 내용으로부터 자세한 내역을 알 수 있는데, 그 구체적인 내용은 다음과 같다.[28]

1. 도로개수의 구역은 니현 시가와 그 곳에서 한편은 남대문통 회동에 이르고 한편은 죽동에 이르는 가로에 한하는 일

*1. 도로개수에 있어서는 먼저 앞에 기록한 가로의 양측에 연결되어 완전해지는 구거**溝渠**(도랑)을 개통하여 여러 곳곳의 횡구**横溝**를 개착하는 일*

*1. 구거**溝渠**(도랑)의 크기를 3등급으로 나눠 장소의 필요에 응해서 그*

[25] 원문에는 니현(泥峴, 진고개의 한자식 표현)이라고 되어 있으나 표현상의 통일을 위하여 이 글에서는 본정이라는 명칭을 대신 사용하였다.

[26] 역시 원문에는 동현(銅峴, 구리개길의 한자식 표현)이라 표현되어 있으며, 일제 강점기에는 황금정(黃金町)이라 불리었지만, 당시 주로 사용되었던 용어가 구리개길임을 감안하여 이 도로의 경우에는 구리개길이라는 표현을 주로 사용하였다.

[27] 통상휘찬 제 35호 (1896.2.15.) 〈二十八年中ニ於ケル京城泥峴地方道路ノ修理〉

[28] 가급적 원문으로 표기하는 것을 원칙으로 하나, 여기에서는 내용의 전달을 위하여 한글로 번역하여 표기하였다.

*등급을 달리하여 제1등은 방*方 *2자*尺*, 제2등은 방*方 *1자*尺 *5치*寸*, 제3 등은 방*方 *1자*尺*로 함. 단, 횡구*橫溝*는 이 범위에 한하지 않음.*

*1. 구*溝*의 구조는 모두 석재로서, 양측을 쌓아 1등 구거*溝渠*는 두께 1 치*寸 *폭 3자*尺*, 2등은 두께 8분*分[29]*, 폭 2자*尺*, 3등은 두께 8분*分 *폭 1 자*尺 *5치의 송판으로서 덮개를 덮음. 단, 구거*溝渠*(도랑)는 석재로 덮개를 만듦*

*1. 각 구거*溝渠*의 등급은 도로정리위원결의 위에 영사의 인가를 얻어 정하는 것*

*1. 구거*溝渠*의 개수를 끝낸 후는 노면의 고저에 평균하여 토사를 채워 이를 균히는 것*

*1. 구거*溝渠*개수비는 일본인의 소유인 소유지*地所*에 연결되는 부분은 그 소유주에 있어 각자 그것을 부담할 것*

*1. 한인의 소유에 관한 소유지에 연결되는 구거*溝渠*와 횡구*橫溝*의 개수비는 공공비로 이를 지급하는 것*

1. 고저평균과 토사를 채우는 데 드는 비용은 역시 공공비로 이를 지급하는 것

1. 도로개수에 뒤따라 필요하게 된 공공비는 제일은행에서 일시에 차입, 지급할 것

1. 공사의 집행은 도로개수위원으로 이를 감독할 것

〈二十八年中ニ於ケル京城泥峴地方道路ノ修理〉[30] 중에서

[29] 分은 0.1치(寸)를 나타내는 단위이다.

[30] 통상휘찬 제35호 (1896.2.15.) 〈二十八年中ニ於ケル京城泥峴地方道路ノ修理〉

이를 통해 1895년 도로개수사업의 내용은 크게 1.길을 범한 가옥의 정리와 도로 폭의 확보 2.배수로의 개착과 도로 노면 정리 등으로 이루어졌음을 알 수 있다.

먼저 길을 범한 가옥의 정리는 1895년 한성부에서 시행한 가가철거사업과 연계되어 있다. 1895년 8월 한성부에서는 원활한 도로 교통을 위하여 남대문로와 종로의 가가를 철폐하

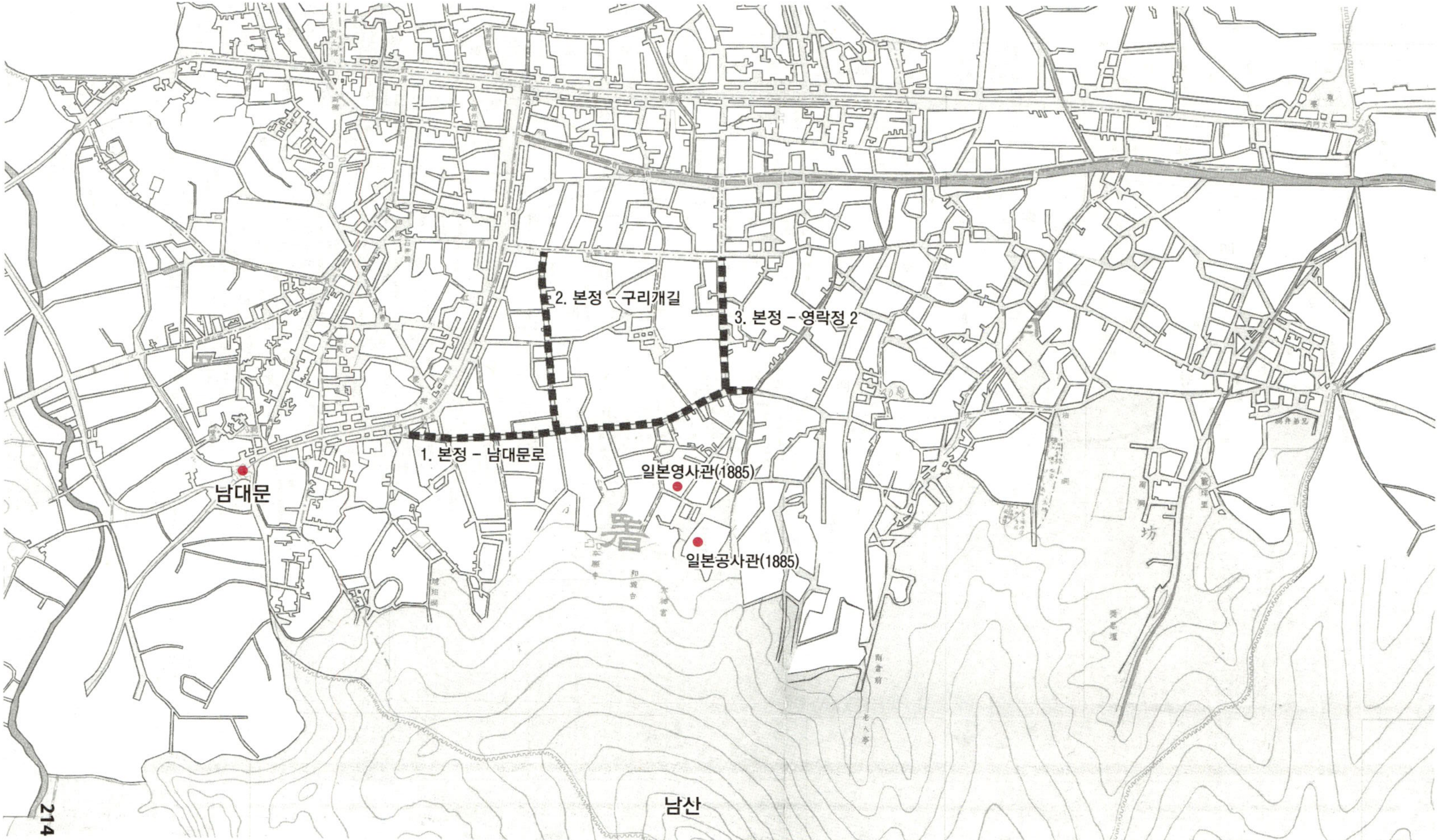

그림 3 1895년 도로개수사업 예정 구역(추정)

고 규제에 맞게 다시 짓게 하였는데, 이와 같은 한성부의 정책에 맞물려 본정도로의 가옥 역시 정리하는 것이었다. 그런데 이와 같은 과정에서 일본인들은 오히려 남대문통의 한국인 가옥 등을 매입하여 그 가옥을 철거하고 그 자리에 일본식 가옥을 건축하는 계기로 삼기도 하였다. 이렇게 건축된 일본식 가옥 중에는 지붕이 돌출하여 도로를 범한 가옥들도 상당수 존재하여 도로변 가옥 정리에는 이러한 가옥들의 개축 등이 함께 행하여졌던 것으로 보인다.[31] 이를 통해 폭 3칸 이상의 도로를 확보하여 우마차의 통행이 가능하게 됨으로써 도로개량의 목적 일부를 달성하게 되었다.

[31] 통상휘찬 제35호 (1896.2.15.) 〈二十八年中ニ於ケル京城泥峴地方道路ノ修理〉

배수로의 개착과 도로노면 정리는 영사관 보고에서 1895년 8월 거류민회에서 정한 내용의 주를 이루고 있는 내용이다. 주요 내용은 본정도로와 본정도로에서 연결되는 도로들의 양측에 배수로溝渠[32]를 개통하고 횡구[33]横溝(도로 옆 작은 도랑)를 개착하는 것이다. 배수로의 경우 3등급으로 나누어서 각각 그 크기와 구조를 달리 했으며 재료는 주로 석재를 사용하였다. 배수로의 개수를 끝낸 후에는 노면의 고저를 평균해서 토사를 채우도록 하였다. 각 등급별 배수로溝渠와 횡구横溝의 세부사항은 다음과 같다.

[32] 溝渠: 배수를 위해 판 도랑을 의미하는 단어로, 이 문서에서는 横溝와 구별되어 사용된다. 横溝와 대비되어 溝渠는 석재 덮개가 있는 도랑으로서 하수도의 의미로 해석될 수 있다.

[33] 道の横につくられた溝 (도로 옆에 만들어진 도랑)-일본 국어 대사전

표 1. 배수로의 등급별 크기와 덮개

배수로의 등급	한 변 크기(方)	덮개 (溝는 송판으로, 溝渠는 석재로)
1등급	2자(尺)	두께 1치, 폭 3자
2등급	1자 5치(寸)	두께 8분(分, 0.1寸) 폭 2자
3등급	1자	두께 8분 폭 1자 5치

1895년의 도로 개수사업은 1895년 8월에 시작하여, 연말까지 계속되었으며 이외에도 쓰레기 취체, 교번소 설치와 야간통행을 위한 가등 설치 등이 추가적으로 행하여졌다. 이와 같은 도로개수를 통해 본정도로는 그 일면목을 쇄신하였으며, 사람 및 짐차의 통행에 편리하게 되었다고 영사관 보고는 기록하고 있다. 또한 서양인들도 당시 일본인 거류지의 도로 개수사업의 성과에 대해 다음과 같이 기록함으로써

"The streets in the Japanese settlement are being repaired and wherever possible widened. The main street extends to Nak Dong. On the South gate street there are a number of Japanese stores lining both sides of the streets."[34]

[34] 『The Korean Repository』, Vol.2(1895), p.396

거류지 내 도로가 넓어지고 수리되었으며, 거류지의 주도로인 본정도로가 남대문로에 닿는 낙동(본정 1정목 일대)까지 확장되었음을 언급하고 있다. 또한 남대문로 주변에도 일본인 상점들이 양 옆으로 들어섰음을 알 수 있다.

1897년 도로개수

1897년의 도로개수는 왜성대공원을 설치하게 됨에 따라 왜성대공원으로 향하는 도로의 개축 및 수선을 시행한 것

그림 4 왜성대 공원에 이르는 도로

으로 1895년과 같은 대대적인 규모는 아니었다. 왜성대 공원으로 향하는 도로는 명확하게 어느 도로인지 알 수 없으나, 1903년의 사진들에서 발견되는 왜성대공원 앞 정비된 도로일 것이라 예상할 수 있다. 이 도로의 개축과 수선에는 300원의 예산을 들었으며[35] 그 규모나 수준은 여타 다른 해에 일어난 도로개수에 비해서는 미미한 것이었다.

[35] 경성부, 1936, 앞의 책, p.665

1901년 도로개수

1901년의 도로개수 역시 1895년 처음으로 도로개수사업이 시행되었던 본정도로를 중심으로 시행되었다. 당시의 공사 내용에 대하여서는 1902년 1월 11일 영사관 보고에서 상세하게 그 내용을 다루고 있는데, 그 내용을 구체적으로 살펴보면 다음과 같다.[36] 도로개수 구역은 본정 5정목에서 남대문로까지였으며, 간선도로만 그 대상이었다.[37] 도로개수는 전체 구역을 여러 개로 나누어 단계별로 시행하였으며, 배수구의 개착을 위해서 도로 양측 가옥 앞에 토사를 쌓아두어야 했으므로 도로개수가 진행되는 동안의 영업은 정지되었다.

[36] 姜萬吉, 1992, 『明治宮報拔萃 駐朝鮮日本國)領事館報告, 下, 1895年~1905年』, 國學資料院, pp.593~594

[37] 영사관 보고에서는 다음 해부터는 지선도로 역시 포함되어야할 것이라고 언급하고 있다.

1901년의 도로개수는 8월 5일 기공하여 총 71일의 공사기간을 거쳐 10월 31일에 준공하여 11월 4일에 준공식을 거행하였다. 그 비용은 다음 해부터 5개년 간 상환하는 조건으로 제일은행으로부터 1만원을 차입하여 거류민 공공비로 충당하였다. 실제 개수비는 총 9,574.35원이 소요되었는데 이 중 공사비는 5,885.00원, 부근 공사 및 가옥 취제取除비, 급료, 잡비 등의 항목으로 3,689.35원이 소요되었다. 구체적인 공사 내역으로부터 도로개수가 이루어진 도로들의 폭은 3칸과 4칸 두 종류가 있었음을 알 수 있으며, 노면 연장과 함께 배수구 연장(대, 소, 일ㅇ토관) 및 우수구 흡입구, 대토관 흡입구, 토사세탁소의 설치 및 하수통, O출하수토관시설 등의 설치 등의 구체적인 내용을 포함하였다. 또한 이 도로개수사업에는 총 5,212명의 인부가 동원되었는데 이중 일본인 인부는 618명, 한국인은 4,427명, 청나라인은 167명으로서 일 평균으로는 각각 8.7명, 62.2명, 2.3명의 비중을 차지하였다.

도로개수사업과 더불어 본정도로변의 건축물의 개축도 다수 이루어졌으며, 약 450칸(약 818.18m)의 가로구간에 30개의 가로등이 설치되었다. 1895년의 개수 당시에도 가로등은 설치되었으나, 1901년에는 이들이 전등으로 대체되었으며, 450칸에 30개, 즉 15칸(약 27m)에 1개꼴로 가로등이 설치되어 연속적인 가로경관을 구성하게 되었다. 전등이 가로에 등장한 것은 1900년 4월 종로에서 3개의 전등이 설치된 것이 최초였으나, 이는 연속적인 가로등으로 보기는 어려우므로[38] 가로를 따라 연속되는 가로등이 설치되는 것은 1901년 본정도로의 경우가 그 처음이라 할 수 있다. 영사관 보고에서는 전등의 설치로 불야성을 이룬 경성 제일의 시가로 변화하였다라고 묘사하고 있다.

[38]
"(鍾路電燈(종로전등)) 電氣會社에서 昨日(작일)붓터 鍾路(종로)에 電燈三坐(전등삼좌)를 燃(연)ᄒᆞ얏더라"–황성신문 19000411

1904년 도로개수

1904년에는 신정**新町**(쌍림동) 일대의 개발이 진행됨에 따라 신정으로 향하는 본정 6~9정목의 도로와 신정 도로의 개축 및 신축이 이루어졌다.

먼저 본정 6~9정목 도로개수는 앞선 1895년, 1901년에 이루어진 본정 1~5정목 도로개수의 연장선상에서 이루어진 것으로, 이 도로가 위치한 지역은 당시 일본인과 한국인이 잡거하는 지역이었다. 사업 초기에는 매우 큰 비용이 소요될 것이라 예상하고 약 1만원 정도의 예산투입을 결정하였으나, 한성부윤이 한국인들에게 도로 확장에 필요한 가옥 및 토지의 일부를 자진 기부할 것을 장려하여 예상보다 적은 비용인 1,000여원의 비용만 소요하여 도로를 확장하였다. 또한 이 과정에서 거류민 사무소와 경찰서가 협력하여 경찰력을 동행하여 강제적인 시행이 이루어졌다.[39]

[39] 경성거류민단역소, 2010, 앞의 책, p. 203 / 경성부, 1936, 앞의 책, p.721

신정 일대는 일본인 거류민이 7,000원의 비용으로 7,000여 평의 땅을 매입하여 지역정리를 하고 특별요리점 영업지로서 개발하였는데, 수선전도에는 신정 일대에 남북으로 뻗은 지선도로가 하나 표시되어 있으나, 1903년 한성전도와 1907년 최신경성전도를 비교해보면 새로운 영업지구를 개발하면서 새로운 도로들이 신축되었음을 알 수 있다. 이 해의 도로개수사업의 구체적인 내용들에 대한 기록은 없으나, 이전의 방식과 유사하였을 것이라 예상해볼 수 있다.

1905년 도로개수

1905년의 도로개수에 대하여서는 자세한 내용이 알려져 있지는 않으나 세출(경상부)1,000원, (임시부)300원의 예산지출과 동부 도로 개수라는 내용이 경성발달사에 기록되어 있어 당시 도로개수가 행하여졌음을 알 수 있다.[40] 그러나 그 예산액의 규모가 1901년이나 1904년에 비해 소규모였던 것으로 미루어보아 대대적인 도로 신축이나 개축이 아닌 작은 규모의 수선 정도에 그쳤을 것이라 예상해볼 수 있다.

[40] 경성거류민단역소, 2010, 앞의 책, p.220

1907년 도로개수

1907년에는 거류지 영역 전반에 걸친 도로 개수 사업이 시행되었다.

[41]
원문에는 아카몬(赤門)대로라고 되어 있으나, 이 도로는 영락정 2정목 도로(현재의 수표로)를 일컫는 것이므로 용어의 통일성을 고려하여 영락정 2정목 도로라 표기하였다.

먼저, 교통과 화물수송의 원활함을 위하여 남대문로-구리개길-영락정 2정목[41]-본정 5정목 도로를 연결하는 순환도로를 구축하였다. 이를 위해 영희전永禧殿 동편 담장을 허물게 되었다. 이는 본정 상점가가 점차 번화하고 발달함에 따라 화물 운송상의 필요에 의해 요구된 것으로서, 한성부 교통의 거점인 남대문으로부터의 순환도로 구축이라는 점에서 의미를 가진다.

본정 1정목에서 5정목까지의 450칸에는 두께 9촌(약 27cm)의 자갈을, 이사청 앞에서 전차통로까지 큰 길 30칸에는 두께 6촌(약 18cm)의 자갈을, 그리고 작은 길에는 두께 3촌(9cm)~6촌(18cm)의 자갈을 포설하는 사리砂利공사를 하였다. 이 사리공사에는 총 5,071원 10전이 들었다. 당시 한성에는 포장된 도로는 거의 없었는데, 이 도로를 많은 비용을 들여 자갈로 포설하였음은 이 도로가 가지는 상징적인 중요성을 보여준다고 할 수 있으며, 1907년 일본 황태자 방문 시 어도御道 준비를 위해 도로 포장을 한 것과의 연관성도 생각해볼 수 있다. 일본인 거류지의 중심으로서의 본정 도로는 1895년, 1901년의 개수를 거쳐 1907년에 오면 자갈로 포장이 되는 변화를 보인다.

표 2. 1907년 도로개수사업 내용 상세

영역	항목		비용
남산정 3정목~4정목	지하배수관 연장	130칸	3,412원 50전
본정 1정목~5정목	처마 및 하수시설 연장	879칸	3,716원 50전
	지하배수관	50칸 반	129원 78전
	토관	29개소	303원
본정 6정목~8정목, 욱정, 명치정, 남산정, 수정, 영락정, 대화정, 일출정	정지작업		1만 4,625원 71전
	자갈포설		
	하천 매립 및 하수도 공사		
합 계			2만 6,618원 59전

또한 본정, 남산정, 욱정, 명치정, 수정, 영락정, 대화정, 일출정 등의 일본인 거류지 내 전반에 걸쳐 지하배수관 매설, 처마 및 하수시설 연장, 정지작업, 자갈포설, 하천 매립 및 하수도 공사 등의 전반적인 도로개수사업이 행하여졌다. 이를 위해서 총 합계 2만 6,618원 59전의 비용을 소요할 정도로 대대적인 사업이 시행되었다. 그 상세한 내역은 다음과 같다.

특히 1907년의 경우 일본 황태자의 방문과 경성박람회의 개최 등 일본인 거류지 내부에 대대적인 행사가 다수 있었으므로 환경정비가 더욱 중요하게 다루어졌을 것이라 예상된다.

1909년 도로개수

1907년의 도로개수가 남대문로~본정에 이르는 기존의 일본인 거류지 지역의 기존 도로들의 보수와 환경 개선이었다면 1909년의 도로개수는 점차 동측으로 확장하는 일본인 거류지를 위해 새로운 도로들을 구축하는 사업이었다.

먼저, 신정에서 동사헌정에 이르는 총길이 1,475척 (266칸, 약 447m)에 이르는 도로[42]를 3,125원 8전을 들여 절개하여 개착하였으며, 대화정 2정목에서 본정 9정목에 이르는 총길이 150칸(273m), 폭 3칸(5.45m)에 이르는 도로를 신설하였다.[43] 이 도로들은 1907년 최신경성전도와 1910년 경성시가전도를 비교해보면 확인해 볼 수 있다. 이 두 지도를 비교해보면 1909년 도로개수시 신축한 2개의 도로 이외에도 일본인 거류지 동측 지역의 여러 도로들이 새로 생긴 것을 확인할 수 있는데, 이것이 실제로 도로가 새롭게 신축된 것인지 아니면 지도 제작 방식 등의 문제로 인하여 1907년까지는 기록되지 않았다가 이후에 기록된 것인지에 대해서는 확실히 알 수 없다.

[42] 1930년대의 서사헌정(西四軒町) 고야산별원 북쪽 도로, 경성부, 1936, 앞의 책, p.805

[43] 경성부사에서는 대화정 3정목-본정 9정목 총 길이 105칸의 도로(현 본정 5정목 남측편 도로 일부)라고 기록하고 있다. 경성부, 1936, 앞의 책, p.805

1907

1910

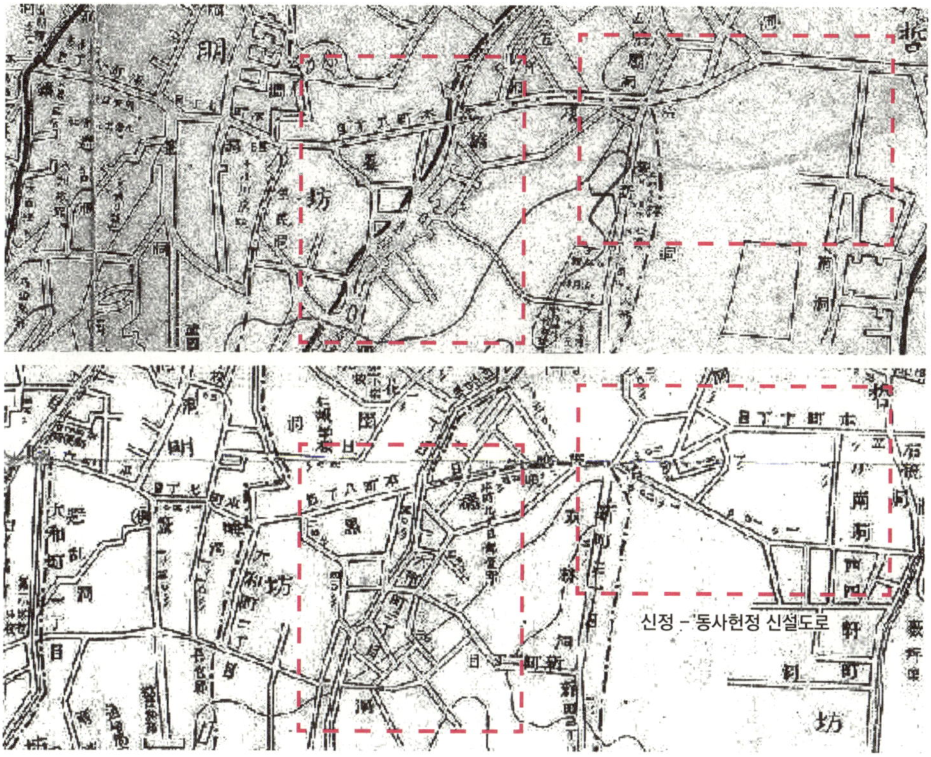

대화정 2정목 – 본정 9정목 신설도로

그림 5 1907년 최신경성전도와 1910년 경성시가전도의 비교를 통해 본 신설도로

1895년 처음 시작된 일본인 거류지 지역의 도로개수는 그 규모와 정도의 차이는 있지만 1909년까지 지속적으로 시행되었다. 그 내용을 하나로 정리해보면 〈표 3〉, [그림 6]과 같다.

표 3. 1895~1910년 도로개수사업의 내용

<table>
<tr><th>연도</th><th>대상지</th><th>예산</th><th colspan="2">주요사업내용</th><th>목적</th><th>비고</th><th>출처</th></tr>
<tr><td>1895</td><td>본정(本町) 도로
(*본정(本町)-구리개길(銅峴))
(*본정(本町)-영락정(永樂町))</td><td>1,000여원
(3,000원)</td><td colspan="2">범로(犯路)가옥 철거, 노폭확보
배수로개착. 도로노면정리
쓰레기취체. 교번소 설치,
가등 설치</td><td>· 교통불편해소
· 본정도로 도로 재정비
· 본정도로 상업 활성화</td><td>1895 한성부 가가철폐령과의 연관성</td><td>경성부사
경성발달사
영사관보고</td></tr>
<tr><td>1897</td><td>왜성대(倭城臺) 입구 도로</td><td>300원</td><td colspan="2">도로개축 및 수선</td><td>왜성대 공원에 이르는 길 확보</td><td>1897 왜성대 공원 설립</td><td>경성발달사</td></tr>
<tr><td>1901</td><td>본정(本町)
1정목~5정목</td><td>9,574.35원
(1만원)</td><td colspan="2">노면연장, 배수구연장
우수구 흡입구, 대토관 흡입구,
토사세탁소, 하수통 등 설치
전등(가로등) 30개 설치</td><td></td><td>· 구간별 개수
· 간선도로만 개수
· 도로변 가옥 개축도 일어남
· 불야성의 도로가 됨</td><td>경성부사
경성발달사
영사관보고</td></tr>
<tr><td rowspan="2">1904</td><td>본정(本町)
6정목~9정목</td><td>1000원</td><td colspan="2">개축</td><td>한국, 일본인 잡거지역 도로 확장 및 개수</td><td>· 한성부윤의 한국인 소유
· 토지 및 가옥 자진 기부 장려
· 경찰력 동원하여 강제적 시행</td><td rowspan="2">경성발달사
경성부사</td></tr>
<tr><td>신정(新町) 1~4정목</td><td>7000원</td><td colspan="2">개축 및 신축</td><td>특별요리영업구역 설치</td><td>특별요리점, 극장, 유흥장 등 설치</td></tr>
<tr><td>1905</td><td>동부도로</td><td>1300원</td><td colspan="2"></td><td></td><td>예산액만 표현</td><td>경성발달사</td></tr>
<tr><td rowspan="7">1907</td><td>남대문로(南大門路)-구리개길(銅峴)-영락정(永樂町) 2정목-본정(本町) 5정목</td><td></td><td colspan="2">· 순환로 구축
· 영희전 동편 담장 철폐 후 도로 확장</td><td>교통 및 화물수송</td><td rowspan="7">일본 황태자의 방문과 경성박람회의 개최*1</td><td rowspan="6">경성발달사</td></tr>
<tr><td>본정(本町)
1정목~5정목</td><td>5,071원
10전</td><td colspan="2">사리(砂利)공사: 자갈포설
(본정1정목~5정목(450칸):
두께 9촌
이사청~전차통로(30칸):
두께 6촌
작은 길: 두께 3촌~6촌)</td><td rowspan="6"></td></tr>
<tr><td>남산정(南山町)
3정목~4정목</td><td>3,412원
50전</td><td>지하배수관 연장</td><td>130칸</td></tr>
<tr><td rowspan="3">본정(本町)
1정목~5정목</td><td>3,716원
50전</td><td>처마 및 하수시설 연장</td><td>879칸</td></tr>
<tr><td>129원 78전</td><td>지하배수관</td><td>50칸 반</td></tr>
<tr><td>303원</td><td>토관</td><td>29개소</td></tr>
<tr><td>본정(本町) 6정목~8정목, 욱정(旭町), 명치정(明治町), 남산정(南山町), 수정(壽町), 영락정(永樂町), 대화정(大和町), 일출정(日出町)</td><td>1만 4,625원
71전</td><td colspan="2">정지작업</td><td></td></tr>
<tr><td>1908</td><td>욱정(旭町) 1정목, 남산정(南山町) 1,2정목, 일출정(日出町), 수정(壽町)일대</td><td></td><td colspan="2">· 보수
· 자갈 포장</td><td></td><td></td><td>경성발달사</td></tr>
<tr><td rowspan="2">1909</td><td>신정(新町)-동사헌정(東四軒町)</td><td>3,125원 8전</td><td colspan="2">절개하여 개착</td><td rowspan="2"></td><td>총길이 1,475척 (266칸, 약 447m)</td><td rowspan="2">경성발달사
경성부사</td></tr>
<tr><td>대화정(大和町) 2정목-본정(本町) 9정목</td><td>576원</td><td colspan="2">도로 신설</td><td>총길이 150칸(273m),
폭 3칸(5.45m)</td></tr>
</table>

*1. 1907년에는 도로개축조사회를 조직하여 남대문역에서 산수(山手,야마노테) 큰길, 즉 미창정(米倉町, 요네구라초, 지금의 북창동)에서 욱정을 거쳐 남산정 3정목으로 통하는 길 하나, 남산정 3정목에서 명치정과 영락정을 거쳐 광희문에 이르는 방면의 도로 신설을 계획하고 측량 사무실을 가설, 1907년 예산 편성까지 했지만 사정으로 인하여 보류하였다.

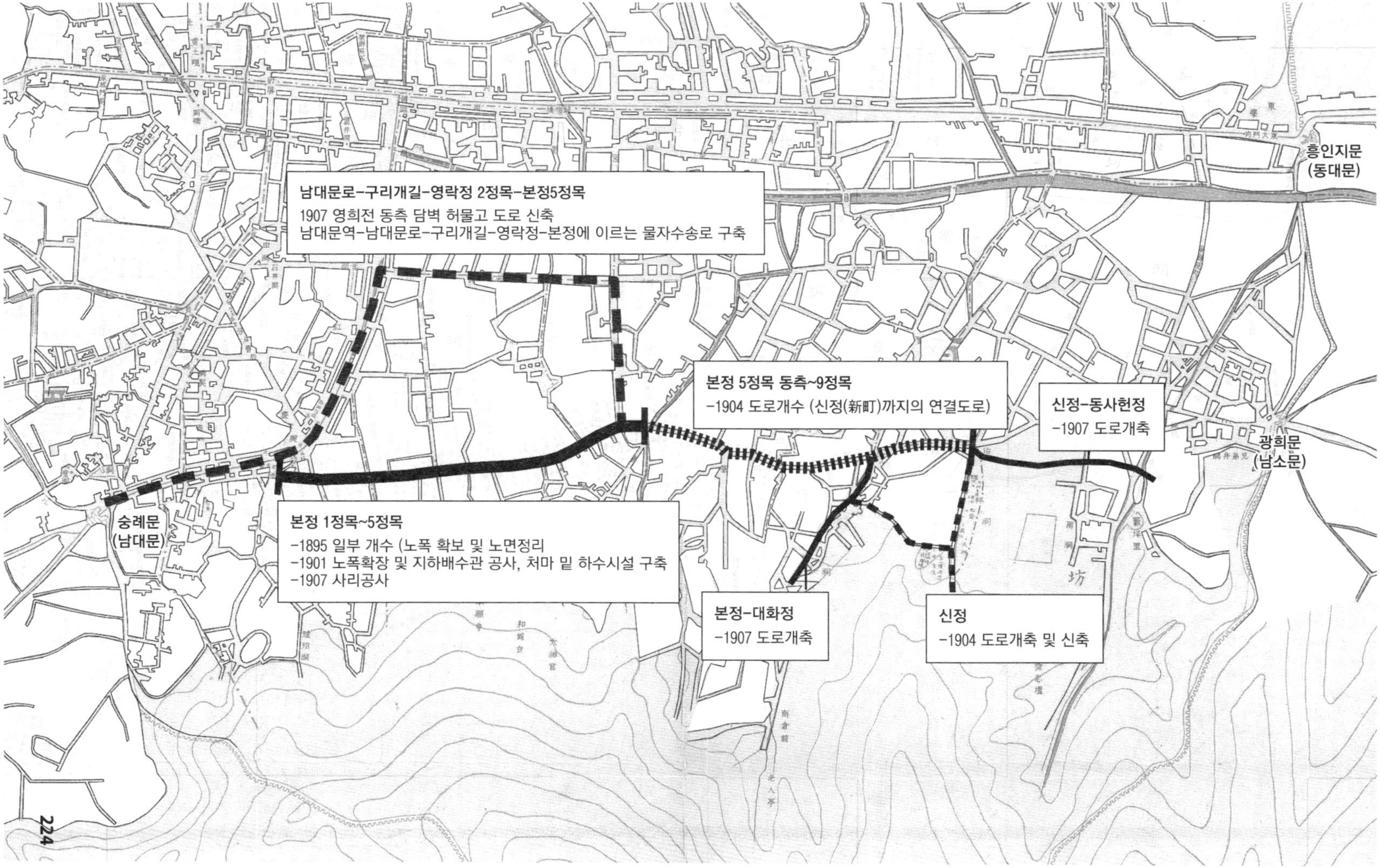

그림 6 거류지 주요도로개수사업 (1907 최신경성전도 위 작도)

도로개수사업의 성격과 특징

일본인 거류지 내 도로개수사업의 특징을 정리해보면 다음과 같다.

먼저, 도로개수사업이 시행된 지역에 대해 생각해볼 수 있다. 거류지의 영역이 점차 확대될수록 도로개수사업 역시 그 시행 영역이 확장되었는데, 먼저 청일전쟁 이후부터 러일전쟁 이전까지의 1895년과 1901년의 도로개수사업은 초기 거류지 지역인 본정本町 4, 5정목에서 청일전쟁을 전후하여 서측으로 확대된 거류지 영역인 남대문로까지를 중심으로 이루어졌다. 1904년 이후에는 거류지의 동측, 즉 신정新町에서 동사헌정東四軒町에 이르는 일대가 거류지의 영역으로 확장되기 시작하면서 기존의 거류지와 이 지역을 잇는 도로들이 개축되고 신축되는 경향을 보인다. 즉, 1904년 이전의 도로개수사업이 일본인 거류지와 기존 한성부의 중심부를 잇는 도로 정비가 중심이 되었다면, 1904년 이후에는 새롭게 일본인 거류지로 개발되는 지역과 기존의 거류지를 잇는 도로의 개축과 신축이 중심이 되는 특징을 보인다.

두 번째로, 일본인 거류지 내 도로개수사업의 주요 내용을 살펴보면 크게 교통편의를 위한 도로폭 확보 및 도로포장, 치수治水를 위한 배수로 개착 및 가로환경 개선을 위한 쓰레기 취체 및 가로등 설치 등으로 나누어 볼 수 있다. 도로폭 확보는 도로를 범하고 있는 가옥과 가가假家등을 철거하고 일정한 노폭을 확보하는 것으로 1895년 한성부의 가가정리사업과 함께 도로개수사업 초기부터 시행된 것으로서, 이는 교통로의 확보에 있어서는 필수적인 것이었다. 도로포장은 1895년부터 노면정리라는 항목으로 도로개수사업에 포함되어 있었던 것으로, 1907년에 이르면 자갈로 도로를 포장한다는 구체적인 내용이 나와 있어 그 세부적 사항을 알 수 있다. 도로 포장 역시 사람과 화물의 수송을 위한 것으로 거류지 내 가로환경 개선 및 교통편의를 위해 중요한 내용이었다. 한편 우천시 하천범람 등으로 열악한 환경에 있었던 거류지 일대의 특성상 치수治水를 위한 배수로 개착은 매우 중요하게 다루어진 사업이었다. 이는 특히 도시 위생과도 연관이 큰 항목이었다. 쓰레기 취체 및 가로등 설치 등은 도시의 가로환경을 크게 변화시키는 역할을 하였다. 도로의 포장과 가로변 건축물의 정리, 그리고 배수로의 개착으로 크게 그 환경이 개선된 가로는 쓰레기 취체 등의 청소사업과 가로등 설치를 통해 청결하면서도 밤에도 불야성을 이루는 가로로 변모하였다.

이를 통해 알 수 있는 것은 도로개수사업의 목적이다. 일차적으로 도로개수사업은 사람과 화물의 편리한 수송, 즉 교통의 편리함을 위한 것에 그 목적이 있었으며, 치수治水사업을 통해 가로환경의 정비 및 도시위생의 진전에도 그 목적이 있었다. 또한 이러한 교통의 편리와 가로환경의 정비는 결국 본정 일대의 일본인 상점가의 번성을 위한 것이었다.

또한 도로개수사업의 재원財源 확보에서 그 특징을 살펴볼 수 있다. 도로개수사업은 대규모의 예산이 소요되는 사업이었는데, 그럼에도 불구하고 도로개수사업의 중요성을 인식하고 있었던 일본인 거류지에서는 1895년, 1901년, 1904년, 1907년의 경우 각각 1,000원, 10,000여원, 8,000원, 20,000여원에 이르는 규모의 예산을 투자하여 사업을 시행하였다. 이는 각 해의 전체 예산 중 14%(1895년), 40%(1901년), 38%(1904년), 15%(1907년)의 비중을 차지하는 정도였다. 그 재원은 거류민단 공공비로 충당하였는데, 그 예산이 커서 공공비가 부족할 경우 제일은행으로부터 그 비용을 차입하여 충당하였다.[44] 또한 일본인들은 거류지 내 도로개수 등에 드는 막대한 비용을 충당하기 위하여 한성부에 보조금을 요청하기도 하였으며[45] 1907년에는 도로개수사업의 혜택은 일본인 거류민들뿐만 아니라 한국인들도 얻는 것임을 언급하며 통감부에 지원을 요청하기도 하였다.[46] 이처럼 거류지 도로개수사업은 거류민단을 중심으로 하는 일본인 자치기구가 중심이 되어 자체 예산을 편성하여 시행한 것으로, 민간 주도적 사업의 성격을 가지고 있었다.

[44]
경성거류민단역소, 2010, 앞의 책, p.131

[45]
1901년 07월 29일의 황성신문에는 한성부윤이 니현도로수리비 4000원을 내부에 청하였다는 기사가 실려 있어 한성부에도 보조금을 청원하였음을 알 수 있다. 그러나 1905년 2월 16일 주한일본공사관 기록에서는 "경성에서 일본인이 거류하는 일대에 특히 니현 방면의 도로는 전연 우리 거류민들이 자본을 투자하여 건조(建造) 유지하는 바로서 거의가 그 재산으로 이루어진 것이라고 말할 수 있다."라고 함으로써 거류지 일대 도로개수 비용은 일부 한성부 보조가 있었을 가능성도 있으나 그 대부분은 거류민단이 담당하였을 것임을 예상할 수 있다.

표 4. 주요 도로개수사업이 있었던 해의 전체 예산과 도로개수예산액

	전체 예산 (원)	도로개수예산 (원)	비중 (%)
1895	7,000.00	1,000.00	14%
1897	10,516.82	300.00	3%
1901	23,942.00	9,574.35	40%
1904	20,900.00	8,000.00	38%
1907	182,805.02	27,258.59	15%

그런데 여기에서 유의할 점은 한일병합 이전, 즉 식민화가 이루어지기 이전에 이러한 대대적인 도로개수사업이 시행되었다는 것이다. 이미 토지와 가옥 등의 일본인의 매수와 대한제국의 국유시설들의 무상 임차 등은 진행되고 있었던 상황이었지만, 도로는 이와는 다른 경우이다. 즉, 예산은 일본인 거류민단에 의해 충당되었다 할지라도 한성부의 도로를 개수한다는 점에서 여기에는 반드시 한성부의 협조가 필요한 상황이었다. 최초의 도로개수였던 1895년의 경우 일본 영사관의 보고에서 '조선정부와의 협의'를 통해 도로개수가 이루어졌다고 명시하고 있어, 협의 내용의 수준이나 정도에 대해서는 알

[46]
1907년 12월 21일 경성거류민단민장 구마타니(熊谷頼太郎)는 통감대리 하세가와(長谷川好道)에게 토목, 위생, 그리고 경비비 보조금 3만원 지원을 한국정부가 교부하도록 교섭해줄 것을 요청하였으나, 그 요청은 받아들여지지 않았다.-경성거류민단역소, 2010, 앞의 책, p.258

수 없지만, 분명히 협조가 이루어졌음을 알 수 있다.

《28年中京城商況年報》(29年7月6日付在京城領事館報告)[47]

京城の內南大門と從來本邦商人の重に居住せる泥峴附近間の通路は作春頃道幅狹隘にして駄馬は通行し得るも牛車に到りては遠々他の市街を迂回するを例とせしがより朝鮮政府期筋と協議の上道幅を擴張し且つ道路清潔等修築せしかは爾來公衆の往來は勿論牛馬車輛の通行頗る便利なるに到れり

[47] 통상휘찬 52호 (1896.11.2.)

그러나 한반도 내에서 일본의 영향력이 점점 커짐에 따라 도로개수사업의 성격도 변화하였다. 처음에는 일본인 거류민들이 사는 지역의 환경 개선과 번영을 위해 이루어졌던 도로개수사업이 점차 거류지 영역의 확장과 함께 한성부의 남촌 일대를 아우르는 사업으로 변하였으며, 1904년의 동부지역 개발과 도로개수사업에서는 기존의 한국인들의 토지를 강제적으로 수용하는 등의 폭력성이 동반되었다. 이는 본격적인 식민지가 시작되기 이전, 즉 러일전쟁 이후 한국 내에서의 일본 세력이 강화됨에 따라 벌어진 현상으로서, 이후 식민화가 되면 이와 같은 경향은 더욱 더 심화되기에 이르렀다.

거류지 도시환경의 구성 1: 도로환경

도로

거류지 내 원활한 통행을 위해 무엇보다 시급한 것은 도로폭의 확보였다. 이 지역의 도로는 중로(16척, 약 4.85m))인 본정 도로를 제외하고는 대부분 소로(11척, 약3.33m) 였는데, 이마저도 폭이 일정치는 않았고, 도로를 침범해서 지은 가옥들이 다수 있어 통행에 어려움이 많았다. 따라서 도로개수사업을 통해서 도로를 침범한 가옥들을 정리하고 일정한 노폭을 확보하고자 하여, 본정1정목~5정목 도로는 3칸과 4칸, 대화정-본정9정목의 도로는 3칸의 폭을 확보하게 되었다. 즉, 도로개수사업을 통해 확보된 본정도로 등의 노폭은 3칸이나 4칸이었음을 알 수 있는데, 이는 우마차의 통행에 최소한 3칸의 도로 폭이 필요하였기 때문이다.[48] 그러나 언급한 3개의 도로를 제외하고는 기록이 남아 있지 않아 거류지 내 도로 폭에 대해서 정확하게는 알 수 없으나 1912년의 지적원도에 근거해 볼 때 영락정(죽동)도로와 신정도로 등 몇 개의 도로를 제외하고는 3칸과 비슷하거나 혹은 더 작은 노폭을 가지고 있었을 것이라 예상해볼 수 있다.

[48]
姜萬吉, 1992, 『明治宮報拔萃 駐朝鮮日本國) 領事館報告, 下, 1895年~1905年』, 國學資料院, pp.593~594

남산 언덕에 위치한 거류지의 특성상, 거류지 도로의 대부분은 경사를 가지고 있는 경우가 많았다. 거류지의 중심도로인 본정도로의 원래 이름인 진고개길이라는 단어에서 알 수 있듯이 이 도로 역시 경사도를 가진 고갯길이었다. 따라서 도로개수사업의 시행시 이 경사에 대한 대응을 할 필요가 있었다. 1895년 본정도로의 개수 시에는 '고저차를 평균하여 토사를 채우고'[49] 라고 함으로써 일정치 않은 경사를 일정하게 만들고자 하였음을 알 수 있으며, 1904년 동부지역 개발시 개착한 본정 5~9정목 도로의 경우에도, 경사진 지형을 깎아내고 도로를 개착하였다는 기록[50]이 있어 경사진 지형에 대한 대응도 이루어졌음을 알 수 있다.

[49]
통상휘찬 제35호 (1896.2.15.) 《二十八年中ニ於ケル京城泥峴地方道路ノ修理》

[50]
경성거류민단역소, 2010, 앞의 책, p.203 / 경성부, 1936, 앞의 책, p.721

한편 빈번한 강우로 인해 도로면의 요철 역시 심한 편이었다. 요철이 있는 도로는 바퀴가 있는 교통 수단의 운행에 장애가 되었으며, 또한 도로의 파인 곳에는 빗물이 고이는 문제도 있어 1895년 도로개수사업에서부터 도로의 요철을 없애고자 하는 시도들도 나타났다.

이렇게 노폭을 확보하고 요철을 정리함과 함께 도로의 양측 옆에는 배수구를 개설하고 그 위를 덮개로 덮고 토사를 채워 도로 평균면을 맞춘 후 굳힘으로써 도로면을 정리하였다. 1907년부터는 도로 위에 자갈을 9寸(약 27cm)로 포장을 하였는데, 이를 사리砂利공사라 하였다. 당시 한성부의 도로는 대부분 포장이 되어 있지 않은 상태였는데,[51] 일본인 거류지에서는 거류지의 중심 도로들을 자갈로 포장을 하기 시작하였다. 이 외에도 일본 황태자 방문 등의 특별한 일에는 황태자가 지나는 길에 자갈을 포설[52]하는 등의 도로 포장에 각별한 주의를 기울이고 있었음을 알 수 있다.

[51] 1910년대까지 한성부의 도로 중 가장 크고 중심이 되었던 도로인 종로조차도 흙먼지가 날리는 도로였다라는 기록으로 미루어보아 당시 대부분의 도로는 포장이 되지 않았음을 알 수 있다.

[52] 경성거류민단역소, 2010, 앞의 책, pp.289~290

이렇게 구축된 거류지 도로, 대표적인 도로라 할 수 있는 본정도로의 단면을 추정해보면 다음 [그림 7]과 같다.

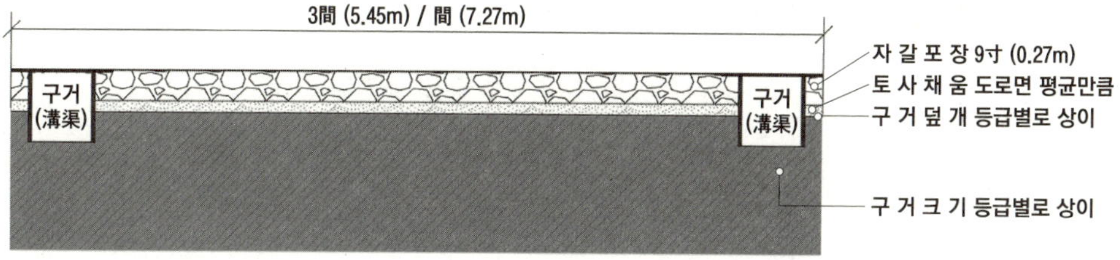

그림 7 본정 도로 단면 (추정)

상하수도

1887년 거류민들의 각 주택에 하수구를 준설한 이후 1890년대에 들어서면서 도로개수사업을 진행하면서 하수와 배수 사업을 적극적으로 시행하였다. 1895년부터 1910년까지 지속적으로 시행된 도로개수사업은 1904년과 1907년의 도로 신축을 제외하고는 대부분 기존 도로의 노폭을 확보하고 지하 배수시설과 노면 정리 등을 통해 교통상 그리고 위생상 도로 환경의 진보를 위한 것이었다. 특히 하수와 배수사업에 많은 노력을 기울인 것은 교통상의 불편함을 해소하기 위함뿐 아니라 콜레라와 같은 수인성 전염병들로부터의 피해를 막기 위한 것이었다. 1895년 도로개수 시에는 도로 양옆 구거溝渠(배수로)를 3개의 등급으로 나누고([그림 8]) 장소에 따라 그 등급을 달리 하여 설치하여 거류지 전반에 걸친 배수로를 개수하였으며,[53] 1901년에는 대·소 배수구 외에 우수구 흡입구 및 토관 흡입구, 하수토관, 토사세탁소 등의 다양한 하수 및 배수관련 시설들을 설치함으로써 거류지 전반 하수 및 배수 관련 시스템을 발전시켰다. 한편 1907년에는 본정 1~5정목에 사리공사 및 남산정 3~4정목의 지하배수관 연장 및 본정 1~5정목의 하수시설 및 배수관 연장 공사, 그 외 본정 6~8정목 및 욱정, 명치정, 남산정, 수정, 영락정, 대화정, 일출정의 정지 작업과 자갈포설, 하천 매립 및 하수도 공사 등의 대대적인 도로 개수 사업을 시행하였는데, 이 때 최초로 지하에 배수관을 매설하고 노면은 자갈로 포장을 함으로써, 기존의 늘 질척거리던 땅이었던 진고개 일대의 도로 환경을 변화시켰다. 1908,1909년에도 일본인 거류지 일대의 도로를 보수하고 신축하는 등의 도로 개수사업을 지속적으로 진행하며 하수 및 배수 시설들을 설치하였다.[54]

[53] 일본인 소유지에 이르는 구거 개수비는 소유주가, 한국인 소유지에 이르는 구거 개수비는 공공비로 지급함으로 도로개수가 시행되는 전반적인 지역의 구거를 개수하였음을 알 수 있다.-통상휘찬 제35호(1896.2.15.),《二十八年中ニ於ケル京城泥峴地方道路ノ修理》

[54] 진고개(泥峴)은 남산 북쪽 언덕, 지금의 충무로 지역의 조선시대 지명이다. 이 지역은 비가 오면 늘 질척거리는 땅이라 하여 진고개라는 이름이 붙여졌다.

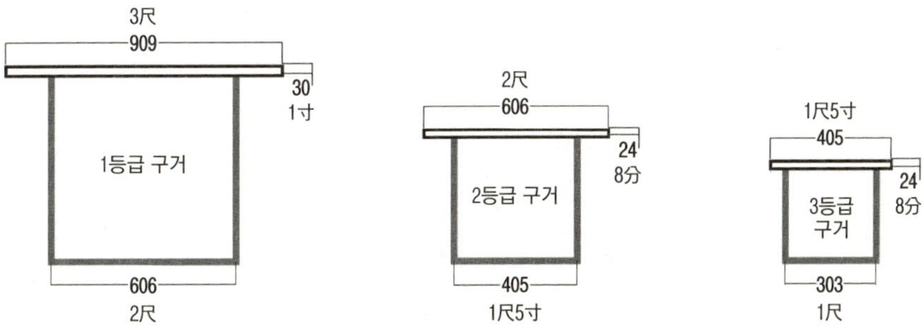

그림 8 1895년 설치한 배수구의 등급별 크기

또한 1903년에는 거류지 내에 처음으로 상수도가 설치되었다. 일본인 거류민들은 한성부 내 거류를 시작한 이후 식수용 우물[55]을 계속하여 설치하였으나 염분과 악취로 인해 우물물이 식용수로 쓰기 적당하지 않았기 때문에 상수도 설치에 대한 요구가 많았다. 1903년 당시 설치한 상수도는 소규모의 사설수도로, 거류민 하야시다林田龜男와 사카모토坂本長隆 등은 거류민단의 허가 하에 설치한 것이었다. 당시의 사설수도는 수원지-여과지-저수지를 거친 후 길이 385칸(약 1,082m)의 철관鐵管[56]을 통해 배수지로 이어지고, 배수지에서 분수구를 설치하여 수도꼭지로 배급하는 방식이었다. 당시의 수원지는 남산대신궁南山大神宮과 천만궁天滿宮의 남산 북쪽 언덕 두 지역[57]의 계곡물이었으며, 배수지는 일본인 구락부 근처의 땅이었다. 또한 당시의 저수지는 1930년대 지도상의 내목신사乃木神社 신교의 위쪽에 위치하였다.[58] 철관은 남산 북록 계곡에서 배수지까지 이어지는 도로의 2척 이하의 하부에 매설되어 배수관과 마찬가지로 도로 하부의 기반시설로서 역할을 하였으나 그 범위는 남산 계곡에서 일본인 거류지에 이르는 국한된 지역에 제한된 것이었다. 그러나 도로 하부의 기반시설로서 상수도가 처음 등장한 것으로서는 의미가 있다.

[55] 거류지에 처음 설치되었다고 기록된 우물은 1887년 주동(1930년대 본정 2정목 80번지 서측)에 설치된 우물이다. 이후 1901년에도 식용(食用) 우물의 개설 등이 이루어졌다.-경성부, 1936, 앞의 책, p.592, p.690

[56] 철관은 땅에서 2척 이하에 묻었으며, 공사비 4,707원 85전이 소요되었다. 강만길, 1992, 앞의 책, p.667

[57] 경성부사의 기록에 따르면 1930년대 남산대신궁과 천만궁이있던 지역의 계곡물이 수원지가 되었다고 한다.

[58] 경성부, 1936, 앞의 책, p.737

1904~1905년에는 대규모의 수로건설공사를 예정했으나 예산상의 문제로 인하여 1903년 건설한 사설수도를 매입하고 증축공사를 통해 확장하는 데에 그쳤다. 따라서 이 상수도 시설로 거류지 내 필요한 용수를 충분히 공급할 수 없어 1909년에는 대한수도회사와 계약을 체결하여 일본거류민단역소, 학교, 유치원, 한성병원 등에 대해 매월 9만 갤런의 물을 무료 공급받고, 비상상황시의 임시 급수를 받을 수 있게 되었다.[59] 상수도 사업 역시 하수도 사업과 마찬가지로 물이 부족했던 지역적 특성으로 인하여 적극적으로 추진된 것이지만, 위생적 측면에서도 매우 중요한 의미를 가진다. 즉, 상수도 설치는 기존의 자연수를 이용하던 방식에서 수질관리[60]를 통해 여과된 수돗물을 이용하는 방식으로의 변화를 의미하는데, 이는 콜레라와 같은 수인성 전염병의 예방에 필수적인 것이었다. 또한 도시적 차원에서는 기존의 하천물, 혹은 우물을 이용하거나 물장수로부터 물을 구입하던 방식에서 정수 시스템을 거쳐 각 공급처에 배급되는 방식으로의 변화는 소규모이긴 하였으나 근대적 도시기반시설의 구축으로서의 의미를 가진다.

[59] 경성부, 1936, 앞의 책, p.789

[60] 1903년 포설된 일본인 거류지 사설수도의 경우 여과지에서의 여과를 통해 물을 깨끗하게 만들었으며 또한 1달에 2번 수질검사를 행하여 수질을 관리하였다.-경성부, 1936, 앞의 책, p.737

가로시설물

일정한 노폭을 확보하고, 그 아래에 하수도를 설치함과 함께 도로 위에는 다양한 가로시설물들이 등장하였다. 일본인 거류지의 도로 위에 설치된 대표적인 가로시설물들은 가로등과 전신주를 들 수 있다. 가로등은 거류지 내 야간 조명을 위해, 전신주는 전기 공급과 각종 통신을 위한 것이었는데, 거류 초기부터 설치되어 도로경관을 변화시키는 역할을 하였다.

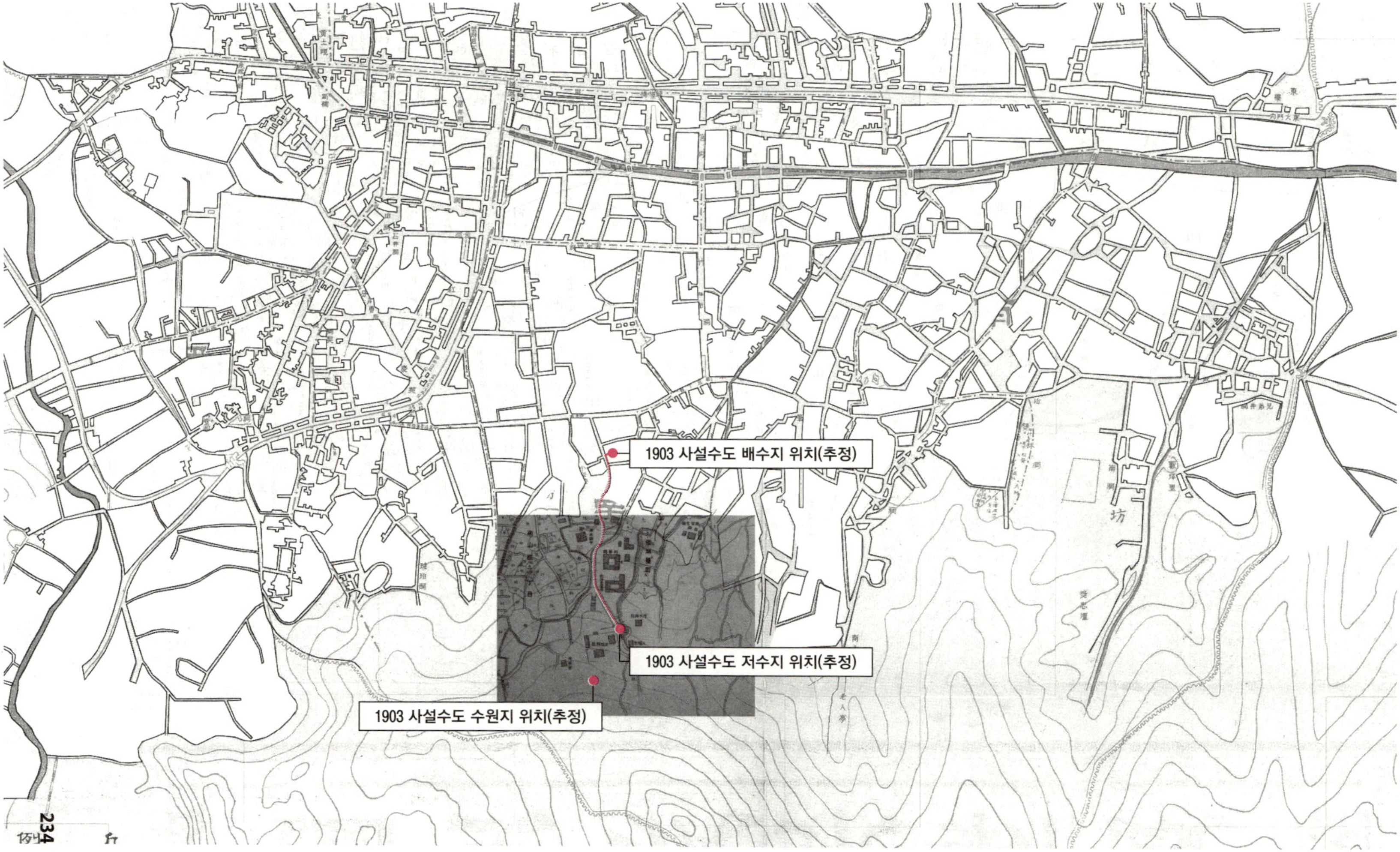

그림 9 1903년 설치된 사설수도의 위치 (1907 최신경성전도와 1936 대경성정도를 비교하여 표시)

가로등의 경우 1888년 거류지의 주요 지점에 가등街燈을 설치하게 했다는 기록이 있어 1880년대 후반부터 등장하였음을 알 수 있다. 또한 1895년 본정도로의 도로개수 사업에도 가로등 설치가 포함되었다. 그러나 이 시기의 가로등은 석유등으로 당시 한성부에서도 장명등長明燈을 상점마다 켤 것을 한성부윤이 고시하는 등 널리 사용되고 있었다.[61] 본격적으로 전기를 사용한 가로등이 등장한 것은 1901년의 일로서, 이에 대해 경성부사에서는

"도로 450칸의 사이에 30여 개의 전등을 가설하여, 종전의 가등을 전부 철거하였다. 이것이 당시 불야성화 되었다라고 칭한다."

라고 언급하고 있어 당시 설치된 가로등이 '전등'이었음을 알 수 있다. 이는 1900년 한성전기회사에서 민간에 가정등의 공급을 하기 시작한 이후[62] 1901년에는 가로등으로도 전등을 사용하게 된 것이다. 전기로 된 가로등의 경우 1899년 종로에 3개 설치된 것이 처음이었으나 이는 소수에 지나지 않아 연속적인 가로등을 구성하였다고 보기는 어렵다. 그러나 일본인 거류지의 경우 450칸 사이 30여 개의 전등을 가설함으로써, 즉 약 15칸(약 27.27m)에 1개의 전등을 설치함으로써 연속적인 가로경관을 구성하게 되었음을 알 수 있다.[63] 이후 가로등에 대한 기록은 특별히 나와 있지 않으나 거류지가 발전함에 따라 점차 증가하였을 것임을 예상해볼 수 있으며, 1903년과 1904년, 1910년의 사진들에서 독립형 가로등과 전

그림 10 전신주 가로등

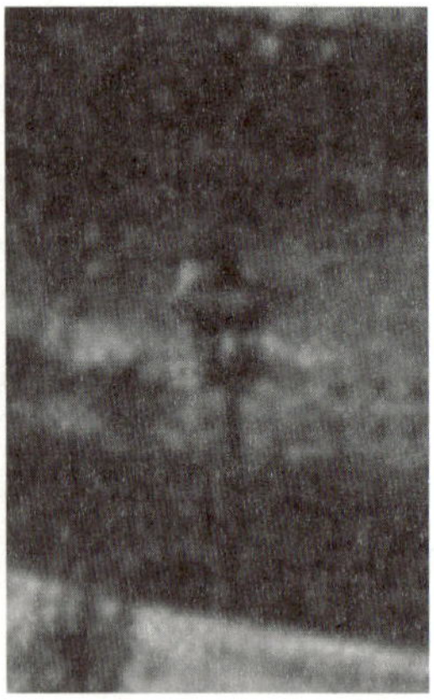

그림 11 독립형 가로등

[61]
석유등의 경우 1880년대 초부터 한성부에 소개되어 빠른 속도로 보급되었다. 한성부윤 이채연이 장명등을 상점마다 켤 것을 고시하는 등, 치안 및 안전을 위해 한성부에서도 장명등을 이용하고 있었다.

[62]
1900년 5월경부터 일본인 거류지에는 민간 가정등이 공급되었다. 당시 공급된 가정등은 약 600여개였다고 한다.-경성부, 1936, 앞의 책, p.604

[63]
경성부, 1936, 앞의 책, p.690

신주에 설치된 가로등의 두 가지 유형을 발견할 수 있다.

전신주의 경우 각종 통신시설과 전기시설이 설치됨에 따라 등장한 가로시설물이다. 1885년 한성부-인천, 그리고 연이어 한성부-의주 간 전신을 설치하게 되었는데, 한성부의 경우 한성부 서울총국까지 전신이 설치[64]되었으므로 서울시내에도 전신주가 등장하게 되었음을 알 수 있다. 그러나 일본인 거류지에서는 조선 정부에서 설치한 전신 외에도 전화선 등의 가설을 위하여 불법적으로 전신주를 추가 설치하였다. 1901년 일본 헌병대에 전화교환기를 설치하고 처음으로 전화를 사용한 이후, 1902년 2월에는 거류민단 사무소에서 전화를 연결하였고, 이어 상인들이 전화 약 50대를 설치하였는데,[65] 전화의 가설을 위해서 전신주의 설치는 필연적이었다. 1902년 이후 한성부래거문에는 일본인 거류지에서 불법적으로 설치한 전신주들의 문제에 대해 여러 차례 언급하고 있다. 그 중 1902년의 보고서 제20호를 보면 다음과 같다.

*"우리 나라의 내지에 이미 본국의 전주가 설치되어 있으므로, 외국인이 전주를 세우는 것에 대한 허가 여부는 모두 귀부(외부)의 소관입니다. 그런데 특별히 외국인에게 전주를 세우는 것을 허가할 경우가 생기면, 의례 해당 지방관에게 알리고 있습니다. 그런데 본부(한성부)가 관할하는 지방에는 전주 세우는 것을 허가하라는 훈령이 없었음에도 불구하고 지금 남서의 명동 조일주장***朝日酒場** *근처에 일본인이 이미 전주를 세웠으며, 또 다시 북서의 안동 등지에 일본인이 전주를 가설하는 공사를 진행하고 있습니다."*

-광무 6년 11월 24일 한성부 판윤 장화식, 의정부 찬정 외부 대신 조병식 각하

[64]
서울총국은 어찌하여 당초의 청사를 옮겼는지 알 수 없어도 처음 사역원(司譯院, 지금 세종문화회관 일대)에 있다가 그 후 낙동(洛洞, 현 중앙우체국 일대)에 자리를 잡았다.-서울특별시사편찬위원회, 1979, 앞의 책, pp.1052~53

[65]
서울특별시사편찬위원회, 1979, 앞의 책, p.1063

또한 1902년 11월 29일에도 한성부 판윤 장화식은 외국인들이 설치한 전신주에 대해 외부대신 조병식에게 보고하고 있는데, 이 보고에는 일본인들이 전화선과 전신주를 구체적으로 어느 지역에 설치하였는지에 대한 기록이 남아 있다. 그 기록은 다음과 같다.

*"후동**後洞**[66] 임시 헌병분견소**憲兵分遣所** 동남으로 남별궁에 이르는 곳*
*우아비류가**又阿比留家** 동북으로 이동**履洞** 삼전정**森田洞**[67]에 이르는 곳과 북으로 저동**苧洞** 양향청**糧餉廳**에 이르는 곳*
*죽동**竹洞** 일본 주병소**駐兵所***
*남송현**南松峴** 만전정길**萬田政吉***
*회동**會洞** 세창양행**世昌洋行***
*상종현**上鍾峴**[68] 북천순**北川醇***
서문밖 정거장에서 6선이 시작하여 남문밖 정거장에 이르는 곳
2선을 가설
합계 8선 내에 4선은 인천에, 4선은 철도 물품 수입소에 이른다.
가설된 2선은 대로에, 2선은 인천에, 4선은 문 안의 이현에 이른다. 용산전화소에는 다만 2선이 가설되어 있는데 그 중에 1선은 인천에 이르고, 1선은 문안에 이른다."

[66]
당시 후동(後洞)이라는 이름은 '뒷골'의 한자어로서 한성부의 여러 지역에서 쓰였던 지명이나, 이 글에서의 후동은 현재 중구 산림동, 주교동에 걸쳐 있었던 마을을 일컫는 것으로 보인다. 주교동 146번지에 있었던 배다리의 뒷골목에 해당되는 데에서 그 이름이 유래하였다고 한다.-서울지명사전

[67]
양향청은 훈련도감에 속한 재정관서로서 저동 1가, 지금의 남대문 세무서 위치에 위치하였다.

[68]
上鐘峴은 북달재(鐘峴)의 북측을 일컫는 지명이라 생각되는데, 이 지역은 지금의 충무로 2가, 명동 1,2가 주변이다.

이 기록에 따르면 당시 불법으로 설치된 전신주와 전화선들은 대부분 후동**後洞**, 저동**苧洞**(일본식 지명은 영락정 1, 2정목), 죽동**竹洞**(일본식 지명은 황금정 2,3정목), 회동**會洞**(일본식 지명은 본정 1정목) 등의 일본인 거류지역의 중심지에 설치되었음을 알 수 있다. 또한 여기서부터 알 수 있는 것은 대로변뿐만 아니라 전화선 가설 등 필요에 의해 주택용지나 혹은 골목들에도 전신주가 설치되었다는 점이다.

이와 같은 일본인들의 불법 전신주 설치에 대하여 당시 한성부 판윤이었던 장화식은 외부에 보고하고, 외부에서는 일본 공사에게 이에 대해 항의하는 공문을 보내었긴 하였으나, 오히려 책임을 회피하려는 태도를 보임으로[69] 일본에 대한 항의는 그다지 효과를 보지 못하였다. 오히려 일본측의 반응은 '개시장'인 한성부에 외국인들이 전화 가설등을 위하여 전신주를 개설함은 당연한 것이며, 심지어 '자신들의 사유재산'인 거류지의 경우 이는 지극히 당연한 것임을 주장하며,[70] 오히려 이를 철거하고자 하는 조선 정부에 대해 사과를 요구하는 모습을 보였다. 심지어 철거할 경우 보복할 것이라는 내용을 볼 수 있다.[71] 이외에도 1903년 7월 25일의 훈령 제 18호에 따르면 남대문밖 도화동에도 일본인들이 전신주를 불법으로 가설하였던 것을 알 수 있다.[72] 이에 대해 일본 공사에게 자진 철거할 것을 요구하였으나 이 요구가 받아들여지지 않자 강제 철거에 들어갔고, 철거 당시 일본 측의 방해가 있었음을 알 수 있다.[73] 그러나 일본인들의 전신주 설치는 이후에도 계속 이어졌으며, 거류지의 가로 사진들[그림 13], [14]에서는 굉장히 많은 전신주가 가로변에 세워져 있음을 확인할 수 있다.

[69]
12월 5일 외부대신 조병식의 훈령 제 25호
'금년 3월 중에도 경인간의 지역에 대해서 일본 우편국이 상회의 주인들에게 공용 전화를 특별히 허가한 일이 있어서 본부에서 일본 공사에게 여러 번 조회하여 이를 힐책하였습니다. 그들이 비록 항변하고 있으나, 우리 정부에서 처음에 허가하지 않았다는 것은 가히 미루어 알 수가 있는 것입니다. 귀 판윤이 이 일을 처리할 방도는 모름지기 전선을 가설하는 초기 단계에서 관원을 파견하여 금지하는 것이며, 만약 그들이 따르지 않으면 경찰 관리에게 협력을 요청하여 설치하지 못하도록 하는 것이 올바른 이치로되, 지금 이미 미칠 수가 없으니, 다시 보완 대책을 세워도 늦지 않을 것입니다.'

[70]
보고서 제 25호 (1902.12.16.)

[71]
훈령 제 26호

[72]
훈령 제20호 일본 공사에 자친 철거 공문 보냄

[73]
보고서 제8호 (1903.07.28)

그림 12 초기의 전신주

그림 13 다양한 유형의 전신주

그림 14 남산정 4정목 입구의 전신주와 가로등

가로등과 전신주의 설치는 전신과 전화, 그리고 전기와 같은 새로운 도시기반시설의 등장이라는 의미 외에도, 새로운 가로 시설물로서 도로 위에 수직적인 구성 요소가 등장했다는 점에서 의미가 있다. 가로등과 전신주는 초기에는 필요한 곳에 산발적으로 설치되었으나 점차 도로를 따라 연속적으로 설치됨에 따라 도로의 경계를 만드는 역할도 하였다. 즉, 가로 시설물은 미약하나마 도로와 도로 주변 대지의 경계로서의 역할도 하게 된 것이다. [그림 15]는 남산정 4정목에서 왜성대로 이어지는 도로인데, 이 도로의 주변에는 가로등 뿐 아니라 가로수가 심겨져 있는 것을 발견할 수 있다. 이는 아마 왜성대 공원으로 향하는 도로였기에 계획적인 식수를 한 것으로 보이며 이 도로를 제외하고는 거류지 내 다른 도로들에서는 가로수가 심겨져 있는 것은 발견할 수 없지만, 가로변을 따라 늘어서 있는 가로수가 등장하였다는 점에서 의미를 찾을 수 있다.

그림 15 왜성대 공원으로 향하는 도로변에 늘어선 가로수

거류지 도시환경의 구성 2: 필지

거류지 내부의 필지 현황은 1912년 작성된 지적원도[74]와 일본 영사관에서 작성한 보고서들에 첨부되어 있던 지도인 1891년에 작성된 이십사년기밀보호십삼호부속지도二四年機

[74] 1908년 탁지부 측량과에서 한성지역을 측량하여 〈경기도 한성부 지적도〉를 제작하였으나 현재는 29매밖에 남아 있지 않으며 그마저도 일본인 거류지 일대인 남서지역의 지적도는 1매도 남아 있지 않다.- 윤형섭, 최윤수, 권재현, 2005, "한성부 지적도에 관한 고찰", 『한국지적학회지』, 한국지적학회, Vol.21, No.5, p.148

密信第十三號附屬地圖[75], 1896년 작성된 재경성일본인거주가옥번호부지도在京城日本人居住家屋番號附之圖[76]를 통해 살펴볼 수 있다. 이십사년기밀보호십삼호부속지도二十四年機密信第十三號附屬地圖와 재경성일본인거주가옥번호부지도在京城日本人居住家屋番號附之圖의 경우 일본인 거류민들의 가옥 현황을 파악하기 위한 지도들로 정확한 지적 정보는 알 수 없으나 당시 거류민들의 소유 토지와 가옥의 위치 정보 및 분포 현황에 대해 알 수 있는 자료이다. 이 두 자료에 나타난 필지는 일본인 거류지 내에서 자체적으로 부여한 지번에 대응하는 것으로, 거류지 내 거류민 토지의 관리를 위해 만들어진 것으로 추정된다. 따라서 이는 당시 한성부의 필지 현황이라고 보기 어려우나 이 두 개의 지도들에서 나타나는 필지 형태들은 1912년 지적원도의 필지 형태들과 상당히 유사하여 이 지역 필지 유형의 형성에 일본인 거류민들의 토지 소유 형태가 큰 영향을 주었을 것이라 예상해볼 수 있다.

[75]
JACAR(アジア歴史資料センター) Ref.B12083364100､韓国地所家屋関係雑件(B-3-12-1-97)(外務省外交史料館)

[76]
JACAR(アジア歴史資料センター) Ref.B12083364500, 韓国地所家屋関係雑件/泥峴地方道路修理之儀在京城内田領事ヨリ報告之件(外務省外交史料館)

먼저, 1896년 제작된 재경성일본인거주가옥번호부지도在京城日本人居住家屋番號附之圖를 기준으로 1891년의 이십사년기밀신십상호부속지도二十四年機密信第十三號附屬地圖와 1912년 지적원도와 비교하며 거류지 내 필지 현황을 살펴보면 다양한 형태의 필지들이 나타나고 있음을 발견할 수 있다. 이를 정리해보면 다음과 같다.

세장형 필지 유형

거류지의 중심도로인 본정本町도로와 새롭게 거류지로 편입되고 있었던 남대문로 주변, 그리고 거류지가 처음 생긴 수정壽町의 내부 도로 주변에 주로 분포하고 있는 유형으로 전면 폭은 짧고 깊이는 긴 형태를 가지고 있다. 세장형 필지 유형의 경우 다시 2가지 유형으로 세분화할 수 있다.

세장형 필지 유형 A

이 유형은 니현 17~27번지, 남대문로 2~44번지와 같이 비교적 비슷한 크기로 일정하게 분할되어 있는 유형으로 니현(본정)도로와 주동(수정) 내 영사관 근처 도로, 그리고 남대문로 도로 주변에 분포하고 있다.[77] 1891년에 제작된 이십사년기밀신제십삼호부속지도二十四年機密信第十三號附屬地圖에서도 같은 지역에 유사한 세장형 필지들이 나타나고 있음을 발견할 수 있어 1896년보다 이른 시기, 즉 일본인 거류 초창기부터 이러한 유형들이 등장하였음을 알 수 있다.

[77]
1896년 지도 분석의 경우 당시 지도에 표기된 지명과 번지 번호를 그대로 사용하였다. 그러나 1912년 지적원도의 일본식 지명과 함께 사용함으로 한국식 지명과 일본식 지명이 동시에 사용됨으로 인한 혼란을 피하고자 하였다.

이러한 유형들이 많이 분포하는 지역들을 살펴보면, 경성발달사에서 1888년 이미 일본풍 시가지를 형성했다고 언급하고 있는 주동(수정) 북쪽 니현(본정) 주변(본정 4, 5정목 일대)과, 마츠모토松本 요리점이 위치한 영사관 주변,[78] 그리고 1894년 이후 일본 상인들이 새롭게 진출한 지역인 남대문로 일대이다. 이 지역들은 모두 일본인 상점들이 다수 분포한 상업도로로 일본식 상업건축물인 마치야町家들이 연속적으로 늘어서 있는 마치나미町並み를 형성했을 것이라 예상되는 지역들이다.

[78]
경성부사에 있는 1887년(명치 20년) 영사관 주변 약도에서 그 위치를 추정해 볼 수 있다.

이 지역들을 1912년 지적원도에서 살펴보면 필지의 개수는 일치하지 않으나 필지의 형태는 1896년과 유사하게 세장형인 필지들이 다수 분포하고 있음을 알 수 있다. 그러나 1891년이나 1896년 지도에서 나타나는 필지들의 경우 더 세분화된 형태를 가지고 있는 것을 볼 수 있는데 이는 1891년이나 1896년의 지도는 거류지 내부에서 거류민 토지 현황을 파악하기

그림 16 세장형 필지 유형A 분포 (在京城日本人居住家屋番號附之圖에 표시)

그림 17 1895~6년 본정 도로변 필지유형과 일본인 가옥분포
(동그라미는 기존의 일본인 가옥, 세모는 1895년 신축 중인 일본인 가옥)

위해 제작한 것으로 당시 한성부 지적과는 일치하지 않기 때문일 것이다. 이를 통해 실제 지적에 나타난 필지를 거류민들은 더 분할하여 사용했을 것임을 알 수 있다.

세장형 필지 유형 B

이 유형은 라동(남산정) 21~24, 주동(수정) 54~59, 79~83번지와 같이 다양한 크기의 불규칙적으로 분할되어 있는 유형이다. 이 유형이 분포하고 있는 지역들은 니현(본정)도로의 서측, 즉 기존의 거류지 일대와 남대문로를 잇는 니현도로 입구(본정 1, 2정목 일대)와 주동(수정), 라동(남산정)의 내부 도로변이다. 주동, 라동의 경우 1885년 일본인의 거류가 본격적으로 시작된 이후부터 일본인 거류민들이 거주하였던 곳으로 처음에는 한국인들의 토지와 가옥을 빌려 사용하였으나, 점차 거류민 인구가 증가함에 따라 토지는 분할되었고 일본식 가옥들의 신축 역시

그림 18 세장형 필지 유형B 분포 (在京城日本人居住家屋番號附之圖에 표시)

빈번해지며 필지 형태 역시 변화하였을 것임을 예상해볼 수 있다. 이 지역들의 경우 계획에 의해 필지 분할이 이루어졌다기 보다는 그 때 그 때의 필요에 의해 필지를 분할하였기에 불규칙적인 형태로 분할될 수밖에 없었을 것이라 추정된다.[79]

니현도로 입구(본정 1, 2정목 일대)는 1895년 이후 일본인들이 본격적으로 남대문로 방향으로 거류 영역을 확장해 나감에 따라 거류지 영역에 속하게 된 지역이다. 1895년 도로개수를 통해 이 일대의 환경 정비가 이루어졌으며, 1895년 작성된 니현지방도로수리지도泥峴地方道路修理之圖에서 보면 이 일대에 신축된 일본식 가옥들이 다수 있음을 발견할 수 있어 이 지역 역시 1890년대 중후반 많은 변화를 겪었을 것임을 예상해볼 수 있다. 이 지역의 경우에도 역시 도로를 따라 필지가 나누어져 있는데, 일본인 소유의 토지만 기록한 지도의 특성상 필지들이 드문드문 나타나는 것이 보인다. 그러나 청국공사관 남측 일대는 대부분 일본인 소유의 필지가 분포하고 있는데, 이 필지들은 아직은 세장형으로 분할되지는 않았지만 세장형 가옥들이 연속적으로 분포하여 앞으로 필지의 분할가능성을 보여

[79]
남용협의 연구에 따르면 세장형 필지들은 약 3가지 유형으로 다시 나누어지는데 그 첫 번째는 하나의 필지가 분화되어 2~3개의 필지로 분할되었을 것이라 추정되는 것으로 필요에 의해 자연발생적으로 필지 분할이 일어난 것으로 볼 수 있다. 두 번째는 비교적 반듯한 장방형을 갖춘 세장형 필지로 비교적 균일한 형태와 균등한 면적으로 구획되어 있어 인위적으로 구획하였을 것이라 예상되는 형태이다. 세 번째 유형은 두 번째 유형과 비슷한 세장형 필지이나 그 세장비가 세 번째 유형보다는 작으며 한 번에 인위적으로 계획되었다기보다는 시간이 흐르면서 자연스럽게 형성된 유형이라 볼 수 있다.-남용협, 2010, 앞의 책, pp.31~32

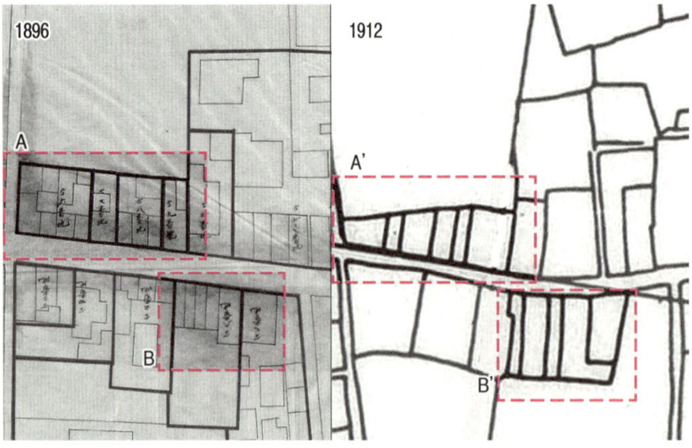

그림 19 1896년과 1912년 본정 입구 도로변 필지

[80]
두 지도가 작성된 시기와 축척, 작도방법 등이 달라 필지 형태는 다소 다르게 나타나지만 같은 위치에 유사한 형태인 것으로 보아 같은 필지라 유추해볼 수 있다.

준다. [그림 19]에서처럼 1912년 작성된 지적도와 비교해보면 A-A'영역, B-B'영역과 같이 필지가 점차 분할되는 변화 양상을 살펴볼 수 있다.[80] 이처럼 새롭게 거류지 영역으로 편성되는 부분들의 경우에는 점차 필지들이 분할되며 세장형 필지들이 다수 등장하고 있음을 알 수 있다.

인구가 늘어나고 밀도가 높아지며 필지들이 작은 규모로 분할되는 것은 도시화 과정에서 자연스러운 현상이라 할 수 있으나 일본인 거류지에 다수의 세장형 필지들이 나타나는 것은 거류지만의 독특한 성격이다. 특히 상업도로 주변은 대부분 세장형 필지들이 분포하고 있는데, 이는 상업화에 따른 자연스러운 결과이다. 도로면에 접한 많은 수의 상점을 건축하기 위해서는 도로에 맞닿은 면은 짧고 뒤로는 긴 세장형 필지로 변해갈 수밖에 없기 때문이다. 일본에서는 상업화의 진전과 함께 도로에 면한 마치야町屋들이 늘어서 있는 가로를 형성하였는데, 이 마치야라는 건축양식은 도로에 면한 전면부에는 상점이 위치하고, 그 뒤편에는 주거영역이 위치하는 평면을 가지는 것이었다. 이것은 막부시대 영업세 부과 방침과도 연관이 있는 것으로, 막부시대 일본에서는 영업세를 가로변에 면한 상점의 칸 수에 따라 책정하였는데 이에 따라 가로에 면한 변의 길이는 짧고 안쪽으로 향하는 길이는 긴, 필지 유형이 발전하게 된 것이다. 이와 같은 영업세 부과 방침은 거류 초기 한성부 내 일본인 거류지에서도 마찬가지였으며, 거류지 상인들이 니현(본정)도로에 주로 건축한 상점들은 대부분 마치야 형식이었다는 점에서 니현(본정)도로변 필지들이 세장형 필지의 양상을 띄는 이유를 찾을 수 있다. 1895년 작성된 니현지방도로수리지도泥峴地方道路修理之圖에는 1895년 당시 기존의 일본인 가옥와 그 해 신축 중인 일본인 가옥의 현황이 표시되어 있는

데 이 가옥들의 위치들을 살펴보면 세장형 필지들이 분포되어 있는 곳에 집중적으로 위치하고 있음을 알 수 있다. 이는 1895년 도로개수시 가가 및 기존의 가옥들이 철거되고 새로운 가옥들을 짓는 과정에서, 일본인 상점들이 그 자리를 차지하게 되자 그들의 전통적인 상업건축인 마치야들을 세우게 되었고 이에 따라 기존의 필지들 역시 세장형으로 분할되게 되었을 것이라 예상해 볼 수 있다. 이와 같은 경향은 거류지가 발전해 나갈수록 더욱 심화되어 1929년 지적원도를 확인해보면, 1912년에 비해 더 많은 필지들이 나누어져서 세장형 필지들을 형성하고 있음을 알 수 있다.[81]

[81]
양승우, 2003, "남촌의 필지조직 특성과 변화", 『서울남촌』, 서울시립대학교 부설 서울학연구소, p.65

그림 20 1912년 본정 도로변 세장형 필지들 (1912년 지적원도 위에 남용협 논문의 유형분류를 적용하여 표시)

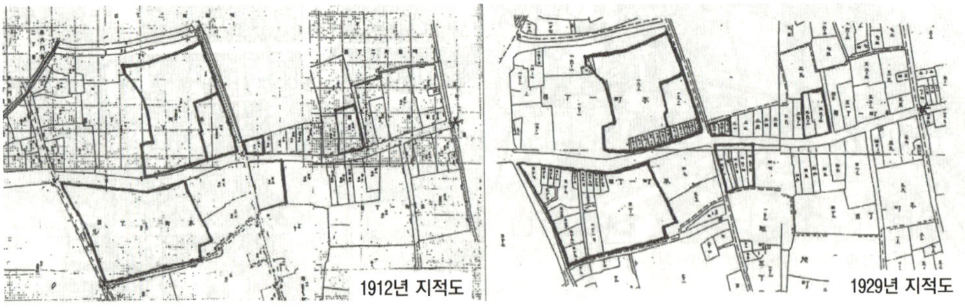

그림 21 1912년과 1929년 지적원도의 비교로 본 필지의 세분화 경향 (양승우, 2003. "남촌의 필지 조직 특성과 변화", p.65 인용)

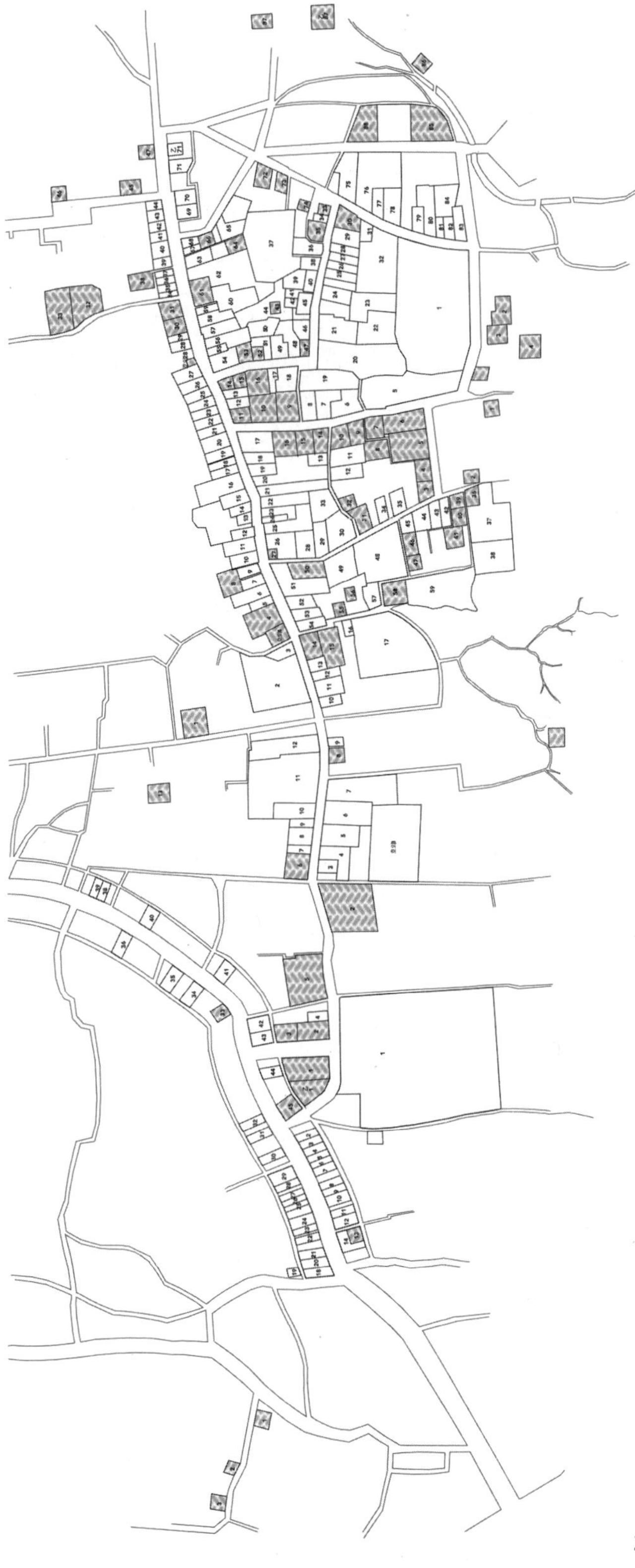

그림 22 방형 필지 유형 분포 (在京城日本人居住家屋番號附之圖에 표시)

방형 필지 유형

거류지의 세장형 필지들을 제외하고 비교적 규칙적인 형태로 나타나는 필지는 방형 필지들이다. 이 필지들의 경우 대부분 세장형 필지에 비해 규모가 크고, 내부 가옥의 배치 양상을 보면 여러 채의 건물이 내부에 있음을 알 수 있다. 방형 필지들의 경우에는 거류지 중심이라 할 수 있는 주동(수정), 라동(남산정) 지역의 경우와 거류지의 중심으로 새로 편성된 장동(욱정), 니현도로(본정) 입구 지역의 경우, 그리고 남산 언덕 지역의 경우로 나누어 살펴볼 수 있다.

먼저 주동(수정)9~11, 16번지, 라동(남산정)3~15번지와 같은 경우 거류 초기부터 일본인들이 일본식 가옥을 짓고 살았

그림 23 주동(수정), 라동(남산정) 주변의 방형 필지 유형 분포 (在京城日本人居住家屋番號附之圖에 표시)

던 지역으로 내부에 'ㄱ'자 혹은 'ㄷ'자 유형의 건물들이 위치하고 있음을 발견할 수 있다. 이 지역의 경우 니현(본정)도로변과 같은 상업지역이 아닌 거류지 내부의 주거지역이라 볼 수 있기 때문에 일본식 주택이 위치한 장방형에 가까운 방형 필지 형태가 다수 분포하고 있다. 내부 건축물의 배치로 보아 아직 필지 분할이 진행되기 전 단계임을 예상해볼 수 있으며, 초기에 한국인들의 가옥을 빌려 사용했던 만큼, 이전의 한국인 소유의 필지 유형에서 크게 변하지 않았을 것임을 예상해볼 수 있다. 그러나 주동(수정)14,15,43,48번지와 같은 경우에는 상대적으로 소규모의 것으로, 필지가 분할되는 과정에서 나타났을 것이라 추정해 볼 수 있다.

한편 일본인 거류지의 중심지역에서 벗어난 지역인 장동(욱정), 명동(명치정), 정동 등에 위치하는 필지의 경우 이 지도가 일본인 소유의 토지에 대한 기록이기 때문에 주변 필지 현황은 알 수 없어 마치 섬처럼 존재하고 있는 것을 볼 수 있다. 이 지역들의 경우 한국인들의 거주지에 일부 일본인들이 들어가서 거주한 것이기 때문에 필지 유형 역시도 기존의 한성부 필지 유형을 그대로 유지하고 있을 것이라 예상해볼 수 있다. 1895년 지도에서 거류지의 외부 지역인 정동에 일본식 가옥의 분포가 나타나지 않는 것은, 이 지역에 거주하던 일본인들은 한국인 가옥을 임차하여 사용하고 있었기 때문이라 추정해 볼 수 있다.

또한 남산 언덕에 분포한 방형 필지들의 경우에는 지형적 조건 때문에 독립적인 필지로 존재하는 경우라 볼 수 있다. 라동(남산정)1,2번지, 주동(수정)2,3,4번지가 그 예이다. 남산 언덕 쪽에는 필지들이 드문 드문 있는 것을 발견할 수 있는데 이는

그림 24 방형 필지 유형 분포 (在京城日本人居住家屋番號附之圖에 표시)

그림 25 남산 위 야마구치(山口太兵衛) 저택

그림 26 남산 위 쇼가(曾我勉) 저택

경사진 지형을 가진 자연 환경의 영향으로 도로가 발달하지 않았으며, 언덕 위에 주택들이 위치했을 것이기 때문이다. 『京城府之券』에 나오는 일본인 거류지 유력자들의 주택이 대부분 남산 언덕에 있었다고 하는데, 정확한 위치는 알 수 없지만 사진상의 풍광 등을 고려해볼 때 이 부근이었을 것이라 추정된다. 1907년 남산 위에서 바라보는 풍경에서도 주택들이 남산 언덕 아래에 있는 것을 볼 수 있다. 이 경우에는 대부분 남산 언덕에 있기 때문에 1912년 지적원도에서는 임야를 포함한 대형필지로 표현되어 있음을 알 수 있다.

그림 27 불규칙형 필지 유형 분포 (在京城日本人居住家屋番號附之圖에 표시)

불규칙한 형태의 필지 유형

니현과 맞닿고 있는 일부 도로변과 영사관 앞 도로를 제외한 주동과 라동 내부에는 다소 불규칙한 형태의 필지들이 다수 분포하고 있다. 니현도로에서 남산으로 향하는 소로小路들의 경우 도로변 대지들(라동(남산정)3~17, 28~35, 주동(수정)6~10, 33~53번지 등)은 장방형 혹은 정방형에 가까운 필지 형태를 가지고 있으나, 골목으로 접근하는 대지들(주동(수정)39, 41~44, 50, 60, 64, 라동(남산정)55~57 등)의 경우 그 형태가 매우 불규칙한 양상을 보인다. 이는 일본인 거류민의 인구가 점차 증가함에 따라 밀도가 높아지자 기존의 대지를 작게 쪼개어 사용하게 됨으로써 나타난 자연스러운 현상들일 것이라 생각된다. 그 중 일부는 앞서 살펴본 세장형 필지 유형 B의 형태로 나타나나 세장형 혹은 방형 필지를 잘라내고 남은 부분들은 불규칙한 형태로 남게 된 것이다. 이러한 불규칙한 필지 유형은 1912년의 지적원도와 1936년의 대경성정도에서도 유사하게 발견됨으로 이 시기에 형성된 필지 유형이 이후에도 계속 영향을 주고 있음을 알 수 있다. 주동(수정) 34~44, 60, 62번지의 경우 1896년 지도에서는 매우 불규칙한 형태로 분할되어 있으나 1912년 지도에서는 하나의 대형 필지로 나타나고 있는데 이는 앞에서 설명한 것과 마찬가지로, 1891년이나 1896년의 지도는 거류지 내부에서 자체 제작한 것으로 당시 한성부 지적과는 일치하지 않기 때문일 것이다. 그러나 이를 통해 거류민들은 기존의 지적에 있는 필지를 작은 크기로 분할하여 사용했음을 알 수 있으며 또한 1936년 대경성정도에서도 이 지역의 경우 여전히 불규칙적인 형태의 필지들이 분포함을 알 수 있다.

그림 28 주동(수정), 라동(남산정) 일대 필지 유형 (在京城日本人居住家屋番號附之圖에 표시)

그림 29 주동(수정), 라동(남산정) 일대 필지 유형 (1912 지적원도)

그림 30 주동, 라동 일대 필지 유형 (1936 대경성정도)

대형필지

이 지역은 거류지가 청일전쟁 이후 본격적으로 서쪽으로 진출하기 시작하며 영사관, 거류민단 사무소, 경찰서, 우편국 등을 차차 이전한 곳으로 1912년의 지적도에서도 대형필지들이 다수 나타나고 있는 지역이다. 이는 1912년의 지적 현황에서도 마찬가지로 발견되는 현상인데 이는 이 일대가 조선시대부터 장흥고長興庫 및 재산루在山樓, 청군총사령부 등이 위치하여 원래 대형필지의 형태를 가지고 있는 지역이었기 때문이다.[82] 1896년 일본 영사관이 본정 1정목 입구로 옮겨오면서 이 일대로 일본의 진출이 본격화되었음에도 불구하고 이 지역에는 일본 영사관, 거류민단 사무실, 우편국, 경찰서 등 대형시설들이 들어서면서 여전히 대형필지를 유지하였던 것을 볼 수 있다.

[82] 남용협, 『서울 명동 도시조직 변화에 관한 연구』, 경기대 대학원, 2010, p.30

그림 31 대형 필지 유형 분포 (在京城日本人居住家屋番號附之圖에 표시)

그림 32 대형 필지 유형 분포 (在京城日本人居住家屋番號附之圖에 표시)

또한 영사관 주변에는 대형필지들도 다수 분포하고 있으며 전신국, 우편국 등의 공공시설들이 위치하는 위치에도 주변의 필지들에 비해 상대적으로 크기가 큰 대형필지들이 존재하고 있음을 발견할 수 있다. 일본 영사관, 전신국, 거류민단사무소, 본원사, 일본인 구락부, 공립경성소학교 등이 위치한 대지들은 라동(남산정)과 주동(수정)에서 상대적으로 큰 필지를 가지고 있는데, 이 지역은 1912년에도 유사한 형태들로 나타나고 있으며, 그 규모도 거의 유사함을 알 수 있다. 대형 필지들인 이 필지들의 경우 내부에 다수의 건물군이 위치하고 있다.

이처럼 거류지 내에는 다양한 유형의 필지들이 분포하고 있음을 알 수 있으며, 1896년의 지도와 1912년의 지적원도를 비교하며 살펴볼 때, 거류지 내부의 필지들의 특징들을 발견할 수 있다. 거류지 내에는 니현(본정)도로와 남대문로와 같은 상업도로를 주변으로 세장형 필지들이 집중적으로 나타났으며, 거류지 내부의 주거지역의 경우 방형, 불규칙형의 필지들이 다소 혼합되어 나타났다. 한편 거류지 주요 시설들이 위치한 곳에는 대형 필지들이 위치하였으며 시간이 지나고 거류지 인구가 점점 증가함에 따라 필지들은 점점 분할되는 양상을 보였다. 1896년을 기준으로 거류지 필지 현황을 전체적으로 분석하여 나타내보면 [그림 33]과 같다.

그림 33 거류지 내 필지유형별 분포 (在京城日本人居住家屋番號附之圖에 표시)

거류지 도시환경의 구성 3: 주요 건축물

일본인 거류지에서는 1885년 남산 언덕 위에 일본 공사관을 신축한 이후 각종 공공시설과 주거시설, 상업시설들을 자체적으로 건축하며 일본식 마을을 구축해 나갔다. 거류지 내에는 목수, 미장이, 토목, 건축 청부업자 등 건축관련 종사자들이 다수 있었으며 이들을 중심으로 거류지 내의 건축행위가 활발하게 이루어졌다. 현존하는 건축물은 거의 없으며 도면 등도 거의 남아 있지 않아 거류지 내 건축물들에 대한 구체적인 정보를 얻기는 어려우나 『京城府史』, 『京城發達史』, 『通商彙纂』, 『京城と內地人』, 『京城府之卷』 등의 문헌 기록들과 첨부된 사진 자료들을 통해 당시 건축물의 현황에 대해 대략적으로나마 파악할 수 있다. 거류지 건축물들은 크게 공적 자본(일본 정부 예산이나 거류민단 예산)에 의해 만들어진 공공건축물과 민간 자본에 의해 만들어진 상업건축물 그리고 주거건축물로 분류해볼 수 있다. 공공건축물에는 공사관, 영사관 등을 비롯한 관공서 건축물을 비롯한 경찰서, 우체국 등의 공공시설물, 병원건축물과 학교 건축물을 포함하였다. 한편, 민간 건축에는 일반 거류민들의 주택들과 상점들을 비롯하여 은행과 회사 그리고 유흥시설인 요리점, 유곽 등을 포함하였다. 일본인 거류지의 건축물들은 일본전통양식부터 서양고전주의식, 화양절충식, 한양절충식 등 다양한 양식을 가지고 있어 역동적인 도시 경관을 형성하였다.

공공건축

공공건축물들은 대부분 목조나 조적조의 서양식 건축

물로 지어졌다. 공공건축물은 거류지의 주요 기관들을 수용하기 위해 상대적으로 많은 예산을 들여 지어졌으며 서양 고전주의의 경향이 강하게 나타나는 유형과 상대적으로 실용적인 건축물들이 나타나는 유형으로 나누어 볼 수 있다. 거류지 내 주요 공공건축물에 대해 살펴보면 다음과 같다.

공사관

일본공사관은 한성부에 최초로 설치된 공사관이었으나 임오군란과 갑신정변 등 1880년대 초반의 정치적 사건들로 인하여 정착되지 못하고 사대문 밖 청수관 및 교동에 잠시 설치되었다가 결국 1885년 남산 북쪽 언덕(현 예장동 2-1번지)에 자리잡게 되었다. 1884년 교동에 신축된 공사관은 2층 목조의 양식 건축이었는데 화재로 인해 오래지 않아 소실되어 버렸고, 이에 따라 일본은 조선정부에 변상을 요구했다. 결국 조선정부의 예산으로 1885년 남산 언덕에 공사관을 신축하였다. 공사관은 전체 거류지가 내려다보이는 남산 기슭의 고지대에 위치하였으며 공사관이 이 곳에 자리잡은 이후 그 아래 지역으로는 일본식 가옥들이 신축되면서 일본식 마을의 모습을 갖추게 되었다.

1885년 남산 언덕(현재의 예장동 2-1번지)에 신축된 공사관 건물은 나카무라 신고中村辰吾가 건축한 것으로[83] 2층 르네상스 양식의 목조 건축물이었다. 건물의 모서리에는 부착기둥이 있으며, 창호는 상인방의 장식이 강조된 오르내리창이나 여닫이창으로 구성되어 있다. 또한 1층과 2층 사이와 2층과 지붕 사이에는 수평 코니스의 돌출로 장식적인 면을 더하고 있으며, 지붕은 기와로 만들어진 경사지붕이었다. 입구의 경우 1906년의 사진과 1910년 이후의 사진에서 보이는 모습이 다른데, 이

[83] 朝鮮建築學會, 1937. 11,『朝鮮と建築』16권 11호, 朝鮮建築學會, p.54

는 통감관저로 용도를 변경하면서 증축에 의해 변형된 것으로 보인다. 1906년의 사진에서는 입구 부분은 주변부보다 안쪽으로 들어가 있으며 높이도 경사지붕을 가지고 있는 1층 형태인 데에 반해, 1910년의 사진에서는 입구 부분이 다각형 모양으로 처리되면서 양 옆의 입면과 동일하게 반복적인 창호를 가지는 2층으로 만들어져 있음을 알 수 있다. 한편 1903년 한성부를 방문한 바츨라프 세로셰프스키의 기록에서는 '이 목조 공사관 앞에는 대리석으로 되어 있는 테라스가 있었다' 라고 전하고 있다.[84] 그러나 사진상으로는 이 테라스의 위치를 찾을 수는 없다.

[84]
"보기에 소박한 대사관 건물은 정성을 들여 아름답게 장식한 튼튼한 대리석 테라스로 둘러싸여 있었다."-바츨라프 세로셰프스키, 2006, 앞의 책, p.393

그림 34 일본공사관 주변

그림 35 일본공사관 주변

그림 36 1906년의 일본공사관

그림 37 일본공사관(1910년 이후)

1906년 2월 통감부가 설치되자 공사관은 폐쇄되었고, 이 공사관 건물은 통감관저로 사용되기 시작하였다. 1910년에는 이 공사관의 한 방에서 한일병합조약이 체결되었으며, 병합 이후에는 총독관저로 사용되었다.[85] 1939년 경복궁 뒤편 경무대에 새로운 총독관저가 건축된 이후에는 시정기념관으로 사용되었다.

[85] 동아일보 1920년 08월 29일 기사에는 한일병합 10주년을 기념하면서 당시 한일병합조약이 이루어졌던 총독관저의 방과 데라우치와 이완용의 사진을 실고 있다.

통감부

1905년 11월 제2차 한일협약(을사늑약)의 체결 이후 일본이 한국의 외교권을 박탈하고 본격적으로 내정에 간섭하기 시작하면서, 감독기관인 통감부를 설치하였다. 1906년 2월 통감부는 광화문 앞 외부 청사[86]에 설치되었으나 1907년 왜성대 일대(현 예장동 8번지 일대)에 통감부 청사가 신축되면서 이 곳으로 이전하였다.

[86] 이순우, 2010, 『일그러진 근대 역사의 흔적을 뒤지다. 3.통감관저, 잊혀진 경술국치의 현장』, 하늘재, p.41

통감부 청사는 후지카츠구미藤勝組가 담당하였으며 공사비용은 3만 3,300원이었다. 르네상스 양식의 중앙 부분에 탑을 가지고 있는 통감부 청사는 건평 160평의 2층 목조 건물이었다.[87] 통감부 청사는 공사관에 비해 더 화려하고 장식적인 요소들을 많이 가지고 있었는데, 특히 전면부의 탑과 이 탑을 중심으로 대칭적인 입면은 이 건물의 위압적 성격을 강조하였다. 구배가 큰 경사지붕에는 돌출된 지붕창들이 설치되었으며 공사관과 마찬가지로 수평코니스의 돌출로 층별 구분을 하고 오르내리창이 설치된 창호의 상인방 장식을 설치하여 전체적으로 장식적 효과를 더하였다.

[87] 조선지실업 제 14호 1906년 8월 10일 〈경성통신〉 pp.40~41

경성부사에는 통감부의 위치 및 일대 경관에 대한 묘사가 나와 있는데, 이 기록에 따르면 통감부는 남산 북쪽 언덕의 고지대에 위치하여 한성부 전체를 내려다보기에 적합하였으며, 통감부 청사 주변에는 점차 각종 관사들이 들어서 왜성대 일대가 통감부 청사와 관사들로 가득찬 모습으로 변화하였다고 한다.[88] 1910년대 초 작성된 〈총독부왜성대관사배치도〉에서 통감관저(舊공사관)와 통감부 사이에 관사들이 다수 건축되었음을 발견할 수 있다. 1910년 한일병합 이후에는 통감부는 조선총독부로 변경되었으며, 총독부의 설치에 따라 조직의 확장과 관리의 충원이 필요하게 되자 업무공간이 부족하자 1910년 9월 1차적으로 증축을 시작하여 기존의 일자형의 건물을 중정형으로 바꾸었다. 그러

[88] 이순우, 2010, 앞의 책, p.46

그림 38 1910년대초 총독부 왜성대 관사 배치도

그림 39 통감부

그림 40 통감부

그림 41 증축 후의 통감부

그림 42 증축 후의 통감부

나 집무공간은 여전히 부족하여 1911년에는 제2차 증축공사를 진행하여 별도의 총독부 부속건물들이 주변에 들어서게 되었다.[89] 1926년 경복궁에 총독부 신청사를 신축함에 따라 이 통감부 청사는 과학관으로 용도가 변경되었다.

[89] 이순우, 2010, 앞의 책, pp.47~48

남산 북쪽 언덕에 위치한 공사관과 통감부는 거류지 뿐 아니라 한성부가 모두 내려다보이는 고지대에 위치하여 한성부의 경관을 지배하였으며, 이는 한국인들에게는 일본 침략의 상징으로, 일본인 거류민들에게는 든든한 배후로서의 의미를 가졌다. 공사관 및 통감부는 2층밖에 되지 않는 건물이었지만 언덕 위에 위치하여 그 높이는 훨씬 더 높아보였으며, 장식적인 외관을 가진 르네상스 양식의 건물 외관 역시 한성부의 기타 건물들과 대비되었다. 한일병합 이후 공사관과 통감부 일대는 각종 통치기관들이 들어오게 됨에 따라 일본의 식민통치의 상징적인 장소로 변모해갔다.

영사관 및 이사청

1884년 교동에 영사관 건물을 신축할 계획을 세우고, 신축 이전까지는 공사관에서 같이 업무를 보았으나, 공사관이 화재로 소실됨에 따라, 영사관 역시 1885년 이후 남산 언덕 아래의 수정에 설치되었다.([그림 43]의 일본 깃발이 나부끼는 일대가 1885년 설치된 영사관이다.)[90] 당시의 영사관은 한국인의 가옥을 임차하여 사용하였다고 하나 사진에서 보이는 건축물은 지붕의 형태 등으로 미루어보아 한옥을 그대로 사용했다고 보기는 어려우며 오히려 일본식으로 상당히 개조한 것으로 보인다. 경성부사에 나오는 기록을 토대로 살펴보면 당시 영사관은 ㄱ자형의 평면이며 현관과 접수처, 사무소와 식당으로 이루어진 약 22평 규모의 소규모의 건축이었다.[91] 청일전쟁 이후 거류지가 팽창함

[90] "영사관의 위치는 한편에 치우쳐져 있고, 특히 그 청사는 명치 18년 (1885)부터 조선인의 가옥을 사용하고 있어서, 지금 그 규모가 매우 협소하고, 집무상 불편한 감이 있어서, 별도로 땅을 선택하고 신축하기로 하고...28년(1895) 7월 그 위치를 선정하고, 해 거류자의 가옥에 대해 입퇴료 지불을 완료하였다."-경성부, 앞의 책, 1936, p.649

[91] 명치18년(1885년) 9월 30일 경성영사관사무대리였던 유우키(結城顯彦)이 외무성회계국장 요시다(吉田二郎宛)에게 보낸 영사관비품청구서에 첨부한 영사관 겨냥도(見取圖)가 경성부사 2권 p.580에 실려 있으며, 이를 바탕으로 [그림 44]를 작성하였다.

에 따라 영사관은 본정 1정목 입구(현 충무로 1가 52번지)로 그 위치를 옮기고 새 청사를 신축하였다.

그림 43 수정에 설치되었던 초기의 영사관

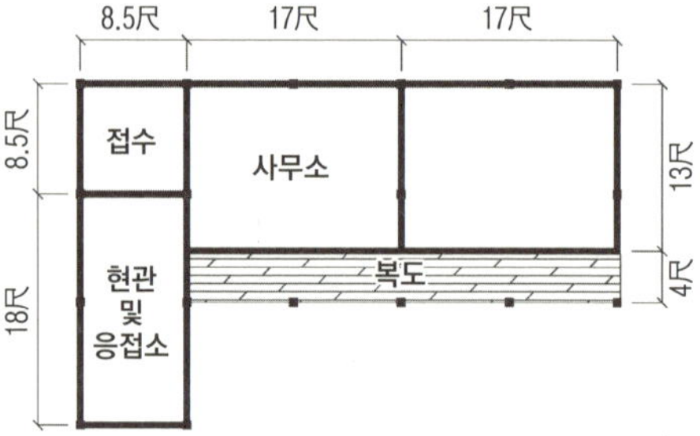

그림 44 1885년 영사관 평면도

1896년 신축된 영사관 청사는 오쿠라구미大倉組가 담당하였으며, 내무성기사 후나오코시船起欽哉, 조수 타니무라谷村初五郎를 파견하여 감독하게 하였다. 총 공사비는 88,330여 원 96전 9리였으며 본관과 부속 청사를 건축하였다. 이 청사는 1906년 이후에는 경성이사청으로 사용되었으며, 한일병합 후에는 경성부청으로 변경되어 경운궁 앞의 새로운 경성부청사가 신축되기 전까지인 1926년 10월까지 사용되었다.[92] 1909년에는 업무공간의 협소함으로 인해 본관의 동측에 1동의 단

[92] 경성부, 1936, 앞의 책, p.649

그림 45 경성영사관

그림 46 본정입구에 설치된 영사관

[93]
경성부, 1936, 앞의 책, p.809

층 건물을 증축하였다.[93] 영사관 건물은 2층 조적조 건물이었으며, 그 부지는 약 1,373평에 이르렀다. 이 건물은 전면의 중앙 입구 부분에 두 개의 아치를 가지고 있어 그 정면성이 강조되고 있으며 다른 의장적인 특징들은 공사관이나 통감부와 유사하게 르네상스식 건물의 대칭적 입면 구성을 하고 있는 것을 사진을 통해 알 수 있다.

경찰서

[94]
경성부, 1936, 앞의 책, p.706

1902년 본정 입구에 신축된[94] 경찰서 건축물에 대한 구체적인 정보는 전해지는 것이 없으나 사진으로 미루어보아 전체 대지는 조적조의 담으로 둘러싸여져 있었으며, 건물은 경사지붕을 가진 조적조 단층 건물이었음을 알 수 있다. 입구에는 아치가 있는 포치가 돌출되어 있으며, 경찰서라는 건축의 특징상 망루의 역할을 하는 탑이 중앙부에 솟아 있는 것을 확인할 수 있다. 전체적인 건축은 장식없이 실용적인 성격을 가지고 있었으나, 포치 부분의 벽기둥 처리와 아치의 키스톤 부분이 강조되어 있고, 역시나 입면 상부의 수평 코니스가 돌출되어 강조되어 있는 모습을 보인다. 그러나 공사관이나 통감부, 영사관에 비해서는 훨씬 간소하고 실용적인 성격을 보인다.

그림 47 경성경찰서 1902년 11월 낙성

우체국

1888년 영사관 내에 인천우편국 출장소를 설치한 것이 시초가 된 우편국은 1900년 3월 인천우편국 경성출장소를 폐지하고 경성우편국으로 개칭한 후 그 해 9월부터 새로운 청사를 신축하였다.[95] 새로 신축된 경성 우편국은 영사관 맞은편, 본정 1정목의 입구에 위치하였으며, 이는 현 중앙우체국의 위치이다. 새롭게 지어진 경성우편국은 경사지붕을 가진 조적조 2층 건축물로서 경찰서와 마찬가지로 장식적 요소를 줄인 실용적인 건축이었으나 1층에는 아치창을 설치하고 중앙의 입구 부분을 돌출시켜 강조한 것을 볼 수 있다. 또한 지붕 중앙부에는 지붕창을 설치하고 있다. 통상휘찬에 실려있는 경성우편국의 측면을 찍은 사진을 통해 우편국 건물 바로 뒤에 거의 유사한 양식으로 지어진 2층 건물이 있으며 그 사이를 잇고 있는 건물이 있음을 알 수 있다. 이 것이 처음부터 같이 지어진 것인지, 이후에 증축된 것인지는 확실치 않으나 통상휘찬의 사진이 1903년인 것을 감안해볼 때 거의 비슷한 시기에 만들어진 것임을 알 수 있다. 1904년 경성우편국은 바로 옆의 거류민단 및 상업회의소의 연합사무실 건물을 매입하여 확장하였다. 이 우편국은 한일병합 이후 중앙우체국으로 역할을 하게 되었으며, 이후에는 경성중앙전화국으로 사용되다가 다시 경성우편국의 일부로 사용되었다.

[95]
경성부사에는 1900년에 경성우편국이 신축되었다고 기록하고 있으나 경성발달사 및 1901년 9월 12일 황성신문에 '郵局落成'이라는 기사가 실려 있어 1901년임을 알 수 있다.

그림 48 경성우편국

그림 49 경성우편국

그림 50 경성우편국

거류민단 사무실

거류민단은 1887년 수정 일대의 나카타니 세이베에中谷清兵衛의 집(1930년대의 수정3번지 일대)에 상업회의소와 공동으로 설치되었다. 1889년에는 800원의 비용으로 건평 24평의 연합사무실을 수정에 짓기 시작하여 1890년 완공하였다. 1897년에는 기존의 청사가 협소하여 개축을 필요로 하는데다가, 거류지가 점차 남대문로 방향으로 확장하고 있음을 고려하여 본정 1정목 입구, 영사관과 맞은 편의 위치(1930년대의 중앙전화교환국과 경성우편국 사이)에 건축비 4,000여 원을 투자하여 서양식 2층 건물 1동과 부속건물인 단층 건물을 신축하고 이전하였다. 통상휘찬의 기록에 따르면 1903년 거류민단 건물은 목조 2층 건물로 건축면적은 41평이었으며, 거류민단 총 부지의 면적은 약 300여 평이었다.[96] 통상휘찬에 실려 있는 사진으로 미루어보아 거류민단 건물은 중앙에 돌출된 포치를 가지고 있었으며, 포치의 1층에는 아치형 출입구를 가지고 있어 계단을 통해 진입하게 되어있으며, 출입구 바로 위편 2층에는 아치형 창호가 설치되고 그 앞에 테라스가 돌출되어 있음을 알 수 있다. 이 건물은 공사관, 통감부와 마찬가지로 목조 건축에 비늘판 마감이었으며, 오르내리창이 설치되어 있던 것을 사진을 통해 알 수 있다. 그러나 1904년 거류민단과 상업회의소는 연합사무실 건물을 경성우편국에 매각하고, 매각한 비용으로 거류민사무소와 상업회의소를 신축하기로 하였다. 이에 따라 연합사무실은 임시로 1897년 이전까지 사용하던 사무실로 돌아갔으며,[97] 1905년 상업회의소와의 연합사무실에서 완전히 분리하여 본정 1정목 1번지(1930년대의 본정 1~53번지 서북쪽으로 욱정 1정목 입구의 동측)으로 그 위치를 이전하고 건물을 신축하였다.[98] 1907년 경성발달사의 기록에 따르면 거류민단은 74평의 목조건물 2동, 벽돌 2층 건물 1동을 신축하여 사용하였다는 기록이 있는데,[99]

[96] 통상휘찬 명치 37년 1호 (1904.01.08)

[97] 경성거류민단역소, 2010, 앞의 책, p.203

[98] 경성부, 1936, 앞의 책, p.738

[99] 경성거류민단역소, 2010, 앞의 책, pp.259~260

경성부사에 실려 있는 거류민단 사무실 사진과 경성발달사의 거류민단 재산 목록에서 목조기와지붕이라는 기록[100]으로 미루어 볼 때 이 건물은 벽돌조가 아닌 목조건축임을 알 수 있다. 경성부사의 사진으로 보아 새롭게 신축된 건물은 1904년까지 사용하였던 건물과 형태적으로 상당히 유사하나, 중앙 포치 부분이 돌출되어 있는 것이 아니라 분절되어 있어 다른 건물임을 알 수 있다. 그러나 중앙 포치의 아치 개구부 처리와 2층의 테라스 등은 1904년 이전과 거의 동일한 모습을 하고 있음을 알 수 있다.

[100]
경성거류민단역소, 2010, 앞의 책, p.304

그림 51 1890~1897년, 1904~1905년에 사용한 거류민단+상업회의소 연합사무실

그림 52 거류민단 사무실의 위치
(정확한 위치 표시를 위해 1936년 대경성정도에 표시)

그림 53 1897년~1904년까지 사용한 경성거류민단 겸 상업회의소 정면

그림 54 경성거류민단

상업회의소

상업회의소 건물에 대한 정보는 많지 않아 정확한 내용을 파악하기 어려운 상황이다. 경성발달사에는 1904년 본정 1정목에 있던 거류민단과 상업회의소의 연합사무실을 우편국에 매각하고 받은 보상금 21,000원 중 5,000원을 상업회의소 신축 비용으로 지급하였으며, 1905년 이후 거류민단이 본정 1정목으로 이전한 이후 기존의 연합사무실 건물을 철거하고 새로운 상업회의소 건물을 건축하였다는 기록이 남아 있어 1905년에 신축되었음을 알 수 있다. 또한 『京城府之券』과 『京城と內地人』에 상업회의소의 일부가 나와 있는 사진들이 있어 당시의 모습에 대해 추정할 수 있을 뿐이다. 『京城府之券』의 사진에서 보면 이 건물은 목조 비늘판 마감의 중앙에는 돌출한 포치가 있는 단순한 구조의 건물임을 알 수 있다. 『京城と內地人』의 사진은 질이 좋지 않아 많은 정보를 얻을 수는 없으나 이 사진에서는 2층 건물에 창의 형태도 상인방이 신전지붕처럼 처리되어 있는 형태라 『京城府之券』의 건물과는 상이한 건물임을 알 수 있다. 이 두 건물이 같은 부지 안에 있었던 다른 건물인지 아니면 사진의 시기상 기존의 건물([그림 55])을 철거하고 세워진 새로운 건물([그림 56])인지는 확실히 알 수가 없다.

그림 55 경성상업회의소

그림 56 경성상업회의소

의료시설

일본인 거류지의 대표적인 의료기관은 한성병원漢城病院이다. 한성병원의 시작은 1883년 설치된 공사관 의원으로, 1895년 공사관의원이 폐지되자 한성병원이 설립되었으며, 1904년 이후에는 거류민단에서 직접 운영하는 공립병원이 되었다. 그러나 한성병원은 경영상의 어려움으로 인해 1909년에는 개인경영으로 전환되었다. 한성병원은 명동성당의 서측, 명동길에 위치하였는데, 1898년에 수술실을 설치하고, 1900년에는 일본식과 서양식의 병실을 증축하는 등 지속적인 개축이 이루어졌다.[101] 1906년에는 벽돌 2층의 본관과 목조기와지붕의 1층 부속 건물을 신축하였으며,[102] 1908년에는 연면적 30평의 12실을 갖춘 병동을 신축하였다.[103] 한성병원은 내과, 외과, 부인과, 소아과, 산과[104] 등의 전문과를 갖추었으며 수술실과 병동을 갖춘 서양식 종합병원이었다. 한성병원의 본관은 [그림 57]과 [58]에서 알 수 있듯이 입구 부분에는 포치가 돌출되어 있었으며, 1층 바닥이 지면보다 높았다. 건물의 입면은 돌출된 포치와 1층 창문 상인방의 키스톤과 코너 부분에 다른 재료로 처리를 하고 있으며, 1층과 2층 사이 수평코니스를 다른 재료로 돌출하여 처리하고 1층 창문 하인방을 연결하는 부분 역시도 다른 재료로 긴 띠를 만듦으로 수평성을 강조하고 있다. 창문은 오르내리창으로 되어 있으며 지붕의 형태에 대해서는 사진만으로 알 수 없으나 두 사진 모두에서 벽체와 지붕이 연결되는 부분이 수평 띠가 겹쳐 돌출되어 있는 형태임을 알 수 있다. 그러나 이외에는 크게 장식적인 요소는 없으며 오히려 실용적인 성격이 강조된 디자인을 가지고 있음을 알 수 있다. 공립병원은 아니었지만, 산카贊和병원과 노다野田치과의원의 사진이 남아 있어 당시 거류지 의료 시설들의 분위기를 살펴볼 수 있는데, 산카贊化병원의 경우 2층 목조 규

[101]
경성거류민단역소, 2010, 앞의 책, p.439

[102]
경성거류민단역소, 2010, 앞의 책, p.303

[103]
경성거류민단역소, 2010, 앞의 책, p.296

[104]
황성신문 1901년 09월 28일에는 한성병원이 여의사를 초빙하여 부인과, 소아과, 산과 진료를 하고 있다는 광고가 실려 있다.

모의 대형 서양식 건축물이었으며, 다소 장식적인 담장을 가지고 있다. 노다野田치과의원의 경우 건축물의 외양은 일본 전통식 2층 건축물이나 내부는 서양식 공간을 가지고 있어 당시 사립 의료시설들의 분위기를 살펴볼 수 있다.

그림 57 한성병원

그림 58 1906년 증축 후의 한성병원

그림 59 산카(賛化)병원

그림 60 노다(野田)치과의원

그림 61 일출(日出)소학교

그림 62 일출(日出)소학교

교육시설

거류지 교육시설로는 소학교, 고등여학교, 중학교와 유치원이 있었다. 학교 교사校舍들은 일출정심상고등소학교日出町尋常高等小學校를 제외하고는 대부분 목조로 지어진 건축물들이었다. 교사들은 대부분 2층에 일자형 평면을 가지고 있으며, 중앙부분에 입구를 가진 대칭형 입면에 경사 지붕을 가지고 있는 형태이다. 거류지 최초의 연와조 건축물인 1906년 신축된 일출정심상고등소학교의 경우 연와조의 2층 건축물이었는데 2층에는 키스톤이 강조된 아치형 창호가 반복되고, 1층에는 중앙출입구를 중심으로 상인방과 하인방이 다른 재료로 만들어진 세로가 긴 창문들이 반복되고 있다. 또한 벽면은 돌출된 부착기둥과 같은 요소로 인하여 분절되어 있어 같은 요소들의 반복으로 인해 지루할 수 있는 입면에 리듬감을 부여하고 있으며 전면으로 돌출되어 있는 출입구에는 경사지붕을 설치하여 포치부분을 강조하였다. 또한 지붕의 중앙부엔 작은 탑이 솟아 있어 중앙부분을 강조하고 있다. 장방형으로 쭉 뻗은 평면은 복도를 따라 교실을 배치하는 데에 있어 가장 기능적인 형태였을 것임을 알 수 있다. 일출정소학교의 경우 거류지 최초의 학교라는 중요성을 가진 곳이었기에 6만원이라는 거금을 들여 새 건물을 건축할 정도로 근대적 교육기관으로서의 상징성을 가진 곳이었다. 일출정심상고등소학교에는 교사 외에도 목조 단층의 교장 사택이 위치하였으며 소학교 교사 및 교장 사택의 총면적은 312평에 이르렀다.

도면을 확인할 수 있는 남대문소학교南大門小學校의 경우 2층 목조 건물의 본관이 남쪽에 위치하고 있는데, 이 교사의 경우 양쪽 끝부분이 앞뒤로 돌출되어 전체적으로는 ㄷ자형의 평면을 가지고 있는 것을 알 수 있다. 입면 구성은 역시나 세로가 긴 장방형의 창호가 길게 반복되는 형태이나 양끝단과 중앙의 입구 부분에 경사지붕 처리를 해주어 정면성을 강조하고 있다. 1908년 설치된 고등여학교高等女學校의 경우 원래 일출정심상고등소학교가 사용하던 교사를 사용하였던 것으로 보이는데, 경성부사의 사진 속 건축물이 당시의 건물인지는 알 수가 없다. 사진 속 건물은 2층 목조 비늘판 마감의 건축이며 일자형 평면에 우진각 지붕 위 지붕창들이 설치되어 있으며, 입구 부분은 돌출된 포치를 가지고 있다. 남대문소학교와 고등여학교의 경우 모두 전면부에 비교적 소규모의 단층목조 건물들이 자리잡고 있는데, 이는 교실의 증축 및 기타 기능의 필요로 인해 이후에 추가적으로 설치된 건물이었으리라 판단된다. 1910년 설립된 앵정소학교櫻町小學校는 남대문소학교와 마찬가지로 양끝단이 살짝 돌출된 형태이며, 1910년 당시 사진으로 미루어볼 때 연와조의 2층 건축이었음을 알 수 있다. 앵정소학교는 창호가 이전의 학교들에 비해 커져서 교실 내부로의 빛의 유입이 더 유리하였을 것으로 보이며, 입구가 있는 포치의 2층에는 원형창과 아치창이 설치되어 정면성을 강조하고 있다.

1900년 설치된 경자기념유치원庚子記念幼稚園은 남산으로 오르는 경사지인 본원사 별원에 위치하였다. 이 유치원은 1937년 새로운 원사를 신축하기 이전까지는 이 건물을 사용했던 것으로 보인다. 유치원은 목조 단층의 우진각 아연 지붕[105]을 가지고 있었다고 하나, 사진에 그 일부만 나와 있어 정확한 정보는 파악하기 어렵다.

[105] 유치원 원사의 지붕 재료에 대해서는 경성거류민단의 재산목록 중 '가옥'에 기록되어 있다.-경성거류민단, 2010, 앞의 책, p.302

그림 63 1929년 남대문소학교

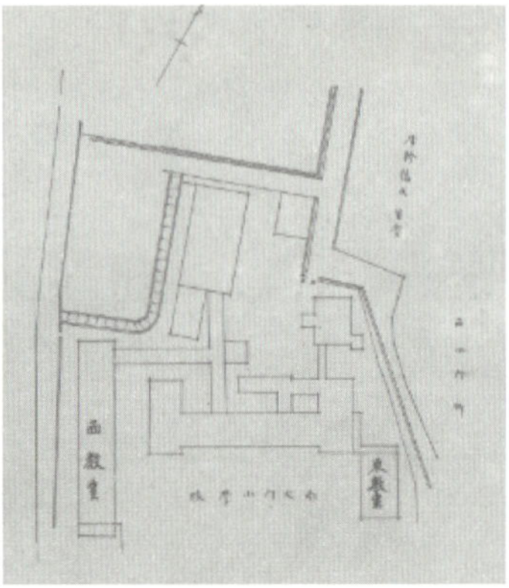

그림 64 1929년 남대문소학교 배치

그림 65 앵정소학교

그림 66 경성고등여학교

그림 67 경자기념유치원

상업건축

일본인 거류지의 상업건축물에 대해서는『京城と内地人』와『京城府之巻』에 비교적 상세한 정보와 사진들이 남아 있어 그 현황에 대해 살펴볼 수 있다. 은행, 회사, 소매상, 요리점 등 건축물의 형태가 파악되는 상업건축은 48개이며 이 건축물들의 경우 영업종과 지역에 따라 다양한 양상으로 나타나는데 건축물의 형식에 따라 분류하여 보면 다음과 같다.

일본 전통식 건축물

마치야町家

거류지의 대표적인 상업건축은 일본 전통식 상업건축인 마치야町家[106]유형이다. 본정 등 일본인 거류지 내 중심 도로의 가로변에는 마치야들이 주로 건축되었으며 앞서 살펴본 바와 같이 거류지 내에 세장형 필지 유형이 다수 분포하는 것과도 연관이 있다. 1900년대의 거류지 가로 사진들을 통해 거류지 도로변에는 많은 수의 마치야들이 지어져 일련의 상업가로를 형성하고 있었다. 『京城と内地人』와 『京城府之巻』에도 다수의 마치야 사진들이 실려 있는데, 파사드를 구성하고 있는 1,2층 부분의 입면 형태가 각각 달라 마치야들도 다양한 형식을 가지고 있음을 알 수 있다. 먼저 점포로 사용되는 1층의 경우 전면이 개방되어 있는 완전 개방형과 쇼윈도우나 대형 창문 등으로 일부가 개방되어 있는 부분 개방형, 입구와 작은 창문 외에는 개구부가 없는 폐쇄형의 세 가지 타입이 나타난다. 주거나 창고 등으로 사용되는 2층 부분의 경우 가장 일반적인 마치야의 형태라 할 수 있는 회반죽칠한 벽면에 창호가 2~3개 설치되어 있는 경우와 목재 판문이 전체적으로 덮고 있는 경우, 그리고 목재 기둥이 그대로 노출되며 회반죽칠한 벽면이 나타나는 경우의 세 가지 타입이 있다. 회반죽칠한 벽면에 창호가 설치된 경우는 격자창虫籠窓이라 하는 창살이 있는 창호형과 두꺼운 여닫이 덧문이 설치된 창호형, 서양식 오르내리창이 설치된 창호형으로 나뉠 수 있다. 이와 같은 형태의 1층과 2층이 서로 조합되어 다양한 형식의 마치야를 구성하고 있음을 알 수 있다.

[106]
일본에서는 중세 이후 유통경제가 발전함에 따라 상설 점포가 정착하게 되었고, 이 과정에서 도로에 접해 만들어진 것이 마치야라는 상점 겸 주택 양식이었다. 마치야는 도로에 접한 면에 상점이 위치하고 그 뒤편에 주택이 위치하거나, 1층에 상점이 위치하고 2층에 주택이 위치하는 유형의 건축이다. 메이지 시기에는 화재 방지를 위하여 회반죽과 기와지붕을 가진 도조우즈쿠리(土蔵造り) 양식의 마치야들이 많이 건축되었다.

그림 68 본정 2정목
사토우마사(佐藤牧)상점

그림 69 본정 5정목 구기모토(釘本)상점

그림 70 남대문통 무라타(村田)상점

그림 71 남대문 2정목
하야시다(林田)상점

그림 72 우에야마(植山)상점

그림 73 본정 후지토미(藤當)상점

[그림 68~73]은 2층이 회반죽칠한 벽체로 구성되어 있는 경우의 마치야들이다. [그림 68~71]처럼 회반죽칠 된 연속적인 2층 벽체에는 격자창虫籠窓이라 불리는 창살이 있는 가로로 긴 창문이 1~3개 나 있으며, 구기모토釘本상점처럼 소데카베袖壁라 하는 칸막이 벽같은 부재가 중간에 돌출되어 설치되어 있는 경우도 있다. 한편 [그림 72, 73]처럼 아예 창문이 없이 기둥이 노출되어 있는 경우도 있다. 회반죽칠한 벽체는 화재 방지를 위한 것으로, 거류지에서도 빈번한 화재발생을 막기 위하여 1895년부터는 거류지 가옥의 개수시 불연물질을 사용하고 신축 시에는 초가를 건축하지 않을 것을 장려하였기 때문이다.[107] 이와 같이 회반죽칠한 벽체에 가로로 긴 돌출된 처마가 나타나는 유형의 마치야는 서일본 지역에서 유행하였던 누리야즈쿠리塗屋造り 양식에 가까운 것으로 보인다.[108]

[107]
경성거류민단역소, 2010, 앞의 책, p.131

[108]
小島彩乃, 山崎正史, 衣笠聡. 2010. "塗屋造町屋の外観分類とその分布に関する研究", 歴史都市防火論文集, 4: pp.1~4

와다和田상점처럼 창문 위에 두꺼운 여닫이 덧문이 설치되어 있는 경우도 있는데 이는 주로 도조우즈쿠리土蔵造り 양식의 마치야에서 자주 보이는 창호 형태로 누리야즈쿠리塗屋造り 양식이 대부분인 일본인 거류지 내에서는 독특한 경우이다. 이 상점의 경우에도 창호 외의 다른 부분들은 누리야즈쿠리塗屋造り 양식의 양식을 가지고 있다.[109] 한편 구보타久保田상점처럼 2층의 창호가 가로로 긴 형태가 아닌 세로로 긴 형태의 서양식 오르내리창으로 되어 있는 경우도 있는데, 이는 서양의 영향으로 일본식 마치야가 화양和洋절충식으로 변형된 것으로 보인다. [그림 76]에서처럼 대형 목재 판문이 2층 전면에 설치되어 있는 경우도 있었다.

[109]
누리야즈쿠리(塗屋造り) 양식이 회반죽칠된 2층 벽면과 가로로 긴 돌출처마를 가지는 양식이라면, 도조우즈쿠리(土蔵造り) 양식은 처마 밑에 여러 겹의 띠가 겹쳐 주름 형태를 가지는 양식으로, 처마가 누리야즈쿠리(塗屋造り) 양식에 비해 두꺼운 형태로 나타난다. 누리야즈쿠리(塗屋造り) 양식에는 가로로 긴 격자창(虫籠窓)이 있는 것이 일반적이며 도조우즈쿠리(土蔵造り) 양식의 경우 두꺼운 판재의 여닫이 덧문이 있는 경우가 일반적이다.-小島彩乃, 山崎正史, 衣笠聡, 2010, 앞의 글, 4: pp.1~4

그림 74 본정 3정목 와다(和田)상점

그림 75 본정 4정목 구보타(久保田)상점

그림 76 본정 아키요시(秋吉)상점

1층 부분의 경우에는 사토우마사佐藤牧상점, 구키모토釘本상점이나 후지토미藤當상점처럼 완전히 외부로 개방되어 있는 경우도 있지만, 무라타村田상점이나 하야시다林田상점, 와다和田상점처럼 부분적으로만 개방되어 있는 경우도 있다. 한편 츠지야辻屋상점처럼 쇼윈도우[110]가 설치되어 있는 경우도 있다. 츠지야의 경우 사진 상태가 좋지 않아 정확한 정보를 알기는 어려우나 기본적으로는 마치야의 처마를 가지고 있으며, 쇼윈도우 사이로 입구가 나 있는 형태를 가지고 있어 서양식 상업건축의 요소들이 나타나고 있다. 한편 2층 부분이 기본적

[110]
쇼윈도우의 설치는 진열판매방식과 연관이 깊은 것으로, 메이지 36년(1903) 도쿄의 시라키야(白木屋)에서 처음 설치하였다고 한다.-하쓰다 토오루, 이태문 옮김. 2003, 『백화점』 논형, p.96

인 마치야들과는 달리 지붕의 합각부분이 그대로 드러나는 이토우구미伊藤組도 있다. 이토우구미伊藤組의 경우 인력거업이라는 업종의 특성상 인력거들이 1층에 나란히 늘어서 있으며 인력거꾼들이 대기하고 있는 모습을 볼 수 있으며 1층 부분 위에는 가로로 긴 처마가 있어 주변의 마치야들과 자연스럽게 연결되는 것을 볼 수 있다. 각 상점의 위치정보에서 알 수 있듯이 전통적인 마치야들은 본정 2~5정목, 즉 일본인 거류지의 중심 상업거리에 주로 위치하였으며 이 지역의 가로변에는 세장형 필지가 연속적으로 분포하여 마치야들이 들어서기에 적합한 형태였다. 마치야의 1층 상점부 위에는 가로로 긴 처마가 돌출되어 있어, 이들이 옆에 있는 상점의 처마들과 이어지면서 마치나미町並み를 형성하고 있다. 상점들의 영업종은 잡화상 등 소매상이 많았으며 이 상점들이 이어져 일본풍의 상점가를 형성하고 있었다.

그림 77 본정 2정목 츠지야(辻屋)상점

그림 78 본정 4정목 이토우구미(伊藤組)

스미야角屋

거류지 내에는 유흥 및 사교 모임 장소로 자주 사용되던 요릿집 혹은 요정料亭들이 다수 있었다. 특히 거류지 초기 중심지인 수정, 남산정 등지에 위치한 가게쓰로花月樓, 기쿠스이로菊翠樓 등의 요리집들의 경우 사진을 통해 에도시대 건축 양식인 스미야角屋의 형태를 하고 있음을 알 수 있다. 마치야에 비해서는 상대적으로 그 규모가 크고 두 요릿집의 경우 공통적으로 문을 지나 정원을 지나 접근하는 유형이다. 기쿠스이로菊翠樓의 경우 알현실로 사용되던 넓은 홀 공간인 오히로마大廣間가 있음을 알 수 있다.

그림 79 남산정 가게쓰로(花月樓)

그림 80 남산정 3정목 기쿠스이로(菊翠樓)

그림 81 남산정 3정목 기쿠스이로(菊翠樓)

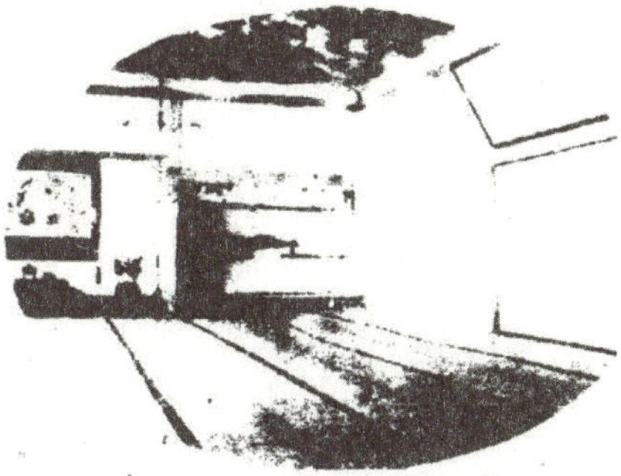

그림 82 남산정 3정목 기쿠스이로 오히로마(菊翠樓 大廣間)

기타

한편 거류지 내의 전형적인 상점 건축 유형인 마치야나 전통적인 요릿점 건축인 스미야와 달리 주택 등의 일반 유형을 활용한 상업 건축들도 다수 있었다. 그러나 이 상업건축들의 경우 상품을 진열하여 고객을 상대하는 소매상이 아닌 사진관이나 토목청부업 회사 등 상업 유형이 다른 경우에 해당한다. 주택의 형태에 가까운 무라카미村上사진관의 경우 사진관이라는 업종 특성상 폐쇄적인 구조를 하고 있으며 그 형태상 기존의 주택을 활용한 것일 것이라 예상된다. 토목 청부업 회사인 가와구치구미川口組경성사무소와 시미즈구미清水組 경성출장소의 경우에도 일본식 주택 형식을 하고 있음을 알 수 있다.

그림 83 남산정 무라카미(村上)사진관

그림 84 가와구치구미(川口組)경성사무소

그림 85 시미즈구미(清水組)경성출장소

절충식 건축물

한양절충식

거류 초기 일본인들은 기존의 한국인들이 사용하던 한옥을 임차하여 사용하는 경우가 많았다. 일본인 거류지의 중심지라 할 수 있는 본정 3~5 정목 일대와 남산정, 일출정, 수정 등에서는 거류지가 안정화됨에 따라 일본식 상점건축들이 다수 신축됨에 따라 한옥을 활용하여 사용하는 경우는 거의 사라졌지만 상대적으로 늦은 시기에 거류지로 편입된 본정

7~8정목이나 기존의 한국인 상가들이 발전한 지역이었던 남대문로와 거류지 외부인 광화문로 등에서는 여전히 일본인들이 한옥을 활용하여 영업을 하는 경우가 많았다. 1895년의 본정도로 입구를 묘사한 경성부사의 [그림 139]에서는 일본식 상점들과 한국식 건축물이 혼재되어 있는 상황을 발견할 수 있다. 1905년 본정 8정목에서 개업한 오오하시大橋상점은 사진으로 미루어 보아 단층 한옥을 빌려서 사용하였던 것으로 보이는데 이는 개화기 한양절충식 한옥, 즉 조적식 벽체와 창호를 가진 한옥 유형의 상업 건축물이었다. 광화문로 오오시마大島양복점 이나 남대문로의 18은행 임시영업소 역시 조적식 벽체의 단층 한양절충식 한옥을 활용한 것으로 보인다.

그림 86 본정 8정목 오오하시(大橋)상점

그림 87 광화문로 오오시마(大島)양복점

그림 88 남대문로 18은행 임시영업소

한편 한성부에서는 점차 상업화가 진행됨에 따라 남대문로와 태평로 일대에는 2층 한옥상가들이 다수 등장하였다. 2층 한옥상가는 상업의 발전과 목조기술의 발전으로 가능해진 것으로서, 전통적인 한옥의 목구조를 이용하는 방식과 기본적으로는 목구조를 이용하지만 벽체는 벽돌을 이용한 조적조로 만드는 방식이 있었다.[111] 2층 한옥상가의 1층은 상품전시와 접객 등이 일어나는 매매공간이었으며 2층은 상품수장과 작업 등 제조 기능을 담당하였다고 한다.[112] 남대문로의 아라이新井약방 본점이나 토사카미土佐紙주식회사 경성지점은 기

[111]
조은주, 송인호, 2007, "1920~30년대 남대문로 상업가로변의 한옥 연구", 대한건축학회, pp.9~12

[112]
양상호. 1985, 『2층 한옥상가에 관한 사적 연구』 명지대학교 대학원, p.51

존의 시전행랑이 가지고 있었던 가로로 긴 타입의 유형으로 기존의 목구조가 그대로 노출되는 타입이다. 반면 아라이新井 약방창고나 요시노吉野형제상회의 경우 조적조 벽체를 사용한 2층 한옥상가를 활용한 경우로 볼 수 있다. 2층 한옥상가의 경우 누각의 퇴난간 구조로 된 목조난간이 붙여지는 경우도 있었으나 거류지 일본 상인들의 상점에서는 발견되지 않으며 요시노吉野형제상회의 경우에는 2층 부분에 세로로 긴 서양식 창호가 설치되어 있었다.

그림 89 남대문통 3정목 아라이(新井)약방 본점

그림 90 남대문통 3정목 도사카미(土佐紙)주식회사 경성지점

그림 91 남대문통 3정목 아라이(新井)창고

그림 92 남대문통 2정목
요시노(吉野)형제상회

화양和羊 절충식

서양식 창호가 2층부에 설치된 구보타久保田상점처럼 일본 전통식 상업건축이라 할 수 있는 마치야에 서양식 의장이 첨가된 건물도 거류지 내에 다수 있었다. 특히 2층 전면부에 목조 난간을 가진 테라스가 나타나는 것은 2층 한옥상가 및 청국풍의 상점 건축에서도 공통적으로 나타나는 현상으로 마치야 형식의 일본식 상업 건축의 2층에 테라스가 나타나는 유형들은 화양和洋절충식으로 볼 수 있다. 미쓰이三井지점 임시영업소나 도우에이陶榮상점, 마쓰모토松本상점의 경우 모두 1층부는 완전 개방형 혹은 부분 개방형의 구조로 전통적인 일본식 마치야와 크게 다를 바 없으나 2층에 전면 돌출 테라스가 나타남으로써 일반적인 마치야와는 외관상 상당히 다른 모습을 보인다. 미쓰이三井지점 임시영업소의 경우에는 테라스 측면은 건물의 측면이 이어져 닫혀 있으나, 도우에이陶榮상점, 마쓰모토松本상점의 경우 테라스 측면 역시 열려 있어 테라스가 더 독립적이고 개방적인 구조를 가지고 있다. 도우에이陶榮상점의 경우 테라스의 네 모퉁이에 도릭식 기둥 주두를 가진 기둥이 배치되어 있으며, 기둥 난간 역시도 정교하게 다듬어져 있다. 기둥과 기둥을 잇는 판의 경우 식물문양이 새겨져 있으며 완만한 경사의 아치 형태로 만들어져 있어 장식성을 더하고 있다. 이러한 형태의 테라스는 청-양 절충식 건축에서 자주 보이는 형태로 당시 한성부의 정동이나 명동 일대 서양인과 청국인 거류지에서 자주 보이던 유형이었다.

그림 93 본정 3정목 미쓰이(三井)지점 임시영업소

그림 94 본정 2정목 도우에이(陶榮)상점

그림 95 본정 마쓰모토(松本)상점

한-양-청 절충식

한성부에서 일본 상인들이 활발하게 활동하기 시작한 것은 청일전쟁 이후였다. 그 이전까지 일본 상인들은 일본인 거류지 내에 머물렀으며, 그 대상도 일본인 거류민들 그리고 주변의 한국인들이 대부분이었다. 그 시기 일본 상인들보다 한성부 내에서 세력이 컸던 것은 청국 상인들로서 청국 상인들은 청국공사관을 중심으로 남대문로에서 수표교 일대, 그리고 장곡천정長谷川町(현 소공동)일대까지 진출하여 한국인들과 서양인들을 대상으로 영업하였다. 이들의 영업점은 청국 근대 상업건축 양식, 즉 2층 테라스와 기와지붕을 가지는 조적조 양식으로 만들어졌으며, 정동 일대의 서양인들이 운영하는 상점들도 건축은 청국인들이 담당하였기에 비슷한 형식으로 지어졌다. 청일전쟁 이후 일본 상인들이 기존의 청국 상인들이 영업하던 지역인 남대문로와 명치정明治町, 장곡천정長谷川町 일대까지 진출하게 되었고, 이 지역들에서는 청국의 영향을 많이 받은 건축 양식들이 다수 발견된다. 경성 후지토미藤田합명회사 건물 같은 경우 전형적인 청국 스타일로 기와지붕에 2층 테라스를 가진, 조적조 건축물이다. 조지야丁子屋 경성지점같은 경우 전체적으로는 조적조 양식이며 2층 테라스가 전면뿐 아니라 측면까지 감싸고 있는 양식으로 조적조로 된 한옥상가와도 상당히 유사한 형태를 보인다. 경성동양용달회사, 일한인쇄주식회사는 가로로 긴 조적조의 건물에 2층 목조 난간 테라스를 가진 구조이며, 히로에廣江 상회의 경우 사진 상태 상 건축물에 대한 정확한 정보를 얻을 수는 없으나 전체적인 건물이나 테라스의 형태는 경성동양용달회사, 일한인쇄주식회사와 유사해 보인다. 그러나 뒤편의 건물 본체가 확인되지 않아 이 건축물이 한옥상가에 가까운 양식인지 청국 형식의 영향을 많이 받은 양식인지는 확실히 알 수 없다. 이같은 양식들은 한국-서양-청국 양식이 모두 혼합된 절충식 양식이라 볼 수 있다.

그림 96 남대문통 조지야(丁子屋)

그림 97 남대문통 경성 후지토미(藤田)합명회사

그림 98 지나정 경성 동양용달회사

그림 99 명치정 일한인쇄주식회사

그림 100 장곡천정 2정목 히로에(廣江) 상회

서양식 건축물

서양 고전주의 양식(르네상스 양식)

일본인 거류지의 공공시설물들은 대부분 서양식이었는데 반해 상업건축은 일본식 건축물들이 대다수를 차지하고 있었다. 그러나 상업건축물 중에서도 은행이나 대규모 회사 등은 서양고전주의 양식으로 지어진 경우가 다수 있었는데, 이는 이들이 상대적으로 자본력이 있는 기관들이었기 때문에 가능한 것이었다. 제일은행 경성지점의 경우 1888년 처음 이 위치에 설치되었는데, [그림 101]의 건물이 건축된 시기에 대해서는 정확하게 알려져 있지 않다. 사진에는 제일은행의 전면부만이 나와 있어 건물 전체에 대해 알기는 어렵지만, 조적조의 단층 건물에 모임지붕 형태를 가지고 있었으며, 처마 밑에는 여러 겹의 코니스가 있음을 알 수 있다. 세로로 긴 오르내리창에 여닫이 덧문이 있는 창호가 좌우로 각각 3개 씩 있으며 중앙에는 키스톤이 강조된 완만한 아치형태의 출입구가 있음을 알 수 있다. 경사가 있었던 본정도로의 특성상 높이를 맞추기 위해 건물의 1층부는 도로보다 높은 면에 위치하고 있으며 도로와의 경계에는 철제 난간이 설치되어 있다. 이 사이 공간에는 나무를 심어 조경을 하고 있음을 알 수 있다. 한편 제일은행보다 서쪽으로 한 블록 떨어진 곳에 자리한 58은행은 1906년 위치 이전 후 신축된 것으로 중앙 포치 부분이 돌출되어 강조된 르네상스식 건물이다. 입구 부분은 주두가 매우 돌출된 기둥 위에 키스톤 부분이 강조된 원형 아치로 되어 있으며, 2층부에도 똑같은 형태의 아치로 되어 있는 테라스가 반복되어 있다. 입구 부분은 박공 지붕이 솟아 있어 입구의 중요성을 강조하고 있다. 1층 창문은 신전 파사드를 가진 창문이 있으며 역시 수평코니스가 처마 밑과 1층과 2층 사이에 강조되어 있는 것을 볼 수 있다. 기단부가 높게 처리되어 있으며 층고도 높아 그 위엄을 더하고 있으며 그 높이와 형태상 당시 거류지에서 눈길을 끄는 건물이었다.[113] 당시 은행건축물들은 대부분 서양 고전주의, 특히 르네상스식으로 많이 지어졌는데

[113] 실제로 경성과 내지인에는 미츠코시오복점이 1910년 3층 건물을 신축함으로 맞은 편의 백삼십은행(58은행이 1909년 백삼십은행과 합병)에 그 화려함과 웅대함을 견주고 있는 표현들이 나온다.-京城と內地人

그림 101 제일은행 경성지점

그림 102 58은행(130은행) 경성지점

그림 103 58은행(130은행) 경성지점

이는 건축물 디자인을 위엄있게 함으로써 금융기관으로서의 신뢰성과 권위를 보여주고자 하였기 때문이다.

한편 거류지 내의 대형 회사들도 서양 고전주의식 건축물을 지어 사옥으로 활용하기도 하였다. 통운회사인 나이코쿠통운內國通運이나 1883년부터 있었던 토목청부회사인 오쿠라구미大倉組와 같은 경우가 대표적인 것으로 이들 건축물은 은행건축에 비해서는 단순하였으나 중앙에 박공지붕으로 강조된 출입구를 가지고 이 출입구를 중심으로 좌우 대칭이 되는 입면을 가지고 있었다. 특히 나이코쿠통운內國通運의 경우 저층부에는 돌출된 캐노피와 그 위의 아치를 가지고 있었으며, 아치에서 뻗어나오는 듯한 입면 장식이 특징적이다. 두 건물 모두 수평 코니스가 강조되어 있음을 알 수 있다. 한편, 이와타岩田 사진관의 경우 기본적인 건축어휘는 서양 고전주의, 특히 르네상스 건축에서 자주 사용되는 어휘들인 아치와 원형창, 신전 파사드의 출입구 등을 가지고 있으나 출입구가 한 쪽으로 치우쳐져 있으며, 전체적으로 비대칭적인 구성을 하고 있으며 조형적인 요소들이 다소 강하게 나타난다. 이 건물 역시 수평 코니스가 강조되어 있는 것을 볼 수 있으며 양쪽 코너의 기둥은 러스티케이션(석조 등을 거칠게 마감하는 방식) 처리를 하여 강조되고 있음을 알 수 있다. 이 건물은 서양 고전주의 어휘들의 절충적인 선택에 의해 만들어진 것으로 보이며, 1910년 이전에는 거의 찾아볼 수 없었던 비대칭적인 입면 구성을 하고 있다는 점에서 특징적이다.

그림 104 남대문역 앞 나이코쿠통운(內國通運)

그림 105 경성 오쿠라구미(大倉組)

그림 106 남대문통 2정목 이와타(岩田)사진관

실용주의적 경향

거류지에는 르네상스식의 서양 고전주의 양식 이외에도 좀 더 실용적이면서도 단순한 서양식 건축물들도 다수 존재하였다. 토목청부업 회사인 시키구미志岐組 경성지점이나 명치생명보험주식회사 대리점을 겸한 마쓰오松尾상점은 앞서 살펴본 서양 고전주의 양식을 가진 건축물들에 비해 단순하긴 하지만, 수평 코니스의 강조나 창호의 규칙적인 배열, 창호 디테일 등에 있어서는 르네상스식 어휘들이 다소 발견된다. 특히 마쓰오松尾상점의 경우 양측 코너에 두꺼운 코린트식 석조

그림 107 시키구미(志岐組) 경성지점

그림 108 본정 4정목 마쓰오(松尾)상점(명치생명보험주식회사)

기둥이 강조되어 있으며 규칙적으로 배열된 창호 아래에는 까치발(console) 같은 디테일을 발견할 수 있다. 시키구미志岐組 경성지점의 경우 지붕이나 출입구 부분의 캐노피 등에서 일본 건축의 영향도 보여 화양절충식으로 보이기도 한다.

또한 대규모 무역잡화점이나 오복점, 회사 등의 상업 건축으로서 1층부에는 쇼윈도우를 설치하고 2~3층에는 동일한 창호의 연속적인 배열로 르네상스 건축의 어휘를 가지고 있는 상점들도 있었다. 일본 전통식 마치야나 2층 한옥상가, 청나라식 2층 상가 등에서는 1층만 접객공간으로 사용하고 2층 공간은 주거나 창고 등 다른 용도로 사용한 것에 비해 이들 건축에서는 2,3층 등도 접객공간으로 구성하는 경우도 있었다.[114] 대형 서양식 건축물을 신축하고 영업을 한 대표적인 점포들인 아오키토우青木堂, 가메야龜屋, 미츠코시三越 오복점, 그리고 서양가구상인 모리야스森安 상점은 모두 본정 1~4정목에 위치하고 있었으며, 이들은 대부분 실용적인 성격의 목조 건축 혹은 조적조 건축이었다.

[114]
특히 본정 1정목의 아오키토우(青木堂) 상점은 1층에는 판매점, 2층을 가볍게 음주 및 끽다점과 서양요리점으로, 3층은 집회연회공간으로 사용함으로써 각 층마다 다양한 프로그램을 담고 있었으며, 모리야스(森安)상점의 경우 지상과 지하 모두에 가구를 진열하여 판매장으로 사용하였다.

가메야龜屋의 경우 목재 비늘판(siding)재료로 마감을 한 미국식 목조 건축 양식으로, 1층부에는 쇼윈도우를 2층부에는 오르내리창을 설치한 것으로, 쇼윈도우 위의 간판과 건물 모서리 부분에 상호명을 적은 것을 제외하고는 장식이 거의 보이지 않는 실용적인 서양풍 건축이었다. 본정 3정목에 있었던 3층 규모의 서양가구점인 모리야스森安상점의 경우 그 재료에 대해서는 확실히 알 수는 없으나 각 층에 다른 형태의 창호가 반복되는 르네상스 양식의 입면을 가지고 있다. 이 역시도 1층에는 쇼윈도우와 입구가 설치되었으며 간판 정도를 제외하고는 역시나 장식적 요소가 거의 없었음을 알 수 있다. 이와 같이 2~3층 규모의 서양식 상점의 경우 1층에는 입구와 쇼윈도우를, 2층 이상에는 같은 형태의 창문이 반복되는 단순한 입면을 가지고 있는 것을 볼 수 있다. 이와 같은 상업건축 유형은 관공서 등에서 사용되었던 양식주의 건축과는 다른, 좀 더 실용적인 것이었다. 아오키토우青木堂의 경우 사진 자료가 남아 있지 않아 건물에 대해서는 알 수 없지만 3층 규모의 서양식 건축물이었다는 기록이 있는데, 이 건물의 경우 1층에는 판매점, 2층에는 끽다점과 서양요리점, 그리고 3층에는 집회연회공간이 마련되어 있어 각 층마다 다양한 프로그램을 담는다는 측면에서 새로운 상업 건축의 유형이 등장하였다고 볼 수 있다.

그림 109 본정 3정목 三越

그림 110 본정 4정목 亀屋

그림 111 본정 3정목 森安商店

거류지 내 상업건축은 업종별, 지역별로 그 양식이 다양하게 나타났다. 먼저, 본정 3~5정목에는 잡화점과 같은 소매상이 있는 일본식 마치야들이 가장 많이 나타났으며, 본정 1~3정목에는 상대적으로 규모가 큰 오복점 등의 대규모 상점들이 들어서며 서양식 건축물도 다수 지어졌다. 남대문로 등 청일전쟁 이후 거류민들이 진출한 지역에서는 기존의 한옥상가나 청국식 상업건축을 이용하는 경우가 많았으며, 토목청부업 회사, 교통, 운수회사 등의 경우에는 일본인 거류지의 중심 상업가로인 본정을 벗어난 곳에 위치하며 마치야가 아닌 주택 형식의 일본식 건축물이나 서양식 건축물을 사용하는 경우가 많았다. 요릿점의 경우 스미야라 하는 일본 전통식 건축물을 사용하는 경우가 많았던 것으로 보인다.

상업건축의 점두 장식

거류지 상업건축에 있어 특징적인 점은 점두에 간판이나 문등, 깃발 등 다양한 장식들이 사용되었다는 점이다. 이와 같은 상업건축의 점두 장식들은 상업건축의 입면 구성요소로서 중요한 역할을 하였을 뿐아니라 상점가의 풍경을 구성하는 중요한 요소로서 거리의 풍경을 더 활기차게 변화시키는 역할을 하였다. 특히 거류지에 설치된 간판 및 깃발들에는 일본어가 쓰여 있어 이 지역의 일본인 상점가로서의 성격을 더욱 분명하게 해주었다. 특히 마치야와 화양절충식 상가들의 경우에는 상당히 많은 점두 장식들이 설치되어 있었다.

그림 112 거류지 도로변 상점 점두의 각종 장식들

상점의 점두 장식물들을 분류해보면 다음과 같다. 점포의 정면 가운데 1층 처마 위에 설치되는 간판은 보통 점포의 상호를 나무판에 새겨 넣은 것이 대부분이었다. 그러나 하야시다林田상점 등에서 볼 수 있듯이 그림으로 된 간판들도 있었는데 이들은 주로 그 상점에서 판매하는 물건들을 그림으로 그려놓은 것이 많았다. 이 간판들은 지나가는 사람들이 보기 편하게 살짝 기울여서 설치해 둔 것이 많았다. 또한 독립적으로 세워둔 입간판이나 상점에서 판매하는 상품명이나 메뉴명

등을 나무판에 써서 나란히 걸어둔 상품목록 광고판을 상점 앞에 세워두기도 하였다. 처마 밑에는 차양**日除け**을 설치하여 햇빛을 가리기도 하였고, 상호명이나 상품명을 써서 광고용으로 사용하기도 하였다. 또한 점두에는 다수의 깃발들이 설치되어 점두 장식을 형성하였는데, 이 깃발들에도 주로 상품명이 쓰여 있어 광고적 효과를 만들어 냈다. 마지막으로 상점 앞에는 점등**店灯**이라 불리는 가스등이 주로 설치되었는데, 이 것은 야간의 조명을 위한 것이기도 하였지만, 등갓에 상호명을 써서 야간에 상점의 위치를 알려주기도 하고 광고 효과를 가지기도 하였다.

그림 113 가로형 간판

그림 114 그림간판

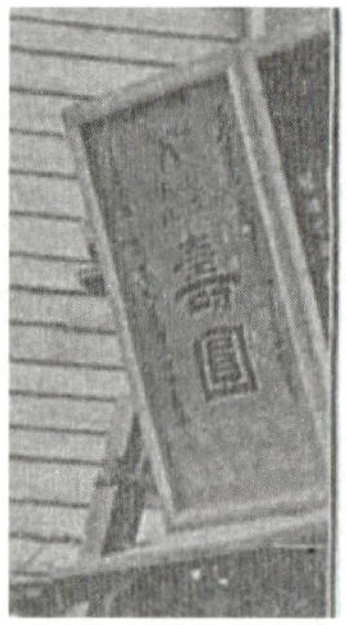

그림 115 세로형 간판

그림 116
독립형 입간판

그림 117
글자 간판

그림 118
상품목록 광고판

그림 119 상점 입구앞 차양

그림 120
깃발 광고

그림 121
상호가 쓰인 점등(店灯)-점두 부착

그림 122 상호가 쓰인 점등(店灯)-출입문 부착형

주거건축과 종교건축

본정도로를 중심으로 한 상업 도로 주변 이외의 거류지, 즉 본정도로 남측부터 남산에 이르는 언덕에는 일본인 거류민들의 주택들이 주로 분포하였다. 1885년 남산정에 처음으로 일본식 가옥이 신축된 이후 거류민들은 일본식 가옥 혹은 서양식 가옥을 신축하였고, 또한 남산 언덕 위 왜성대 공원 주변에는 대신궁와 본원사 등의 종교 건축이 들어섬으로 이 일대의 경관은 크게 변화하였다. [그림 123]을 보면 동본원사가

그림 123 1907년경 본정~왜성대 일대: 일본식 가옥들이 가득한 가운데 높게 솟은 동본원사가 보인다.

언덕 위에 솟아 있으며 일본식 가옥들이 가득한 거류지 풍경을 살펴볼 수 있다. 그러나 주거건축이나 종교건축의 경우 상대적으로 남아있는 기록이나 사진이 적어 그 자세한 현황은 알 수 없는 상황이다.

주거건축

거류지에 최초로 지어진 일본식 주택은 1885년 본정 4정목 남측에 지어진 무가武家 주택이었으며, 1887년에는 본정 5정목 남측에는 일본식 2층 주택이 세워졌다. 서양식 주택으로는 1888년 남산정 3정목에 세워진 도미타 스즈키치富田鈴吉의 목조 주택이 최초였다. 남산 일대에서 거류지를 내려다보면서 찍은 사진들에서 일본식 주택들을 다수 발견할 수 있으나, 각 주택에 대한 상세한 정보를 얻을 수 있는 기록은 많지 않다. 그러나 『京城府之卷』에 거류지 주요 인물들의 주택 사진들이 몇 장 있어 거류지 내 주거 건축들에 대한 정보를 적게나마 얻을 수 있다. 대부분 남산 언덕 아래 대형 필지에 위치한 이 저택들은 상업건축과 마찬가지로 일본식, 절충식, 서양식의 다양한 양식들이 나타나며 조경수가 심겨져 있는 정원이 형성되어 있는 경우도 꽤 있었다.

일본식 주택은 이와사岩佐敬助저택이 대표적이다. 이 저택은 남산 언덕 위에 위치한 2층 목조 주택으로 목재 판장으로 된 담장이 있으며 건물과 담장 사이에는 조경수가 심겨져 있음을 발견할 수 있다. 2층 난간이 가로로 길게 있으며 전면을 향해 개방적인 구성을 하고 있다. 거류민 중 제일의 자본가이자 거류민단장과 상업회의소장을 여러 번 역임한 나카무라中村再造의 주택 같은 경우 본정에 위치한 것으로 사진상 내부 건물이 잘 확인되지 않으나 지붕의 형태상 단층 목조 주택이었으리라 추정된다. 역시 담장과 주택 사이에 넓은 정원을 가지고 있음을 알 수 있으며 필지 안에 여러 채의 건물이 있었던 것으로 추정된다.

그림 124 이와사(岩佐敬助)저택

그림 125 나카무라(中村再造)저택

절충식 주택은 1,2층의 양식이 다른 다무라田村義次郎저택, 벽체와 지붕의 양식이 다른 다나카田中常次郎저택 같은 경우와 모리森勝次저택, 이노우에井上宜文저택, 소가曾我勉저택처럼 복합적인 구성을 하고 있는 저택에서 일부는 서양식, 일부는 일본식의 모습을 하고 있는 경우로 나누어 볼 수 있다.

먼저 다무라田村義次郎저택의 경우, 1층 부분은 상부의 연속적인 처마와 목재가 그대로 노출된 벽면에 일본식 창호로가 설치되어 있으나 2층 부분은 서양식 오르내리창이 설치되어 있어 화양절충식임을 알 수 있다. 다나카田中常次郎저택의 경우 상인방이 박공으로 처리되어 있는 오르내리창을 가지고 있으며, 벽체의 코너 부분에도 두꺼운 석재를 쌓아 코너를 강조하는 형태가 나타나나, 지붕은 오히려 한국식 팔작지붕을 가지고 있는 모습을 볼 수 있다. 이는 기존의 한옥을 수선해서 사용하였기에 나타난 현상이지 않을까 추정된다.

그림 126 다무라(田村義次郎)저택

그림 127 다나카(田中常次郎)저택

이처럼 서양식과 일본식, 혹은 한국식이 수직적으로 혼합되어 있는 형식이 있는 반면, ㄷ자형, ㄱ자형 등의 복합적인 구성을 하고 있는 경우 서양식과 일본식 건축물이 서로 연결되어 있는 듯한 형태로 화양절충식 구성을 하고 있는 경우도 있다. 모리森勝次저택과 아가와阿川重郎저택은 이와사岩佐敬助 저택에서 본 것과 마찬가지의 긴 처마가 있는 1층부와 긴 난간을 가진 개방형 2층이 있는 목조 건축물이 중앙에 있으며, 그 옆으로 조적조의 서양식 건물이 연결되어 있는 형태이다. 모리저택의 경우 양 옆으로는 상대적으로 단순한 형태의 단층과 2층 조적조 건축이 연결되어 있으나 아가와저택의 경우 2층 일본식 목조 건축물 바로 옆, 즉 정원을 향해 나 있는 단층의 서양식 건축물에는 까치발이 있는 서양식 오르내리창과 서양식 기둥을 가진 돌출된 포치가 있으며, 코너 부분은 두꺼운 석재를 어긋나게 쌓아 강조하고 있다. 건축 중인 소가曾我勉저택의 경우에도 입구와 창호, 지붕 및 코니

그림 128 모리(森勝次)저택

그림 129 아가와(阿川重郎)저택

그림 130 소가(曾我勉)씨 저택

스 처리 등이 서양식으로 되어 있는 단층 건물이 있으며 ㄱ자로 꺾인 부분에는 2층 목조 건축물이 지어지고 있는 것이 보이는데 정확한 형태는 알 수 없으나 지붕의 모습을 통해 일본식 2층 목조 건축물이 세워질 것이라 예상해볼 수 있다.

남산에 위치한 대저택 중에는 서양식으로 지어진 주택들도 있었다. 본정 4정목에 위치한 야마구치山口오복점의 경영자이자 거류민단장, 상업회의소장 등을 역임한 야마구치山口太兵衛저택의 경우 남산의 수려한 경관을 배경으로 상당히 넓은 정원을 가진 2층 조적조 서양식 건축물이다. 건물은 'ㄱ'자 형으로 배치되어 있으며, 입구 부분은 돌출되어 있으며, 이 부분은 박공지붕과 캐노피를 가지고 있다. 창호는 서양식 오르내

그림 131 야마구치(山口太兵衛)저택

그림 132 이노우에(井上宜文)저택

리창이며 상인방과 하인방이 강조되어 있다. 본채 옆에는 작은 규모의 목조 건축이 건축 중이다. 한국 통감부 도량형 감리관이자 광산업에 종사하기도 한 이노우에井上宜文가 남산에 신축한 저택의 경우에도 그 규모가 매우 크며 정원을 가지고 있는 것을 발견할 수 있다. 특히 이 주택에서는 정원을 향한 베란다 공간과 중앙 부분의 돔이 특징적으로 나타난다. 이 저택들의 경우 남산 언덕 위의 독립적인 필지들에 위치했을 것이라 예상된다.

이 주택들은 대부분 남산에 위치한 대규모 저택들로 일본인 거류지의 주요 인물들이 거주하는 곳이었다는 점에서, 일반 거류민들의 주택과는 상당히 달랐을 것이다. 오히려 일반 거류민들은 이보다 작은 필지에 단순한 형태의 일본식, 혹은 서양식 주택에 살았을 것이다. 그러나 이 사진들을 통해 일부나마 일본인 거류민들의 주택들에 대해 알 수 있으며, 특히 남산 및 경관을 지배하고 있었던 대형 주택들의 존재에 대해 확인해 볼 수 있다.

종교건축

종교건축의 경우 건축물이 확인되는 것은 거류민단에서 만든 대신궁大神宮[115]과 정토종淨土宗 대곡파大谷派 동본원사東本願寺뿐이다. 먼저 대신궁에 대해 살펴보면, 1897년 왜성대공원을 설치하고 여기에 대신궁을 건설한 후 공설신사로 삼은 게 그 시작이었다. 대신궁에는 이세신궁伊勢神宮으로부터 분영分靈을 받아 내궁의 100분의 12의 크기로 제작한 신전이 봉인되어 있었으며 경성부사에 실린 사진을 통해 확인해볼 때 소규모의 신궁神宮이었음을 알 수 있다.

[115] 1916년 이후 경성신사로 개칭

그림 133 1897년의 왜성대공원

그림 134 남산대신궁

그림 135 왜성대로 향하는 순환도로 입구

그림 136 동본원사 별원부지에 위치한 유치원(좌측)에서 왜성대에 이르는 도로

대신궁은 왜성대공원 안에 위치하였는데, 왜성대공원은 신사공원으로 일본인들의 종교적, 정신적 중심지였다. 왜성대공원은 남산 언덕 위에 위치하였기에 거류지에서 이곳에 이르기 위한 순환도로와 계단이 설치되었다. [그림 133]에서

확인해볼 수 있듯이 왼편 경사로를 따라 올라가면 대신궁으로 향할 수 있으며, 오른편 계단으로는 갑오기념비 방향으로 올라 갈 수 있었다. 대신궁에 이르는 순환도로는 참배로로 사용되는 것으로 매우 잘 정비되어 있었으며 가로수가 식재되어 있기도 하였다.

대곡파大谷派 동본원사東本願寺는 1890년 10월 수정에 처음으로 별원을 창설하였으며, 1895년에는 왜성대 근처의 남산 아래를 별원 부지로 결정하고 약 4,300평을 구입 후 1900년에는 이 곳에 약 80평의 고리庫裏[116]를 건설하였으며 이후 1906

[116]
고리는 절에서 식량을 보관하고 음식을 조리하는 곳, 혹은 승려들의 생활공간을 일컫는다.-경성거류민단역소, 2010, 앞의 책, p.446

그림 137 동본원사 고리(庫裡) 겸 임시 본당

그림 138 동본원사 경성별원

년에는 고리 옆에 6만원의 비용을 들여 13칸 4면의 노송나무로 지은 대가람을 낙성하였다. 대가람大伽藍의 신축시에는 조선황실로부터 5,900원과 12주의 대목재를 하사받아 사용하였으며 낙성 이후에는 대한아미타본원사大韓阿彌陀本願寺라는 편액과 500원을 황실로부터 받았으며 왕실의 영복을 기원하는 원당願堂이나 기복사찰인 칙원소勅願所로 지정되었다. 이는 곧 동본원사와 한국황실과의 밀접한 관계를 보여주는 것이라 할 수 있다. 이 대가람은 1906년 이후 남산 아래 일본인 거류지를 촬영한 사진들에서는 항상 발견되는데, 언덕 위에 위치한 데다가 지붕이 매우 크고 높아 거류지 경관에서 두드러지게 보여 이후 남촌의 경관을 지배하는 요소가 되었다.

대신궁이나 동본원사 모두 일본 전통식 종교 건축물로 지어졌으며, 이들은 일제 강점기까지 남아 거류지의 정신적인 중심으로 역할하였다. 이후 조선대신궁朝鮮大神宮이 세워지며 이 일대는 일본인들의 종교적 중심지로 완전히 자리매김하게 되었다.

한성부의 '작은 일본', 진고개 혹은 本町

거류지 경관의 형성

가로경관(Streetscape)

경성발달사의 기록에 따르면 1885년 처음으로 일본식 가옥이 거류지에 신축된 이후 일본식 가옥들과 상점들의 수가 늘어나기 시작하면서 1888년에는 본정 4~5정목 일대에 처음으로 작은 일본풍의 시가지가 처음으로 형성되었다고 한다.[117] 그러나 청일전쟁 이전까지 일본식 가옥과 상점의 분포는 한정적이었던 것으로 보인다. 1894년 12월 통상휘찬 12호에는 당시 거류지 상점 개설에 대한 기사가 실려 있어 당시의 상황을 알 수 있는데, 이 기사에 따르면 점차 한성부에 와서 상점을 개설하고 싶어 하는 사람이 많아지고 있지만, 실제로 한성부에는 상점을 개설할 수 있는 가옥이 많지 않아 곤란한 상태였다고 한다. 일본식 건축물이 있기는 하지만 이미 다 채워져 버렸고, 한국인의 가옥은 있기는 하지만 일본식 상업에는 적당하지 않아 곤란함을 언급하면서, 앞으로 이 곳에서 많은 일본식 가옥을 건축하고 대옥貸屋영업을 하면 좋을 것이

[117] 경성거류민단역소, 2010, 앞의 책, p.85

라고 언급하고 있다. 이를 통해 거류지에는 1894년 당시에는 일본식 상업건축의 수가 많지 않았으며, 일본인들이 한국인의 건축물을 빌려 상점을 낼 경우 일본식 상점과 같지 않아 불편하여 앞으로 일본식 상업건축물에 대한 수요가 있었다는 점을 알 수 있다.

〈京城商業の近況〉

Oて又過般度韓條例の廢止以來商業上の目的て以て本邦より當地へ渡來する者頗る多く前途の多望を見て當地に店鋪を開設セント希望する者少カラザレモ之ラ開設すべき家屋ナキが為メ一同因難の有様なり尤も從來本邦人の建築セル家屋多少ナギニアラザレドも右は已に悉ク充塞セラレ居ルヲ以て之ラ借用することを得ズ又韓人の家屋は場内到る處アラザルハナケレモ基構造本邦人の商店として全く不適当なるものなるが故直に之ラ使用するフヲ得ズ去りとて相當の家屋を建築セントするも咄嗟の間に弁じ難キが故に失望の向も少なからざる有様なり而して此類のもの今後も次々渡來する見込なれば相當の資本と經驗を有する者速に渡來し適當ノ場所を選みて數多の家屋を建築し貸屋營業に從事シタランニハ好都合アルノミナラズ新來商人の為め頗ブル便利なるべしと思はる。[118]

[118] 통상휘찬 12호 (1894. 12), 〈경성상업の근황(京城商業の近況)〉

경성부사에 실려 있는 1894년 본정 거리의 모습을 묘사한 스케치[119]에서도, 본정 거리에 일본인들이 새롭게 건설한 상업건축물들인 서양식 건축물과 일본식 상업건축물이 등장하고 있음을 알 수 있다. 그러나 아직은 기존에 있던 한국 가옥들도 함께 공존하여 본정 가로에는 다양한 양식의 건축물들이 혼재되어 있는 모습이었음을 알 수 있다.

[119] 이 그림의 주석에는 1894년의 현재 본정 2정목이라 쓰여져 있으며, 왼쪽 중간의 서양식 건축물이 가메야 구관이라고 하고 있으나, 〈京城と內地人〉에는 가메야 상점의 개업 년도를 1896년으로 기록하고 있어 차이를 보인다.

[120]
통상휘찬 17호 (1895. 5), 〈28년 3월 중 경성상황(28年3月中京城商況)〉, 니현 및 남대문로를 시작으로 기타 상업상 가장 중요한 장소에는 점점 일본인의 새로운 가옥을 건설하는 것이 되어 목수, 미장이, 다다미직인을 비롯해 몹시 번망한 상태가 되어 이것이 그 지방에 있어서의 지소 가옥의 매매 가격은 작금 비상히 올라가게 되었다.

[121]
조지 로스 사진, 로드니 홀 컨셉 편집, 이경희, 김은령 번역, 2004, 『호주 사진가의 눈을 통해 본 한국 1904』, 교보문고 p.65

청일전쟁이 끝날 무렵부터 거류민의 수가 증가하면서 거류지 내 일본식 가옥들의 신축이 급격하게 증가하였다.[120] 1900년 통상휘찬의 기사 〈日本街の狀況〉에는 일본 상인들이 기존의 한국인 가옥들을 개축하여 완전히 일본풍으로 변화시켰다고 기록되어 있어, 청일전쟁 이후부터 1900년에 이르는 약 5년의 시간동안 거류지 내 도로개수사업의 진행과 일본식 가옥의 신축으로 거류지 내 상업환경은 급격하게 변화하였음을 알 수 있다. 1887년 처음으로 일본풍 상점가를 만들기 시작한 거류민들은 청일전쟁 이후 급속도로 성장하여 일본인 거류지 내의 가로 경관을 완전히 변화시켰다. 1904년 호주 사진가 조지 로스가 찍은 거류지 내 가로는 가로변에 일본식 상업건축인 마치야가 늘어서 있는 가로 풍경을 보여 준다.[121] 또한 경성부사에 실려 있는 1910년 사진의 경우에도 일본식 상업가로의 모습을 띈 남산정 4정목의 모습이 잘 나타나 불과 10여년 만에 거류지내 도로들은 일본식 상업가로의 모습으로 변모하였으며, 그 주변에는 새로운 상업건축 양식이 등장하였음을 알 수 있다.

그림 139 1894년 본정 4~5정목의 모습

그림 140 1904년 일본인 거류지 상업가로

그림 141 1910년 수정 일대의 도로

거류지의 가장 대표적인 상업가로로는 본정을 들 수 있다. 거류초기부터 일본식 상점들이 본정 4,5정목 일대에 등장하면서 일본식 상점가가 처음 형성되기 시작하였고, 1895년 도로개수사업 및 1896년 영사관 이전 이후 본정 1,2정목까지 상점가가 확장되었다. 1904년 거류지 동측 일대의 개발을 진행하면서 본정 6,7,8정목까지 상점가가 확장되었다. 본정 가로에는 다양한 업종의 상점들이 고르게 분포되어 있었는데, 그 중 무역, 오복, 잡화상은 무려 41개소가 분포하였으며, 의류, 식료품, 기타 생활용품 관련 상점들도 다수 분포하였다. 본정 외에도 거류지 생활의 중심인 남산정, 수정 일대에서도 일본식 상업가로가 형성된 것을 볼 수 있다.

1895년부터 시행된 도로개수사업에 의해 본정도로는 일정한 노폭을 확보하게 되었으며 도로면 역시 평탄하게 되었고 자갈 포장도 되었다. 이렇게 정비된 도로 양 옆으로는 일본인 상점들이 건축되어 거류지만의 독특한 상업가로경관을 형성하였다. 특히 본정 2~5정목에 이르는 본정 거리의 중심지에는 세장형 필지에 일본식 마치야를 비롯한 소규모의 상점들이 늘어서 마치나미町並み라 하는 일본식 상점가를 형성하는 모습도 발견할 수 있었다. 일본식 상업가로, 즉 마치나미町並み란 작은 규모의 2층 마치야町家들이 벽을 맞대고 늘어서 있는 것으로, 에도시대와 메이지시대의 대표적인 상업가로유형이라 할 수 있다. 남아있는 사진들로 파악해볼 때 거류지, 특히 본정 가로변의 상업 건축물들은 양옥으로 지어진 몇 개의 대형 상점들을 제외하고는 대부분 누리야塗り屋 혹은 도조우즈쿠리土蔵造り형식의 마치야町家였다. 마치야町家의 1층에는 상점이 위치하였는데, 이 상점들에는 유리창이 설치되어 내부의 상품을 구경할 수 있었으며, 본격적으로 진열창을 설치한 예도 있

었다. 또한 상점의 전면부에는 간판 및 깃발, 휘장 등을 다수 설치하여 화려한 장식으로 건물의 입면이 다 뒤덮이게 하였다. 이는 가로를 지나가는 이들에게 많은 '구경거리'를 제공하면서 그들을 판매장으로 끌어들이는 역할을 하였으며, 가로의 번화한 분위기를 만들어냈다. 또한 상점건축에 있어 '파사드'를 두드러지게 하는 것이었다. 이와 같은 상점건축과 상점건축의 장식들은 본정 가로로 대표되는 일본인 거류지 내 상업 가로들의 독특한 성격을 형성하였다.

한편 거류지에서는 상점들의 전면부에 모두 점등店燈을 설치하게 하였는데, 대부분 가스등으로 이루어진 이 점등은 상점건축의 하나의 장식일 뿐 아니라 밤에 상점 앞 거리를 밝혀줌으로써 치안상 유익했을 뿐 아니라 상점가의 번화한 분위기를 더해주는 역할을 하였다. 1889년부터 거류지에서는 거류지의 주요 장소들에 가로등을 설치하여 왔는데, 1901년에는 본정도로에 처음으로 전기 가로등을 설치함으로써 밤에도 밝은 본정 가로를 만들어 내게 되었다.

그림 142 1910년의 본정 거리 : 맨 우측 건물은 平山우유점, 그 옆의 건물은 大和軒과자점이다.

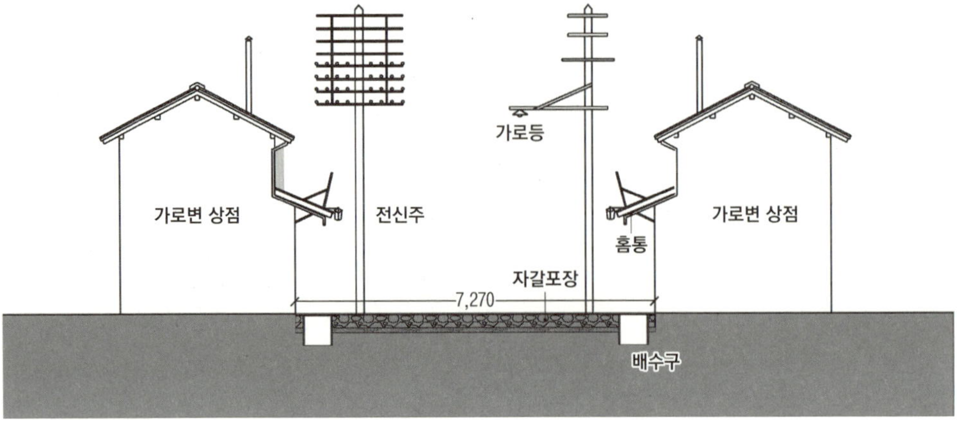

그림 143 본정 상업가로의 구성 (추정) :
도로폭을 제외한 가로시설물, 건축물 등의 크기와 모습은 사진 자료 등의 정보를 바탕으로 추정하여 작성하였다.

본정도로를 중심으로 한 거류지 내 상업가로의 가로경관은 넓은 폭의 대로변에 장랑長廊이 늘어서 있던 종로와 같은 전통적인 한성부의 가로경관과는 매우 달랐다. 본정도로를 비롯한 거류지 내 주요 상업도로들이 상대적으로 도로폭이 좁은 소로小路였기 때문에 광활한 폭을 가진 종로와는 도로 여건 자체가 매우 달랐을 뿐 아니라 도로 주변의 필지 역시 가로로 긴 형태가 아닌 세로로 긴 형태였으며, 한옥상가가 아닌 일본식 마치야나 서양식 상업건축이 들어서 있었고 또한 많은 간판들과 일본식 점두 장식들이 상점의 입면에 부착되어 있음으로 거류지 상업도로들은 한성부 내에서 매우 독특한 가로경관을 가지고 있었다.

도시경관(Townscape)

본정도로를 위시한 남산정, 수정 등의 일부 도로들이 그들만의 독특한 상업가로경관을 만들어 냈다면, 남산에서 본정도로에 이르는 언덕에는 다수의 일본인 주택들과 각종 시설들이 들어섬으로써 독특한 도시 경관을 형성하였다. 1910년 이전 거류지 일대를 남산에서 촬영한 사진들을 보면 이 지역에 2층 이상의 일본식 건축물들과 서양식 건축물들이 다수 들어서 단층 소규모의 초가집과 기와집이 대부분이었던 이 일대의 풍광을 크게 변화시켰음을 알 수 있다. 또한 건축물이 거의 없었던 남산 언덕 위에도 다수의 주택들과 남산대신궁, 동본원사 등의 종교 건축물들과 공사관(통감관저), 통감부, 관사 등이 다수 들어섬으로써 이 일대의 자연환경 역시 크게 변화시켰다.

거류지 내에는 한국식, 일본식, 서양식 건축물들이 다양하게 분포하였다. 거류 초기에는 새로운 건물을 신축할 여유가 없었으므로 한국인들의 가옥을 매입하여 수리하여 사용하는 경우가 대부분이었으나, 청일전쟁 이후 거류지가 점차 안정화되고 경제 규모도 성장하자 거류지 내에서는 각종 필요 시설들을 신축하는 경우가 많았다. 일본인들이 새로 짓는 건물들은 주로 일본식이나 서양식으로 지어졌는데, 각 시설의 성격에 따라 건물의 양식도 다르게 나타났다. 서양식으로 지어진 건축물들은 주로 관공서나 학교, 병원 등의 공공시설물들이었으며, 일본식으로 지어진 건축물들은 주로 일본인들의 생활문화와 연관이 깊은 종교, 유흥시설들이었다. 주택의 경우 1층 혹은 2층의 일본식 목조 주택들이 대다수였으나 거류지 유력 인사들의 경우 서양식의 저택을 짓고 거주하는 경우도 많았다.

거류지에 지어진 서양식 건축물들은 그 재료와 구조에 따라 양식 목조와 양식 조적조 건축으로 나누어 볼 수 있다. 먼저 양식 목조 건축은 주구조를 목조로 하고, 비늘판 마감을 한 것으로 입면 구성 등에 있어서 장식적인 유형과 그렇지 않은 유형으로 세분화할 수 있다. 장식적인 목조 비늘판 건축물들은 대표적으로 공사관 및 영사관, 통감부 그리고 거류민단 사무소 등 주로 일본인 거류지의 대표적인 외교기관 및 행정, 자치기관으로서 일본을 대표하는 기관으로서, 혹은 거류민을 대표하는 기관으로서의 권위적인 성격을 가지고 있는 건물들이었다.[122] 같은 목조 비늘판 마감 건축물이지만, 장식적인 요소를 줄이고 실용적인 구성을 하고 있는 경우는 주로 학교 건축(일출소학교는 제외)이었다. 이 시설들의 경우에는 상징성보다는 실용성이 더 중요하였기에 장식적 요소는 적었던 것으로 추정된다. 한편 1900년을 전후하여서는 조적조 건축이 등장하였다.[123] 거류지 내에서는 근대적 성격을 가지는 공공시설물인 통신, 치안, 위생, 교육 시설들을 많은 예산을 들여 조적조로 건축하였는데, 여기에는 이 시설들이 가지는 근대시설로서의 상징성을 강조하려는 의도가 있었을 것이다.

한편 거류지 내에는 일본식 건축물들도 다수 지어졌는데 이들은 대부분 종교건축과 유흥시설, 그리고 주택들이었다. 즉 거류민들의 생활과 밀접한 공간들은 대부분 메이지 이전의 건축 양식인 일본식 건물로 지었음을 알 수 있다. 왜성대 공원에 건축된 신사인 남산대신궁과 그 동편에 건축된 동본원사 별원 등의 종교건축물들은 일본 전통건축 양식으로 지어졌다. 한편 남산정, 수정, 일출정 일대에는 요릿점인 스미야角屋 건축들이 다수 있었으며, 신정 일대에는 일본식 유곽 건축이 등장하였다. 이 지역에 생긴 유곽건축에 대한 자료들이 남아 있는 것은 많지 않으나 신정 일대를 찍은 한 장의 사진으로 미루어 보아 아게야揚屋[124]라 하는 2층 목조의 일본식 유곽건축이 있었음을 알 수 있다.

[122]
이 건물들은 공통적으로 중앙의 현관구 부분을 돌출시키거나 분절시켜 건물의 중앙부를 강조하였으며, 이 부분에는 아치형 개구부 및 아치형 개구부로 둘러싸인 테라스, 기타 입면부의 창호들과 다른 형태의 이질적 창호 등을 사용하여 장식적인 효과를 만들어내고 있음을 알 수 있다. 이 중앙 현관부를 중심으로 좌우로는 상대적으로 단순한 창호들이 반복되는 입면이 대칭적으로 구성되어 있다. 이들은 대부분 돌출된 수평코니스로 층별 구분을 하고 있으며, 지붕은 대부분 모임지붕으로 지붕창이 설치되어 있는 경우도 있었다. 전체적으로는 서양 르네상스 양식에 가장 가까운 구성을 보인다.

[123]
현재 기록이 남아 있는 것 중에 가장 오래된 조적조 건축은 1901년에 낙성된 경성우편국이며 그 이후 지어진 경성경찰서, 한성병원(1906), 일출소학교(1906) 등이 대표적인 거류지내 조적조 건축물들이다.

[124]
예기(藝妓)들이 사는 곳인 오키야(置屋)에서 이들을 불러 노는 곳을 지칭하는 용어로, 대표적인 아게야로는 교토의 유흥지역인 게이세이마치(傾城町)의 스미야(角屋)가 있다. 아게야는 전체적으로는 마치야와 비슷한 형태를 하고 있으나 도로에 면한 1층 전면부에는 나무격자 혹은 판자를 연속시켜 외부와 내부를 완전하게 단절하고 있으며, 2층 역시 나무 격자의 연속 혹은 나무 난간을 설치한 것을 볼 수 있으며, 전면부에는 등을 연속적으로 매달아 화려하게 장식하였다.

표 5. 거류지 내 건축물의 유형별 특징

	서양식 건축			
	목조		조적조	
	양식주의적	실용적		
사진				
주요 시설군	관공서	학교	병원, 학교, 경찰서	주택(저택)
의장적 특징	르네상스 양식 중앙 입구 부분의 강조 (돌출 포치 및 아치 개구부, 2층 테라스 등)	입구 부분을 제외하고는 크게 장식 없음 같은 형태의 창문의 반복	아치창 및 창호 상인방의 장식적 처리 및 진입부의 강조	르네상스 양식 풍의 창호와 코니스 등을 가짐, 정원있는 경우가 많음
입면 구성	중앙의 입구를 중심으로 좌우 대칭적		중앙의 입구를 중심으로 좌우 대칭적	좌우 대칭이 많으나 비대칭의 경우도 있음
마감	목조비늘판		벽돌	벽돌
지붕	주로 모임지붕			
비고	메이지 시대부터 건축되기 시작			
	일본식 건축			절충식
	목조			목조+조적조
사진				
주요 시설군	주택	종교시설	유흥시설	주택
의장적 특징	마치야(町家,점포주택), 무가(武家)주택, 일반 민가 주택 등 다양	일본 전통 건축 양식을 그대로 가지고 있는 신사(神社)와 불교 건축	스미야(角屋)와 아게야(揚屋) 등 일본식 유흥 건축	일본식+서양식의 수직적 조합 혹은 수평적 조합
입면 구성	전통적인 방식에 따라			절충식
마감	목조			목조+조적조
지붕	전통 기와 지붕			기와지붕
비고	에도시대부터 이어져 오던 전통 양식			메이지 이후

주택의 경우, 마치야町家라하는 점포 주택과 무가武家주택, 일반 민가 주택들을 비롯한 일본식 주택들과 조적조로 지어진 르네상스양식 풍의 대형 저택들이 있었다. 또한, 일본식 무가武家주택과 조적조의 서양식 주택이 혼합되어 나타나는 절충식 양식들도 있었다. 주택은 소유주의 경제력과 출신지, 생활 방식 등에 따라 다양한 양상으로 나타났으나 거류지 사진들을 통해 확인해볼 때 일본식 소규모 목조 주택들이 가장 많았을 것이라 예상된다.

시기적으로 살펴보면, 1885년 거류가 시작되며 남산 언덕 위에 2층 서양 르네상스 양식의 일본 공사관이 지어졌으며 수정과 본정 4~5정목 일대에서 일본식 주택들이 지어지기 시작하였다. 즉, 일본인 거류지가 설치됨에 따라 단층 기와집과 초가집으로만 이루어져 있었던 남산 북쪽 언덕 진고개 일대의 도시 경관에 서양식 목조 건축물인 공사관과 일본식 가옥들과 같은 외부로부터 유입된 이질적인 요소들이 등장하기 시작한 것이었다. 그러나 이 시기의 변화는 앞서 언급한 바와 같이 전체적인 도시 변화라기보다는 제한적인 지역에서의 부분적 변화에 지나지 않았다.

청일전쟁에서의 승리 이후 거류지가 점차 안정화되자 거류지에는 교육시설, 의료시설 등 다양한 공공 건축물들이 신축되기 시작하였으며 1897년에는 남산에 왜성대공원이 설치되었다. 신사를 중심으로 하는 일본인들의 생활문화의 특성상 이와 같은 신사공원의 설치는 이 지역의 풍광을 '일본식 마을'로 변화시켰으며, 남산 위에 설치된 일본 전통식 종교 건축물인 본원사와 경성신사의 등장은 남산 일대의 경관을 크게 변화시키는 역할을 하였다. 일본인 거류민들의 주택 및 상점들은 본정과 수정 일대를 벗어나 점차 서쪽인 남대문로 일대와 명치정 일대에까지 분포하게 되었으며, 본정 입구에는 영사관 및 우편국, 경찰서, 거류민단역소 및 상업회의소 등이 서양 고전주의 양식의 대형 건축물로 신축되어 일본인 거류지의 위용을 자랑하는 과시적 경관을 형성하기도 하였다. 이처럼 이 시기에는 청일전쟁 이후의 일본의 정치적 세력 강화를 바탕으로 이전 시기에 비해 좀 더 적극적으로 거류지 도시 환경을 구축하여 나가되 여전히 민간 주도적인 성격을 띄면서 '일본식 마을'만들기에 초점이 맞추어진 특성을 보였다. 그러나 본정 1정목 입구의 공공, 행정시설군의 신축 등에서 볼 수 있듯이 근대화된 모습의 일본을 과시하는 모습을 보이기도 하였다.

러일전쟁 이후에는 신정을 비롯한 동부 지역의 개발과 함께 한성부 남촌 일대에 일본식 도시환경을 구축하는 양상을 보였다. 이 시기 거류지에는 교육시설, 위생시설 및 각종 공공시설들이 확충되는 한편, 1904년 설치된 신정 특별영업지역을 중심으로 각종 유흥시설들이 본격적으로 등장하였다. 교육시설 및 위생시설 등의 공공시설들은 주로 목조 혹은 조적조의 양식 건축물로 지어졌으며 상업시설 및 유흥시설 등의 민간시설들은 대부분 목조의 일본 전통 건축물로 지어져 남촌 일대 거류지의 도시경관을 형성하였다. 일본인의 거류가 시작되기 이전 단층의 기와집과 초가집이 거의 대부분인 이 지역이 일본식 목조주택과 마치야, 종교건축물, 그리고 영사관, 우체국, 학교, 병원 등 2층 이상의 서양식 건축들의 등장으로 기존의 한옥들과 함께 매우 이질적이고도 혼종적인 도시경관을 형성하였다. 또한 1907년 남산 위에 통감부 청사가 신축되고 통감부 청사와 통감관저 일대에 관사들이 지어지기 시작하였고, 1910년에는 왜성대공원 이외에 한양공원까지 개원되면서 남산 일대의 전반적인 지역의 경관이 크게 변화하기 시작하였다. 원래 남산 언덕에는 좋은 경치를 즐기기 위한 정자亭子와 군대시설인 남별영南別營 및 제반시설이 있었을 뿐 주거건축 등은 존재하지 않았다. 이는 유교국가였던 조선에서 왕이 거처하는 궁궐을 내려다보이는 지역에 주택을 건축하는 것은 허락되지 않았기 때문이었는데, 1880년대 정동 일대와 남산 일대에 서양 각국과 일본이 공사관을 설치하면서 이와 같은 원칙은 유명무실해졌다. 남산 언덕 위의 공사관과 통감부의 화려하고 권위적인 외관은 고지대에 위치함으로 더욱 강조되어 한성부 남부 일대의 경관을 지배하는 듯한 인상을 주었다.

4장

한성에서 경성으로 진고개에서 본정으로

혼종적 도시경관의 형성
도시공간의 기능적 분화
통감부 설치 전후의 거류지 도시 변화의 성격
식민지 근대화의 관점에서 본 거류지 도시변화

한성부의 '작은 일본', 진고개 혹은 本町

혼종적 도시경관의 형성

19세기 말에서 20세기 초 한성부를 방문한 외국인들은 한성부 내의 일본인 거류지에 대해 다양한 기록을 남겼는데, 그 중 1897년 한성부를 두 번째로 방문한 영국인 이사벨라 비숍과 1904년 러시아인 바셀로프의 기록을 통해 당시 일본인 거류지의 모습을 살펴볼 수 있다.

"남산 기슭에는 일본 공사관의 흰 목조 건물들이 단순하고 소박한 모습을 드러내고 있다. 그 아래로 5천명에 육박하는 일본 조계는 찻집, 극장, 기타 일본식 생활에 필요한 다양한 설비들을 갖추고 살고 있다. 그 구역은 한국적인 모든 것과 대조적으로 청결과 우아함, 그리고 검약이 돋보이는 집과 상점들로 거리를 메우고 있다. 쓰개치마를 쓰지 않은 여인들과 후드 달린 오버코트를 입은 신사들이 일본에 있는 것처럼 자유롭게 거리를 활보한다. 그 거리에는 놀라울 정도로 잘 운영되고 있는 일본 은행과 우편 연락소가 있다. 또 군기 엄정한 군인들과 무장한 경찰대들, 일정한 시차를 두고 교대되는 칼을 찬 헌병들도 보인다."[1]

[1]
이사벨라 버드 비숍, 이인화 옮김, 1994, 앞의 책 p.58

"고백하거니와, 서울에서 무엇보다도 마음에 들었던 것은 일본인 거주지역인 진고개였다. 그 곳은 말끔하게 잘 정리되어 있었고, 가게와 상점들이 가득하고 통행인도 많았다. 일본인들의 수가 압도적으로 많았지만, 한국인들과 유럽인들도 많이 볼 수 있었다. 그 곳에서만 질 좋은 필수품과 생활용품들을 구할 수 있기 때문이다. 물리스 씨도 유럽을 향한 자신의 애국심과는 무관하게, 내가 가볼만한 좋은 곳이 있는지 묻자마자 일본인 거주지역에는 꼭 가보라고 권했다. 그 곳에는 목욕탕도 있었다. 목욕탕은 프랑스 호텔에도 없었는데, 여행에서 돌아온 후 나는 장기간의 여행길에서 쌓인 먼지와 더러움을 씻어내고 싶었다. 그 외에도 일본인들을 통해 지방 풍경과 풍습을 찍은 아름다운 사진에서 시작하여 한국의 고서와 지도, 그림에 이르기까지 모든 것을 얻을 수 있다. 물론 그 외 다른 상품들은 대부분 일본 제품들이다. 그 지역은 건축물들뿐만 아니라 거리나 가정 생활의 방식도 모두 일본식이다. 비교적 오래 일본에 머문 적이 있어 이미 일본의 생활방식에 익숙해 있었던 나는 만족스런 마음으로 낯익은 거리들을 돌아다녔다. 마주치는 사람들은 남자나 여자나 모두 친절하게 미소를 짓고, 상점에서는 러시아어나 영어로 대답하는 사람들도 자주 볼 수 있다. 그 지역의 일본 우체국은 깨끗한 이층집에 자리하고 있다. (중략) 일본 대사관은 도시의 변방에 있는 남산 아랫자락에 위치한 일본인 거주지역에 자리하고 있다. 남산의 정상에는 고대의 봉화대 기둥들이 남아 있다. 보기에 소박한 대사관 건물은 정성을 들여 아름답게 장식한 튼튼한 대리석 테라스로 둘러싸여 있었다. 대사관이 위치한 곳과 같은 산줄기를 따라 조금 떨어진 곳에는 가톨릭 성당도 보인다."[2]

[2] 바츨라프 세로셰프스키, 김진영 옮김, 2006, 앞의 책, pp.392~394

이 두 인용문을 통해 공통적으로 나타나는 일본인 거류지의 특징들 중 첫 번째는, 이 지역은 일본식 생활이 가능하게 만들어진 일본식 도시 공간이었다는 점이다. 이 곳에는 일본식 건물들이 건축되어 있었고, 일본식 생활에 필요한 다양한 설비 등이 갖추어져 있었다. 두 번째로는 우체국, 목욕탕 및 생활용품 상점 등 생활의 편의를 위한 시설들이 잘 갖추어져 있었으며, 특히 우체국 등은 매우 효율적으로 운영되고 있었다는 점이다. 세 번째로는 일본인 거류지의 상점가에서는 일본어 뿐 아니라 한국어, 영어, 러시아어까지 혼용되었으며, 그 고객층 역시 일본인 뿐 아니라 한국인, 서양인에 이르기까지 폭넓었다는 것이다. 마지막으로 일본인 거류지는 깨끗한 도시 환경을 가지고 있었다라는 점이다. 이 특징들은 모두 한성부의 도시 환경과 대비되며 서양인들이 일본인 거류지에 대해 특별하다고 생각하게 되는 원인이 되었다. 당시 한국에 오는 서양인들의 경우 일본을 거쳐서 온 경우가 많았으므로 낯선 한성부의 도시환경 보다 일본식 도시환경이 보다 익숙하고 편안한 것은 당연한 일이었다. 또한 한성부에 온 서양인들 중 대부분은 동양 속의 서양인 일본에 대한 호감을 가지고 있었으며, 이와는 반대로 한국에 대한 제국주의적 시선[3]을 가진 이들이었다. 그러나 이러한 외국인들의 성향을 감안하더라도 이와 같은 기록이 보여주는 것은 일본인 거류지가 분명히 한성부 기타 지역과는 다른 성격을 가진 지역이었다는 것이다.

먼저, 일본식 건물로 가득차 있는 일본식 도시 공간이라고 하는 특색을 가지게 된 것은 일본식 상점인 마치야町家와 일본식 목조 주택의 건축, 그리고 그곳에 사는 거류민들의 일본식 외양과 생활문화로 인해 만들어진 것이었다. 일본인들은 거류 초기부터 일본식 마을을 구축하고자 노력하였으며, 일본에서 생활하던 방식을 그대로 도입하고자 하였다. 또한 메이지 유신 이후 일본은 근대 서양 과학 기술을 적극적으로 도입하여 우편제도 및 통신시설들을 구축하였고 그것을 거류지에

[3]
언더우드 부인의 견문록에서는 서양인들의 일본인에 대한 편견에 대한 언더우드 부인의 생각을 엿볼 수 있다. 언더우드 부인은 '외국사람들은 일본인들이 이제 모두 문화인이 되었다고 생각하고 있다. 그것은 큰 잘못이다. 일본의 도시에는 서양 것을 배우는 큰 학교와 대학이 있기는 하나 일본 인구가 4천만이라는 점을 생각해야 한다. 그 대부분은 시골에 살며 아주 가난하다. 또 그들은 도쿄, 요코하마, 오사카, 나가사키 같은 큰 도시를 휩쓴 문명의 물결을 한 번도 접해 보지 못한 사람들이다. 그들은 페리 제독이 그들을 처음 발견했을 때의 그 할아버지들과 다를 바가 거의 없으며 의복, 관습, 여자는 가둬 놓아야 한다는 생각을 포함해서 그들의 윤리, 생각, 남성 중심주의 따위는 조선 사람들의 것과는 전혀 반대이다.' 라고 함으로써 서양인들이 일본인에 대해 가지고 있는 편견에 대해 이야기하고 있다.-L. H. Underwood, 김철 옮김, 2008.『(언더우드 부인의)조선 견문록』, 이숲, p.300

서도 시행하였다. 따라서 아직 서양 근대 과학 기술의 도입의 초기적 단계에 있었던 한성부의 기타 지역에 비해 비교적 잘 기능하는 편의시설들을 다수 갖출 수 있었다. 거류지 상업의 경우 거류민들의 생활에 필요한 물품들을 공급하기 위한 성격과 한국인[4] 및 서양인을 대상으로 일본산 상품과 서양산 수입품들을 판매하기 위한 성격을 동시에 가지고 있었다. 거류지의 주요 고객에는 일본인 거류민과 한국인 외에도 당시 한성부에 거주하고 있던 서양인들도 포함되었으며, 바셀로프의 기록을 통해 거류지에는 러시아어나 영어가 통하는 상점도 있었던 것으로 보인다. 마찬가지로, 깨끗한 거류지 환경이라는 평가를 받은 것은 도로개수사업 및 상수도사업, 그리고 위생사업들을 통해 거류지 내 우수 및 배수를 관리함으로써 비로 인해 질척거리던 원래의 환경을 개선하였으며, 쓰레기장 및 오물처리장을 설치하고 청소사업을 적극적으로 진행하여 도시환경을 적극적으로 관리하였기 때문이었다.

[4]
"영업과 같은 것은 조선인 가옥을 빌려 상품을 점두에 장식, 직접 조선인을 해서 매매하게 하고, 자기는 속 안의 방에 있으면서 지휘하는 상태였다."-경성부, 1936, 앞의 책, p.577

이처럼 일본인 거류지는 서양식 근대를 적극적으로 수용한 공간인 동시에 일본색이 매우 강하게 드러나는 공간이었다. 거류지 내에는 주로 일본인 거류민들이 생활하였지만, 본정本町도로와 같은 상점가의 고객에는 한국인이나 서양인들도 있었으며, 상점의 간판 등에는 한자와 일본어, 영어 등의 다양한 언어가 나타났다. 또한 상점가의 다양한 상업 시설들과 번화한 분위기는 전체적으로 일본인 거류지의 역동적이고 활발한 분위기를 형성하는 데 영향을 미쳤다. 한국적 도시환경에서 일본식 생활환경을 구축해 나가면서 동시에 서양 근대의 초기적 도입 양상이 보인다는 점에서 일본인 거류지 도시환경은 매우 혼종적이면서도 역동적이었을 것이라고 예상해볼 수 있다.

이와 같은 거류지의 도시환경은 메이지유신明治維新 이후 일본이 받아들인 서양식 근대의 모습들과 일본의 전통적인 특징들이 한국적 상황 속에서 적응하며 만들어진 것이었다. 즉, 서양과 일본 그리고 한국이 한데 뒤섞여서 혼종적인 도시환경의 성격을 만들어 내고 있었는데, 이 것이 가장 극명하게 보이는 것은 바로 도시 건축의 부분이었다. 거류지에서는 초기에는 한국인들의 가옥을 빌리거나 구매하여 그대로 사용하거나 혹은 변형하여 사용하였으나, 거류지가 안정화됨에 따라 점차 일본식 가옥을 지어 나가기 시작하였다. 또한 공사관, 영사관 등의 기관들을 중심으로 서양식 건물을 짓기 시작하여 점차 일반 상업건축에서도 서양식 건물들이 다수 나타났다. 한편 기존의 청국 상인들의 주요 활동 지역이었던 남대문로와 명치정 등으로 일본인 거류지가 확장됨에 따라 청국 양식의 상업 건축들도 거류지에서 다수 나타나게 되었다.

이러한 서양식과 일본식 건물들의 등장으로 인해 일본인 거류지의 전체적인 도시 경관은 전체적으로 복합적인 양상을 띠었다. 종래 몰락한 양반계층과 중인계층, 그 중에서도 특히 하급관리나 하급군인들의 주거지역이었던 진고개 일대는 단층 기와집과 초가집이 거의 대부분인 단조로운 도시경관을 가지고 있었으나, 일본인들의 거류가 시작된 이후 일본식 주택과 마치야町家들이 들어서고, 1886년 신축된 명동성당 및 그 주변 건축물들을 비롯하여 영사관, 우체국, 학교, 병원 등 2층 이상의 서양식 건축물들이 등장하면서 크게 경관이 변해 갔다. 1910년 이전까지 이 지역은 한국의 전통 주택인 기와집과 초가집, 그리고 일본식 주택과 마치야町家들, 그리고 서양식 목조 건축 및 조적조 건축들이 한 데 뒤섞여 있는 매우 이질적이고도 혼종적인 성격의 도시경관을 형성하였다. [그림 1]을 보면 서양식건축물인 명동성당, 샤르트르 수녀원 및 일본공사관, 일본식 건축인 동본원사東本願寺 별원 및 주택과 마치야들, 한국식 건축물인 기와집과 초가들이 한데 섞여 있는 모습을 발견할 수 있다. 한편, 본정 가로를 중심으로 한 거류지 내 상업가로들은 양 옆에 마치야가 늘어선 독특한 풍경의 일본식 가로환경을 갖추었으며 그 가로변에는 연속적인 가로등이 설치되어 밤에도 밝은 가로환경을 가지게 되었다.

그림 1 1905년 경 남산에서 본 일본인 거류지 일대

이처럼 일본식 상업가로경관의 형성과 가로등의 설치로 야간 경관의 등장, 한국식, 청국식, 일본식, 서양식 건축물들의 혼재로 인한 혼종적 건축 경관 형성 등으로 말미암아 이 지역은 다른 한성부 지역에 비해 다소 독특한 도시 경관이 형성되었다. 처음에는 본정本町과 수정壽町 일대의 소규모 지역뿐이었던 이 혼종적인 도시경관은 거류지가 확장됨에 따라 점차 한성부 남촌 일대로 퍼져 나갔으며, 이후 식민지 도시 경성의 도시 경관 형성에도 큰 영향을 끼쳤다.

한국에서의 근대는 한국의 내부적인 근대화 노력에 외부, 일본과 서양의 영향이 강하게 작용하며 만들어진 것이었다. 한국적 근대의 특징 자체가 혼종적인 것이라고도 할 수 있는데 특히 일본인 거류지에서는 거류민들에 의해 전통과 근대가 혼재되어있는 일본식 도시환경과 생활문화가 그대로 도입되는, 서양식 근대 역시도 일본이라는 틀에 의해 한 번 번역된 양상으로 도입되어 나타나는 혼종성을 발견할 수 있었다.

한성부의 '작은 일본', 진고개 혹은 本町

도시공간의 기능적 분화

거류지가 점차 발전하면서 그 영역이 확장되었고, 이에 따라 각 지역별 성격이 형성되어 도시 공간의 성격분화가 이루어지는 양상이 나타났다. 맨 처음 거류가 시작된 지역인 본정本町 4,5정목 남쪽부터 공사관이 있던 남산 언덕 사이의 수정壽町 및 남산정南山町 일대는 거류지 중에서도 가장 일본식 마을의 풍경이 잘 나타나는 일본인 거류지의 본거지와 같은 곳으로, 거류 초기에는 거류지 생활의 중심지이자 행정의 중심지였다. 그러나 청일전쟁 이후 영사관 등이 본정本町 입구로 이전해감에 따라 행정의 중심지로서의 기능은 약화되었지만 여전히 거류지 생활의 중심지로서의 성격은 이어졌다. 이 일대에는 거류지 중심 인물들의 주거들이 밀집하여 있었으며, 또한 유메이로有名樓, 가케쓰로花月樓, 키쿠스이로菊翠樓 등 거류지의 주요 연회와 회합들이 이루어지던 고급 요리점들이 위치하여 있어서 일본 거류민 공동체의 커뮤니티로서의 성격을 이어나갔다. 이 지역의 북측 가로이자 거류지의 중심 도로인 본정本町은 거류지 상업의 중심지였으며 무역상, 오복점, 잡화점, 양품점 등 각종 일상생활에 관련된 상점들이 집중적으로 위치하여 일본식 상업가로의 모습을 띄고 있었다. 특히 본정本町 3~5정목은 거류 초기부터 상업이 발전한 지역으로서 각종 생활용품점들이 집중되어 있었으며 전형적인 일본식 상업가로를 형성하고 있었으며, 본정本町 1,2정목은 청일전쟁 이후 본격적으로 거류지가 서측으로 확장되면서 발전한 지역으로 3~5정목에 비해서는 대규모의 상점과 회사들이 자리잡는 경향을 보였다.

청일전쟁을 전후하여 남대문로 일대로 일본 상인들이 진출하기 시작한 이후 영사관, 거류민단과 상업회의소의 연합사무실, 우체국, 경찰서 등의 주요 행정시설들 역시 남대문로와 면한 본정本町 1정목 입구로 이전하였다. 따라서 남대문로 2,3정목 및 장곡천정長谷川町과 맞닿아 있는 본정本町 1정목 입구 일대는 거류지 행정의 중심지로서 역할을 하였으며, 거류지로 진입하는 관문과 같은 역할을 한다는 점에서 상징적 중요성이 더하여졌다. 한편 남산에는 1897년 이후 왜성대공원矮星臺公園 및 대신궁大神宮, 동본원사東本願寺 별원 등이 설치됨으로써 일본인들의 정신적, 종교적 중심지로서 역할을 하게 되었다.

러일전쟁 이후에는 거류지 동측 개발이 본격화되었는데, 1904년에는 신정新町지역이 일본식 유곽과 유흥구가 설치되는 유흥지역으로 개발되었다. 요리점, 유흥구 등은 그 전에는 거류 초기 중심지역이었던 수정壽町 일대를 비롯하여 거류지 곳곳에 산재되어 있었는데 1904년 이후 신정新町지역이 특별영업지역으로 설정됨에 따라 이 지역에 집중됨으로써 거류지 내 유흥지역으로서 역할을 하게 되었다. 1907년 이후에는 통감부와 통감관저 사이의 언덕에 다수의 관사들과 행정기관

그림 2 청일전쟁 이전 거류지 내 지역별 성격

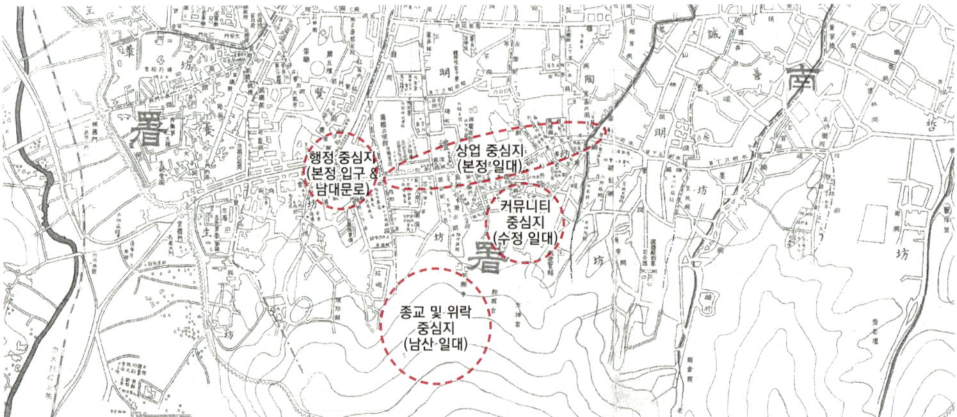

그림 3 청일전쟁 이후 거류지 내 지역별 성격

그림 4 러일전쟁 이후 거류지 내 지역별 성격

들이 들어서면서 행정 및 관사 지역으로서의 성격을 갖추기 시작하였다.

이처럼 거류지는 서측 남대문로 일대의 행정 중심지, 거류지 중심부 본정本町 일대의 상업 중심지, 거류지의 가장 가운데 수정壽町 일대의 거류민 커뮤니티의 중심지, 그리고 남산 왜성대矮星臺 일대의 정신적·종교적 중심지, 통감관저 및 통감부 근처의 관사 지역, 그리고 신정新町 일대의 유흥지 등으로 성격별로 영역이 나누어졌다. 일본인들의 거주가 시작되기 이전, 이 지역은 하급관리와 중인계층의 주거지로서 비교적 단일한 기능과 성격을 가지고 있었는데, 약 25년 만에 다양한 성격을 가지는 지역으로 분화되었으며 이 성격은 식민화 이후에도 이어져 식민도시 경성의 영역별 성격 형성에도 영향을 주었다.

통감부 설치 전후의 거류지 도시 변화의 성격

1885년에서 1910년에 이르는 동안의 거류지 도시 변화는 '통감부 설치'를 기점으로 그 성격이 크게 변화하였다. 청일전쟁과 러일전쟁의 승리 이후 일본인 거류민들이 한성부 내에서 상대적으로 우위를 점하게 되며 거류지 영역이 점차 확장되고, 거류민 인구가 폭박적으로 증가하였으며 거류지 사업도 크게 성장하였지만, 통감부 설치 이전까지 일본인 거류민들은 한성부 내에서 이방인일 뿐이였다. 그러나 통감부 설치는 거류지를 더 이상 이방인들의 임시 거주지가 아닌 한국인들과 같은(혹은 우월한) 도시민의 정주지와 같은 성격으로 변화시키는 계기가 되었다. 통감부가 설치됨에 따라 일본은 한국의 외교권을 박탈하고 정치, 사회, 경제 전반에 걸쳐 내정 간섭을 시작함으로, 본격적으로 한국을 식민지화하기 시작하였다. 본격적인 식민지화가 시작됨에 따라 거류지는 일본 내지內地와 같은 위상을 갖기 시작하였고, 거류지의 도시 변화에는 가속도가 붙기 시작하였다. 통감부의 설치 이후 나타난 주요 변화 특징들을 정리해보면 다음과 같다.

먼저, 통감부 설치 이전 일본인 거류지의 도시 변화를 주도하던 세력은 거류민단과 상업회의소를 비롯한 자치단체, 즉 민간이었던 반면, 통감부 설치 이후에는 일본 정부가 직접 개입하여 도시 변화를 일으키는 관주도적 성격이 더하여져 민과 관이 동시에 거류지 변화를 주도하기 시작하였다. 1885년 본격적으로 일본인 거류지가 시작된 이후 일본인 거류지의 도시 변화는 초기부터 상인계층이 주축을 이룬 거류민단이 주도적으로 이끌어나가는 경향을 보였다. 특히 도로개수사업이나 위생사업 등 공공의 이익을 위한 거류지 사업들은 정부로부터 일부 보조금을 받기도 하였지만, 예산 마련부터 사업시행 및 후속관리까지 대부분 거류민단이 주체가 되어 시행하였다. 이렇게 민간이 도시 변화의 주체가 된 이유는, 일본에서도 메이지 초기 도로개수사업 등은 지방에서 자치적으로 민비民費를 조달하여 시행하는 등 민간 주도적 성격을 가지고 있어서, 거류지에서도 같은 방식으로 시행되었을 것이라고 추정해볼 수 있고, 또한 전관 거류지가 아닌 잡거지였던 한성부의 특성상 거류지 내부의 도시환경 구축 사업에 일본정부가 본격적으로 개입할 수 없었을 것이기 때문이다. 즉 거류지가 아직 정착되지 못한 상황에서 일본정부가 파견하는 기관 및 관리의 수준과 규모는 최소한일 수밖에 없었기에 거류민들은 자신들의 생활의 편리와 안정화를 위하여 민간 주도적으로 거류지 행정 및 관리를 시행할 수밖에 없었다. 경찰서 순사의 수가 부족하여 거류민들의 자치 단체인 소방조가 소방업무 외에도 치안업무를 공동으로 수행하였던 것이나, 의료[5] 및 교육 등 각종 공공사업들을 거류민단이 주체가 되어 진행하였던 것도 이와 같은 이유였을 것이라 추측해볼 수 있다. 이와 같이 민간이 적극적으로 공공사업을 시행한 결과 본정本町도로 및 거류지 내 도로들을 개수하고 일본식 생활을 영유할 수 있는 일본식 상점들 및 각종 시설들을 설치하여 통감부 설치 이전 이미 거류지는 일본식 마을을 형성하고 나름대로 거류민들의 안정된 생활을 정착시켜 가고 있었다.

[5]
의료의 경우 처음에는 일본 정부 차원에서 각 거류지에 군의들이 진료하는 관립병원을 설치한 것이 그 시초가 되었지만, 1895년부터는 거류민단에서 운영하는 공립병원으로 전환되었다.

그러나 통감부 설치 이후 이와 같은 거류지의 민간주도적인 성격에도 변화가 일어나기 시작하였다. 거류민단을 중심으로 한 민간주도적인 도시 변화는 통감부 설치 이후에도 지속적으로 이루어졌으나, 관이 관여하기 시작하면서 도시 변화의 범위와 정도는 크게 확장되기 시작하였다. 거류민들의 거주 범위는 진고개 일대에서 벗어나 한성부 성내 전역과 성외 일부 지역까지 확대되기 시작하였으며 거류지 동부, 즉 기존의 한국인 주거지역에서는 일본의 경찰력을 동원하여 도로개수 및 신축 등이 이루어졌다. 1911년 경성발달사의 기록에 따르면 본정本町도로 및 그 북쪽 지선도로, 그리고 명치정 2정목에서 남대문로에 이르는 지역의 도로만 민단이 관리하고 나머지는 총독부가 관리한다고 되어 있어, 1910년 이후에도 거류지 내부 도로의 관리는 거류민단과 관이 함께 하고 있음을 알 수 있다.[6] 상업에서도 메가타目賀田개혁 이후 한국 상인들의 몰락과는 상반되게 일본 상인들은 점차 그 상권을 확장하였으며, 일본에 의한 경인철도에 이은 경부철도의 완성은 명실공히 한성부를 한국의 교통의 중심지로 만들면서 급속한 한일

[6]
경성거류민단역소. 2010, 앞의 책, p.461

무역의 팽창 및 한성부 일본 상인들의 성장을 가능하게 하였다. 이처럼 통감부 설치를 전후하여 거류민들의 민간 차원에서의 도시 변화는 일본의 내정 간섭에 힘입어 빠른 속도로 진행되었으며, 앞으로의 정주定住를 준비하는 양상을 보였다. 통감부 설치 이후 한국 황실의 국유지 및 군용지들을 무상으로 임차하여 관련시설 및 일본인 관사들을 대거 신축하기 시작하였으며 거류지 소학교는 일본정부의 재외지정학교가 됨으로써 사실상 일본정부가 인정하는 공립학교로서의 성격을 가지게 되었다. 이처럼 통감부 설치 이후에는 거류지 변화의 주도세력은 여전히 민간인 거류민단 등이었으나 일본정부의 지원 및 관 차원에서의 시설 설치 등이 더하여져 민간과 관이 동시에 거류지 도시 변화를 주도하는 경향을 보인다. 그러나 이와 같은 과정에서 민간과 관은 상호보완적이기도 하였지만, 또한 이권을 둘러싸고는 대립을 일으키기도 하였다. 거류민들은 거류지의 발전을 최우선으로 하지 않는 듯한 통감부에 대해 불만을 품기도 하였는데, 경성발달사의 1906년 이토 히로부미伊藤博文 통감에 대한 기록은 그 불만을 잘 보여준다.

"재류 일본인 사업에 대해서는 직접 새로운 사업이나 새로운 경영에 손을 대지 않았고, 우리 일본인들의 이주를 장려할 방책도 세우지 않았다. 오히려 착임 직후 안보 규칙이라고 할 만한 통감부령을 발포해 재류일본인 단속을 엄격히 한 결과 경성 이사관을 비롯한 각 지방 이사관은 빈번히 퇴한령을 남발하였다. 특히 고리대금 부랑인 가운데 이에 해당하는 자가 많았고, 심할 때는 정도에 상관 없이 일정한 직업이 없는 자에 대해서는 단순한 의심만으로 퇴한령을 적용하였다. 그로 인해 한때 재류일본인들은 공포감을 느껴 통감부 깃발이 휘날리는 남산에 대해서 조선인보다 오히려 더 주눅드는 기이한 현상도 보였다."[7]

[7] 경성거류민단역소, 2010, 앞의 책, pp.246~247

특히 거류 초기부터 약 20여 년간 거류지 발전을 이끌어 낸 거류민단의 경우, 이사청과 대립 양상을 보이기도 하였다. 1906년 병원부지관련 문제로 거류민단과 이사청의 대립이 있은 이후 거류민단 대표자들에게 퇴한령을 내린 사건[8]은 이런 대립 양상을 단적으로 보여주는 것이었으며, 거류지 내부의 사업들이(거류민단과 통감부로) 이원화되어 시행됨에 따라 갈등구조를 보이기도 하였다.

[8]
경성거류민단역소, 2010, 앞의 책,p.251

두 번째로는, 통감부 설치 이전 민간 주도의 도시 변화가 그 때 그 때의 필요에 대응하는 임기응변적 성격을 가진 것에 반해, 통감부 설치 이후에는 보다 전문화·체계화되는 모습을 보인다. 민간주도적인 거류지의 도시 변화는 한계를 가질 수밖에 없는 것이었다. 1906년 이전까지 거류민단은 법인화되지 않았기 때문에 거류민들에게 부과하는 각종 세금의 경우 강제성을 가질 수 없었다. 따라서 거류민단은 사업의 지속적인 시행을 위해 필요한 예산 확보에 어려움을 겪을 수밖에 없었다. 또한 거류민단의 주력사업인 토목, 위생, 교육 사업의 경우에도 거류지에서의 안정적인 삶이 보장되지 않은 상황에서 장기적인 계획을 가지고 추진될 수 없었으며, 따라서 이 사업들은 임기응변적으로 당시의 필요에 대응하는 방식으로 이루어질 수 밖에 없었다. 앞서 설명한 바와 같이 도로개수사업이나 상수도사업의 경우에도 전체적인 도시계획이 마련되지 않은 상황에서 그때 그때의 필요에 의해 한정적으로 시행되었기에, 거류민의 증가와 거류지의 팽창에 따라 계속하여 보완해 나가야만 했다. 도로개수사업의 경우에는 도시 전반에 대한 전체적인 계획이 없는 국지적인 계획이었으며, 상수도 사업의 경우에는 초기에 사설 수도의 형식으로 설치된 소규모의 것이어서 1907년 이후에는 조선수도회사[9]로부터 물을 공급

[9]
조선수도회사(Korea Water Work Company)는 1903년 대한제국으로부터 상수도 부설권을 얻은 미국인 콜브란으로부터 그 권리를 양도받은 영국계 회사로서, 1906년 뚝도 수원지공사에 착공 1908년 8월 완성하여 한성부에 현대적 상수도를 공급하였다.

받아 그 부족량을 채우기도 하였다. 교육사업의 경우에도 처음에는 동본원사東本願寺의 지원을 받아 소학교 교육을 시행하다가, 이후 소학교 건물을 신축하고 본격적으로 수업을 시작하기는 하였으나, 점차 늘어난 거류민의 수를 감당하지 못하여 끊임없는 증축을 하여야 했다. 이는 한성부를 둘러싸고 급변하는 한일 관계 속에서 일본인 거류지에서는 장래에 대한 예측이 어려웠으며, 따라서 장기적인 계획 자체가 어려웠었기 때문이라 할 수 있다.

그러나 1905년 제2차 한일협약(을사늑약)의 체결 이후 1906년 통감부가 설치되면서 이와 같은 상황은 급격하게 변화하였다. 한성부 내 일본인 거류지는 더이상 이방인으로서 임시로 머무르는 곳이 아닌, 식민화를 준비하는 본거지로서 의미를 가지게 되었다. 즉, 단기적인 필요를 채우기보다는 장기적 계획을 필요로 하게 되었다.[10] 거류지 내부적으로는 통감부 설치 이후, 급격하게 성장하는 거류지의 요구에 대응하여 다양한 시설들을 확충하기 시작하였다. 1906년 이전 1개뿐이었던 소학교는 3개소가 되었으며 고등여학교, 중학교 등 상급 교육기관도 설립되었다. 각 학교에는 목조 혹은 연와조 교사들을 비롯하여 학교 교사들을 위한 사택들도 다수 신축되었다. 또한 거류지의 정신적 중심이라 할 수 있는 왜성대공원矮星臺公園에 분수대와 연못 등을 설치하여 정비하였으며, 왜성대공원矮星臺公園의 서측에 한양공원漢陽公園을 추가로 설치하기도 하였다. 도로 교통적 측면에서는 거류지 내부 뿐 아니라 외부와의 연계를 고려하는 계획들이 만들어지기 시작하였다. 통감부에서는 경부선 개통 이후 남대문을 통한 교통량이 급증하게 되자 이를 해결하기 위해 1908년에는 남대문 좌우의 성곽을 훼철하고 약 8폭의 도로를 각각 내어 기존의 도로와 함께 3개

[10]
경성발달사에서는 당시의 상황에 대해 "조선에서 우리 제국은 새로운 기반 위에서 확고부동한 지위를 갖게 되었다. 우리 거류지도 이에 따라 새로운 국면 위에 영구적인 경영을 펼치게 되었다."라고 설명하고 있다.-거류민단역소, 2010, 앞의 책, p.247

[11]

조선총독부 편. 『조선토목사업지』, pp.1023~1024

[12]

경성부, 1936, 앞의 책, p.937

[13]

김백영은 식민도시 한성부의 특징을 한성부와 용산이라는 두 개의 중심이 연결되어 있는 표주박형 도시, 즉 이중 도시로 설명하고 있다.-김백영. 2005. "러일전쟁 직후 서울의 식민도시화 과정". 『지방사와 지방문화』, 8(2): 77~143. pp.88~89

의 도로를 만들었으며[11] 1910년에는 남대문에서 남대문역을 잇는 대로를 건설하였는데,[12] 이는 이후 한성부로 접근하는 가장 중요한 교통로가 되었다. 한편 용산에서는 1904년 이후 한성부 거류지와는 별도로 철도용지 및 군사용지의 개발과 함께 새로운 도시체계가 만들어지기 시작하였다. 1908년에는 남대문역에서 용산을 잇는 대로가 건설되었는데, 이 도로는 2년 후인 1910년 구축된 남대문역과 남대문로를 잇는 대로와 연결되어 한성부-남대문역-용산을 잇는 교통로가 되어 식민화 이후 한성부와 용산이라는 이중도시 구조의 중심축으로서 역할을 하게 되었다.[13] 거류민단에서도 1907년 남대문로-구리개길-영락정-본정을 잇는 순환도로체계를 구축함으로써 남대문을 통해 일본인 거류지로 들어오는 외부와의 연계를 적극적으로 준비하는 모습을 보였다. 1907년 남대문-을지로-영락정 2정목-본정도로를 연계하는 교통 순환로의 정비와 1908년 남대문 성곽 훼철 및 도로 신축, 1910년 남대문과 남대문역을 잇는 도로 개수사업은 그 이전 시기에 거류지 내부 도로 정비에만 힘을 기울이던 것과는 대조되는 사업들이었다. 한편 1906년 통감부가 한성부에 시행한 지하배수관사업은 우선적으로 본정本町도로에 시행됨으로써, 일본인 거류지를 중심으로 한성부 도시계획이 시행되는 모습을 보여준다. 이와 같은 통감부 설치 이후의 변화들은 1910년 식민화 이후에는 보다 구체화되어 1912년 이후의 시구개정사업에 그대로 영향을 주게 되었다.

세 번째로는 통감부 설치를 전후하여 메이지 유신 이후 일본의 근대화된 문명과 기술이 본격적으로 도입되기 시작하였다는 점이다. 통감부 설치 이전에도 근대적 의료 및 위생 개념, 근대적 도로 관리기법 등이 일부 도입되기는 하였으나 그 수준은 매우 미미한 것이었다. 통감부 설치 이전 거류지의 변화를 주도한 것은 거류민단이라는 거류민 자치단체였는데, 거류민단의 중심인물들은 대부분 서일본지역에서 거류 초기 상업적 목적을 가지고 맨 몸으로 건너온 이들이거나 혹은 대륙침략의 목적을 가지고 한국으로 건너온 대륙낭인大陸浪人과 같은 이들이었다. 이들의 경우, 대부분 빠르게 근대화가 진행되고 있던 도쿄東京 등 대도시 출신도 아니었고, 근대적 교육의 혜택을 받은 이들도 아니었으며, 이들이 가지고 있었던 생활방식은 선진화·근대화된 일본과는 거리가 있는 것이었다.[14] 결국 이들이 만들어 낼 수 있었던 도시 변화라는 것은 메이지유신 이후의 일본이 도입한 근대적 기술을 받아들인 것이라기보다는 그들이 본국에서 생활하던 방식을 도입한 것에 가까웠다는 점이다. 따라서 근대적 제도의 도입이나 상하수도나 도로개수 등의 도시관리기술들의 도입, 서양식 건축물의 신축 등이 일부 이루어지고는 있었으나 사실상 통감부 설치 이전의 거류지 도시 환경은 메이지 유신 이후의 근대적 일본의 모습이라기보다는 에도시대 일본 도시민들의 생활과 더 유사한 모습을 보였다. 상점이나 주택 등 거류민들의 일상생활을 이루고 있는 환경들은 일본의 전통적인 민가民家 건축물로 이루어져 있으며, 신사神社를 중심으로 한 일상적 의례들과 종교문화, 그리고 유곽을 중심으로 하는 유흥문화들은 메이지 유신 이후 근대화되어 가고 있는 일본의 모습이라기보다는 그 이전부터 지속되어 온 일본 고유의 모습이었다.

[14] 실제로 당시 거류민들의 무례함과 풍기문란은 한성부 내에서 사회적 문제가 되었으며, 이에 대해 일본영사관은 퇴한령을 내리는 등 강력한 조처를 취하기도 하였다.

그러나 통감부 설치 이후에는 관이나 회사 소속으로 한성부에 부임하는 이들이 급격하게 증가하였으며, 일본에서 전문적인 교육을 받거나 경험을 쌓은 이들이 거류지에 도래하기 시작하였다. 도쿄제국대학 건축과를 졸업한 이와타岩田五月

滿、이와이岩井長三郞 등이 통감부 건축 기사로 부임함으로서[15] 각종 관사 및 시설들을 건축하기 시작하였다. 물론 여전히 거류지 내부의 민간 건축의 경우 여전히 대부분 거류민 목수들에 의해 지어졌을 것이나 통감부 주변의 관사 건축 등은 통감부 건축 기사들에 의해 이루어진 것이므로 건축전문인력의 등장은 그 자체만으로 의미가 있다.[16] 또한 근대적 상업교육을 받은 이들이 한성부에 와서 대규모 상점을 열기도 하였고, 도쿄나 오사카 등의 상업 방식들이 그대로 유입되었으며, 1907년에는 경성박람회라는 근대적 박람회를 개최하기도 하였다. 1906년 한국의 정부의료시설들을 통폐합한 후 일본이 설치한 대한의원은 비록 거류지 외부에 있는 것이기는 하였지만 한국의 국가의료기관으로서의 역할을 하게 되었다. 즉 이와 같은 변화들은 일본이 메이지 유신 이후 국가적으로 추구하던 서양 근대 과학 기술을 적극적으로 도입하여 만들어낸 결과들을 한성부에도 도입하고자 한 시도들로 볼 수 있다. 이는 통감부 설치 이후 메이지 일본에서 성장한 전문 인력들이 한성부에 공적인 목적으로 혹은 상업적인 목적으로 한성부에 옴으로써 가능해진 것이었다.

마지막으로 들 수 있는 특징은 통감부 설치 이후 거류지의 도시 변화가 한성부 전역에 영향을 주기 시작하였다는 점이다. 이는 거류지의 영역 자체가 한성부 전역으로 확장된 이유도 있었지만, 전체적으로 한국의 정치·사회적 상황이 일본의 관리감독 하에 들어가게 되면서 그 영향이 확대되게 된 것이다. 특히 통감부 설치 이후 한성부 위생사업의 시행에서는 이러한 성격이 잘 드러난다. 한성부의 위생문제에 대해서는 통감부 설치 이전부터 거류민들이 그 개선을 요구하였는데, 이는 한성부의 불결한 위생상태가 거류민들의 건강과 생

[15]
일본은 통감부를 설치한 이후, 한국 정부의 조직 개편을 요구하였는데, 그 과정에서 총세무사세관공사부와 탁지부 건축소가 각각 1905년, 1906년에 설립되었다. 세관공사부와 탁지부 건축소는 일본에서 대학을 갓 졸업한 이들을 건축기사로 고용하였으며, 이들은 곧 통감부 건축기사가 되었다.-西澤泰彦. 2009,『日本の植民地建築』河出書房新社, pp.94~98

[16]
한국에는 아직 근대적 건축 교육을 받은 전문 인력이 없어 서양식 대형 건축물을 지을 때에는 외국인들, 주로 서양인들이 그 설계를 담당하였다. 이는 일본인 거류지에서도 마찬가지였으며, 거류지 내의 주요 서양식 건축물들은 일본 본국에서 설계를 해 오는 경우가 대부분이었다. 그러나 통감부 설치 이후에는 경성제국대학의 전신인 경성공업전습소에서 근대적인 건축 교육을 받은 졸업생들이 통감부 건축기사로 부임하여 한성부에 거주하면서 본격적인 건축활동을 시작하였다.

활에 악영향을 준다고 생각하였기 때문이었다.[17] 이러한 거류민들의 요구에 대응하는 한편, 거류민 보호를 위해 통감부는 1906년 이후 적극적으로 한성부의 위생사업에 관여하기 시작하였다. 1906년 위생과를 경무국 산하로 이동시키고 일본인 의사들을 경무고문의로 임용한 이후[18] 1907년에는 한성위생회를 창설하고 1908년에는 제예除穢규칙을 발포함으로써 본격적으로 한성부의 위생사업에 관여하였다. 그런데 이 시기의 한성부 위생사업은 경찰에 의해 강제적으로 시행되는 것이었으며,[19] 한성부 전역이 그 대상이긴 하였어도 일본인 거류지역을 위주로 다루고 있었다.[20] 위생의 경우 가장 직접적으로 거류지와 연계를 맺고 있기 때문에 통감부 설치 이후 적극적으로 한성부의 위생문제를 해결하고자 하였던 것이며, 그 시행방법에 있어서는 기존의 거류지에서 시행하던 방식과 유사한 방식으로 이루어졌다. 이는 통감부 설치 이전 거류지 내에서의 경험을 바탕으로 한성부에 적용해 나간 예로 볼 수 있다. 이외에도 통감부의 경찰권 장악 및 한국인 소학교에의 일본인 교원 파견 등은 일본의 영향력이 한성부 전역으로 퍼져 나감을 보여주며, 이는 일본인 거류지 내부의 변화와는 직접적으로는 관련이 없을지라도 간접적으로는 거류지의 세력 팽창 및 이권 획득에 영향을 주는 부분이었다.

통감부 설치는 한국인들의 일본에 대한 인식을 크게 변화시키는 계기가 되기도 하였다. 통감부 설치 이전까지 한국인들의 일본에 대한 반응은 반감과 동경이 동시에 나타나는 것이었는데, 일본을 왜구倭寇, 즉 본래 한국보다 미개하였고 야만적이었던 민족으로 여기며, 이들이 한국 내의 각종 이권을 침탈해 나가던 것에 대해 반감을 가지고 동학과 의병을 주도하던 민족주의자들과 일본이 메이지 유신 이후 이루어 낸

[17]
거류민단장 나카이는 한국인 거주지에도 위생법을 시행할 것을 한국정부와 교섭해줄 것을 청원하는 청원서를 하야시 곤스케 공사에게 제출하였다. -경성거류민단역소, 2010, 앞의 책, p.232

[18]
박윤재, 2002, 앞의 책, pp.101~106

[19]
1894년 조선 정부가 처음 위생국을 설치하였을 때에도 그 실제적인 관리와 업무는 행정경찰의 사무였으나 당시에는 강제적 귀속력은 없었다. 그러나 1905년 이후의 위생경찰제도는 실형이 내려지는 강제성을 가진다는 점에서 이전과 분명 다른 성격을 가진다.

[20]
이는 통감부 설치 이전인 1904년 발포된 한성부 청결법 시행규칙에서 잘 드러나는데, 이 규칙의 내용은 일반 개천의 소통에 대한 항목을 제외하고는 대부분 일본 병영과 일본인 거류지에서 60간 이내의 지역을 대상으로 하고 있어 통감부 설치 이전 이미 한성부의 위생제도가 일본 중심적으로 구축되어 가고 있는 것을 보여준다. (신신동원. 1989. "조선말의 콜레라 유행, 1821~1910". 한국과학사학회지, 11(1): 53~86. p.81) 1905년 이후의 위생규칙과 1907년 한성위생회 규칙들도 그 기반은 한성부 기타 지역에 비해 상대적으로 위생적으로 청결한 상태였던 일본인 지역에 한국인 지역, 그리고 청국인 지역의 오염이 전파되어 피해를 입힌다는 생각에서 일본인들에 의해 강력하게 추진된 것이었다.

근대화의 모습을 한국이 지향해야할 롤모델로 여기고 서양의 제국 열강보다 오히려 같은 동양인 일본과의 결합이 한국에게 유리할 것이라 판단한 이들, 주로 개화문명화를 주장하던 지식인 계층들이 동시에 존재하였던 것이다. 그러나 1905년 일본이 한국을 보호국화하면서 본격적인 식민지화를 준비하게 된 것은 일본을 근대화, 즉 문명개화의 롤모델로 여기며 동반발전을 원하던 이들에게는 충격적인 사건이었다. 이후 이들은 일본이 통감부를 설치하고 한국에 대한 지배를 본격화 해나가는 것에 대하여 강한 반감을 나타냈으며 일본이 한국 내에서 일본인 거주자에 대한 차별적인 정책을 펼치는 것에 대해서도 비판적인 모습을 보였다.[21] 이는 통감부 설치 이후 한성부 내에서 일본인 거류지 뿐 아니라 한국인 지역에 위생제도 등을 시행한 것과 마찬가지로 일본이라는 권력이 전반적인 한국인들에게도 그 지배권을 강화함에 따라 나타난 현상이었다.

[21]
슈미드 앙드레, 정여울 옮김, 2007, 『제국 그 사이의 한국 1895~1919』 휴머니스트 출판그룹, pp.104~107

종합적으로 판단해보면, 통감부 설치 이전의 한성부 일본인 거류지의 도시 변화는 거류민들의 생활과 상업활동을 위한 목적에서 만들어진 것들로서, 본격적인 일본의 식민지화가 시작되기 이전 일본인 거류민들이 한성부 내에서 하나의 독자적 영역을 구축하게 됨에 따라 만들어낸 변화였다. 통감부 설치 이후의 변화는 한국에 대한 본격적인 일본의 식민지화 작업이 시작되며 점차 정치적 성격이 강화되는 모습을 보였다. 남산 일대에 위치한 통감부 및 관련 시설들의 설치 및 전문 인력들의 도래, 그리고 경찰 및 위생회 등을 통한 한국인들에 대한 직접적 관리와 같은 통감부의 국가적 영향력 행사와 더불어 거류지 내부에서도 통감부에 힘입어 그 영역을 확장해나가고, 장기적 발전을 도모하는 변화를 보임으로써, 거류지는 더 이상 한성부 내의 고립된 외국인 지역이 아닌 식민 지배를 위한 전초기지로서의 성격을 가지게 되었다.

서양인들이 묘사하였듯이 일본인 거류지는 한성부 내에서 독특한 성격의 도시 환경을 가지고 있는 지역이었다. 그 독특성은 '일본식 생활환경'을 형성하고 있었을 뿐 아니라 기타 한성부 지역에 비해 '청결한 거리'와 '근대적 도시시설'들을 가지고 있음에 근거한 것이었다. 이는 거류지 내에서 적극적으로 도로개수 및 청소사업 등을 통해 도시정비에 힘쓰고, 일본 본국에서 시행하고 있던 교육 및 위생제도 등을 도입하고 각 시설들을 설치하고자 노력한 결과였다. 또한 근대적 상업의 특징이라 할 수 있는 진열창(show window)을 통한 진열 개념의 도입 및 간판과 조명 등을 통한 상점가의 정면성 부각 등의 특징들도 나타나며 기존의 한성부 상점가와는 다른 분위기를 형성하기도 하였다. 이와 같은 변화를 만들어 낸 것에 대해 일본인들은 상당한 자부심[22]을 가지고 있었으며 거류지와 기타 한성부 지역을 '깨끗하고 발전된 일본인 거류지'와 '불결하고 전근대적인 한국인 주거지역'으로 비교하며 우열의식을 가지기도 하였다. 한편, 거류민들은 한국 내에서 일본의 세력이 강화됨에 따라 자신들이 거류지에서 만들어낸 변화를 한성부 전역에도 요구하기까지 하였으며,[23] 그들은 먼저 근대화한 자신들이 한국도 개화시켜야한다고 생각하면서 경성학당京城學堂 등에서 일본어를 교육하고 일본으로 유학가는 한국인들을 지원해주는 한편, 양잠강습소[24]나 연초제조장 등의 산업관련 시설들에서 한국인 자녀들을 교육하는 등 한국인에 대한 교육사업을 펼치기도 하였다. 한편, 상품진열장을 설치하고 경성박람회 등을 개최하며 일본 산업의 우수함을 과시하고자 하였다. 통감부 설치 이후에는 좀 더 본격적으로 식민화 이전과 이후를

[22]
1911년 기록된 경성발달사의 서문에는 거류지의 변화에 대한 거류민들의 자부심이 잘 드러나 있다. *"자주빛과 비취빛이 영롱한 목멱산 위에 올라 내려다보면 다리 밑으로는 문록의 역 (임진왜란) 당시 아군 주둔지였던 왜성대가 눈앞에 펼쳐지고, 반도의 정사를 아우르는 총독부가 우뚝 서 그 웅장한 자태를 드러내고 있다. 이전에는 초가집들이 뒤섞여 요란한 다듬질 소리만 들리던 옛 도읍은 이제 백벽의 푸른 기와집들이 빽빽이 늘어선 대도시를 이루었다. (중략) 돌이켜 보건데 30년 전에는 서쪽 성문 밖 외딴 곳 연지(蓮池)에 반도 개척의 일대 사명을 띤 우리 욱일기가 적막하게 나부끼고 있었다. 피를 부른 사건(임오군란)이 발생한 이래 수많은 조선인들의 위해 행위가 되풀이 되었다 특히 양대 전쟁을 전후해 빈발했던 소소한 혈투는 이루 다 헤아릴 수 없을 정도이다. 그 때마다 우리 거류민들은 다대한 손해와 혈세를 감수하였다. 이제야 일본과 조선이 일가를 이루어 동양에서 화란(禍亂)의 근원을 제거하였다. 이것이 어찌 우리 관헌에 의해서만 이루어진 것이라고 할 수 있겠는가. 우리 국민들의 정수인 바로 경성 거류민들의 노력과 기세가 자연스레 싹을 틔우고 무르익어 비로소 오늘의 결실을 맺었다. 우리 거류민은 이 점에서 주체할 수 없는 일종의 자부심을 느낀다. 때로는 활화산 위에 앉아 있는 것과 같았고, 때로는 살얼음을 밟는 느낌이었다. 그렇게 열심히 앞장서 온갖 경험을 다한 거류민들의 천신만고가 바로 이 책에 수록되어 있다."* (경성거류민단역소, 2010, 앞의 책, pp.27~28)-1911년 경성거류민단의 활동을 중심으로 일본인 거류 이후의 변화에 대해 기록한 경성발달사나 1936년 경성부에서 한성부의 역사를 기록한 경성부사의 경우 이런 식민지적 시선이 그대로 반영되어 있는 기록들이었으며 이 기록들에서는 특히 '깨끗한 일본'과 '불결한

한국'으로 대비하여 그 차이를 부각시키는 표현들이 빈번히 나타나고 있다.

[23]
특히 이들은 위생과 관련된 문제에서, 일본인 거류지에 상응하는 수준의 위생 제도를 한국인들에게도 요구하며, 1905년에는 다음과 같은 내용의 청원서를 제출하기도 하였다. "......일본인 거류지에서 아무리 위생에 주의를 기울여도 소용이 없습니다. 근방에 있는 조선인 주거지는 위생시설이 전무하므로 먼저 조선인 주거지에서 전염병이 발생해 이것이 퍼져나가 급기야 일본인 거류지까지 이르게 되어 많은 피해를 입었습니다. 예년의 예를 보면 이를 증명하고도 남음이 있습니다. 따라서 일본인 거류지 근방의 조선인 거주지에 대해서도 일본인 거류지에 준하는 위생법이 실행될 수 있도록 귀 공사께서 조선정부와 교섭해 주시기를 청원하는 바입니다." 그러나 그들의 요구는 사실상 한국인들의 위생상태의 증진을 위한 것이라기 보다는 한국인 주거지역의 불결함으로 인하여 일본 거류민들이 입는 피해를 줄이기 위한 것이었다.-경성거류민단역소, 2010, 앞의 책, p.232

[24]
京城府. 1936. 京城府史, 第2卷. 京城: 京城府, p.682

[25]
1907년 통감부가 처음 영어로 출간한 '한국의 진보와 개혁에 대한 연례보고서'는 각종 설명과 사진자료, 통계자료 등을 이용하여 일본이 한국을 보호국화 한 이후 얼마나 발전시켰는지를 위생과 도로 정비 등의 구체적인 내용들을 증거로 보여주고자 하였다.-슈미드 앙드레, 정여울 옮김. 2007. 앞의 책. p.377

비교하는 자료들의 출간을 통하여 한반도에 대한 일본의 식민지배를 선전하였다.[25] 이러한 태도에는 한국 및 한국인을 더 열등한 존재로 부각하면서 일본의 침략지배를 정당화하는 식민지적 시선이 깔려 있는 것이었다.

그러나 한성부의 한국인 주거지역과 일본인 거류지역을 비교하면서 우열의 문제로 바라보는 데에는 여러 가지 문제점이 발견된다. 첫 번째는 일본인 거류지 자체의 성격의 문제이다. 거류지는 앞서 살펴본 바와 같이 메이지유신明治維新 이후의 일본인들이 한국으로 와서 살기 시작하면서 만들어진 지역이었으나, 러일전쟁 이전까지 거류지의 구성원들은 대부분 근대의 혜택, 즉 근대식 교육을 받거나 근대적 기술을 가진 이들이었다기보다는 상업적 이익을 위해 서일본지역에서 온 이들이 대부분이었다. 특히 이들이 일본에서 경험한 것은 서양으로부터 유입된 근대 문명과 일본의 전통식 문화가 섞여 있는 과도기적 도시 문화로서, 기술적, 물질적으로는 서양 근대화의 양상을 좇으나 문화적, 정신적으로는 그렇지 못하여 오히려 이전의 시대에 머무르면서 국수주의적, 민족주의적 성격이 나타나는 것이었다. 특히 한성부 내 일본인 거류민들은 거류지 내에서 일본에서 살던 생활방식들을 그대로 고수하며 살고자 하였으며, 거류민들이 자체적으로 만들어낸 도시변화란 결국 본국 일본의 환경과 최대한 유사하게 만들고자 한 것이었다. 따라서 이들은 거류 초기부터 일본식 가옥들을 건축하고, 일본에서의 경험에 근거하여 각종 제도들을 정립하였으며 일본식 일상생활문화를 만들어 나갔다. 특히 상점가나 유흥가의 문화와 거류지 공동체 문화는 에도江戸시대 이전부터의 일본 문화가 바탕이 된 것이었다. 즉 같은 시기 일본이 보여주던 과도기적 근대화의 양상이 거류지에서도 부분적으로 도입되어 근대식 교육 및 의료제도 등을 실시하고 근대적 도시관리기법들을 시도하나 여전히 생활문화는 일본의 에도江戶식 생활문화에 머무르는 모습을 보여주는 것이다. 그리고 그 수준 역시도 일본의 대도시에서 이루어지고 있던 변화의 양상과는 거리가 있는 것이었다. 그래서 일본의 메이지유신明治維新 이후의 도시 생활을 경험한 서양인들이 한성부 내 일본인 거류지에 대해서 '일본식' 이라고 일컫고 있는 것임을 알 수 있다.

두 번째로 생각해볼 것은 한성부의 일본인 거류지에서 만들어지는 도시 변화는 서양의 근대적 변화와 그 성격이 다르며, 같은 시기 일본에서 일어난 근대적 변화와도 성격이 다르다는 점이다. 서양 도시들의 근대화는 기본적으로는 르네상스 이후 도시 상업의 발전과 시민계급의 성장과 함께 이루어진 것으로서, 경제력을 가진 근대적 주체(시민계급)의 등장에 의해 도시가 성장하기 시작한 이후 산업혁명을 겪으면서 급격하게 도시인구가 증가하여 기존의 도시가 수용할 수 없는 수준에 이르렀고, 이에 따라 질병 및 범죄 등의 병폐들이 나타나기 시작하여 이를 해결하기 위해 본격적인 도시계획이 등장한 것이었다. 이와 같은 근대적 도시계획에 의한 서양 도시의 변화는 기본적으로 도시 교통 체계의 확립, 도시 위생 개념의 도입 및 도시 건축의 정비 등의 특징을 가지며, 기본적으로 일본이나 한국에서 벌어진 도시화 양상 자체는 이와 유사한 모습을 보인다. 그러나 서양의 경우 오랜 시간 동안 도시가 직면한 문제들을 해결해 나가면서 체계적인 도시 관리 체계를 형성해 나간 것이었으며, 근대적 주체의 성장 및 사회문화의 근대화 등 물질적인 측면에서뿐만이 아닌, 정신적인 측면에서의 발전을 함께 동반하는 것이었다. 그러나 일본은 개항 이후 빠른 속도로 서구 문명과 과학 기술을 도입하여 서양과 같은 근대화를 이루고자 하였으나, 근대적 주체의 성장이나 이를 뒷받침할 정신적 바탕이 성장하지 못한 채 국가권력에 의해 서양 근대 문명과 기술을 빠른 속도로 도입하는 상황이었다. 따라서 일본의 근대화는 국가주도, 즉 위로부터의 근대화의 양상을 가지는 것이었다. 이처럼 일본 도시의 근대화 과정이라는 것이 기본적으로 서양 도시의 근대화 과정과 다른 것이었음을 알 수 있다. 그런데 일본인 거류지의 경우는 일본 본국에서 동시대에 일어난 변화와도 성격이 다르다. 일본에서는 메이지明治정부라는 강력한 국가 권력이 주체가 되어 서양의 근대 도시화에서 만들어진 제도와 기술들을 도입하여 위로부터의 근대화를 추진하였지만, 식민화 이전의 거류지에서는 일본의 국가권력이 본격적으로 개입할 수 없었기에 같은 성격의 근대화를 추진할 수는 없었다.

결국 앞서 이야기했던 바와 같이, 일본인 거류지에서 민간이 주도가 되어 만들어낸 도시 변화의 모습들은 한정된 지역에서 일어난 국지적인 변화들로서 한계를 가질 수밖에 없는 것이었다. 물론 이 변화들에서도 서양 근대도시에서 등장하였던 도시관리기법들이 부분적으로 도입되기는 하였으나 이를 전체적이고 체계적인 근대 도시화의 과정이라 볼 수는 없는 것이었다. 따라서 거류지의 도시 변화는 한국인들이 원래 거주하고 있던 지역에 외부인인 일본인들이 거류하기 시작하면서 서양식 근대문명과 일본식 전통문화가 뒤섞여서 나타나는, 즉 한국과 일본, 서양의 문화와 문명이 혼종적으로 만들어낸 도시환경을 구축한 것으로 이해할 수 있다. 또한 일본인 거류지에서의 도시 변화는 일본인들이 한성부에 들어와서 살아가기 위해 만들어낸 변화로서, 위로부터의 변화가 아닌 아래로부터의 변화였음을 알 수 있다. 즉, 한국에서 일본이라는 식민 권력이 아직 정립되기 이전에 일본인 거류민이라는 개인들이 거류민단이라는 자치기구를 조직하여 그들의 생활과 생존을 위하여 만들어 낸 변화들로서 그 성격상 체계적이고 장기적인 관점에서 만들어지기 어려운 것이었으나 사람들의 생활에는 더욱 밀접한 변화를 만들어낸 것이었다.

그러나 러일전쟁 이후에는 일본의 한국에 대한 침탈, 즉 식민지화의 준비가 본격적으로 이루어지기 시작하면서 거류지 도시 변화의 성격도 점차 변화하기 시작하였다. 통감부 설치 이후에는 통감 및 재정고문, 경무고문 등 일본 관리들을 파견하여 한국의 내정에 간섭하기 시작하면서 정치적으로 본격적인 식민지화를 진행하였고, 거류지 내에는 점차 식민 통치를 준비하기 위한 시설들이 들어서기 시작하였다. 거류지는 한성부 전역으로 그 영역을 확장해 나갔으며, 거류 초기부터 한국인을 대상으로 활발한 상업활동[26]을 하던 일본 상인들은 통감부 설치 이후 일본 정부의 지원을 받아 본격적으로 회사를 설립하며 경제적인 식민지화 역시 준비하기 시작하였다. 결국 일본인 거류지의 도시 변화의 문제는 식민지화와도 밀접하게 연관이 있음을 알 수 있다. 거류지의 변화에는 전통도시가 근대도시로 변화하는 과도기적 양상들이 나타나지만 그 안에는 일본의 한국 식민지화에 대한 의도가 숨겨져 있는 것이었다. 물론 거류지의 초기 변화는 거류민들이 일본에서처럼 생활할 수 있는 환경을 만들어 내는 것, 즉 자신들의 안정과 생존을 위해 시도하는 변화들이었으나 점차 일본 상인들이 청국 상인, 한국 상인들과의 경쟁에서 우위를 차지하게 됨에 따라 상업적인 측면에서 한국인들에게 미치는 영향이 커졌으며, 고리대금을 통해 한국인들의 자본을 침탈해 나가면서 경제적 측면에서의 영향력을 점차 키워 나갔다.[27] 이는 통감부 설치

[26]
일본은 개항 초부터 한국을 주력시장으로 인식하고 한국인들의 수요를 파악하여 그 취향에 맞는 상품들을 공급함으로써 한일무역을 증진시키고자 하였다. 1895년 한국을 방문한 이사벨라 비숍은 일본 상인들에 대해 "주변국으로서 일본이 갖는 이점은 주로 그들의 예민한 대리점들에 의해 획득한 정보의 정확성에 기인한다. 이 대리점 직원들은 한국의 모든 읍과 농촌을 방문한다. 그리고 그들의 정보에 따라 제조업자들은 소비자들의 취향을 연구하고 한국 시장의 요구를 연구한다."라고 기록하고 있어, 일본이 적극적으로 한국인 취향에 맞는 상품을 공급하였음을 알 수 있다.-이사벨라 버드 비숍, 이인화 옮김, 1994, 앞의 책. p.446

[27]
바츨라프 세로셰프스키의 '코레아 1903년 가을'에는 한국인이 바츨라프에게 "그놈들은 최악입니다. 그들은 산 채로 우리 목에 올가미를 걸고 있어요. 그놈들이 은행을 열어서 우리한테 돈을 빌려줍니다. 그리고 우리 모두 곧 그들의 노예가 될 것입니다. 서울 땅의 삼분의 일이 벌써 그들 소유라는 것을 아십니까? 다들 그들에게 저당을 잡히고 또 잡히고 있지요."라고 불평하는 내용이 기록되어 있다. 이를 통해 일본인들이 전당업으로 한국인들의 토지를 점차 빼앗아 갔음과 이에 대해 한국인들이 불안을 느끼고 있었음을 알 수 있다.-바츨라프 세로셰프스키, 김진영 옮김, 2006, 앞의 책, p.422

이전부터 진행된 일들로써 정치적인 식민지화가 본격적으로 시작되기 이전부터 경제적, 생활적인 측면에서 식민지화가 의도했던 아니던 간에 진행된 것을 알 수 있다. 1905년의 제2차 한일협약(을사늑약) 및 1906년의 통감부 설치, 그리고 1907년의 한일신협약을 거치면서 한성부는 본격적으로 일본의 식민지화 되기 시작하였으며 거류지는 이 식민지화를 준비하는 전초기지와 같은 역할을 하였다.

앞서 살펴본 바와 같이 일본인들은 한성부 내의 한국인 거주지역과 일본인 거주지역의 차이를 부각시키면서 일본의 식민지화를 정당화하였다. 1910년 이후에는 일본인 거류지를 통해 이루어낸 발전 양상을 한성부의 근대 도시화에 있어서 중요한 부분으로 다루면서[28] 일본인 거류지가 있었던 남촌 일대를 중심으로 본격적인 한성부의 근대도시화를 계획하였다.[29] 이는 남촌 일대에 통감부, 이사청을 비롯한 주요 통치기구들이 위치하였을 뿐 아니라, 이미 부분적인 도시 기반시설의 구축 등 근대도시로의 변화가 진행되고 있던 지역이기도 하였기 때문이다. 물론 이 지역에는 한국인보다 일본인들의 비율이 훨씬 높아 우선적으로 예산을 투자하여 그 혜택을 주고자 한 의도도 있었다. 또한 1910년 이후 한성부는 기존의 성 안 지역 이외에도 용산의 비약적인 발전이 이루어져 한성부와 용산이라는 두 개의 중심을 가지는 이중적인 도시 구조를 갖추게 되는데, 이 역시도 러일전쟁 이후부터 용산 지역이 개발되기 시작하며 이루어진 결과라 할 수 있다. 이처럼 1910년 이전의 일본인 거류지의 발전은 1910년 이후 한성부의 전체 도시의 중심이 남촌 일대로 옮겨가며 이 지역을 중심으로 근대도시화, 식민도시화가 일어나는 바탕이 되었다. 이와 같은 측면에서 보았을 때 1910년 이전의 한성부 내 일본인 거류

[28] 1911년 기록된 경성발달사의 서문에는 이러한 일본인들의 인식이 잘 나타나고 있다.

[29] 1912~14년의 경성부시구개정사업은 경운궁과 구리개 일대를 중심으로 하는 방사선형 도로 체계를 2개 만들어 한성부의 중심으로 만들고 있으며, 1910년 이후의 전차 개설 및 도로개수사업 등은 모두 남촌 일대에서 우선적으로 진행되었다. 한국인 지역인 종로를 비롯한 청계천 이북 북촌 지역에 도로개수사업을 비롯한 도시기반시설 설치 및 도시정비사업이 이루어지는 것은 총독부가 경복궁 내로 이전한 1929년 이후의 일이다.

지의 도시 변화란, 1910년 이후의 한성부가 식민 근대도시 경성으로 변화하는 근대도시화 과정과 밀접하게 연관된다고 볼 수 있다.

맺으며

한성부 속 '작은 일본'
일본인 거류지의 공간과 사회

남산 언덕 위 '작은 일본', 일본인 거류지
일본인 거류지와 주변과의 관계
일본인 거류지 연구의 불편함, 연구의 한계와 앞으로의 과제

한성부 속 '작은 일본', 일본인 거류지의 공간과 사회

한성부 내 일본인 거류지는 1882년 처음 거류를 시작했을 때에는 남산 언덕 위의 한성부 변두리 지역에 위치한 이방인들의 소규모 집단 거주지에 불과했으나, 일제에 의한 한일병합이 일어난 1910년에 이르면 한성부 남촌 일대를 아우를 정도로 크게 성장하였다. 거류 초기 상대적으로 거주 환경이 좋지 않았으며 지가가 저렴하였던 진고개 일대에 자리잡은 일본인들은 거류지 내에서 자신들만의 일본식 거주지를 구축하는 데 노력을 기울였다. 그러나 이 당시에만 해도 그들의 거류지는 수정壽町(주동)과 본정 4~5정목 일대를 벗어나지 않는 소규모였으며, 불안정한 안팎의 상황으로 인하여 거류민들의 활동 역시 제한적이었다. 이같은 상황이 변한 것은 청일전쟁을 전후해서였다. 청일전쟁 이전까지 한국에 큰 영향력을 행사하던 청국의 세력이 약화되자 일본의 한반도 침략 야욕은 점점 커져 갔고 일본인 거류민들의 활동 범위 역시 남대문로 일대까지 확장되며 적극적으로 이 일대에 일본식 마을 만들기를 시도하였다. 거류민들의 일본식 마을 만들기 시도는 단순히 일본식 주택이나 상점을 짓는 수준이 아닌, 거류지 도로를 개수하고 교육 및 위생, 치안과 소방제도를 정립하고 필요한 시설들을 다수 건축하는 수준에까지 이르렀다. 군인과 작부 등 청일전쟁 당시 유입된 인구로 인하여 거류지 인구도 크게 증가하였으며, 거류지가 안정화될수록 한반도 내에서의 경제적 성공을 꿈꾸며 유입되는 일본인 거류민들도 점차 증가하였다. 제2차 한일협약(을사늑약)의 체결로 본격적인 통감정치가 시작되자, 일본인 거류지는 한성부의 남촌 일대를 차지할 정도로 급격히 성장하였다. 이전까지 일본인 거류민들이 영사관의 보조를 받아 자체적으로 일본인 거류지의 도시환경을 구축해나가는 것이었다면 이 시기부터는 통감부라는 권력의 전폭적인 지원에 힘입어 일본인 거류지를 중심으로 한 한성부의 변화가 시작되었다. 통감부의 도시 사업에서 일본인 거류지는 항상 우선시 되는 지역이었으며 거류지는 진고개 일대를 넘어 북으로는 청계천까지, 동으로는 광희문에 이르는 지역까지, 또한 성문 밖 용산지역에 이르기까지 폭발적으로 팽창하기 시작하였다. 일본인 거류지 인구 규모는 3만 명에 이르게 되었으며, 본정本町을 중심으로 한 거류지 상업은 전통적인 한성부의 상업 중심지였던 종로 상점가를 위협하는 수준에 이르렀다. 한성부 변두리의 '작은 일본'은 약 25년 만에 한성부 전체에 '일본 제국'의 영향력을 미치는 수준으로 성장하였다.

남산 언덕 위 '작은 일본', 일본인 거류지

이처럼 일본인 거류지가 약 25년이라는 빠른 시간 동안 한성부 내에서 급격하게 성장할 수 있었던 것은 청일전쟁과 러일전쟁을 겪으며 한반도 내에서 급격하게 강화된 일본의 정치적 힘이 바탕이 된 것이지만, 다소 불안하였던 거류 초기부터 상업적 목적을 가지고 한성부에 들어온 상인들을 중심으로 일본인 거류민들이 적극적으로 상업 활동을 하며 그 활동 범위를 점차 확장해 나갔기 때문이기도 하였다. 즉, 일본인 거류지를 움직인 힘은 일본 제국이라는 국가 권력과 일본인 거류민이라는 민간 주체였다. 특히 일본 제국의 권력이 한성부 내에서 본격적으로 그 힘을 발휘하기 시작한 1905년 이전에는 일본인 거류민들이 중심이 되어 이 일대의 변화를 주도하였다. 이러한 측면에서 일본인 거류지의 도시 변화는 '민'民이 주도한 도시 변화로서 살펴볼 만한 가치가 있었다. 민이 주도한 변화라는 것은 결국 그들이 어떠한 사람들이었느냐와 직접적으로 연관이 있다. 일본에서 건너온 한성부 거류민들은 메이지 유신 이후의 일본의 변화를 직·간접적으로 겪으면서 서양의 근대 문물을 접할 기회를 가졌던 이들이었을 것이나, 출신 지역이 대도시보다는 서일본 지방 출신들이 많았던 데다가 근대 문명의 혜택을 받은 상위층이 아닌 하위층이 많았던 탓에 이들이 경험한 메이지유신 이후 일본의 근대화된 모습이란 매우 부분적이고 제한적이었을 것이라고 예상해 볼 수 있다. 그럼에도 불구하고 한국보다 먼저 개항한 후 근대화를 추진하였던 본국의 상황과 분위기상 이들은 거류지에도 부분적으로나마 일본이 받아들인 서양 근대문물들을 도입하고자 하였음을 알 수 있다.

거류지의 도시 변화를 주도한 주체가 관官과 민民이라는 두 가지 주체로 나뉘는 만큼 거류지 도시 변화의 특징들 역시 초기 근대적인 성격이 나타남과 동시에 일본 전통적인 성격도 나타났다. 먼저, 거류민들은 교육이나 위생 등의 제도적 차원에서 서양 근대 문물들을 적극적으로 수용하는 모습을 보였다. 근대적 교육제도를 적극적으로 도입하고자 한 것은 교육을 통해 부국강병을 이루고자 하였던 메이지 유신의 기본적인 사상이 전 일본에 퍼지면서 교육의 중요성에 대한 일종의 사회적인 합의가 이루어졌었기 때문이라 생각된다. 근대적 위생제도의 도입 역시 콜레라 등의 전염병으로 인하여 많은 피해를 입고 있었던 당시 한성부의 상황상 거류민들의 건강과 생존을 위한 것이었다고 볼 수 있다. 한편 도로개수사업이나 상수도사업 등 근대 도시화에서 나타나는 도시정비사업을 수행한다든지, 서양식 건축물을 신축하는 등 서양 근대 문물들을 도시 환경 구축의 물리적인 차원에서도 도입하고자 하는 변화도 일어났다. 그러나 이는 일본인 거류지에서 뿐만이 아닌 당시 한성부 전체에서 일어나고 있었던 변화였으며, 시행 시기 및 내용에 있어서만 약간의 차이를 보이고 있었을 뿐이었다.[1] 또한 서양식 생활을 위한 상품들이 일본인 상점들에서 판매되고 인력거 및 자전거와 같은 다양한 기계들도 거류지 내에 많이 등장하기 시작하였다. 이렇게 거류지에서는 메이지 유신 이후 일본이 수용한 서양 근대 문명의 양상들이 부분적으로이기는 하나 도입되는 모습을 발견할 수 있었다.

[1]
하수도를 석재로 만들어서 덮개로 덮고 지하에 매설한다든지, 상수도를 철관을 이용하여 만든다든지 하는 것은 한성부의 타지역에서와는 다른 방식으로 시행된 것이었다. 이러한 상하수도 구축 기술을 사용하였다는 것은 상당히 주목해볼만한 것이라고 할 수 있으나, 당시 이러한 기술이 다른 지역에서는 불가능하였다기보다는 한성부는 그 범위가 매우 광대하였기에 이와 같은 상하수도 환경의 구축이 상대적으로 소규모였던 거류지에 비해 어려웠을 것이라고 추정해볼 수 있다. 상수도의 경우 한성부에서도 그 필요성이 계속 주장되어 왔으나 여러 가지 어려움으로 계속 진행되지 못하다가 1908년에 설치되는 것을 볼 수 있다.

그러나 사실상 거류지에서 구축된 전체적인 도시환경은 서양 근대식이라기보다는 일본식에 가까운 것이었다. 즉, 메이지 시대에도 여전히 남아있던 전근대적인 에도시대 일본의 모습들이 거류지에서도 그대로 발견되는 것이었다. 거류지의 대부분을 차지한 가옥과 상점들은 마치야 및 일본 전통 민가였으며 유곽을 중심으로 대합실(찻집), 흥행장, 유기장, 대궁장, 대중문화소극장 등 에도시대 유흥구의 주요 시설들이 설치되기도 하였다. 또한 에도시대 사교장소 중 하나였던 목욕탕과 이발소 등이 거류지에도 설치되었으며 일본식 나막신과 나무통, 다다미 등의 일본식 생활을 위한 상품들을 파는 상점들도 다수 존재하였다. 초혼제 및 거류민들의 생활 속 일상적인 의례들 역시 사찰과 신사神社를 중심으로 이루어져 일본의 전통적 종교문화가 거류지에도 그대로 도입되었음을 알 수 있다. 거류지의 상업환경이나 생활환경 등 거류민들의 일상생활과 관련된 부분에 있어서는 메이지 유신 이후의 근대적 일본의 모습이라기보다는 에도시대 일본 도시민들의 생활과 더 유사한 모습을 보이는 것을 알 수 있다.

이는 사실상 메이지시대 일본의 특징인 서구화된 근대적 문명으로서의 '메이지 문명'과 일본 전통적 생활 방식인 '에도 문화'의 공존 현상이 거류지에서도 나타나는 것이라 할 수 있다. 메이지유신 이후 일본에서는 적극적으로 서양근대기술 문명을 받아들이고 전반적인 사회 시스템을 근대화 하고자 하였는데, 이와 같은 노력은 기술적, 물질적으로는 성공하였으나 정신적으로는 성공하지 못하여 오히려 국수주의적, 민족주의적 성격이 나타나면서 사람들의 생활문화는 이전의 시대에 머무르는 모습을 보였다. 거류지에서도 마찬가지로 일본이 메이지유신 이후 서양근대문명을 받아들인 결과로 나타난 근대적인 제도와 근대적 기술 등은 부분적으로나마 거류지 도시환경의 구축에 영향을 주고 있으나, 에도시대부터 가지고 있었던 일본의 도시 생활 문화 역시 그대로 도입되어 서양근대문명과 일본 전통문화의 공존이라는 특성을 가진 메이지 일본의 모습들이 나타나고 있었다. 그러나 메이지 일본의 모습 중에서도 근대문명의 도입은, 그 주체가 관이 아닌 민이었으며, 본국이 아닌 타국에서 이방인이 시행하는 변화였기에 일본 본토만큼 적극적으로 시행되는 것은 아니었다.

한성부의 '작은 일본', 진고개 혹은 本町

일본인 거류지와 주변과의 관계

일본인 거류지는 초기에는 침입자들의 소규모 임시 거주지였으나 일본의 한국 식민화가 진행됨에 따라 식민지배자들의 대규모 정주지로 변하는 양상을 보였으며, 그들이 거류지 내에서 만들어내는 변화는 일부 초기 근대화의 특징을 가지고 있음과 동시에 일본화와 서양화가 혼재되어 있어 독특한 양상을 보였다. 이러한 변화는 단순히 그들(일본인 거류민들) 만의 역사로서가 아닌, 당시 한성부의 도시 변화와 연계지어 해석되어야할 필요가 있다. 일본인 거류지의 도시 변화는 전통도시에서 근대도시로 전이되는 과정에 있었던 한성부의 도시변화에 직·간접적으로 영향을 미쳤을 뿐 아니라, 일본인 거류민 외의 한성부민들, 즉 한국인들과 서양인·청국인들에게도 영향을 주었을 것이기 때문이다. 잡거지였던 한성부의 특성상 이들은 서로 영향을 주고 받을 수밖에 없었을 것이며 일본인 거류지의 확장 과정은 곧 다른 지역의 축소를 의미하는 것이기 때문이다.

서양인들의 일본인 거류지에 대한 인식과 서양인 거류지와 일본인 거류지의 관계에 대해 살펴보면 앞서 살펴본 바와 같이 서양인들은 일본인 거류지를 깨끗하고 편리한 일본식 마을로 인식하고 있었다. 서양인들은 일본인 거류지의 편의시설들을 자주 이용했으며 서양인 거류지 내에 가메야龜屋, 츠지야辻屋를 비롯한 선박 무역업을 하는 일본인 상점들이 생기기도 하였다. 그러나 한반도 내에서의 패권을 두고 경쟁하던 서양인들과 일본인들은 한성부 내에서도 경쟁적으로 도시 변화를 이끌어내기도 하였는데, 1895년 정동 도로개수사업과 본정 도로개수사업은 그 예라 할 수 있다. 서양인 거류지가 위치하였던 정동과 일본인 거류지가 위치하였던 진고개 일대는 19세기 말 한성부에서 가장 눈에 띄는 도시적 변화가 일어난 곳이었다. 1880년대 중반부터 정동 및 남산 일대에 경쟁적으로 각국의 공사관을 신축한 서양 각국과 일본은[2] 필요 시설들과 상점들을 각자의 양식으로 지으면서 한성부의 경관을 크게 변화시켰다. 그 결과 정동 및 경운궁 주변은 서양식 건축물들과 2층 한옥상가들로 이루어진 서양식과 한국식이 혼합된 도시경관을 형성하였고, 일본인 거류지는 서양과 일본, 한국이 모두 혼재된 상황 속에서 일본색이 두드러지는 도시경관을 형성하

[2]
1885년 일본공사관이 남산 언덕 위에 2층 목조 건축을 지은 것을 비롯하여 1889년에는 프랑스공사관, 1890년에는 영국과 러시아공사관, 1891년에는 독일공사관이 경운궁 주변의 정동에 각국을 대표하는 양식들로 지어졌다.

였다. 서양인 거류지와 일본인 거류지의 다소 경쟁적이었던 도시 환경 구축사업은 러일전쟁 이후 서양인들이 한성부에서 철수하게 됨에 따라 일본인 거류지 측으로 무게 중심이 쏠리게 되었으며 기존의 서양인 거류지까지 일본인들이 진출하게 되었다. 즉, 서양과 일본의 세력 경쟁이 도시 변화에도 그대로 반영되어 러일전쟁 이전에는 정동지역이 한성부 내에서 가장 크게 변화하는 지역이었으나, 러일전쟁 이후에는 남대문로와 본정을 비롯한 일본인 거류지역이 크게 변화하면서 변화의 중심이 옮겨가는 것을 발견할 수 있다.

일본인 거류지에 대한 서양인들의 시선이 상호보완적이면서 경쟁적이었다면 한성부의 원래 주인인 한국인들의 시선, 즉 한성부민들과의 관계는 좀 더 복잡하고 복합적인 것이었다. 역사적으로 적대관계에 놓여있던 일본인만큼 일본인 거류지에 대한 한국인들의 시선은 불편함 그 자체였을 터인데 점차 일본인 거류지의 영향이 한성부에 미침에 따라, 특히 일본 상인들이 그 활동 범위를 한성부 중심으로까지 넓힘에 따라 한국인들과의 관계는 적대하면서도 외면하지는 못하는 양상으로 변하여 갔다.

일본인 거류민들은 한성부 내에서 한성부의 중심지역 가까이에서 거주하며 한국인들과 상대적으로 좋은 관계를 유지하고 있었던 서양인들과 청국인들과는 달리 한국인들과의 관계가 좋지 않았다. 임진왜란 등 일본과의 역사적인 적대관계에 더해 갑신정변, 을미사변과 같은 일본이 관여한 정치적 사건들은 한국인들의 일본인들에 대한 적대감정을 더 강화시켰다. 또한 거류 초기에 한성부에 들어온 일본인들의 문명 수준과 행동 역시 일본 영사관에서 여러 가지 규제를 할 만큼 질이 낮았기에 한국인들과 마찰을 일으킬 수밖에 없는 상황이었다. 거류지 내 일본 상점들의 한국인들을 대상으로 하는 영업이나 일본 상인들의 남대문로로의 진출 등 한성부 상계에 일본인들이 적극적으로 진출하며 이권 다툼이 일어나는 것도 일본인들에 대한 반감이 커지는 원인이 되었다. 그래서 거류민들은 거류지 자체적으로 경찰제도를 운영하고 소방조를 조직함으로써 자신들을 보호하고자 하였으며 일본 영사관 역시 끝없이 한국정부에 자국 거류민들의 안전 및 이권 보호를 위한 제도들을 요청하였다. 한편 일본인 거류민들의 불법적인 전신주 설치 등이 문제가 되자 한성부에서도 공식적으로 이 것들을 철거해줄 것임을 요청하기도 하고, 일본 상인들의 한국인 대상 영업에 대해서는 방문하는 한국인들에게 벌금을 물게 하는 등의 한성부 차원에서의 조치가 이루어지기도 하였다.

일본 거류민들에 대한 적대감에도 불구하고 일본의 세력은 점차 강화되었으며 일본인 거류지 역시 점차 확장되었다. 일본 거류민들은 고리대금을 통해 가난한 한국인들의 토지를 빼앗았으며 러일전쟁 이후에는 무력을 동원하거나 거짓 소문을 퍼뜨려서 신정新町 일대에 거주하던 한국인들을 내쫓고 그 일대를 거류지 영역으로 편입시키기도 하였다. 또한 1905년 메가타개혁 이후 일본인들의 회사 설립이 쉬워지고 일본 본국으로부터 막대한 자본력을 가진 대형 금융회사들과 상업회사들이 들어옴에 따라 한반도 내의 각종 이권들, 특히 철도부설권이나 광산업 등의 이권을 일본인 거류민들이 차지하는 상황이 벌어지기도 하였으며 연초제조업, 가구제조업 등 각종 제조업 회사들이 들어섬에 따라 일본인 소유주 아래에서 한국인 노동자들이 일하는 상황까지 벌어지게 되었다. 이처럼 일본에 대한 적대감과는 별도로 정치적 측면 뿐 아니라 일본의 경제적인 측면에서의 침탈이 본격화됨에 따라 한국인들은 일본인 거류민과 불편함 가운데 함께 공존할 수밖에 없는 상황이 되었다.

일본인 거류지의 도시 변화는 한성부에 직·간접적으로 영향을 주는 것이었다. 일본인 거류지에 생겨난 다양한 도시 시설들 중에는 당시 한성부에서는 기존에 없었던 새로운 것들인 경우도 많았으며 거류지 내의 독특한 생활 문화들은 한성부에서 매우 이질적인 것이기도 하였다. 한성부의 한국인들 역시 거류지에 등장한 다양한 상점들을 통해 상품들을 구매하기도 하고 서비스를 제공받기도 하였으며, 거류지 내 의료와 위생시설들은 차별적이긴 하였으나 한국인들을 대상으로 하기도 하였다. 신정 특별영업지역 등을 통해 각종 유흥문화가 들어오기도 하였다. 또한 개인의 소유지가 아닌 국유지인 한성부의 도로를 개수하는 등의 내용을 포함한 일본인 거류지의 도시개조사업들의 시행은 사실상 이 지역이 한성부에 속한 지역이지만 치외 법권이 인정되는 전관조계지와 유사하게 일본의 힘이 더 강하게 작용하는 지역임을 보여준다. 이처럼 한성부 내에서의 일본인 거류지란 불편한 존재인 동시에 점점 무시할 수 없는 존재가 되어갔다.

한성부의 '작은 일본', 진고개 혹은 本町

일본인 거류지 연구의 불편함, 연구의 한계와 앞으로의 과제

이 연구는 전반적으로 일본인 거류지의 생성과 변화 과정을 다루고 있다는 점에서 기존의 한국 근대 도시사 연구와 상당히 이질적인 성격을 가진다. 특히 일본인 거류지 연구를 과연 한국 근대 도시사 연구의 범주에 포함시킬 수 있느냐의 문제부터 시작하여, 일본인들에 의해 남겨진 기록들을 위주로 하는 연구 자체의 정당성의 문제까지 다양한 문제점을 안고 있으며 그 이상의 불편함, 즉 일본인 거류지의 발전 양상을 살펴봄으로써 오히려 그들의 식민지 지배를 정당화하는 것은 아닌가라는 불편한 시각이 존재하는 것도 사실이다. 그러나 한국의 근대화 과정에 있어 일본이 미친 영향은 긍정적이건 부정적이건 간에 매우 크며, 특히 전통도시 한성부가 식민근대도시 경성부로 변화한 과정이 한국의 근대도시화에 있어서 가지는 의미를 생각해볼 때 일본인 거류지의 문제는 불편하더라도 최대한 객관적인 시선을 유지하며 다루어야 할 문제일 것이다. 한국의 근대 도시화 과정은 한국의 근대화 과정과 마찬가지로 한국 정부의 주체적인 노력과 서양, 일본같은 외부로부터의 영향이 복합적으로 뒤섞여 이루어진 현상이었다. 러일전쟁 이전까지는 서양으로부터 직접 근대 문명을 수용하며 근대화를 시도하고자 한 한국 정부의 노력이 많았던 반면, 러일전쟁 이후에는 많은 서양인들이 본국으로 돌아가고 통감 정치가 시작됨에 따라 일본의 영향이 더욱 크게 나타나게 되었다. 일본의 영향은 일본이 전통적으로 가진 제도와 문화 등이 도입되는 것도 있었지만, 일본에 의해 번역된 서양 문물이 들어오는 것을 의미하기도 한다. 일본인 거류지는 일본의 영향, 즉 일본에 의해 번역된 서양의 근대 문물과 일본 자체의 근대 문물이 그대로 받아들여지는 장소라는 점에서 한국의 근대도시화에 있어 중요한 의미를 가지는 장소이다. 즉, 일본인 거류지는 한성부에 긍정적인 의미이건 부정적인 의미이건 간에 새로운 도시변화가 일어나는 하나의 창으로서의 역할을 했던 것이다.

그럼에도 불구하고 일본인 거류지의 도시변화를 살펴보는 것에 있어서 불편함은 여전히 남는다. 이는 일본인들이 거류지에서 만든 도시변화를 근거로 '식민지 근대화론'을 주장하였기 때문일 것이다. 그러나 거류지 도시 변화의 성격을 면밀히 살펴볼 때 오히려 일본인들이 주장한 식민지 근대화론의 논리적 오류를 발견할 수 있다. 일본인 거류지의 도시변화는 정치적인 식민지화가 시작되기 이전 일본인 상인들이 자신들의 생활을 위한 도시환경을 구축하기 위한 것에서 먼저 시작된 것이었다. 일본인 거류민들은 거류지에서 만들어낸 변화들에 상당한 자부심을 가지고 있었는데, 이는 그들이 초기의 불안정한 상황들을 이겨내면서 그들의 손으로 직접 만들어낸 변화였기 때문일 것이다. 통감부 설치 이후에는 일본인 거류민들이 만들어낸 거류지의 변화를 식민지화의 타당성을 뒷받침하기 위해 이용하는 성향을 보이기도 하는데, 예를 들어 청결하고 문명화된 일본인과 불결하고 미개한 한국인이라는 대비를 통해 한국의 근대화를 위해 식민지화가 필요하다는 식의 논리를 펼치는 것이었다. 그러나 앞에서 살펴보았듯이, 일본인 거류지의 도시변화는 메이지 초 일본의 모습과 마찬가지로 근대적인 양상과 전근대적인 에도시대 일본의 양상들이 혼합되어 있었던 것으로, 일본인들이 주장하듯 근대적이고 문명화된 모습만 있었던 것은 아니며 오히려 그들의 전근대적이고 야만적인 행태로 인하여 일본 영사관에서 우려를 표하며 금지규칙을 만들 정도이기도 하였다는 점이다.

이 연구는 1910년 본격적인 일제 식민화가 시작되기 이전, 한성부 내 일본인 거류지의 도시 변화와 그 영향에 대해 살펴보고자 한 것이다. 거류지의 변화란 물리적인 도시 공간의 변화 뿐 아니라 거류민 사회의 변화를 포함하는 것으로 결국 한성부 내 일본인 거류민들의 삶이 일본인 거류지, 즉 한성부의 특정 지역을 어떻게 변화시켰느냐를 살펴보기 위한 것이었다. 물론 일본인 거류지는 한성부의 일부 지역에 국한되며, 그 변화의 주체 역시 한성부민이 아닌 일본인 거류민이라는 점에서 특수성을 가진다. 그럼에도 불구하고 이 지역에서 나타나는 도로환경의 구축 및 상업화의 진전, 그리고 새로운 도시 시설들의 설치 등 도시환경변화의 보편적 양상들은 전통도시에서 근대도시로 변화하는 양상으로 이해할 수 있으며, 특히 한성부의 경우 1910년 이후 식민도시가 된다는 점에서 식민화와 연결지어 생각해볼 필요가 있다. 거류지의 도시환경변화는 초기에는 일본인 거류민들이 자신들의 생활을 위해 도시환경을 구축해 나가면서 만들어낸 도시 변화였지만, 통감부 설치 이후에는 한성부의 식민화의 준비과정으로 정치적 식민화의 과정인 동시에 상업과 생활의 차원에서의 한성부의 도시환경과 생활 속으로의 일본의 침투라는 측면에서 해석될 수 있다.

1885년에서 1910년에 이르는 시기 동안 거류지에서 만들어진 도시적 변화는 1910년 이후 한성부의 전체적인 도시 변화로 이어지면서 한성부 전체가 기존의 북촌北村 중심의 도시 구조에서 남촌南村 중심의 도시 구조로 재편되는 결과를 만들어 내기도 하였다. 그 동안 전통도시 한성부에서 근대도시 경성부로 전이하는 과정은 일본에 의한 식민화라는 단절을 기점으로 분리된 개념, 즉 식민화 이전의 한성부와 식민화 이후의 경성부로 다루어졌는데, 이 연구를 통해 일본인 거류지가 한성부에서 경성부로 전이되는 연결고리로서 남촌 일대의 도시 변화를 살펴볼 수 있었다. 그러나 이 연구는 1910년 이전의 한성부 내 일본인 거류지의 도시환경 변화에 치중함으로써 '일본인 거류지'라는 특수성에서 벗어나지 못하는 한계를 가진다. 거류지의 도시 변화가 1910년 이후의 변화와도 밀접한 연관이 있다는 점에서 1910년 이후와의 영향관계를 고찰해야할 필요성이 있으나 이 연구는 1910년 이전만 그 내용으로 다룸으로 인해 일본인 거류지가 한성부의 근대 도시화에 있어 어떠한 역할을 했는지에 대한 해석이 부족한 것도 사실이다. 따라서 후속적으로 1910년 이후 일본 제국에 의해 본격적으로 한성부가 식민근대도시 경성부로 변화하는 과정과 이 과정에 있어 일본인 거류지의 역할과 의미에 대해 연구되어야할 필요가 있다. 이는 일본인 거류지의 도시변화가 가지는 특수성을 넘어서 한성부의 도시변화에서 가지는 의미를 찾는 과정이 될 것이다. 한편, 한성부의 일본인 거류지는 다른 지역에 설치된 다른 일본인 거류지들, 즉 인천이나 부산, 군산 등 개항장에 설치된 일본인 거류지와는 그 성격이 다르다는 점에도 주목해볼 필요가 있다. 한성부를 제외한 대부분의 지역에 설치된 일본인 거류지의 경우 일정한 구역 안에 일본인들만 모여 사는 전관거류지였던 반면, 한성부의 일본인 거류지는 잡거지였기에 같은 시기 전관거류지에서의 도시환경변화와의 비교연구를 시도한다면 한성부의 일본인 거류지 도시환경변화의 성격을 조금 더 명확하게 파악할 수 있을 것이라 생각된다. 나아가 비슷한 시기에 일제의 식민화 과정을 겪은 타이베이를 비롯한 아시아의 다른 도시들의 일본인 거류지와의 비교 연구 역시 시도될 필요가 있다.

부록

일본인 거류지 내부 지도

1891년 二十四年機密信第十三號附屬

縮尺凡七百分之一
日本公使館
北
東

1895년 在京城日本人居住家屋番號附之圖

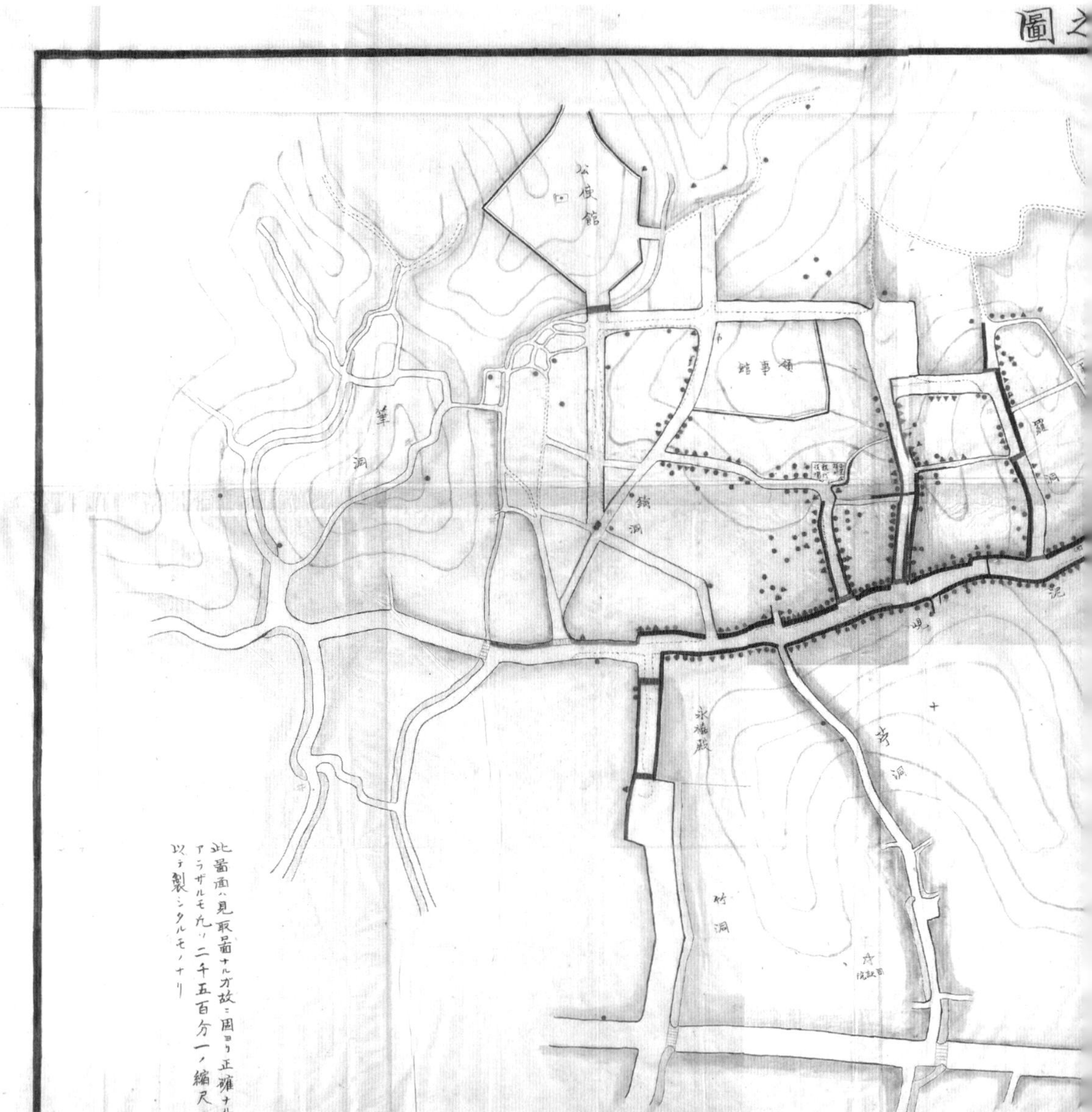

泥峴地方道路
公信第十三號添附之別紙圖面
南大門
北
日本領事館新築敷地
淸國公署
淸國理事府

1896년 泥峴地方道路修理之圖

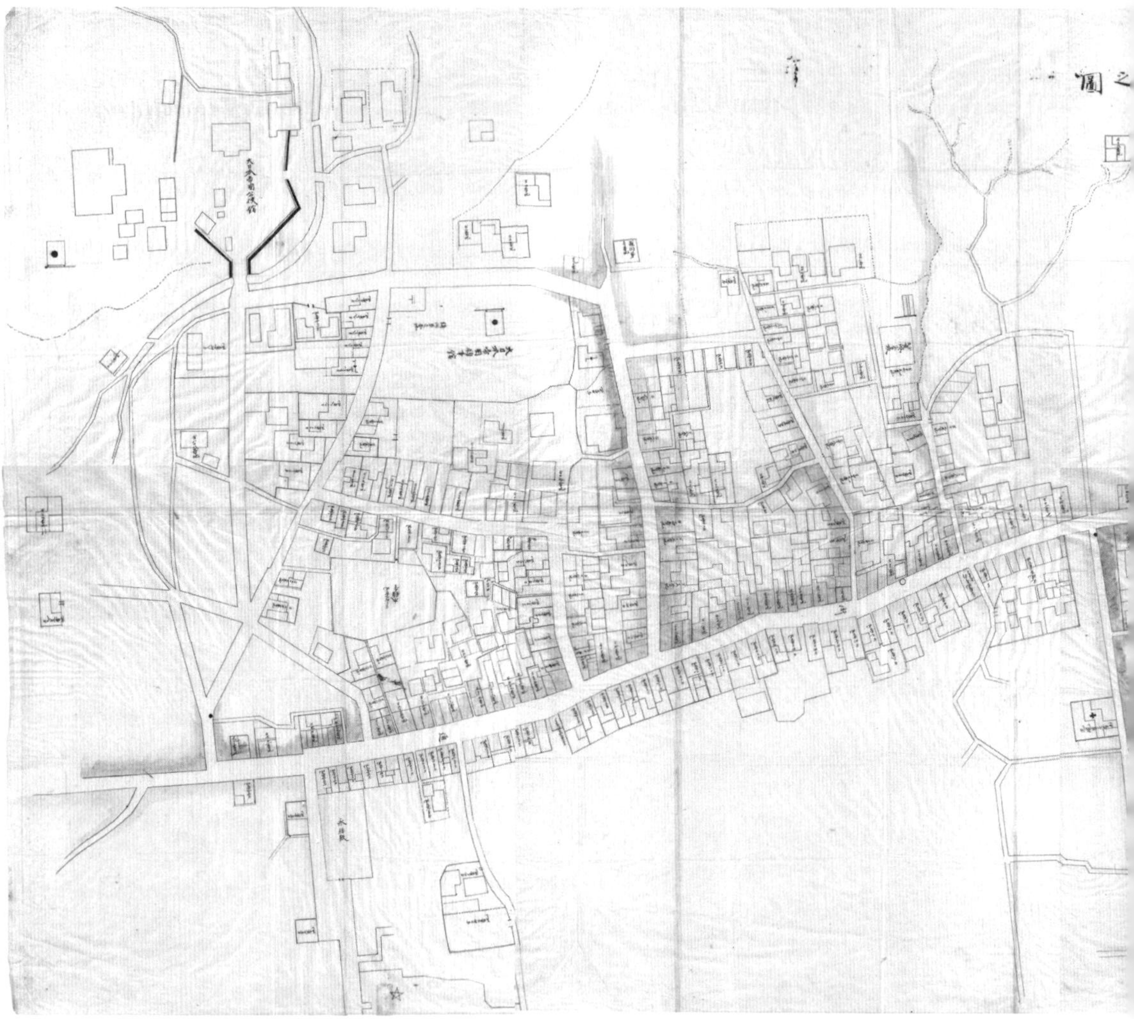

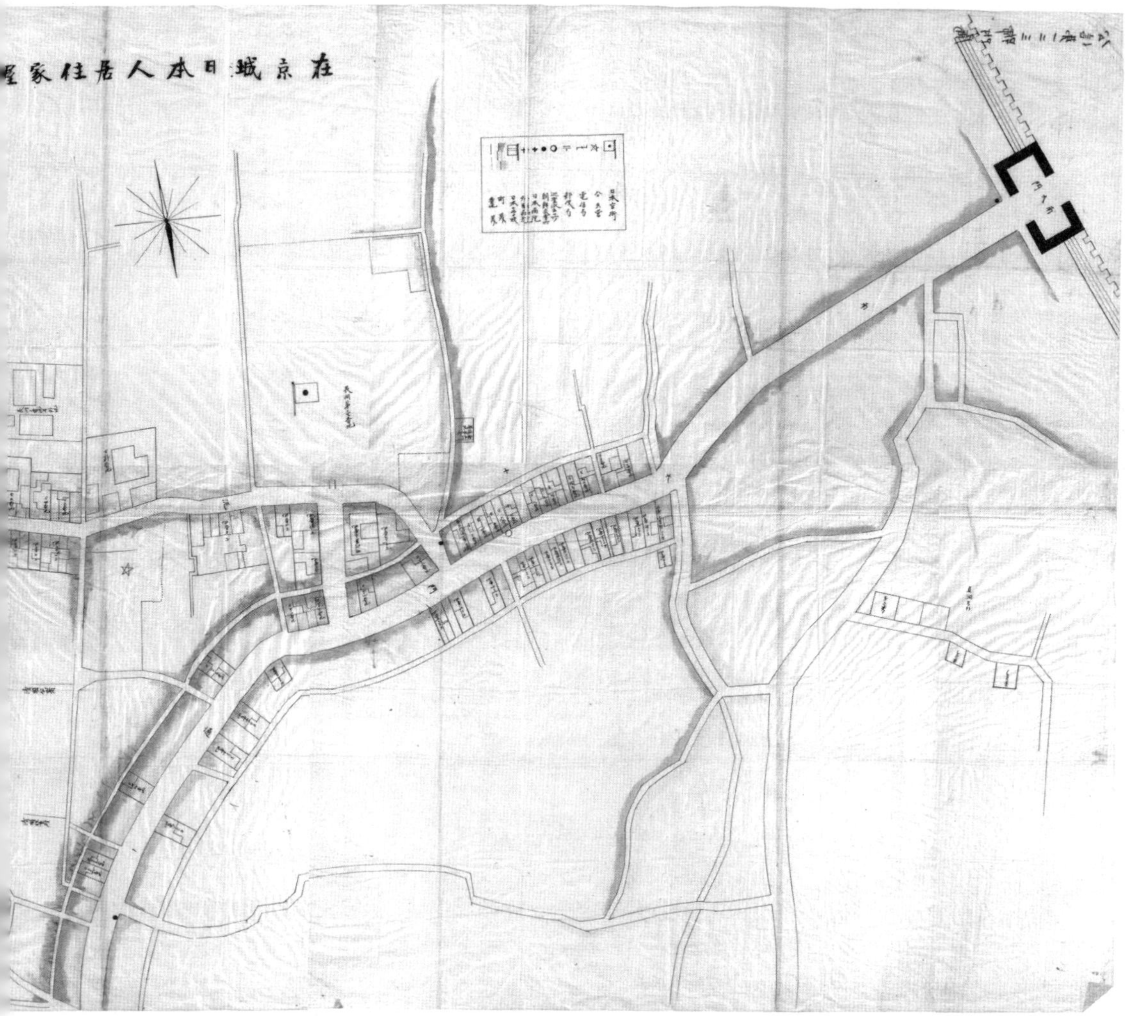

일본인 거류지 내부 지도

본정도로 주변 주요건물 분포 현황 (1907 최신경성전도에 표시)

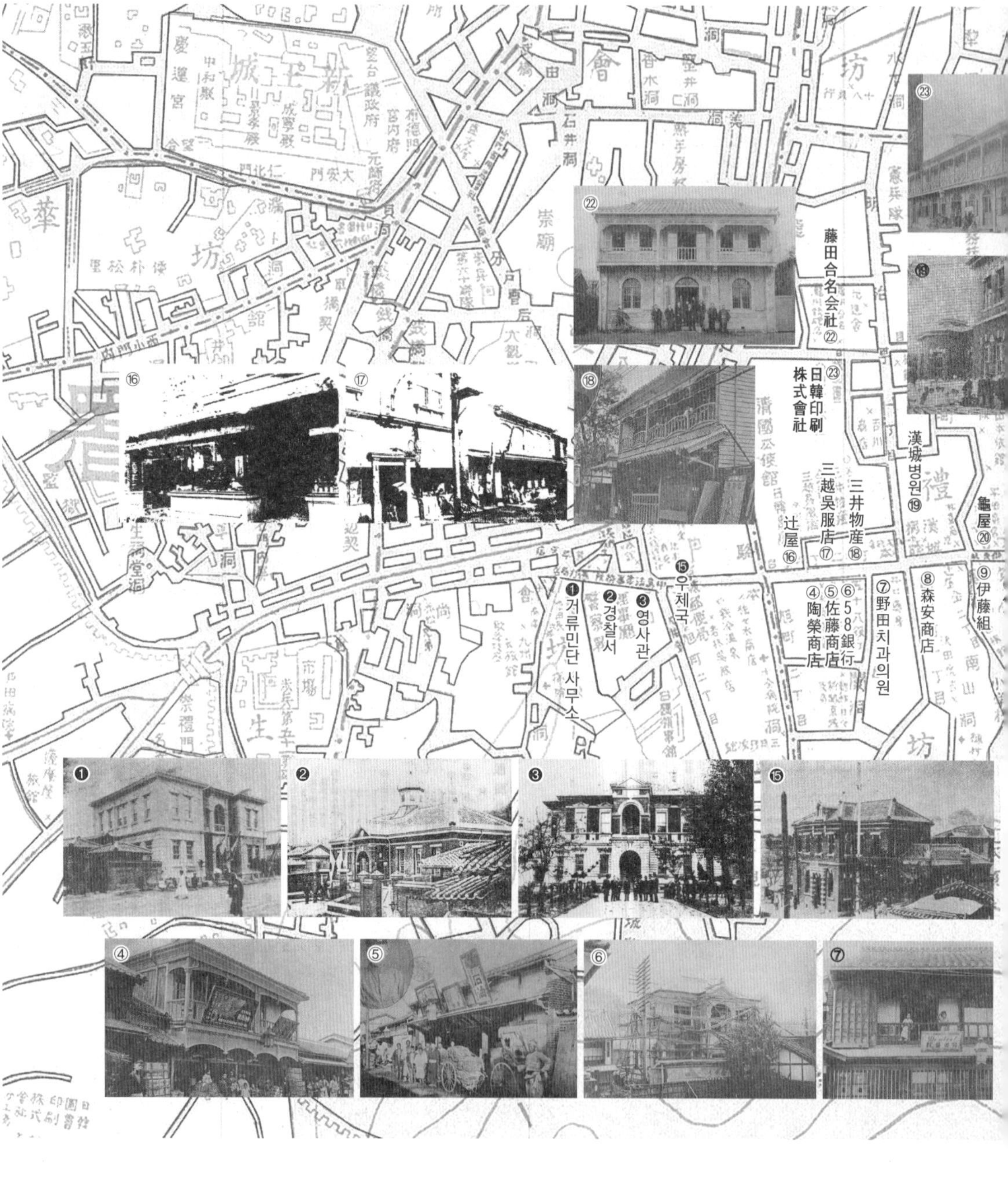

⑬藤當商店
⑭勢一商店
大
樂
誠
善
南
明
坊
大神宮
南倉

일본인 거류지 내 주요 도로

거류지 내의 도로는 조선시대부터 있었던 간선도로인 본정本町도로와 구리개길을 제외하고는 대부분 자연발생적으로 형성된 도로들로서 주로 물길을 따라 형성되어 있다. 1895년 이후 거류지 내 도로들은 일본인 거류민단과 한성부의 도로개수사업에 의해 도로 상황이 개선되었으며 1904년 이후에는 진고개 일대의 동부지역을 중심으로 새로운 도로가 신축되었다. 18세기 후반 제작된 도성대지도都城大地圖와 1861년의 수선전도首善全圖, 1903년 한성전도漢城全圖, 1907년 최신경성전도最新京城全圖, 1910년 경성시가전도京城市街全圖, 1912년 지적원도地籍原圖 등을 통하여 거류지 내 대표적인 도로들과 그 변화를 확인해 볼 수 있다.

동서방향의 도로

일본인 거류지 일대의 주요 동서방향의 도로는 조선시대부터 남부지방의 간선도로로서 중로中路 규모였던 본정도로와 구리개길, 그리고 명동성당의 신축 이후 확장되며 중요성을 띠게 된 명동길이 있다. 그 이외의 동서방향의 도로들은 자연발생적으로 형성된 것으로 노면 포장, 배수구 설치 등의 도로개수사업이 시행되기는 하였으나 그 규모와 내용상 중요성이 적으므로 다루지 않기로 한다.

Ⓐ본정本町(진고개길,泥峴)(현, 충무로)

일본인 거류지의 중심인 본정도로는 남대문로에서 시작되어 광희문까지 연결되는 동서 방향의 도로이다. 이 길은 조선시대부터 있었던 간선도로로서, 16척 정도의 도로폭을 가진

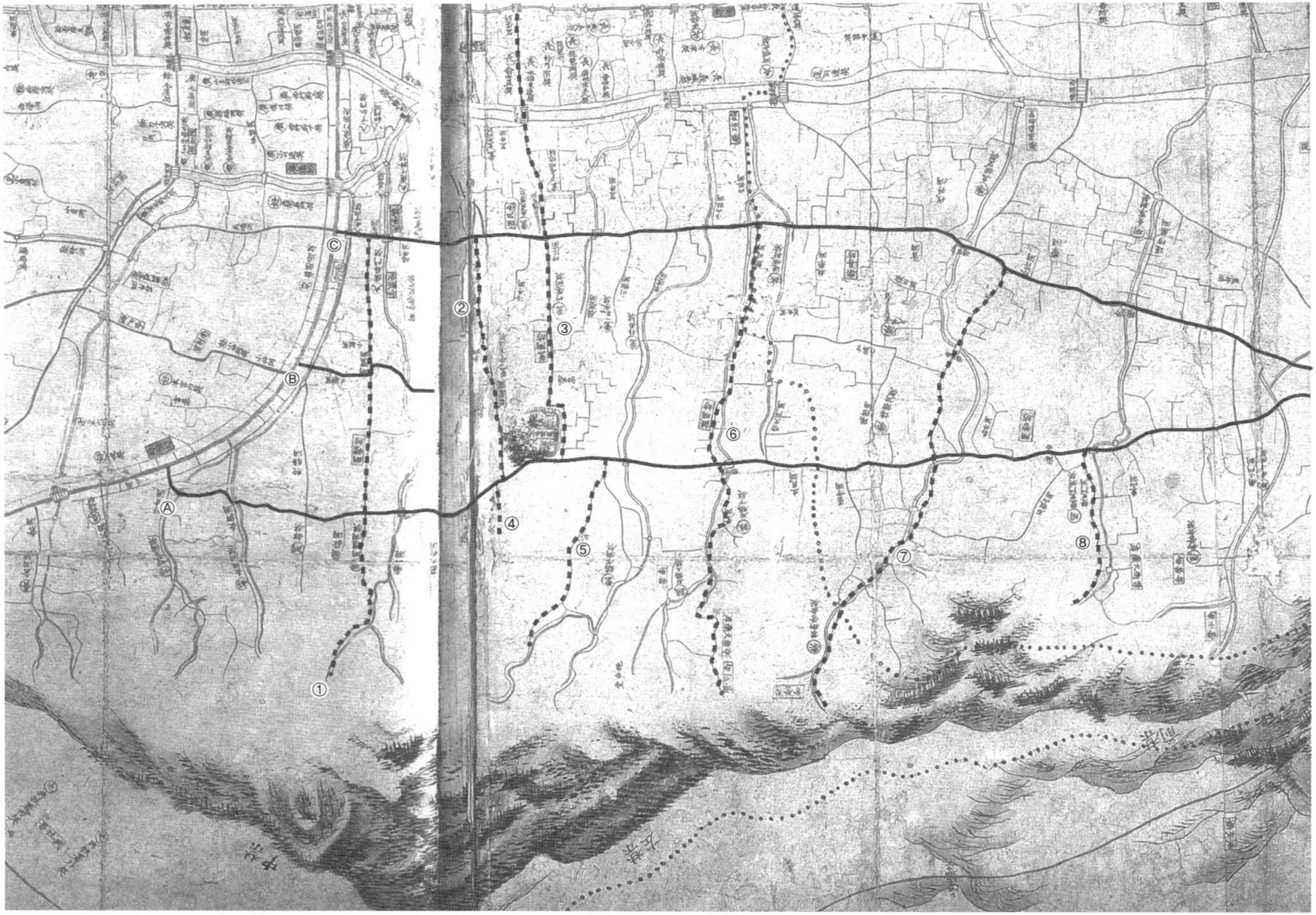

18세기 후반 일본인 거류지 일대 주요 도로 (도성대지도에 표시)

중로[1]였다. 이 도로는 진고개泥峴를 지나는 길이라 하여 진고개길이라 불렸는데, 한자식 표현으로는 니현도로泥峴道路라고 하였다. 일본식 지명으로는 본정(本町,혼마치)이다.[2]

본정도로는 조선시대 남촌의 동서를 잇는 주요 간선도로 중 하나였는데, 일본인들의 거류가 시작된 이후 그 중요성이 더욱 커졌다. 일본인 거류 이전까지는 남산골 샌님이라 불리던 쇠락한 양반계층과 중인, 서민들의 주 거주지였기에 기타 다른 간선도로에 비해 중요성이 덜하였으나, 일본인들의 거류가 시작된 이후 도로변에 상점가가 형성되고 도로개수사업을 통해 정비되며 거류지의 중심도로로 자리잡았기 때문이었다. 한성부를 간략하게 표시한 지도인 1861년 도성도都城圖(대동여지도)와 1900년 경성부근지도京城附近地圖를 비교해보면, 1861년 지도에서 동서 방향의 도로는 종로와 구리개길이 전부인 것에 비해 1900년 지도에서는 본정도로가 표현되어 있어 1900년 경에는 본정도로가 이전보다 중요해졌음을 알 수 있다.

일본인들은 본정도로를 일본식으로 구분하여 1정목에서 9정목까지 나누었는데, 이 영역을 시기별 발전에 따라 나누어보면 본정 1~3정목, 4~5정목, 6~9정목으로 나누어 볼 수 있다. 먼저, 일본인 거류가 처음 시작된 곳은 본정 4~5정목으로 1893년까지는 일본인들의 가옥매입이 4정목에만 한정되어 있어 일본인들의 거류는 이 지역에서 한정적으로 이루어졌다. 이 곳은 본정 내에서도 가장 번화한 일본식 상점가를 이룬 곳으로서 1910년 한일병합 이후에도 그 성격은 이어졌다.

본정 1~3정목은 1893년 일본 상인의 첫 남대문로 진출 이후 일본인들이 점차 남대문로 방향으로 거류 영역을 확대하

[1] 조선시대의 도로는 『경국대전』에 의해 대로, 중로, 소로로 구분되는데 대로는 그 폭이 56척(17.48m), 중로는 16척(5m), 소로는 11척(3.43m)에 이르는 길이었다.

[2] 일본인 거류민이 증가하자 우편물 배달의 편의와 거류민들의 편의를 위하여 거류지 일대에는 일본식 정명을 추가되었는데, 명치 34년(1901년) 3월 南山町, 壽町, 日出町, 旭町, 本町 등의 정명을 붙인 것을 시작으로 명치 37년(1904)에는 거류지 내의 기타 지역에도 정명을 사용하여 대정 2년(1913)까지 한국식 동명과 병용되었다.-경성부, 1936, 앞의 책, p.723

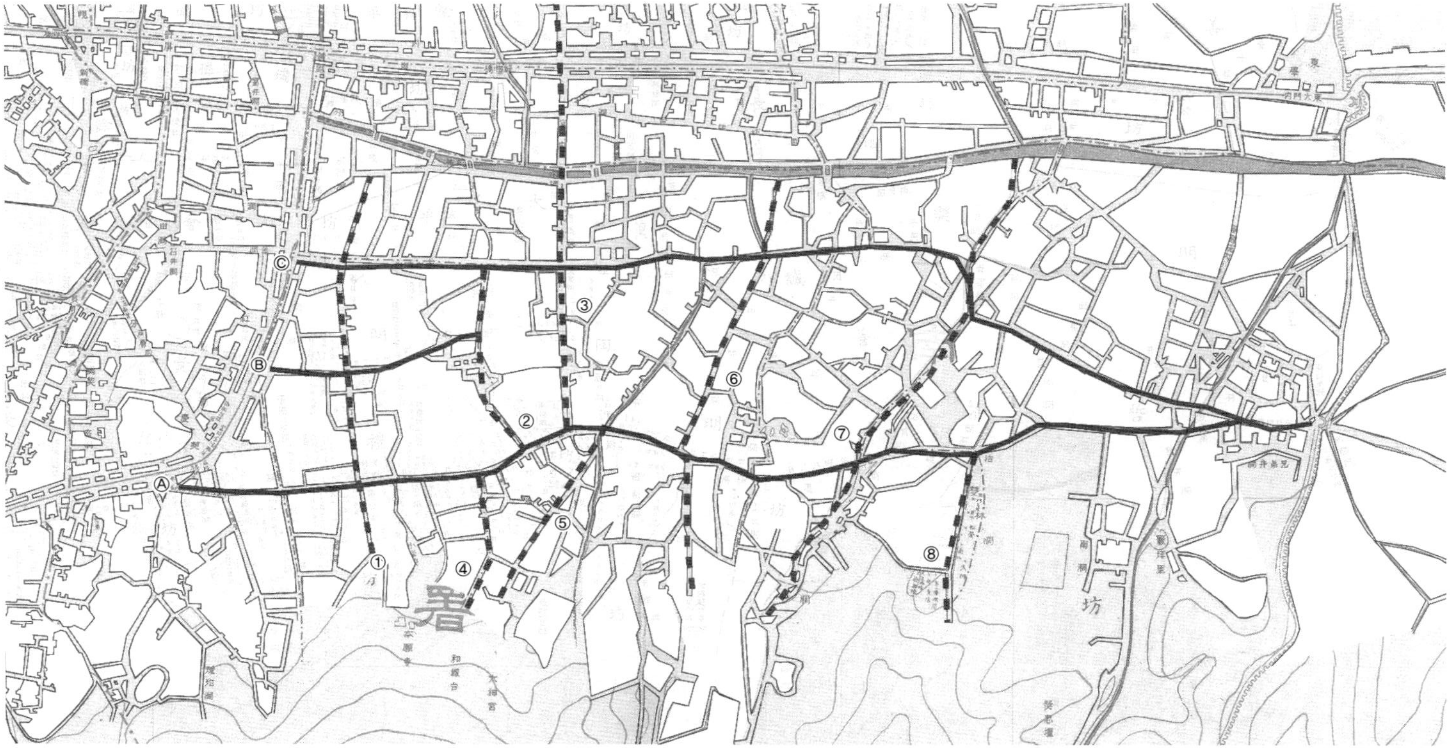

20세기 초반 일본인 거류지 일대 주요 도로 (1907 최신경성전도에 표시)

여 감으로 중요해진 도로이다. 1896년 이후에는 본정 1정목 일대에 영사관, 우편국, 거류민사무소, 경찰서 등이 들어서며 거류지 내 행정기관들의 중심지가 되었으며, 1895년과 1901년 도로개수사업을 통하여 도로를 침범한 가옥들이 정리되고 노폭이 확대되는 한편, 하수도 설비 등의 도시기반시설을 갖추게 되어 일본인 거류지의 중심도로로서의 면모를 갖추게 되었다.

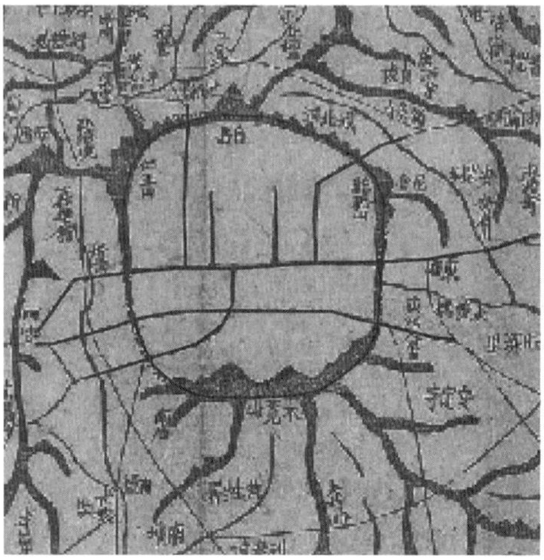

1861년 도성도 (대동여지도)

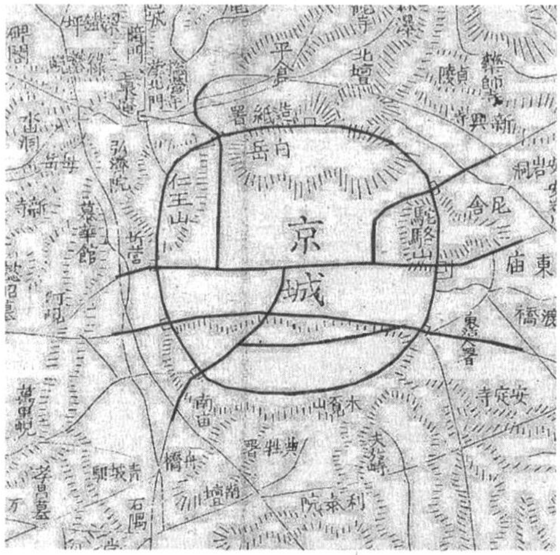

1900 경성부근지도

1861년 도성도와 1900년 경성부근지도의 비교

마지막으로 본정 6~9정목은 본정 1~5정목에 비해 일본인 거류지의 중심에서 벗어난 곳이었으나 1904년 신정新町 개발과 함께 거류지가 동쪽으로 확장함에 따라 개수된 도로이다. 이 지역은 원래 잡거지로서 그 환경이 본정 1~5정목에 비해 불량하였고 상업의 발전도 없던 지역이었다. 그러나 1912~13년 이후 굴곡이 많았던 도로는 곧게 개수되었다.

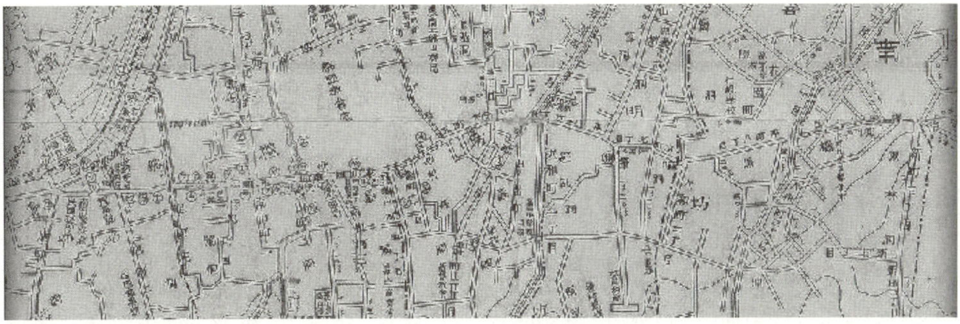

본정도로(본정 1정목~10정목)

1905년 정도의 본정 4~5정목 일대

Ⓑ명치정明治町 3정목(현, 명동길)

명치정 3정목은 남대문로에서 명동성당으로 향하는 동서방향의 길로서 본정도로와 구리개길 중간에 위치한 소로小路이다. 이 길은 조선시대부터 있었던 소로로서, 현재와는 달리 명동성당이 있는 언덕까지만 나 있는 길이었으며 곧은 길도 아니었다. 이 길의 경우 1897년 명동성당이 신축된 이후 성당으로의 진입을 위해 도로 확장을 지속적으로 요구한 결과, 1899년 한성부에 의해 도로개수사업이 시행되며 도로가 확장, 개수되었다.[3]

[3] 정수인은 뮈텔주교가 한성부윤 이채연에게 명동성당으로의 진입로를 확장해줄 것을 요구한 내용들과 독립신문 1899년 6월 15일 기사에서의 '명동 신작로'라는 표현에 근거하여 이 길이 1899년 6월 이전 확장되었을 것이라 추정하고 있다.- 정수인, 2005, 『서울의 도시 공간구조 변화에 관한 연구』, 한양대학교 건축대학원, pp.84~86

1900년대 초반 명동길

ⓒ구리개길銅峴(현, 을지로)

구리개길은 조선시대부터 한성부의 남부를 동서로 가로지르며 남대문로와 광희문을 연결하는 중로로서, 본정도로와 더불어 남부 지역의 주요 간선도로였다. 구리개길은 1896년에 한성부 주도로 남대문로와 만나는 곳에서 수표교 부근까지(현재의 을지로 1가)의 범위에 한하여 노면정리, 하수구 확장, 석교 도로개수사업이 진행되었으나, 이 도로개수사업이 진행될 당시까지는 일본인들의 진출이 많지 않은 상황이었다. 그러나 거류지가 점차 북쪽으로도 팽창함에 따라 1904년 러일전쟁 이후에는 이 일대에 일본 헌병대 및 군관련 시설, 1907년 경성박람회장 등이 설치되는 등 일본인 거류지의 중심으로 변모해 갔다. 1907년 이후에는 남대문로-구리개길-영락정 2정목(현 수표로)-본정도로를 잇는 물자 수송에 필요한 순환로가 정비됨으로써 이 길은 남대문로에서 일본인 거류지를 잇는 주요한 길의 하나가 되었다. 1910년 식민화 이후에는 도로가 확장되고 보도와 차도가 분리되었으며, 전차가 설치되었다.[4] 또한 식민화 이후에는 이 도로의 주변에 금융기관들이 집중되어 금융가로서의 모습을 갖추는 등 이후 남촌의 중심도로로서 발전하였다.

[4]
김영근, 1999, 『일제하 일상생활의 변화와 그 성격에 관한 연구』, 연세대학교 대학원, p.50

남북방향의 도로

일본인 거류지 내 남북방향의 도로들은 조선시대부터 있어온 소로들로서, 물길을 따라 자연발생적으로 형성된 것들이 대부분이었다. 그 중 주요하게 다루어야할 도로들은 처음 일본인 거류지가 형성되었을 때의 중심도로로서 역할을 하였던 본정도로 이남의 수성 일대 및 왜성대로 향하는 도로, 본정도로와 구리개길을 잇는 명치정明治町 및 영락정永樂町 도로, 그리고 1904년 일본인 거류민단의 사업으로 새로 신축된 신정新町도로 등이 있다.

①명치정明治町 1정목(현, 명동 1가, 2가)

명치정 1정목은 구리개길로부터 남산북쪽 언덕까지 남북으로 뻗은 도로이다. 이 도로는 조선시대 때부터 있었던 명례방明禮防 지역의 대표적인 남북도로로서, 현재의 명동거리라 불리는 지하철 4호선 명동역에서 명동예술극장을 잇는 상업가로이다. 이 도로의 동측에는 명동성당, 서측에는 청국공사관이 위치하고 있으며 남측으로는 남산정 1정목과 연결된다. 도로는 조선시대 때부터의 도로를 거의 그대로 유지하였던 것으로 보이며 본정도로의 북측 도로는 비교적 곧으나 남측도로는 남산의 물길을 따라 불규칙한 형태를 가지고 있다. 이 도로에는 1907년 일본인 거류민단에서 정지, 자갈포설, 하천 매립 및 하수도 공사 등의 개축사업[5]이 시행되었다.

[5]
경성거류민단역소, 2010, 앞의 책, p.260

②영락정永樂町 1정목(현, 삼일로)

영락정 1정목은 명치정 1정목의 동쪽에 있는 구리개길로부터 본정도로까지를 남북으로 잇는 도로이다. 이 도로 역시 조선시대부터 있었던 것으로서 고지도에는 직선도로로 표시되어 있지만 실제로는 경사진 지형을 따라 굴곡이 있는 도로였다. 이 도로는 명동성당의 동측에 있는 도로로서 1904년 이후 일본인들이 다수 거주하게 된 곳이며, 명치정 1정목과 마찬가지로 1907년 정지, 자갈포설, 하천 매립 및 하수도 공사 등의 개축사업[6]이 시행되었다.

[6] 경성거류민단역소, 2010, 앞의 책, p.260

③영락정永樂町 2정목(현, 수표로)

영락정 2정목은 영락정 1정목의 동편에 위치한 도로로서, 역시 조선시대부터 있었던 도로였다. 이 도로는 북촌지역부터 수표교와 구리개길을 지나 본정도로까지 남북으로 잇는 도로였는데 도로의 남단에 영희전永禧殿이 위치하고 있어 영희전 주변으로 도로가 굴곡져 있었다. 그러나 1907년 남대문로-구리개길-영락정2정목-본정도로를 이어서 상품 조달에 용이한 도로 체계를 구축하고자 했었던 일본인들에 의하여 영희전 담장 동측을 헐어내고 도로를 직선화하였다. 명치정, 영락정 1정목과 마찬가지로 1907년에 도로개축이 시행되다.[7]

[7] 김영근, 2000, 앞의 책, p.45

④남산정南山町 4정목(현, 남산동)

이 도로 역시 조선시대부터 있었던 본정도로에서 남산 북쪽 언덕을 잇는 작은 소로였으나 초기 일본인 거류지의 중심으로서 그 중요성이 커진 도로이다. 1897년 설치된 왜성대 공원 내의 대신궁大神宮에 이르는 도로[8]로서 거류지 내에서는 중요한 의미를 가지는 도로였다. 1897년 왜성대공원 설치 전에는 이 도로에서 왜성대공원 입구에 이르는 부분의 개축이 이루어졌으리라 예상되는데, 정확한 내용은 알 수 없다.

[8] 이수연. 2010.『남산공원의 공간적 특성과 변화에 관한 연구』. 한양대학교 대학원, p.18

⑤수정壽町(구리개길-초동-주동)도로(현, 예장동 일대)

이 도로 또한 조선시대부터 있어온 도로로서 청계천에서 시작된 물길을 따라 형성된 초동草洞길과 본정도로에서 만나 남서방향으로 연결되는 도로이다. 도로의 규모나 위치 등에 있어서 그 비중이 큰 도로는 아니지만 일본인의 거류가 시작된 이후에는 본정도로에서 일본 공사관을 잇는 길로서 중요성이 커지면서 일본인 거류의 초기 중심지가 된 도로이다. 1885년 일본 공사관이 이 도로의 끝, 즉 남산 언덕에 자리 잡았고 일본 영사관은 공사관의 서북측에 자리 잡았으며 이 도로를 중심으로 약 20여 가구의 일본인들이 거주를 시작함으로써 명실공히 처음 일본인 거류지의 시작이 된 지역이다. 이 도로 역시 1907년 정지 및 자갈 포설 등의 도로개축사업이 진행되었다. 이 도로는 퇴계로가 신축됨에 따라 절단되었으며 현재는 이전의 모습을 거의 잃어버린 상태이다.

남산정 4정목 입구

1910년의 수정 도로

⑥대화정大和町 2정목(현, 필동 일대)

청계천에서 필동까지 이어지는 이 도로 역시 물길을 따라 형성된 도로이다. 이 길의 남단, 즉 남산 언덕에는 원래 남별영南別營이 있었으나 일본인 거류지가 된 이후 이 위치에는 한국주차군사령부가 들어섰다.

⑦대화정大和町 1정목(현, 필동 3가)

이 도로는 청계천-구리개길-본정도로-남산을 잇는 남촌과 북촌을 잇는 대표적인 도로인데, 조선시대부터 있었던 물길을 따라 형성된 소로였으며 이 길의 남쪽 끝에는 금영창禁營倉이 위치하였다. 1904년 이후 일본인 거류지가 동측으로 확장됨에 따라 이 지역 역시 많은 일본인들이 거주하게 되었고, 1909년에는 이 도로의 일부 구간인 본정 8정목에서 대화정 1정목 구간에 한하여 도로의 확장 및 개수가 이루어졌다. 이 구간은 1912년 이후 신축된 남북을 잇는 도로인 배오개길과 연결되어 현재에도 남아 있다.

⑧신정新町(현, 묵정동)

1904년 일본인 거류민단에서 특별영업지구 설치 목적으로 쌍림동 일대를 개발하면서 새롭게 개발된 지역의 도로이다. 1907년 최신경성전도의 신정 2,3정목이라 표시된 남북방향의 이 도로는 조선시대부터 있었던 것이나 동서방향의 도로인 신정 1정목은 기존에 없었던 도로로서, ⑦번 도로와 동서로 연결되고 있다. 1904년 이 지역의 개발이 시작되면서 신정 1,2정목에는 요리점의 개설이, 4정목에는 극장 및 흥행장의 영업이 허가되었으며 1905년 신정 3,4 정목에도 요리점 개설이 허가됨으로써 신정 1~4정목은 전체적으로 일본식 유곽이 형성되게 되었다. 현재의 동국대학교 북측 지역이다.

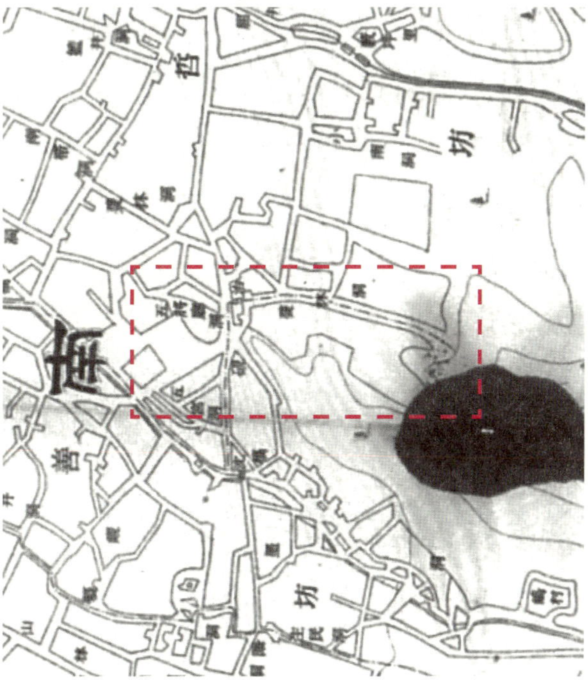

1903 한성전도의 신정 일대

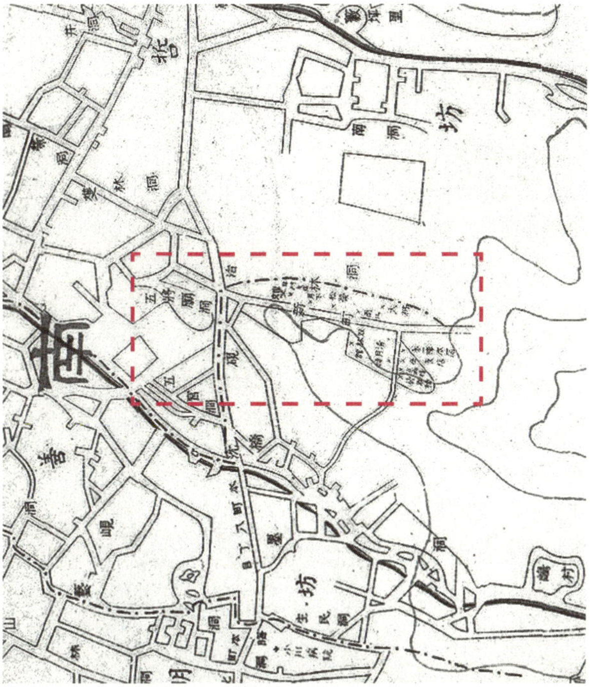

1907 최신경성전도의 신정 일대

일본인 거류지 내 주요 건축

공공건축

시설 분류	시설명	건축가	건축 년도	위치	건축물 사진	건축 양식	층수	구조	외벽 마감
관공서	공사관 (통감관저)	나카무라 신고 (中村 辰吾)	1885	왜성대 일대		서양 고전주의 (르네상스)	2	목조	불명
관공서	통감부	후지카츠 구미 (藤勝組)	1907	왜성대 일대		서양 고전주의 (르네상스)	2	목조	목조 비늘판
관공서	영사관	-	1885	수정		절충식 (한국+ 일본)	1	목조	목재+ 회벽
관공서	영사관 (이사청)	오쿠라 구미 (大倉組)	1896	본정 1정목		서양 고전주의 (르네상스)	2	조적조	벽돌+ 석조
관공서	경찰서	-	1902	본정 1정목		서양 고전주의 (르네상스)	2	조적조	벽돌 마감

관공서	우체국	–	1901	본정 1정목		서양 고전주의 (르네상스)	2	조적 조	벽돌 마감
자치 행정 시설	거류민단 + 상업 회의소 연합 사무실	–	1890	수정		절충식	2	목조	목재+ 회벽
자치 행정 시설	거류민단 사무실	–	1897	본정 1정목		서양 고전주의 (르네상스)	2	목조	목조 비늘판 마감
자치 행정 시설	거류민단 사무실	–	1905	본정 1정목		서양 고전주의 (르네상스)	2	목조	목조 비늘판 마감
자치 행정 시설	경성상업 회의소	–	1905 (?)	본정 1정목		불명	불명	목조	목조 비늘판 마감
의료 시설	한성병원	–	1906	명치정		서양 실용주의	2	조적 조	벽돌 마감

교육 시설	일출 소학교	-	1906	수정		서양 실용주의	2	조적 조	벽돌 마감
교육 시설	남대문 소학교	-	1908	남대문 로		서양 실용주의	2	목조	불명
교육 시설	앵정심상 소학교	-	1910	남산정		서양 실용주의	2	조적 조	벽돌 마감
교육 시설	고등 여학교 (舊경성 공립일본 소학교)	-	1895 (1899, 1902 증축)	남산정		서양 실용주의	2	목조	목조 비늘판 마감
교육 시설	유치원	-	1900	남산정		서양 실용주의	1	목조	불명

상업건축

상점명	점주(경영인)	점주 출신지	한성부 도래 시기	창업년도	위치	업종	사진	건축양식	층수	구조	외벽마감
제일은행	–	–	–	1888	본정	은행		서양고전주의(르네상스)	1층	조적조	벽돌
58은행(130은행)	–	오사카	–	1895(건축년도는 1906년 이후)	본정 1정목	은행	 	서양고전주의(르네상스)	2층	조적조	벽돌
18은행	–	나가사키	–	1905	남대문통 번외	은행		절충식	1층	목조+조적조	벽돌
나이코쿠통운(內國通運)	–	도쿄	–	1907	남대문역앞	화물운송		서양고전주의(르네상스)	2층	불명	불명

경성동양용달회사	佐藤牧太郎	–	–	–	지나정	어용용달		절충식	2층	조적조	벽돌 + 목조테라스
이토우구미(伊藤組)	伊藤友松	–	–	1895	본정4정목	인력거		일본식	2층	목조	목조 + 회반죽칠
후지토미(藤當)상점	藤當國太郎	오이타	–	–	본정	무역업		일본식 마치야	2층	목조	회반죽칠
우에야마(植山)상점	植山彌十	–	–	–	–	무역업		일본식 마치야	2층	목조	회반죽칠
오오하시(大橋)상점	–	–	–	1905	본정8정목	무역업	 大橋商店	한양절충식	1층	목조 + 조적조	벽돌
미츠코시(三越)오복점	–	도쿄東京	–	1907(1910 三井物産 이전 후 대개축)	본정3정목	오복점	 三越吳服店支店	서양실용주의	2층	불명	불명

미쓰이(三井)물산	–	도쿄	1905	1905	본정	오복점		절충식	2층	목조	목조 비늘판
와다(和田)상점	和田常一	오이타	–	1886	본정 2정목	무역, 잡화		일본식 마치야	2층	목조	회반죽칠
츠지야(辻屋)	–	도쿄	–	–	본정 2정목	잡화점		일본식 마치야	1층	목조	목재 + 쇼윈도우
가메야(亀屋)	進辰馬	도쿄	–	1896	본정 4정목	잡화점		서양 실용주의	2층	목조	목조 비늘판
구보타(久保田)상점	久保田虎介	야마구치	1899	–	본정 4정목	잡화점 / 연초제조업		일본식 마치야	2층	목조	회반죽칠
하야시다(林田)상점	林田金次郎	비젠	1896	–	남대문통 2정목	석탄, 화폐교환소 / 잡화점		일본식 마치야	2층	목조	회반죽칠

사토우마사(佐藤牧) 상점	佐藤牧太郎	오이타	1895	–	본정 2정목	잡화점, 군용 용달		일본식 마치야	2층	목조	회반죽칠
도우에이(陶榮) 상점	前田態市	사가	1895	1895	본정 2정목	도기상		절충식	2층	목조	목조 비늘판
카지와라(梶原) 상점	梶原末太郎	오이타	1888	–	본정	무역업(북해도해산물)		일본식 마치야	2층(?)	목조	회반죽칠
요시노(吉野) 형제 상회	–	–	–	–	남대문통 2정목 8번지	해산건물, 과실, 야채 등 직수입		한양 절충식(2층 한옥 상가)	2층	목조+조적조	벽돌
마쓰오(松尾) 상점(명치생명보험주식회사)	松尾元之助	다이슈	–	–	본정 4정목 / 남대문통 3정목	곡물상, 무역		서양 실용주의	2층		회반죽칠
세이치(勢一) 상점	勢一助市	야마구치	1902	–	본정 6정목	한국인 대상 잡화점		서양 실용주의	2층	불명	회반죽칠 + 일부 벽돌

조지야(丁子屋) 지점	小林原吉	미에	–	1904	남대문통	양복점		절충식	2층	조적조	벽돌 + 목조 테라스
오오시마(大島) 양복점	大島專藏	군마	1894	–	–	양복점(어용)		한양 절충식	1층		벽돌
마쓰모토(松本) 상점	松本萬吉	야마구치	1897	–	본정	간장, 된장 제조업		절충식	2층	목조	목조 비늘판
무라다(村田) 상점	村田源次郎	야마구치	–	–	남대문정	간장, 된장 제조업		일본식 마치야	2층	목조	회반죽칠
야마무라(山邑) 주점	–	–	–	1907	명치정 1정목	주류 제조 및 판매상	 	일본식 마치야	2층	목조	회반죽칠
아라이(新井) 본점	–	–	–	–	남대문통 3정목	약방		한양 절충식 (2층 한옥 상가)	2층	목조	목조

아라이(新井) 약방 창고	–	–	–	–	남대문통 3정목	약방		한양 절충식(2층 한옥 상가)	2층	목조	목조
히로에(廣江) 상회	–	–	–	1904	장곡천정 2정목	연초 제조업		절충식	2층	목조	목조
동아 연초 주식 회사	–	–	–	1907	명치정	연초제조업		불명	불명	불명	불명
오쿠라(大倉) 토목 주식 회사	–	–	–	–	남산	토목 건축 청부업		불명	1층	불명	불명
경성 오쿠라구미(大倉組)	–	–	1883	1883	–	토목 건축 청부업		서양 고전 주의(르네상스)	2층	목조	회칠마감

시미즈구미(清水組) 경성 출장소	–	미에	1902	–	남산정 3정목	토목 건축 청부업		일본식	1층+2층	목조	목재판장
시키구미(志岐組) 경성 지점	–	아이즈	1905	–	일출정	토목 건축 청부업 / 경부선 철도 공사		서양식	2층	목조	목조 비늘판
아가와구미(阿川組) 사무소(우측 건물)	阿川重郎	홋카이도	1897	–	욱정 1정목	토목 건축 청부업		일본식	단층	목조	회칠
경성 하자마구미(間組) 출장소	–	–	–	–	–	토목 건축 청부업		일본식	1층+2층	목조	회칠
가와구치(川口組) 경성 사무소	–	사이타마	–	–	–	토목 건축 청부업		일본식	2층	목조	목재판장 + 회반죽칠
모리야스(森安) 상점	–	–	–	~1894 (1900: 가구점으로 변경, 1907: 3층 건물 신축)	본정 3정목	가구점		서양 실용주의	3층	불명	불명
아키요시(秋吉) 상점	秋吉當太郎	후쿠오카	1887	–	본정	철물점		일본식 마치야	2층	목조	목조(2층 대형 판문)

구기모토(釘本)상점	釘本藤次郎	나가사키	1895	1895	본정 5정목	金物류	 	일본식 마치야	2층	목조	회반죽칠
고가(古賀)철공소	古賀甚太郎	–	1890	–	남산정	철공소		일본식	2층	목조	목조 + 회반죽칠
이와타(岩田)사진관	–	–	–	–	남대문통 2정목	사진관		서양식	2층	불명	불명
무라카미(村上)사진관	村上幸次郎	교토	1894~95	–	남산정 3정목	사진관		일본식	2층	목조	목조 가로 판장 마감
경성 후지토미(藤田)합명회사	藤田謙一	–	1906	–	남대문통 / 명치정 2정목	지류상(경성과내지인)		절충식	2층	조적조	벽돌 + 목조 테라스

일한인쇄도서주식회사	藤田謙一	–	–	–	명치정	활판, 석판, 동판, 사진판, 紙型연판활자주조		절충식	2층	조적조	벽돌+목조테라스
토사카미(土佐紙)주식회사경성지점	–	고치	–	–	남대문통 3정목	지류상 및 인쇄업		한양절충식(2층 한옥상가)	2층	목조	목조
경성가게쓰로(花月樓)	阿比留忠二郎	다이슈	–	–	남산정	요릿점		일본식 스미야	2층	목조	목재+회반죽칠
기쿠스이로(菊翠樓)	貴田リヨウ	–	–	1894	남산정 3정목	요릿점		일본식 스미야	2층	목조	목조+회반죽칠

주거건축

소유주	출신지	한성부 도래 시기	직업	위치	건축물 사진	건축 양식	층수	구조	외벽 마감
이와사 케이스케 (岩佐敬助)	–	나가 사키	–	남산		일본식	2	목조	
나카무라 사이조 (中村再造)	1883	후쿠 오카	실업가	본정		일본식	1	불명	불명
다무라 요시지로 (田村義次郎)	1904	도쿄	실업가	–		절충식	2	목조	목조 + 회반죽 칠
다나카 츠네지로우 (田中常次郎)	1893	와카 야마	광산업	남산		절충식	2	불명	회반죽 칠
모리가쓰지 (森勝次)	1885	후쿠 오카	실업가	남산		절충식	2	목조 + 조적 조	목조 + 회반죽 칠 + 벽돌
아가와 시게로 (阿川重郎)	1897	홋카 이도	토목 청부업	남산		절충식	2	목조 + 조적 조	목조 + 회반죽 칠 + 벽돌

소가 쓰토무 (曾我勉)	1894~95	스오우	실업가	남산		절충식	2	목조 + 조적조	벽돌 + 목조
야마구치 타베에 (山口太兵衛)	1885	가고시마	오복점 경영	남산		서양식	2	조적조	벽돌 마감
이노우에 노리후미 (井上宜文)	1900	교토	실업가	남산		서양식	1	조적조	벽돌 마감 + 목조 테라스

종교건축

시설 분류	시설명	건축가	건축 년도	위치	건축물 사진	건축 양식	층수	구조	외벽 마감
신도 (神道)	남산 대신궁	-	1897	남산 왜성대 공원		일본식	1	목조	목조
정토종 대곡파 (淨土宗 大谷派)	동본원사 별원	-	1906	남산 왜성대 공원		일본식	1	목조	목조
	동본원사 고리(庫裡) 겸 임시본당	-	1900	남산 왜성대 공원		일본식	1	목조	목조 + 회벽

참 고 문 헌

1차 자료

姜萬吉. 1992. (明治官報拔萃 駐朝鮮日本國)領事館報告, 上, 下, 1883年～1895年. 서울: 국학자료원.

경성거류민단역소. 2010. (국역) 경성발달사. 서울특별시사편찬위원회 편.
서울: 서울특별시사편찬위원회.

京城府. 1934. 京城府史, 第1卷. 京城: 京城府.

京城府. 1936. 京城府史, 第2卷. 京城: 京城府.

高麗大學校亞細亞問題硏究所, 舊韓國外交文書編纂委員會. 1970. 舊 韓國 外交文書,
서울: 고려대학교 출판부.

國史編纂委員會. 1987. 駐韓 日本公使館記錄. 果川: 國史編纂委員會.

檀國大學校附設, 2001. 開化期 日本民間人의 朝鮮調査報告資料集. 1.~4. 서울: 단국대학교
출판부. 서울특별시사편찬위원회. 1996. (國譯)漢城府來去文(上). 서울: 서울특별시

釜山府 ,발행일 불명, 京城府之卷외, 발행처 불명, 한국사데이터베이스.

서울특별시사편찬위원회. 1997. (國譯)漢城府來去文(下). 서울: 서울특별시.

조선총독부. 1928. 朝鮮土木事業誌. 京城: 朝鮮總督府.

朝鮮總督府. 1984. 朝鮮に於ける支那人. 부산: 民族文化.

川端源太郎. 1995. 京城と內地人 서울: 景仁文化社.

통감부. 2001. 駐韓日本領事官報告. 1 : 統監府. 서울: 국학자료원.

통감부. 2001. 駐韓日本領事官報告. 2 : 統監府. 서울: 국학자료원.

황현, 李章熙 譯. 2008. 매천야록. 서울: 명문당.

단행본

A. D. King, 이무용. 1999.『도시문화와 세계체제』, 서울: 시각과 언어.

A. N. Lan'kov. 2007.『The dawn of modern Korea』, Seoul: EunHaeng NaMu.

B. E. Holmes, B. E. Holmes, 이진석. 2012.『1901년 서울을 걷다』, 서울: 푸른길.

C. 로제티, 윤종태, 김운용. 1996.『코레아 코레아니』, 서울: 서울시립대학교 서울학연구소.
E. 사이덴스티커, 허 호 옮김. 1997.『도쿄이야기』, 서울: 이산.
G.-W. Shin, M. E. Robinson. 1999.『Colonial modernity in Korea』, Cambridge, Mass.: Harvard University Asia Center :
H. Lefebvre, E. Kofman, E. Lebas. 1996.『Writings on cities』, Cambridge, Mass: Blackwell.
H. Lefebvre, 박정자. 2005.『현대세계의 일상성』, 서울: 기파랑.
H. N. 알렌, H. N. Allen, 신복룡. 1999.『조선견문기』, 서울: 집문당.
I. 카르네프, A. , 김정화 옮김. 2003.『내가 본 조선, 조선인』, 서울: 가야넷. I
J. R. Moosc, 문무홍 옮김,. 2008.『1900, 조선에 살다』, 서울: 푸른역사.
King, A. D. and 이무용. 1999.『도시문화와 세계체제』, 서울: 시각과 언어.
L. H. Underwood, 김철 옮김. 2008.『(언더우드 부인의)조선 견문록』, 서울: 이숲.
M. Savage, A. Warde, 김왕배, 박세훈. 2012.『자본주의 도시와 근대성』, 파주: 한울.
O. R. Avison, 황용수, 장의식. 2006.『구한말 40여년의 풍경. 舊韓末 風景』, 경산: 대구대학교 출판부.
P. Lowell, 조경철. 1999.『고요한 아침의 나라』, 서울: 대광문화사.
T. Gaimushō. 1988.『通商彙纂』, 東京: 不二出版.
V. Seroshevskii, Серошевский, Вацлав, 김진영 외 옮김, . 2006.『코레야 1903년 가을』, 서울: 개마고원.
강명관. 2010.『사라진 서울』, 서울: 푸른역사.
高崎宗司, 이규수 옮김. 2006.『식민지 조선의 일본인들』, 서울: 역사비평사.
고토 오사무, 김왕직, 조현정 옮김. 2011.『일본 건축사』, 서울: 한국학술정보.
공제욱, 정근식 외. 2006.『식민지의 일상, 지배와 균열』, 서울: 문화과학사.
橋爪紳也. 2003.『モダン都市の誕生 : 大阪の街·東京の街』, 東京: 吉川弘文館.
국립고궁박물관, 규장각한국학연구원. 2010.『(100년 전의 기억) 대한제국 : 국립고궁박물관 서울대학교 규장각한국학연구원 공동주최 특별전』, 서울: 국립고궁박물관 : 규장각한국학연구원.
국립고궁박물관, 규장각한국학연구원. 2010.『(100년 전의 기억,) 대한제국』, 서울: 국립고궁박물관 : 규장각한국학연구원.
국립고궁박물관, 이태진 외, 2011.『대한제국』, 서울: 민속원.
宮元健次, 2001, 『図説 日本建築のみかた』, 学芸出版社
김광중 외, 2001.『서울 20세기 공간변천사』, 서울: 서울시정개발연구원.

김기빈. 1994.『600년 서울 땅이름 이야기』, 서울: 살림터.

김기호. 2003.『서울남촌 : 시간, 장소, 사람』, 서울: 서울시립대학교 부설 서울학연구소.

김백영. 2009.『지배와 공간』, 서울: 문학과지성사.

김정동. 2004.『(고종황제가 사랑한)정동과 덕수궁』, 서울: 발언

나리타 류이치, 서민교. 2011.『근대 도시공간의 문화경험』, 서울: 뿌리와 이파리.

나카쓰카 아키라, 성해준 옮김. 2005.『근대 일본의 조선인식』, 서울: 청어람미디어.

노형석, 이종학 사진 및 자료제공. 2005.『한국 근대사의 풍경 : 모던 조선을 거닐다』, 서울: 생각의 나무.

다나카 아키라, 현명철 옮김. 2006.『메이지 유신과 서양 문명 : 이와쿠라 사절단은 무엇을 보았는가』, 서울: 小花.

단국대학교. 2001.『개화기 한국 관련 구미 신문자료집』, 서울: 단국대학교 출판부.

단국대학교. 2003.『개화기 한국 관련 구미 소책자 및 논문 자료집』, 서울: 국학자료원.

단국대학교. 2004.『개화기 한국과 세계의 상호교류』, 서울: 국학자료원.

단국대학교. 2006.『개화기 한국관련 구미인들의 기행자료집』, 서울: 단국대학교.

동북아역사재단. 2009.『일본의 식민지 지배와 식민지적 근대』, 서울: 동북아역사재단.

류이치 나리타, 서민교, 2011.『근대 도시공간의 문화경험』, 서울: 뿌리와이파리.

마리우스 B. 잰슨, 김우영 옮김. 2006.『현대일본을 찾아서. 1. 2』, 서울 : 이산.

명동성당. 2007.『명동본당사』, 서울: 한국교회사연구소.

木村 健二. 1989.『在朝日本人の社會史』, 東京: 未來社.

문화재청, 명지대학교, 한국건축문화연구소, 금성종합건축사사무소. 2002.『명동성당』, 대전: 문화재청.

박경룡, 김일림, 홍윤정, 서울특별시, 중구문화원. 2003.『명동변천사』, 서울: 서울특별시 중구문화원.

박경룡. 1995.『開化期 漢城府 硏究』, 서울: 일지사.

박경룡. 2006.『서울 개화백경』, 서울: 수서원.

박도. 2012.『개화기와 대한제국 : 1876~1910 : 빼앗긴 근대와 자주독립』, 서울: 눈빛.

박상하. 2008.『경성상계』, 서울: 생각의나무.

전남대학교. 2008.『세계박람회와 지역문화』, 광주: 전남대학교 여수엑스포지원특성화사업단

박지향. 2003.『일그러진 근대 : 100년 전 영국이 평가한 한국과 일본의 근대성』, 서울: 푸른역사.

박현순 외, 2009.『코리안의 일상』, 파주: 청년사.

버튼 홈즈, 전종숙 옮김. 1987.『전차표 사셨어요? : 홈즈의 동방 나들이』, 서울: 서울 : 미완.

富田昭次, 유재연. 2008.『(그림 엽서로 본) 일본 근대』, 서울: 논형.

샤를 바라, 샤이에 롱, 성귀수 옮김. 2006.『조선기행』, 서울: 눈빛.

서울대학교병원. 2009.『(사진과 함께 보는) 한국 근현대 의료문화사』, 서울: 웅진지식하우스

서울시립대학교. 2000.『서울 20세기』, 서울: 서울시정개발연구원 :.

서울역사박물관. 2011.『명동』, 서울: 서울역사박물관.

서울特別市史編纂委員會. 1979.『서울六百年史. 第3卷 : 1864~1910』, 서울: 서울특별시.

서울特別市史編纂委員會. 1992.『洞名沿革攷, 2, 中區篇』, 서울: 서울특별시사편찬위원회.

서울特別市中區. 1994.『中區誌』, 서울: 서울특별시 중구.

西澤泰彦. 2008.『日本植民地建築論』, 名古屋: 名古屋大學出版會.

西澤泰彦. 2009.『日本の植民地建築』, 東京: 河出書房新社.

石原留吉, 1995.『京城案內』, 서울: 경인문화사.

石田頼房. 2004.『日本近現代都市計劃の展開 : 1868~2003』, 東京: 自治體研究社.

小林丈廣. 2001.『近代日本と公衆衛生』, 東京: 雄山閣出版.

손정목, 도. 한국개항기. 1995.『都市社會經濟史研究』, 서울: 일지사.

孫禎睦. 1982.『(韓國 開港期)都市 社會經濟史研究』, 서울: 일지사.

宋炳基, 朴容玉, 朴漢卨 編著. 1970.『韓末 近代 法令資料集, 1』, 서울: 국회도서관.

송병기, 박용옥, 박한설, 서병한, 국. 한국. 1972.『韓末近代法令資料集』, 서울: 국회도서관.

송재용, 오인영. 2012.『개화기 한국 관련 구미 삽화신문 자료집』, 서울: 박문사.

슈미드 앙드레, 정여울 옮김. 2007.『제국 그 사이의 한국 1895~1919』, 서울: 휴머니스트 출판그룹:.

시미즈 이사오, 박미경, 홍선영 옮김. 2008.『메이지 일본의 알몸을 훔쳐보다 : 프랑스인 풍자화가 조르주 비고가 본 근대일본. 1』, 서울 : 어문학사.

신동원. 1997.『한국 근대 보건의료사』, 서울: 한울.

신동원. 2009.『호열자, 조선을 습격하다』, 서울: 역사비평사

아손 그렙스트, 김상열. 2006.『스웨덴 기자 아손, 100년 전 한국을 걷다』, 서울: 교보문고.

안창모. 2009.『덕수궁』, 파주: 동녘.

안현정. 2012.『근대의 시선, 조선미술전람회』, 서울: 이학사.

양승우 외. 2009.『보이는 용산 보이지 않는 용산』, 서울: 마티.

엘리스 K.팁튼, 존 클락 엮음, 이상우, 최승연, 이수현 옮김. 2012.『제국의 수도, 모더니티를 만나다 : 다이쇼 데모크라시에서 쇼와 모더니즘까지』, 서울: 소명출판.

연세대학교 국학연구원, 2004.『일제의 식민지배와 일상생활』, 서울: 혜안.

연세대학교 국학연구원. 2003.『개항전후 한국전통사회의 변동과 근대화의 모색』, 서울: 연세대학교 국학연구원.

연세대학교 국학연구원. 2004.『서구문화의 수용과 근대개혁』, 서울: 태학사.

연세의료원 120년 기념 화보집. 2007.『사진으로 본 한국 근대의학 120년』, 서울: 청년의사.

오유석, 윤택림, 정희선, 서울특별시사편찬위원회. 2010.『서울 토박이의 사대문 안 기억』, 서울: 서울특별시사편찬위원회.

와키모토 유이치, 강. 옮김. 2008.『거상들의 시대 : [에도시대 300년, 일본은 어떻게 경제번영의 초석을 마련했는가]』, 서울: 한스미디어.

요시미 순야, 이태문 옮김. 2004.『박람회』, 서울: 논형.

용산구청. 2001.『龍山區誌』, 서울: 서울特別市 龍山區.

우동선, 강상훈, 송석기, 김윤정, 조재모, 박희용, 안창모, 박성진. 2009.『궁궐의 눈물, 백년의 침묵』, 파주: 효형출판.

ウエスト.パブリッシング, 2013,『日本の町並み250 重要傳統的建造物群保存地區をすべて收錄』, 山と溪谷社

유모토 고이치, 연구공간수유너머동아시아근대세미나팀 옮김. 2004.『일본 근대의 풍경 : 만화와 삽화로 생생하게 살아나는 메이지 시대 정치, 경제, 사회, 문화의 기원』, 서울: 그린비.

유키 진노, 문경연. 2008.『취미의 탄생』, 서울: 소명출판.

윤해동, 천정환, 허수, 황병주, 이용기, 윤대석. 2006.『근대를 다시 읽는다』, 서울: 역사비평사.

이각규. 2010.『한국의 근대박람회』, 서울: 커뮤니케이션북스.

이경민. 2008.『경성, 사진에 박히다』, 서울: 산책자(웅진씽크빅).

이경민. 2010.『제국의 렌즈』, 서울: 웅진씽크빅:.

이규태. 1993.『이규태의 600년 서울』, 서울: 조선일보사.

이규태. 2001.『개화는 싫어, 개국은 더욱 싫어』, 서울: 조선일보사.

이돈수, 이순우, C. Rossetti. 2009.『꼬레아 에 꼬레아니. Corea e Coreani』, 서울: 하늘재.

伊藤. 毅. 2007.『町屋と町並み』, 東京: 山川出版社.

伊藤之雄. 2006.『近代京都の改造：都市經營の起源1850~1918年』, 京都: ミネルヴァ書房.

이사벨라 버드 비숍, 이인화 옮김. 1994.『한국과 그 이웃나라들』, 서울: 살림.

이상록 외. 2006.『일상사로 보는 한국근현대사』, 서울: 책과함께. ISBN 8991221165.

이순우. 2010.『일그러진 근대 역사의 흔적을 뒤지다. 3, 통감관저, 잊혀진 경술국치의 현장』, 서울: 하늘재.

임종국. 2004.『밤의 일제 침략사』, 서울: 한빛문화사.

장규식. 2004.『서울, 공간으로 본 역사』, 서울: 혜안.

전우용. 2011.『현대인의 탄생』, 서울: 북큐브네트웍스.

전우용. 2012.『한국 회사의 탄생』, 서울: 서울대학교출판문화원.

井上角五郎, 杉村濬, 柵瀨軍之佐, 한상일. 역. 해설. 1993.『서울에 남겨둔 꿈』, 서울 : 건국대학교 출판부.

정성화, R. Neff. 2008.『서양인의 조선살이, 1882~1910』, 서울: 푸른역사.

정재정, 염인호, 장규식, 서. 서울시립대학교. 1996.『서울 근현대역사 기행』, 서울: 서울시립대학교 부설 서울학연구소.

조선총독부 철도국. 1929.『朝鮮 鐵道史, 第1卷』, 京城: 朝鮮總督府 鐵道局.

조선총독부 철도국. 1940.『朝鮮鐵道四十年略史』, 京城: 朝鮮總督府鐵道局.

朝鮮總督府. 1981.『朝鮮人の商業』, 서울: 民族文化社.

조성기, 서인숙, 김정은, 이보람, 상. 서울특별시. 2008.『(사진으로 보는)서울상수도 백년사』, 서울: 서울특별시 상수도사업본부.

조지 로스 사진, 로드니 홀 컨셉 편집, 이경희, 김은령 번역. 2004.『호주 사진가의 눈을 통해 본 한국 1904』, 서울: 교보문고.

종로구. 1994.『鍾路區誌』, 서울: 종로구.

中山章, 2009,『圖說日本の住まい 知っておきたい住宅設計の基本』, 建築資料研究社

柵瀨軍之佐, 久保田米僊. 1894.『(見聞隨記)朝鮮時事』, 東京: 春陽堂.

川合新一郞. 1982.『京城府 地形明細圖』, 서울: 大林圖書出版社.

村松貞次郞. 2005.『日本近代建築の歷史』, 東京: 岩波書店.

平野繁臣, 이각규. 2011.『국제박람회 역사와 일본의 경험』, 서울: 커뮤니케이션북스.

하쓰다 토오루, 이태문 옮김. 2003.『백화점』, 서울: 논형.

하즈다 토오루, 김동영, 조극래 공역. 2003.『모방과 창조의 공간사 : 서양건축과 일본 근.현대건축』, 서울: 보문당.

한국역사연구회 근대사분과, 토지대장연구반. 1995.『대한제국의 토지조사사업』, 서울: 민음사.

한국역사연구회 토지대장연구반. 2010.『대한제국의 토지제도와 근대』, 서울: 혜안.

한영우 외. 2006.『대한제국은 근대국가인가』, 서울: 푸른역사.

헤세-바르텍. 에른스트 폰, 정현규, 한철호, 2012.『조선, 1894년 여름』, 서울: 책과 함께.

홍선표 외. 2006.『근대의 첫 경험』, 서울: 이화여자대학교 출판부.

홍성철, 2007.『유곽의 역사』, 서울: 페이퍼로드,

황상익. 2013.『근대 의료의 풍경』, 서울: 푸른역사.

연구논문

Se-Mi Oh, 2008,『Conduming the Modern: The Everyday in Colonial Seoul』, 1915~1937, Columbia University.

김봉수. 2002.『서울 龍山의 景觀變化에 관한 硏究』, 서울대학교 대학원.

김연희. 1996.『大韓帝國期의 전기 사업』, 서울대학교 대학원.

김영근. 1999.『일제하 일상생활의 변화와 그 성격에 관한 연구』, 연세대학교 대학원.

김응수. 1987.『서울 中心商店街의 形成과 構造』, 고려대학교.

김정식. 2008.『도면자료를 통해 본 대한제국기 서울의 대형필지와 도시구조 변화』, 서울대학교 대학원.

김태영. 1990.『韓國開港期 外人館의 建築的 特性에 關한 硏究』, 서울대학교 대학원.

남기웅. 2007.『1929년 조선박람회와 식민지 근대성』, 한양대학교 교육대학원.

남용협. 2010.『서울 명동 도시조직 변화에 관한 연구』, 경기대학교 건축대학원.

박윤재. 2002.『韓末·日帝 初 近代的 醫學體系의 形成과 植民 支配』, 연세대학교 대학원,

朴俊炯, 2012,『近代韓國における空間構造の再編と植民地雑居空間の成立 : 清国人及び清国租界の法的地位を中心に』, 早稲田大学　大學院

박현, 2015,『1904년~1920년대 京城 新町遊廓의 형성과 공간적 특징』, 서울시립대학교 대학원

山本弘文. 1986.『交通·運輸の發達と技術革新: 歷史的 考察』, 國際運合大學.

산중마의. 2001.『서울 거주 日本人 自治機構 研究』, 가톨릭대학교 대학원.

서정현. 2011.『光武改革期 貞洞의 공간 변화』, 이화여자대학교 대학원.

안창현. 1986.『우리나라의 近代貿易形成過程에 關한 研究』, 부산산업대학교 대학원.

여환진. 2010.『본정과 종로』, 연세대학교 대학원.

우창훈. 1989.『韓國 開化期 建築의 特性에 關한 研究』, 서울대학교 대학원.

유병로. 1992.『大韓帝國時代 電氣通信의 導入에 관한 연구』, 충남대학교.

윤형섭. 2005.『한성부 지적도에 대한 고찰』, 서울시립대학교,

이규철. 2005.『大韓帝國期 漢城府 帝室有 家舍에 關한 研究』, 서울대학교 대학원.

이규철. 2010.『대한제국기 한성부 도시공간의 재편』, 서울대학교 대학원.

이수연. 2010.『남산공원의 공간적 특성과 변화에 관한 연구』, 한양대학교 대학원.

이정옥. 2009.『갑오개혁 이후 한성 도로정비사업과 府民의 반응』, 고려대학교 대학원.

정수인. 2005.『서울의 도시 공간 구조 변화에 관한 연구』, 한양대학교 건축대학원,

조영환. 1999.『大韓帝國 建築教育機關의 成立過程에 관한 研究』, 부산대학교.

조은주. 2005.『1920~30년대 서울 도심 상업가로변의 한옥에 관한 연구』, 서울시립대학교.

최동혁. 2005.『서울 南村地域 街路環境特性에 관한 研究』, 서울대학교 대학원.

최성호. 1988.『開港期 植民地化 過程에 있어서의 貿易構造연구』, 경남대학교 대학원.

하양희. 1984.『서울 中心 商店街의 構造』, 고려대학교.

현해용. 2002.『1876년 朝鮮開港에 관한 經濟史的 考察』, 단국대학교.

황보영희. 2005.『서울 龍山 地域의 都市化過程에 關한 研究』, 한양대학교 건축대학원.

兪昌勳. 1994.『韓末 近代金融機關에 關한 研究』, 단국대학교.

학술논문

강명관. "논단 : 조선후기 서울의 중간계층과 유흥의 발달".『민족문학사연구』2(1): 181~207.

강정숙. 1998. "대한제국·일제 초기 서울의 매춘업과 공창(公娼) 제도의 도입".『서울학연구』-(11): 197~237.

김광우. "대한제국시대의 도시계획-한성부 도시 개조사업".『〈〈향토서울〉〉』50,

김기호. 1995. “일제시대 초기의 도시계획에 대한 연구”. 『서울학연구』-(6): 41~66.

김동우. 2010. “개항기 및 식민지 초기 도시 경험의 내면화 과정”. 『서울학연구』-(40): 187~206.

김명수. 2011. “재조일본인在朝日本人 토목청부업자 아라이 하츠타로荒井初太郎의 한국진출과 기업활동”. 『한국경영사학회지』: 301~332.

김백영. 2003. “왕조 수도로부터 식민도시로”. 『韓國學報』 29(3): 76~102.

김백영. 2005. “러일전쟁 직후 서울의 식민도시화 과정”. 『지방사와 지방문화』 8(2): 77~143.

김백영. 2007. “제국의 스펙터클 효과와 식민지 대중의 도시경험”. 『한국사회사학회지』 75(-): 77~113.

김연희. 1997. “대한제국기의 전기 사업”. 『한국과학사학회』 19(2): 87~121.

김연희. 1997. “대한제국기의 전기 사업”. 『한국과학사학회』 19(2): 87~121.

김영배. 1991. “한말 한성부 주거형태의 사회적 성격”. 『대한건축학회논문집』 7(2): 189~197.

김종근. 2003. “서울 中心部의 日本人 市街地 擴散-開化期에서 日帝强占 前半期까지(1885년~1929년)”. 『서울학연구』 (20): 181~233.

김태명. 2001. “대한제국 전기의 식산흥업정책에 관한 연구”. 『韓國傳統商學硏究』 19(-): 47~66.

김홍식, 양상호. 1986. “2층 한옥상가에 관한 사적 연구”. 『대한건축학회 논문집』 6(1): 51~54.

魯仁華. 1980. “大韓帝國時期의 漢城電氣會社에 關한 硏究”.『이화여자대학교 사학회』 17(-): 1~27.

李玟源. 1989. “大韓帝國의 成立過程과 列强과의 關係”. 『한국사연구회』 64(-): 117~145.

李鍾吉. 2003. “大韓帝國期 土地所有關係의 變化에 대한~檢討”. 『不動産法學』 7(-): 208~218.

李泰鎭. 1997. “1896~1904년 서울 도시개조사업의 주체와 지향성”. 『韓國史論』 37(-): 181~206.

朴慶龍. 1994. “統監府 理事廳 연구”. 『한국사연구』 85(-): 105~136.

朴慶龍. 1995. “개화기의 한성부 사회상”. 『단국사학회지』 28(1): 327~356.

朴慶龍. 2002. “統監府의 조직과 역할 고찰”. 『아시아문화』-(18): 79~110.

朴慶龍. 2004. “개화기 日帝의 서울 南村 侵奪過程 考察”. 『白山學報』-(70): 915~954.

朴慶龍. 2004. “개화기 日帝의 서울 南村 侵奪過程 考察”. 『백산학회』-(70): 915~954.

박광현. 2010. “재조일본인의 ‘재경성(在京城) 의식’과 ‘경성’ 표상”. 『상허학회지』-(29): 41~80.

박선희. 2006. “경성(京城) 상업공간의 식민지 근대성”. 『대한지리학회지』 41(3): 301~318.

박찬승. 2002. “러일전쟁 이후 서울의 일본인 거류지 확장 과정”. 『지방사와 지방문화』 (2): 117~163.

박찬승. 2002. “서울의 일본인 거류지 형성 과정-1880년대~1903년을 중심으로”. 『사회와역사』 62: 64~100.

반도미야. “대한제국기의 토지조사와 지도제작에 관한 고찰-한성부 대축척 실측도를 중심으로”. 『지리학논총』 : 49~73.

徐珍教. 2001. “대한제국기 고종의 황실追崇사업과 황제권의 강화의 사상적 기초”. 『한국 근현대사 연구』 19(-): 77~101.

小島彩乃, 山崎正史, 衣笠聡. 2010. “塗屋造町屋の外観分類とその分布に関する研究”. 『歴史都市防火論文集』 4: 1~4.

손승길. 1996, “조선전기 서울의 동평관과 왜인”, 『향토서울 56』 p.109

손정목. “開港期 漢城 外國人居留의 過程과 實態”, 1980, 『향토서울』 38:

孫禎睦. 1982. “開港期의 都市人口規模”. 『The Size of Urban Population During the the Period of the Open Port』 39(-): 121~150.

신동원. 1989. “조선말의 콜레라 유행 , 1821~1910”. 『한국과학사학회지』 11(1): 53~86.

염복규. 2004. “식민지근대의 공간형성”. 『문화과학』-(39): 197~219.

염복규. 2012. “日帝下 京城 지역 소방 기구의 변화 과정과 활동 양상”. 『서울학연구』-(49): 31~65.

왕현종. 1998. “대한제국기 한성부의 토지·가옥조사와 외국인 토지침탈 대책”. 『서울학연구』 (10): 1~44.

왕현종. 2010. “한말 한성부 지역 토지 가옥 거래의 추이와 거주지별 편차”. 『한국사연구회지』 150(-): 143~175.

유승희. 2012. “근대 京城 內 遊廓地帶의 형성과 동부지역 도시화-1904년~1945년을 중심으로”. 『역사와 경계』 82(-): 137~174.

윤기엽. 2012. “연구논문 : 개화기(開化期) 일본불교의 포교 양상과 추이”. 『원불교사상과 종교문화』 54(-): 255~287.

이규철. 2009. “대한제국기 한성부 군사관련 시설의 입지와 그 변화”. 『서울학연구』 (35): 111~146.

이규철. 2010. “대한제국기 근대적 측량의 도입과 측량도면의 성격”. 『건축역사연구』 19(6): 187~208.

이종하. “개항기 한성의 공간구조 변화에 관한 연구”. 『토지행정논문편람』 : 948.

이현종. "구한말 (舊韓末) 외국인 거류지의 종별과 성격". 『진단학보』 : 19.

이현종. "구한말 외국인 거류지내 상황". 『사총』 : 537.

전우용. 1999. "대한제국기-일제초기 宣惠廳 倉內場의 형성과 전개". 『서울학연구』-(12): 63~99.

전우용. 2001. "종로(鍾路)와 본정(本町)". 『한국역사연구회』-(40): 163~193.

전우용. 2001. "한말~일제초의 廣藏株式會社와 廣藏市場". 『典農史論』 7(-): 557~584.

전우용. 2004. "근대 이행기(1894~1919) 서울 시전 상업의 변화". 『서울학연구』-(22): 29~66.

전우용. 2005. "근대 이행기 서울의 객주와 객주업". 『서울학연구』-(24): 131~168.

전우용. 2007. "한말 · 일제초 서울의 都市行商 (1897~1919)". 『서울학연구』-(29): 153~187.

정수인, 한동수. 2003. "통감부 통치를 전후로 한 서울 도시 공간의 변화에 관한 연구". 『대한건축학회논문집』 23(2): 693~696.

鄭貞男. 2011. "漢城府의 '統戶番圖' 제작과정을 통해 본 大韓帝國期 觀光坊 대형필지의 변화양상". 『건축역사연구』 20(1): 7~22.

조미은. 2012. "재조선 일본인의 재외지정학교제도와 『소학교규칙』". 『한국민족운동사연구』 71(-): 127~164.

朝鮮建築學會,1937, 『朝鮮と建築』 16(11),

조우현, 박종연, 박춘선. 2002. "우리나라 근대 병원의 등장". 『醫史學』 11(1): 20~48.

조은주. 2008. "경성부 남대문통과 태평통의 이층한옥상가에 관한 연구". 『서울학연구』-(30): 99~138.

조종식. 1990. "대한제국의 토지소유권제도". 『재산법연구』 7(1): 249~276.

차남희. 2009. "일본의 시민종교와 신도-메이지 초기의 국가신도를 중심으로". 『담론 201』 12(1): 81~104.

蔡白. 1990. "漢城新報의 창간과 운용에 관한 연구". 『서울대학교 언론정보연구소』 27(-): 109~129.

최영준. "18,19 세기 서울의 도시문화와 연행예술의 역사 지리학적 연구 : 18,19 세기 서울의 지역분화 ". 『민족문화연구』 (31): 255~314

최윤수. 윤형섭, 권재현, 이임평,. 2005. "한성부 지적도에 대한 고찰". 『한국지적학회지』 21(2): 143~154.

최인영. 2010. "일제시기 京城의 도시공간을 통해 본 전차노선의 변화". 『서울학연구』-(41): 31~62.

키무라겐지. 2004. "植民地下 朝鮮 在留 日本人의 特徵 - 比較史的 視点에서". 『부경역사연구소』 15(-): 257~282.

하지연. 2006. "논문(論文) : 대한제국기 일본 대자본의 지주화 과정 연구". 『이화사학연구소』 33(-): 169~211.

한규무. 2010. "연구논문 : 1907년 경성박람회의 개최와 성격". 『호남사학회지』 38(-): 293~322.

한소영, 조경진. 2010. "덕수궁(경운궁)의 혼재된 장소성에 관한 연구-대한제국시기 이후를 중심으로". 『한국전통조경학회』 28(2): 45~56.

黃明水. 1975. "大韓帝國特立第一銀行에 관한 史的硏究". 『단국대학교 상경대학』 12-13(-): 103~116.

황보영희, 한동수. 2004. "서울 용산 지역의 가로망 변화에 관한 연구". 『대한건축학회 논문집』 24(2(계획계)): 841~844.

신문자료

한성순보 1883.10.31.~1884.12.04

한성주보 1886 1.25~1888.7

독립신문 1896.4.1.~1899.12.4

황성신문 1898.9.5.~1910.9.14

대한매일신보 1904.07.18.~1910.08.28

경성일보 1906.09~1945.10

조선신문 1890.01~1942

The Korean Repository 1892~1900

The Korea Review 1901~1906

햇살이 좋은 여름날입니다.

130여 년 전 남산 언덕에 오르는 상상을 해 봅니다.

산 좋고 물 좋은 남산 언덕 위에 일본인들이 집을 짓기 시작했을 때, 그 것을 바라보던 우리들의 심경은 어떠했을까요?

점차 그 곳에 일본식 집들이 많아지는 풍경을 바라보는 건 당시 사람들에게 복잡미묘한 감정을 불러일으켰을 것 같습니다. 남의 땅에 들어와 도로를 닦고 집을 짓고 살아가는 그들의 모습이 불편하고도 불쾌한 동시에, 그 곳에 도입된 낯설고도 새로운 것들에는 자연스레 관심이 갔을 듯 합니다. 20여 년의 시간이 지나며 그 곳은 더 이상 서울의 변두리 지역이 아닌 새로운 변화가 일어나는 중심 지역이 되었고, 그 곳으로 쇼핑하러 가고 일하러 가는 한국인들이 점점 늘어나게 되었습니다. 결국 그 곳은 식민지배자들의 본거지가 되었으며, 그 곳을 바라보는 우리들의 심경은 아마도 많이 복잡했을 거 같습니다. 그래서 이 지역에서 일어난 변화에 대해서는 아직도 별 관심이 없어 보입니다. 자랑스러운 역사가 아니기에, 기억하고 싶은 시간이 아니기에 우리들의 관심에서 멀리 떨어져 있었던 것이겠지요.

대학 시절 '하기아 소피아'를 공부하다 막연하게 건축 역사에 가졌던 관심은 건축 설계를 하면서 더 깊어졌고, 결국 박사과정을 하며 건축사를 업으로 삼게 되었습니다. 처음에는 20세기 현대 건축의 기반이라 할 수 있는 서양 근현대사에 관심을 가졌다가 1년 동안 뉴욕에서 공부하던 시간을 계기로 우리가 살고 있는 이 도시, 건축에 남아있는 시간의 흔적들을 찾는 과정, 즉 한국의 근대 도시와 건축에 대해 관심을 가지게 되었습니다. 해외에서 공부하는 짧은 시간 동안 오히려 이 땅의 시간과 기억을 알아가는 일에 대해 나름의 사명감을 가지게 되었던 것 같습니다. 한성부 '일본인 거류지'에 대한 관심 역시, 한성부라는 전통도시가 경성부라는 근대도시로 전환되는 과정에 대한 궁금증에서 시작된 것이었습니다. 마치 퍼즐 조각이 하나 하나 맞추어지듯 건축 공부를 시작하고 나서 자연스레 지금의 연구까지 흘러왔으니, 저는 참 운이 좋은 사람이었던 것 같습니다.

2013년에 같은 주제로 박사 학위를 받고, 2014년에 심원건축학술상을 받게 되어 드디어 2015년에 이 책을 단행본으로 내게 되었습니다. 여기까지 오는 데에는 많은 분들의 가르침과 도움이 있었습니다. 젊은 연구자들에게 많은 기회를 주시고 큰 힘이 되어주시는 이태규 심원문화사업회 이사장님과 전진삼 《와이드AR》 발행인님께 먼저 깊은 감사를 드립니다. 아무 것도 없는 신진 연구자에게, 연구자라고 스스로 부르기도 부끄러운 사람을 믿어주시고 전폭적인 지지를 해주시니 감사합니다. 제 마음을 읽어내신 듯, 예쁜 책 만들어주신 심현일 디자인·현 대표님, 정말 감사합니다. 여러가지 실무 도맡아 해주시는 신정환 사무장님 감사합니다. 또한 통찰력있는 심사로 제 연구에 필요한 부분들을 알려 주시고 역사가로서 갖추어야할 태도에 대해 알려주신 안창모, 배형민, 전봉희 세 분 교수님께도 감사한 마음을 전합니다. 건축사가로서의 길을 걸을 수 있는 계기를 주신, 건축이 아닌 그 너머의 세계를 바라보는 시야를 열어 주신 평생의 스승이신 김성우 교수님, 박사논문 쓸 때 새로운 시야를 가질 수 있도록 많은 조언해주신 김백영 교수님께도 감사함을 전합니다. 또한 늘 믿어주시고 지지해주신 연세대학교 건축공학과 교수님들 그리고 학부대학 교수님들께, 딸처럼 아껴주시는 이상준 교수님과 '건축'을 하는 즐거움을 알려주신 한형우 선생님, 제 인생의 멘토가 되어주신 이중식 교수님께도 감사드립니다. 뉴욕에서 공부할 때 건축에 대한 시야를 넓혀 주셨을 뿐 아니라 '한국 근대' 특히 '초기 근대'에 대한 관심을 가지는 데 계기를 마련해주신 Jean Louis Cohen교수님과 Marvin Trachtenberg 교수님께도 감사드립니다.

이 연구를 진행하면서 가장 즐거웠던 일은 같은 분야에 관심을 가진 좋은 연구자 분들을 많이 만나게 된 것입니다. 1912년 지적도를 흔쾌히 제공해주신 경기대 이상구 교수님, 직접 촬영한 1880~1890년대 일본 외무성 지도들을 제공해주신 박준형 선생님께 감사의 말씀드립니다. 또한 좋은 연구를 함께 할 수 있는 기회를 주시는 박진한 선생님과 공간도시연구 모임 선생님들께 감사드립니다. 늘 즐거운 작업으로 함께 할 기회를 주시는 성기웅 연출님께도 감사드립니다. 오랜 시간 같이 공부하고 앞으로도 늘 함께 할, 많은 가르침주시는 건축역사연구실 동문 여러분께도 감사드립니다. 앞으로도 좋은 연구자로서 함께 하고 싶습니다. 논문 쓸 때 이미지 작업 도와준 지희, 일본어 인명 읽기를 도와준 마키코 언니에게도 감사함을 전합니다.

생각해보면 저는 참 행복한 사람이라는 생각이 듭니다. 하고 싶은 공부를 마음껏 할 수 있었을 뿐 아니라 그 과정에서 좋은 선생님들, 동료들, 그리고 학생들을 만났고, 그들과 주고 받은 모든 것들이 제 인생의 보물이 되었습니다. 좋은 교회 그리고 언제나 든든한 믿음의 동역자들을 만나 인생의 목적과 삶의 가치관이 변화하였고 지금 내가 얻은 것들이 모두 덤인 것임을 알 수 있었습니다. 일일이 다 말할 수 없지만 저와 연을 맺은 모든 소중한 존재 한 분 한 분께 감사드립니다. 당신들이 계셨기에 지금 제가 있음을 고백합니다. 박사논문을 쓰던 긴 시간동안 큰 힘이 되어준 친구들, 선후배들 좋은 음악으로 늘 함께 해주는 재주소년, 언니네이발관 고맙습니다. 쓰고 싶은 글 마음껏 쓰게 해주는 월간 《이리》, 그리고 이리까페에도 고마움을 전합니다.

늘 믿어주시고 격려해주시는, 세상이 말하는 가치 이상의 가치를 몸소 보여주신 부모님 그리고 늘 힘이 되어주는 동생 지홍, 주환, 사랑하는 조카 한준, 하윤, 제게 큰 산이 되어주시는 이모·이모부 그리고 모든 가족분들께 고마운 마음 전하고 싶습니다. 마지막으로 내 삶의 이유되신 예수님, 감사합니다.

열심히 배워서 남 주는 삶 살도록 노력하겠습니다. 감사합니다.

2015년 6월

이연경

한성부의
'작은 일본',
진고개 혹은
本町

한성부의 '작은 일본', 진고개 혹은 本町

제6회 심원건축학술상 수상작

심원문화사업회
이사장 이태규
사무장 신정환

초판 1쇄 2015년 6월 25일

지은이 이연경
발행인 김기현
발행처 시공문화사
등 록 1993년 3월 12일
주 소 서울시 서대문구 독립문공원길 13 (극동프라자 5층)
전 화 02) 3147~1212, 2323
전 송 02) 3147~2626
ISBN 978-89-5592-326-1
http://www.spacetime.co.kr spacetime@korea.com

편 집 디자인·현
인 쇄 예림인쇄
제 본 (주)서정바인텍
용 지 (주)대림지업사

정가 20,000원